Hilke Dreyer · Richard Schmitt

Lehr- und Übungsbuch
der deutschen Grammatik
Neubearbeitung

Grammaire allemande
avec exercices

Nouvelle édition

Hueber Verlag

Traduction de Dominique Monéger et Geneviève Lohr

Ouvrages accompagnant cette grammaire

CD-ROM
comportant des exercices interactifs accompagné de brèves explications
ISBN 3-19-127255-0

«Lehr- und Übungsbuch der deutschen Grammatik» + CD-ROM
ISBN 3-19-117255-6

Corrigé des exercices
ISBN 3-19-107255-1

Cahier des tests
se rapportant à chaque notion grammaticale traitée, visant une évaluation régulière
des acquisitions en auto-apprentissage ou en apprentissage guidé avec un professeur.
ISBN 3-19-017255-2

5. 4. 3.   Die letzten Ziffern
2014 13 12 11 10 bezeichnen Zahl und Jahr des Druckes.
Alle Drucke dieser Auflage können, da unverändert,
nebeneinander benutzt werden.
1. Auflage
© 2001 Hueber Verlag, 85737 Ismaning, Deutschland
Umschlag und Layout: Peer Koop, Hueber Verlag, Ismaning
DTP: Satz + Layout Fruth GmbH, München
Druck und Bindung: Firmengruppe Appl, aprinta druck, Wemding
Printed in Germany
ISBN 978–3–19–037255–3
(früher erschienen im Verlag für Deutsch ISBN 3–88532–849–6)

Préface

Il n'est pas possible de bien maîtriser une langue sans entrer dans son système grammatical. Cela vaut pour la langue maternelle comme pour toute langue étrangère.

Cet ouvrage est une édition entièrement revue de la *Grammaire allemande avec exercices* parue en 1985. Elle est destinée à des apprenants de fin de niveau élémentaire et du niveau moyen, désireux d'acquérir des connaissances de grammaire allemande solides et cohérentes. Ils trouveront dans ce manuel des règles formulées dans une langue accessible, parfois simplifiées, et un grand nombre d'exemples – ils pourront se référer aux listes et tableaux présents dans l'ouvrage et disposeront d'une quantité d'exercices. Pour cette nouvelle édition la présentation des règles est faite de manière plus progressive et les exercices sont reliés de façon plus claire aux différentes étapes de cette progression. Dans la partie concernant les règles élémentaires, un certain nombre d'exercices simples ont été ajoutés.

La progression suit le principe de l'enseignement et privilégie tout d'abord l'oral en s'attachant à la structure et à la construction de la phrase (parties I et II); viennent ensuite la déclinaison de l'adjectif avec le groupe nominal (partie III) et le subjonctif (partie IV). L'emploi de prépositions relevant plus de la sémantique que de la grammaire, cette dernière partie devrait être étudiée parallèllement aux autres. Cet ouvrage a été structuré de telle manière que les unités d'enseignement théorique et celles d'exercices pratiques se complètent. Il joint par conséquent les avantages d'une grammaire progressive à ceux d'un enseignement systématique, chaque problème étant étudié dans le détail.

A la fin de cette nouvelle édition s'est ajouté également le § 63. Il présente un tableau comparatif des principaux temps. Des tableaux récapitulant les particularités des conjugaisons et de la déclinaison du groupe nominal sont présentés dans le dépliant placé à la fin du manuel ; ils permettent de s'orienter très rapidement. En ce qui concerne la terminologie, expliquée de façon détaillée dans l'appendice, elle correspond à la terminologie que l'on utilise actuellement communément dans les manuels d'allemand langue étrangère. Les tableaux des déclinaisons donnent, pour des raisons de meilleure lisibilité, les cas dans l'ordre suivant: nominatif, accusatif, datif, génitif.

Les règles de grammaire servent seulement de support à la compréhension, l'accent étant mis sur leur application pratique. C'est là le but des exercices qui suivent chaque explication théorique d'un point grammatical. Ces exercices sont regroupés; partout où cela était possible et paraissait logique, les exercices ne se composent pas de phrases isolées mais forment un texte cohérent. Le vocabulaire utilisé, tant dans la partie théorique que dans les exercices, est au début très limité pour s'élargir dans les chapitres suivants. Les exercices d'un niveau plus élevé et comportant un vocabulaire plus difficile sont signalés par un carré rouge foncé. Grâce au corrigé, que l'on peut acquérir séparément et qui permet à l'autodidacte une correction indispensable, *La Grammaire allemande avec exercices* est adaptée également à un apprentissage autonome de la langue.

Table des matières

Partie I

§ 1   Déclinaison du substantif

Pour l'étudiant francophone, le substantif présente des difficultés dues
- à l'existence de trois genres, masculin, féminin et neutre, le neutre n'étant pas réservé aux noms de choses comme c'est le cas pour l'anglais p. ex.
- au fait que le substantif allemand se décline selon sa fonction dans la phrase,
- à son pluriel de formation variée.

I   Déclinaison avec l'article défini au singulier

Singular	maskulin	feminin	neutral	man fragt
Nominativ	der Vater	die Mutter	das Kind	Wer? / Was?
Akkusativ	den Vater	die Mutter	das Kind	Wen? / Was?
Dativ	dem Vater	der Mutter	dem Kind	Wem?
Genitiv	des Vaters	der Mutter	des Kindes	Wessen?

La marque du génitif au masculin et neutre singuliers:

a) -s est placé derrière les substantifs à plusieurs syllabes:
des Lehrers, des Fensters, des Kaufmanns

b) -es est placé la plupart du temps derrière les substantifs à une syllabe:
des Mannes, des Volkes, des Arztes

c) -es doit être utilisé derrière les substantifs se terminant par -s, -ß, -x, -z, -tz:
das Glas – des Glases; der Fluss – des Flusses; der Fuß – des Fußes; der Komplex – des Komplexes; der Schmerz – des Schmerzes; das Gesetz – des Gesetzes

1   Associez un verbe avec le substantif qui convient et formez des phrases avec un accusatif singulier. (Il y a plusieurs possibilités)

Ich lese die Zeitung.

	hören	der Hund (-e)	das Flugzeug (-e)
Ich	sehen	das Kind (-er)	der Lastwagen (-)
	rufen	das Buch (¨er)	das Motorrad (¨er)
Wir	lesen	die Verkäuferin (-nen)	der Autobus (-se)
	fragen	die Nachricht (-en)	die Lehrerin (-nen)

2   Trouvez le cas.

Der Sekretär	bringt	der Ministerin	die Akte.
Wer? (Was?)		Wem?	(Wen?) Was?
Subjekt		*Objekt*	*Objekt*
Nominativ		*Dativ*	*Akkusativ*

1. Der Wirt serviert dem Gast die Suppe.
2. Der Ingenieur zeigt dem Arbeiter den Plan.
3. Der Briefträger bringt der Frau das Päckchen.
4. Der Chef diktiert der Sekretärin einen Brief.
5. Der Lehrer erklärt dem Schüler die Regel.

3 Faites des phrases avec des compléments au datif et à l'accusatif.

der Besucher / der Weg   *Er zeigt dem Besucher den Weg.*

1. die Mutter	die Schule	5. der Freund	das Zimmer
2. der Politiker	der Stadtpark	6. der Minister	das Rathaus
3. der Redakteur	der Zeitungsartikel	7. die Hausfrau	der Staubsauger
4. das Mädchen	die Hausaufgabe	8. der Käufer	der Computer

4 Formez (d'abord) le génitif singulier.

der Vertreter / die Regierung   *Das ist der Vertreter der Regierung.*

1. das Fahrrad (¨er) / die Schülerin (-nen) 6. das Auto (-s) / der Lehrer (-)
2. der Motor (-en) / die Maschine (-n) 7. die Wohnung (-en) / die Dame (-n)
3. das Ergebnis (-se) / die Prüfung (-en) 8. das Schulbuch (¨er) / das Kind (-er)
4. die Tür (-en) / das Haus (¨er) 9. das Haus (¨er) / die Arbeiterfamilie (-n)
5. das Foto (-s) / die Schulklasse (-n) 10. das Instrument (-e) / der Musiker (-)

II Déclinaison avec l'article défini au pluriel

Plural	maskulin	feminin	neutral
Nominativ	die Väter	die Mütter	die Kinder
Akkusativ	die Väter	die Mütter	die Kinder
Dativ	den Vätern	den Müttern	den Kindern
Genitiv	der Väter	der Mütter	der Kinder

Le datif pluriel porte la marque -*n*:
die Bäume – auf den Bäumen, die Frauen – mit den Frauen

Exceptions: Les substantifs se terminant au pluriel par -*s*:
das Auto – die Autos – in den Autos, das Büro – die Büros – in den Büros

Le français forme le pluriel des noms en ajoutant un *s* au substantif; cette marque n'est du reste pas audible dans la langue parlée. En allemand il existe huit possibilités pour former le pluriel des substantifs. Il existe certes un certain nombre de catégories de substantifs permettant de se repérer dans la formation du pluriel. Mais le meilleur moyen de maîtriser celle-ci reste d'apprendre chaque substantif avec son genre et son pluriel.

1. -   der Bürger   –   die Bürger
2. ¨   der Garten   –   die Gärten
3. -e   der Film   –   die Filme

4.	⁇e	die Stadt	–	die Städte
5.	-er	das Bild	–	die Bilder
6.	⁇er	das Amt	–	die Ämter
7.	-(e)n	der Student	–	die Studenten
		die Akademie	–	die Akademien
8.	-s	das Auto	–	die Autos

Remarques

1. Les mots se terminant par *-nis* forment leur pluriel en *-nisse*:
   das Ergebnis – die Ergebnisse

2. Les mots féminins se terminant par *-in* forment leur pluriel en *-innen*:
   die Freundin – die Freundinnen; die Französin – die Französinnen

3. La plupart des substantives se terminant par *-er* sont identiques au singulier et au pluriel:
   der Lehrer – die Lehrer

Règles d'orthographe: ß ou ss?

1. On écrit ß après une voyelle longue ou une diphtongue:
   die Straße, der Gruß, außen …

2. On écrit *ss* après une voyelle brève:
   der Fluss, er musste, essen, gerissen

En Suisse on n'utilise pas le *ß*, on écrit donc toujours *ss*.

5 Formez des phrases au pluriel avec les mots de l'exercice 1. La forme du nominatif pluriel est indiquée entre parenthèses.

> *Wir lesen die Zeitungen.*

6 Qui contredit qui? Trouvez les partenaires qui conviennent et donnez leur singulier et leur pluriel.

> der Sohn – der Vater   *Der Sohn widerspricht dem Vater.*
>   *Die Söhne widersprechen den Vätern.*

1. der Mieter (-)	a) die Mutter (⁇)
2. die Schülerin (-nen)	b) der Schiedsrichter (-)
3. der Geselle (-n)	c) der Arzt (⁇e)
4. die Lehrerin (-nen)	d) der Großvater (⁇)
5. der Fußballspieler (-)	e) der Schulleiter (-)
6. der Sohn (⁇e)	f) der Meister (-)
7. der Enkel (-)	g) der Hausbesitzer (-)
8. die Krankenschwester (-n)	h) der Lehrer (-)

7 Dites maintenant l'inverse.

> der Vater – der Sohn   *Der Vater widerspricht dem Sohn.*
> *Die Väter widersprechen den Söhnen.*

8 Faites des phrases au pluriel avec les mots de l'exercice 4.

> der Vertreter (-) / die Regierung (-en)   *Das sind die Vertreter der Regierungen.*

9 Mettre le datif singulier au pluriel.

> Er hilft dem Kind (-er). *Er hilft den Kindern.*

1. Die Leute glauben dem Politiker (-) nicht.
2. Wir danken dem Helfer (-).
3. Der Bauer droht dem Apfeldieb (-e).
4. Die Wirtin begegnet dem Mieter (-).
5. Wir gratulieren dem Freund (-e).
6. Der Rauch schadet der Pflanze (-n).
7. Das Streusalz schadet dem Baum (¨e).
8. Das Pferd gehorcht dem Reiter (-) nicht immer.
9. Er widerspricht dem Lehrer (-) oft.
10. Der Kuchen schmeckt dem Mädchen (-) nicht.
11. Die Polizisten nähern sich leise dem Einbrecher (-).

III Déclinaison avec l'article indéfini

Singular		maskulin		feminin		neutral
Nominativ	ein	Vater	eine	Mutter	ein	Kind
Akkusativ	einen	Vater	eine	Mutter	ein	Kind
Dativ	einem	Vater	einer	Mutter	einem	Kind
Genitiv	eines	Vaters	einer	Mutter	eines	Kindes
Plural						
Nominativ	–	Väter	–	Mütter	–	Kinder
Akkusativ	–	Väter	–	Mütter	–	Kinder
Dativ	–	Vätern	–	Müttern	–	Kindern
Genitiv*	–	(Väter)		(Mütter)		(Kinder)

*Le génitif pluriel sans article est inusité (§ 3, II, c)

Pour les terminaisons du génitif singulier masculin et neutre et du datif pluriel valent les mêmes règles que sous I.

10 Remplacez dans l'exercice 1 l'article défini par l'article indéfini.

> *Ich lese eine Zeitung.*

11 A qui appartient quoi ? Exercice sur le datif.

> eine Pistole / der Wachmann
> *Die Pistole gehört einem Wachmann.*

1. ein Handball (m) / der Sportverein
2. ein Koffer (m) / der Kaufmann
3. ein Kinderwagen (m) / die Mutter
4. ein Herrenfahrrad (n) / der Student
5. eine Landkarte / die Busfahrerin

6. eine Puppe / das Mädchen
7. eine Trompete / der Musiker
8. ein Schlüssel (m) / die Mieterin
9. ein Kochbuch (n) / die Hausfrau
10. eine Badehose / der Schwimmer

12 Exercice sur le génitif avec l'article indéfini. Trouvez les éléments qui vont ensemble.

der Schüler (-) / die Schule   *die Schüler einer Schule*
Hier demonstrieren die Schüler einer Schule.

1. der Krankenpfleger (-)
2. der Arbeiter (-)
3. der Student (-en)
4. die Schülerin (-nen)
5. der Kassierer (-)
6. das Mitglied (-er)
7. der Musiker (-)
8. der Mitarbeiter (-)

a) die Universität
b) der Supermarkt
c) die Partei
d) die Klinik
e) die Fabrik
f) das Orchester
g) die Sparkasse
h) das Gymnasium

§ 2   Déclinaison du substantif II
(Déclinaison avec -n)

I   Déclinaison avec l'article défini et indéfini

Singular	Nominativ	der	Mensch	ein	Mensch
	Akkusativ	den	Menschen	einen	Menschen
	Dativ	dem	Menschen	einem	Menschen
	Genitiv	des	Menschen	eines	Menschen
Plural	Nominativ	die	Menschen		Menschen
	Akkusativ	die	Menschen		Menschen
	Dativ	den	Menschen		Menschen
	Genitiv	der	Menschen		(Menschen)

1. Tous les substantifs de la déclinaison II sont masculins. Exception: *das Herz*

2. Le substantif se termine par *-en* à tous les cas sauf au nominatif singulier.
   Il n'y a jamais de «Umlaut» au pluriel.

II Liste des substantifs se terminant par -(e)n

Le nombre des substantifs se terminant par -(e)n est relativement réduit. Les principaux sont contenus dans la liste suivante:

1. Tous les substantifs masculins en -e:

der Affe, des Affen	der Knabe, des Knaben
der Bote, des Boten	der Kollege, des Kollegen
der Bube, des Buben	der Komplize, des Komplizen
der Bulle, des Bullen	der Kunde, des Kunden
der Bursche, des Burschen	der Laie, des Laien
der Erbe, des Erben	der Lotse, des Lotsen
der Experte, des Experten	der Löwe, des Löwen
der Gefährte, des Gefährten	der Mensch, des Menschen
der Genosse, des Genossen	der Nachkomme, des Nachkommen
der Hase, des Hasen	der Neffe, des Neffen
der Heide, des Heiden	der Ochse, des Ochsen
der Hirte, des Hirten	der Pate, des Paten
der Insasse, des Insassen	der Rabe, des Raben
der Jude, des Juden	der Riese, des Riesen
der Junge, des Jungen	der Sklave, des Sklaven
	der Zeuge, des Zeugen

2. Tous les substantifs masculins en -and, -ant, -ent: -ist:

der Doktorand, des Doktoranden	der Idealist, des Idealisten
der Elefant, des Elefanten	der Journalist, des Journalisten
der Demonstrant, des Demonstranten	der Kapitalist, des Kapitalisten
der Lieferant, des Lieferanten	der Kommunist, des Kommunisten
der Musikant, des Musikanten	der Polizist, des Polizisten
der Präsident, des Präsidenten	der Sozialist, des Sozialisten
der Produzent, des Produzenten	der Terrorist, des Terroristen
der Student, des Studenten	der Utopist, des Utopisten
	auch: der Christ, des Christen

3. Substantifs masculins – la plupart des noms de profession – d'origine grecque:

der Biologe, des Biologen	der Fotograf, des Fotografen
der Soziologe, des Soziologen	der Seismograph, des Seismographen
der Demokrat, des Demokraten	der Architekt, des Architekten
der Bürokrat, des Bürokraten	der Philosoph, des Philosophen
der Diplomat, des Diplomaten	der Monarch, des Monarchen
der Automat, des Automaten	der Katholik, des Katholiken
der Satellit, des Satelliten	der Therapeut, des Therapeuten

4. Autres masculins suivant la même déclinaison:

der Bär, des Bären	der Bauer, des Bauern
der Nachbar, des Nachbarn	der Fürst, des Fürsten
der Narr, des Narren	der Graf, des Grafen
der Prinz, des Prinzen	der Held, des Helden
der Herr, des Herrn (Pl. die Herren)	der Kamerad, des Kameraden
der Rebell, des Rebellen	der Soldat, des Soldaten

5. Exceptions: Quelques substantifs forment le génitif singulier en ajoutant un -s:

der Buchstabe, -ns; der Gedanke, -ns; der Name, -ns
das Herz - das Herz, dem Herzen, des Herzens, (Pl.) die Herzen

1 Complétez les phrases suivantes. Utilisez, pour ce faire, les mots qui conviennent au cas indiqué.

1. Der Wärter füttert (A)	der Neffe
2. Der Onkel antwortet (D)	der Zeuge
3. Die Polizisten verhaften (A)	der Laie
4. Der Fachmann widerspricht (D)	der Bär
5. Der Wissenschaftler beobachtet (A)	der Präsident
6. Das Parlament begrüßt (A)	der Demonstrant
7. Der Richter glaubt (D)	der Satellit
8. Der Professor berät (A)	der Lotse
9. Das Kind liebt (A)	der Stoffhase
10. Der Kapitän ruft (A)	der Riese Goliath
11. Der Laie befragt (A)	der Kunde
12. Der Fotohändler berät (A)	der Doktorand
13. Der Kaufmann bedient (A)	der Fotograf
14. David besiegt (A)	der Experte

2 Hier ist etwas vertauscht. Remettez les phrases suivantes dans le bon ordre.

1. Der Automat konstruiert einen Ingenieur.
2. Der Bundespräsident beschimpft den Demonstranten.
3. Der Bauer befiehlt dem Fürsten.
4. Die Zeitung druckt den Drucker.
5. Der Zeuge befragt den Richter.
6. Der Hase frisst den Löwen.
7. Der Student verhaftet den Polizisten.
8. Der Gefängnisinsasse befreit den Aufseher.
9. Der Diplomat befragt den Reporter.
10. In dem Buchstaben fehlt ein Wort.
11. Der Hund füttert den Nachbarn.
12. Das Buch liest den Studenten.
13. Der Junge sticht die Mücke.
14. Der Patient tut dem Kopf weh.
15. Der Erbe schreibt sein Testament für einen Bauern.
16. Der Kuchen bäckt den Bäcker.
17. Der Sklave verkauft den Herrn.
18. Ein Narr streitet sich niemals mit einem Philosophen.
19. Der Kunde fragt den Verkäufer nach seinen Wünschen.
20. Die Einwohner bringen dem Briefträger die Post.

3 Complétez chaque phrase en utilisant le mot juste et en le mettant au cas indiqué.

1. Viele Hunde sind des ... Tod. (Sprichwort)
2. Du, du liegst mir am ..., du, du liegst mir im Sinn. (Anfang eines Liedes)
3. Fürchte den Bock von vorn, das Pferd von hinten und den ... von allen Seiten. (Sprichwort)
4. sich (nicht) in die Höhle des ... wagen (Redensart)
5. Liebe deinen ..., aber reiße den Zaun nicht ab.
6. O, herrlich ist es, die Kraft eines ... zu haben. (Shakespeare)
7. Mach dir doch darüber keine ...! (Redensart)

a) der Gedanke
b) der Mensch
c) der Hase
d) das Herz
e) der Löwe
f) der Nächste
g) der Riese

Noms d'habitants de pays et de continents

Déclinaison II	Déclinaison I
der Afghane – des Afghanen	der Ägypter – des Ägypters
der Brite – des Briten	der Algerier – des Algeriers
der Bulgare – des Bulgaren	der Araber – des Arabers
der Chilene – des Chilenen	der Argentinier – des Argentiniers
der Chinese – des Chinesen	der Belgier – des Belgiers
der Däne – des Dänen	der Brasilianer – des Brasilianers
der Finne – des Finnen	der Engländer – des Engländers
...	...
der Asiate – des Asiaten	der Afrikaner – des Afrikaners
	der Amerikaner – des Amerikaners
	der Australier – des Australiers
	der Europäer – des Europäers

Exceptions
1. der Israeli – des Israelis – (Pl.) die Israelis der Somali – des Somalis – (Pl.) die Somalis der Pakistani – des Pakistanis – (Pl.) die Pakistanis (Pakistaner)
2. *der Deutsche* se décline comme un adjectif (voir § 41): masc.: der Deutsche / ein Deutscher;　fem.: die Deutsche / eine Deutsche pluriel: die Deutschen / Deutsche

Remarque

En dehors des exceptions indiquées, les noms de nationalité féminins se terminent toujours par *-in*, p. ex.:

die Polin, die Russin, die Französin (!) etc.
die Spanierin, die Iranerin etc.
die Asiatin, die Europäerin etc.

4 Exercez-vous, éventuellement en groupes, à compléter les listes suivantes sur ce modèle.

I	II	III	IV	V
Polen	*der Pole*	*des Polen*	*die Polen*	*die Polin*
Spanien	*der Spanier*	*des Spaniers*	*die Spanier*	*die Spanierin*
Afrika	...	...	...	...
Asien	...	...	...	...
...	...	...	...	...

5 Trouvez dix phrases sur le modèle suivant.

der Grieche   *Kennst du einen Griechen?*
Nein, einen Griechen kenne ich leider nicht. /
Ja, einen Griechen kenne ich.

6 Transformez les phrases sur le modèle suivant en utilisant le datif.

A: Der Ire singt gern.   *B: Ja, man sagt vom Iren, dass er gern singt.*

Vous pouvez renforcer votre approbation:
Ja, das stimmt, man sagt vom Iren, ...
ou bien:
Ja, richtig, ...; Ja, da haben Sie / hast du Recht, ...

1. Der Grieche handelt gern.
2. Der Deutsche trinkt gern Bier.
3. Der Holländer ist sparsam.
4. Der Japaner ist besonders höflich.
5. Der Türke ist besonders tapfer.
6. Der Italiener liebt die Musik.
7. Der Chinese ist besonders fleißig.
8. Der Araber ist ein guter Reiter.
9. Der Pole tanzt gern und gut.
10. Der Spanier ist stolz.
11. Der Engländer isst morgens gern gut und kräftig.
12. Der Ungar ist sehr musikalisch.
13. Der Franzose kocht gern und gut.
14. Der Österreicher liebt Mehlspeisen.
15. Der Schweizer wandert gern.

Révision générale de la déclinaison des substantifs (§ 1 et § 2)

7 Retrouvez le cas des substantifs en italique.

Höflicher Pistolenmann

(Frankfurt) Eine 51 Jahre alte *Hausfrau* des *Stadtteils Bornheim* machte am *Montag Bekanntschaft* mit einem höflichen *Räuber*.
Die *Frau* verkaufte gebrauchte *Elektrogeräte* aus dem *Haus-*
5 *halt* ihrer *Mutter*. Deshalb hatte sie eine *Annonce* in die *Zeitung* gesetzt. Am gleichen *Tag* meldete ein „*Herr Schäfer*" seinen *Besuch* telefonisch an.
Kurz darauf kam der *Herr* und besichtigte die *Sachen:* verschiedene *Küchengeräte* der *Firma Moulinex*, ein altes *Radio,*
10 einen *Staubsauger* der *Marke Siemens* usw. Plötzlich zog er eine kleine *Pistole* aus der *Tasche* seines *Mantels* und verlangte *Bargeld*. Die mutige *Frau* sagte mit fester *Stimme:* „Ich habe kein *Geld!* Verlassen Sie sofort die *Wohnung!*"
„*Herr Schäfer*" gehorchte und – so der *Polizeibericht* – „ver-
15 gaß nicht, sich für sein *Benehmen* zu entschuldigen."

§ 3   Emploi de l'article

L'article est toujours placé devant un substantif. Il en indique le genre, le cas et le nombre. Les marques que porte l'article aux différents cas doivent être apprises à la perfection, car elles sont communes à presque tous les déterminatifs.

I L'article défini

a) On emploie l'article défini quand il s'agit d'une personne ou d'une chose connue, ou bien si cette personne ou cette chose est déterminée, ou encore lorsqu'il s'agit de personnes, de choses ou d'idées universellement connues.
Der Lehrer schreibt das Wort an die Tafel.
Das Parlament hat die Gesetze über den Export geändert.

b) L'article défini s'emploie toujours devant les superlatifs (voir § 40 I 2).
Der Mount Everest ist der höchste Berg der Erde.

c) Certaines prépositions peuvent être contractées avec l'article défini:
Die Sonne geht im Osten auf und im Westen unter.
Wir gehen am Freitag ins Kino.

préposition + *dem* (dat. sg. m et n): *am, beim, im, vom, zum*

préposition + *der* (dat. sg. f): *zur*

préposition + *das* (acc. sg. n): *ans, ins*

II L'article indéfini

a) On emploie l'article indéfini s'il s'agit d'une personne ou d'une chose indéterminée ou lorsqu'il n'est pas important de savoir de qui ou bien de quoi il s'agit.
Ein Fahrrad kostet etwa 500 Euro.
Sie nahm eine Tasse aus dem Schrank.

Dans les récits, les personnes ou les choses sont d'abord introduites avec l'article indéfini; ensuite on emploie l'article défini.
Ein König hatte *eine* schöne Tochter. *Der* König lebte in *einem* Schloss in *einem* wilden Wald. *Eines* Tages kam *ein* Prinz zu *dem* Schloss. *Der* Prinz wollte *die* Tochter *des* Königs gewinnen.

b) Pour les personnes et les choses non déterminées, on n'emploie pas d'article au pluriel.
Kinder fragen viel.
Er raucht nur Zigarren.

c) Le génitif pluriel de l'article indéfini n'est pas employé; on emploie *von* + datif pluriel.
Genitiv Singular: Man hört das Geräusch eines Zuges.
Genitiv Plural: Man hört das Geräusch von Zügen.

On peut utiliser le génitif pluriel avec un adjectif épithète.
Der Professor liebt die Bücher *junger Schriftsteller.*
Der Bau *neuer Industrieanlagen* zerstört die Landschaft.

d) Pour la négation, on emploie *kein-*: on désigne ainsi la non-existence de quelque chose.
Im Hotel war kein Zimmer frei.
Wir haben keine Kinder.

Singular	maskulin		feminin		neutral	
Nominativ	kein	Mann	keine	Frau	kein	Kind
Akkusativ	keinen	Mann	keine	Frau	kein	Kind
Dativ	keinem	Mann	keiner	Frau	keinem	Kind
Genitiv	keines	Mannes	keiner	Frau	keines	Kindes
Plural	m + f + n					
Nominativ	keine Männer / Frauen / Kinder					
Akkusativ	keine Männer / Frauen / Kinder					
Dativ	keinen Männern / Frauen / Kindern					
Genitiv	keiner Männer / Frauen / Kinder					

1 Faites l'exercice d'après le modèle suivant:

(n) Fahrrad / 600,–
Hier haben wir ein Fahrrad für 600 Euro. – Nein, das Fahrrad ist mir zu teuer!

1. (m) Gebrauchtwagen / 4500,–
2. (f) Lederjacke / 290,–
3. (m) Elektroherd / 410,–
4. (n) Motorrad / 3000,–
5. (f) Kaffeemaschine / 90,–
6. (f) Waschmaschine / 600,–

2 Même exercice.

(m) Dosenöffner / im Küchenschrank
Ich brauche einen Dosenöffner. – Der Dosenöffner ist im Küchenschrank!

(Pl.) Nadeln / im Nähkasten
Ich brauche Nadeln. – Die Nadeln sind im Nähkasten!

Vous pouvez souligner la nécessité: *Ich brauche unbedingt ...* Dans la réponse, vous pouvez exprimer une légère impatience: *Der Dosenöffner ist doch im Küchenschrank, das weißt du doch!*

1. (Pl.) Briefumschläge / im Schreibtisch
2. (Pl.) Briefmarken / in der Schublade
3. (m) Hammer / im Werkzeugkasten
4. (m) Kugelschreiber / auf dem Schreibtisch
5. (n) Feuerzeug / im Wohnzimmer
6. (Pl.) Kopfschmerztabletten / in der Hausapotheke
7. (n) Wörterbuch / im Bücherschrank
8. (m) Flaschenöffner / in der Küche

3 Formez le pluriel.

Er schenkte mir ein Buch.   Ich habe das Buch noch nicht gelesen.
Er schenkte mir Bücher.   *Ich habe die Bücher noch nicht gelesen.*

1. Ich schreibe gerade einen Brief. Ich bringe den Brief noch zur Post.
2. Morgens esse ich ein Brötchen. Das Brötchen ist immer frisch.
3. Ich kaufe eine Zeitung. Ich lese die Zeitung immer abends.
4. Ich brauche eine Kopfschmerztablette. Wo habe ich die Tablette hingelegt?
5. Sie hat ein Pferd. Sie füttert das Pferd jeden Tag.
6. Ich suche einen Sessel. Der Sessel soll billig sein.
7. Die Firma sucht eine Wohnung. Sie vermietet die Wohnung an Ausländer.
8. Er kaufte ihr einen Brillanten. Er hat den Brillanten noch nicht bezahlt.

4 Formez le singulier.

Die Mücken haben mich gestochen.   *Die Mücke hat mich gestochen.*
Die Firma sucht Ingenieure.   *Die Firma sucht einen Ingenieur.*

1. Ich helfe den Schülern.
2. Sie hat Kinder.
3. Er liest Liebesromane.
4. Sie gibt mir die Bücher.

5. Er hat Katzen im Haus.
6. Sie füttert die Tiere.
7. Wir leihen uns Fahrräder.
8. Er besitzt Häuser.
9. Er vermietet Wohnungen.
10. Er sucht noch Mieter.
11. Aber die Wohnungen sind zu teuer.
12. Vermieten Sie Zimmer?
13. Sind die Zimmer nicht zu teuer?
14. Hunde bellen, Katzen miauen.

5 Construisez des phrases.

(Briefmarken / sammeln) ist ein beliebtes Hobby.
Das Sammeln von Briefmarken ist ein beliebtes Hobby.

1. (Bäume / fällen) ist nicht ungefährlich.
2. (Militäranlagen / fotografieren) ist oft nicht erlaubt.
3. (Fernseher / reparieren) muss gelernt sein.
4. (Kraftwerkanlagen / betreten) ist verboten.
5. (Hunde / mitbringen) ist untersagt.
6. (Rechnungen / schreiben) ist nicht meine Aufgabe.
7. (Schnecken / essen) überlasse ich lieber anderen.
8. (Landschaften / malen) kann man lernen.
9. (Fotokopien / anfertigen) kostet hier zwanzig Cent pro Blatt.
10. (Pilze / sammeln) ist in manchen Gebieten nicht immer erlaubt.

6 Complétez avec l'article défini ou indéfini au cas qui convient.

In … (f) Seeschlacht fand … (m) Matrose Zeit sich am Kopf zu kratzen, wo ihn … (n) Tierlein belästigte. … Matrose nahm … (n) Tierchen und warf es zu Boden. Als er sich bückte um … (n) Tier zu töten, flog … (f) Kanonenkugel über seinen Rücken. … Kugel hätte ihn getötet, wenn er sich nicht gerade gebückt hätte. „Lass dich nicht noch einmal bei mir sehen!", meinte … Matrose und schenkte … Tier das Leben.

7 Formez le génitif singulier et le datif pluriel de l'article indéfini.

der Lärm / ein Motorrad / (¨er) *Man hört den Lärm eines Motorrads.*
Man hört den Lärm von Motorrädern.

1. Das Singen / ein Kind (-er)
2. das Sprechen / eine Person (-en)
3. das Laufen / ein Pferd (-e)
4. das Pfeifen / ein Vogel (¨)
5. das Hupen / ein Autobus (-se)
6. das Bellen / ein Hund (-e)
7. das Miauen / eine Katze (-n)
8. das Brummen / ein Motor (-en)
9. das Ticken / eine Uhr (-en)
10. das Klatschen / ein Zuschauer (-)

8 Utilisez les mots de l'exercice 2.

Hier hast du den Dosenöffner. *Danke, aber ich brauche keinen Dosenöffner mehr.*
Hier hast du die Nadeln. *Danke, aber ich brauche keine Nadeln mehr.*

9 Utilisez les mots de l'exercice 1.

Hier haben wir ein Fahrrad für 600 Euro.
Sehr schön, aber ich brauche kein Fahrrad.

III Le singulier sans article

Sont employés sans article:

1. les noms de personnes, les noms de villes, de pays, d'îles et de continents:

Goethe wurde 82 Jahre alt.
Dr. Meyer ist als Forscher bekannt.
Berlin ist eine große Stadt.

Deutschland ist ein Industrieland.
Afrika und Asien sind Kontinente.
aussi: Gott ist groß.

Avec les substantifs sans article au singulier, on utilise souvent *von* + datif au lieu du génitif, en particulier lorsque ces substantifs se terminent en *-s* ou en *-z*:
Gerhard ist der Bruder von Klaus.
Einige Schriften von Aristoteles sind verloren.
Die Autobahnen von Los Angeles sind berühmt.

Sinon on utilise, en général, pour les noms propres aussi le génitif.
Die Straßen Venedigs sind eng.
Wir fliegen jetzt über die Wälder Kanadas.

Attention: On emploie l'article défini si le substantif est accompagné d'un adjectif ou d'un génitif attribut:
der alte Goethe, der Goethe der Weimarer Zeit
das große Berlin, das Berlin der Zwanzigerjahre
im Polen der Nachkriegszeit
der liebe Gott

Exceptions: Quelques noms de pays sont précédés de l'article défini:

maskulin	feminin	Plural
der Libanon	die Schweiz	die Niederlande
der Sudan	die Türkei	
(der) Irak	und alle anderen Namen auf *-ei*	
(der) Iran	die Antarktis	
(der) Jemen		

Les noms de pays composés avec un nom commun désignant un concept politique prennent l'article de ce nom.
die Bundes*republik* Deutschland, *das* Vereinigte König*reich, die* Vereinigten *Staa-ten* von Amerika (= Pl.)
Les noms de pays ne prennent pas d'article: Wir fahren *nach* England
Les noms de pays prennent un article: Wir fahren *in die* Türkei

2. a) les noms désignant une quantité non déterminée, p. ex. *Brot* (n.), *Geld* (n.),
       Energie (f.), *Elektrizität* (f.), *Wasserkraft* (f.), *Luft* (f.), *Wärme* (f.):
       Hast du *Geld* bei dir?
       Die Hungernden schreien nach *Brot*.
       Eisbären fühlen sich bei *Kälte* wohl.
       Aus *Wasserkraft* wird *Energie* gewonnen.

       Attention: Si le mot est déterminé, p. ex. par un attribut ou un complément
       adverbial, il est alors toujours précédé de l'article: *die verseuchte Luft, die Wärme
       in diesem Raum*

   b) les noms désignant des liquides et des matériaux en quantité non déterminée
       p. ex. *Wasser* (n.), *Milch* (f.), *Bier* (n.), *Wein* (m.), *Öl* (n.), *Benzin* (n.), *Alkohol* (m.),
       Holz (n.), *Glas* (n.), *Kohle* (f.), *Stahl* (m.), *Beton* (m.), *Kupfer* (n.), *Kalk* (m.):
       Zum Frühstück trinkt man *Tee, Kaffee* oder *Milch*.
       Zum Bau von Hochhäusern braucht man *Beton, Stahl* und *Glas*.

       Attention: das schmutzige Meerwasser, das Gold der Münze

   c) les noms désignant des qualités et des sentiments, p. ex. *Mut* (m.), *Kraft* (f.),
       Freundlichkeit (f.), *Intelligenz* (f.), *Ehrgeiz* (m.), *Nachsicht* (f.), *Angst* (f.), *Freude* (f.),
       Liebe (f.), *Trauer* (f.), *Hoffnung* (f.), *Verzweiflung* (f.)

       à l'accusatif:
       Sie hatten Hunger und Durst.
       Er fühlte wieder Mut und Hoffnung.

       avec une préposition:
       Mit Freundlichkeit kann man viel erreichen.
       Sie war sprachlos *vor Freude*.
       Aus Angst reagierte er völlig falsch.

       Attention: die Freude des Siegers, die Verzweiflung nach der Tat

3. les noms de nationalité et de profession utilisés avec les verbes *sein* et *werden* ou
   après *als* ainsi que pour les matières d'études et des langues:
   Ich bin *Arzt*. Mein Sohn wird *Ingenieur*.
   Er ist *Türke*. Er arbeitet als *Lehrer*.
   Er studiert *Chemie*; seine Schwester lernt und spricht *Französisch*.

   Attention: Si le substantif est accompagné d'un adjectif épithète, l'emploi de l'article
   est obligatoire:
   Er ist ein guter Verkäufer.
   Das ist der bekannte Architekt Dr. Meyer.

4. les substantifs indiquant la mesure, le poids, la quantité:
   Ich kaufe ein Pfund *Butter.*   Er trinkt ein Glas *Milch.*
   Wir besitzen eine große Fläche *Wald.* Wir hatten 20 Grad *Kälte.*

5. de nombreux proverbes et expressions fixes:
   a) *Ende* gut, alles gut.   Kommt *Zeit,* kommt *Rat.*
   b) *Pech* haben, *Farbe* bekennen, *Frieden* schließen, *Widerstand* leisten, *Atem* holen, *Kopfschmerzen* haben, *Urlaub* haben usw. (voir § 62)
   c) Er arbeitet *Tag* und *Nacht; Jahr* für *Jahr.* (voir § 58 ff.)

6. les substantifs précédés d'un génitif attribut:
   Alle waren gespannt auf *die Antwort* des Ministers. –
       Alle waren gespannt auf des Ministers *Antwort.*
   Wir haben gestern *den Bruder* von Eva getroffen. –
       Wir haben gestern Evas *Bruder* getroffen.

Remarque:

L'article est souvent absent après des prépositions comme *ohne, zu, nach, vor* entre autres (voir § 58–60):
ohne Arbeit, ohne Zukunft, ohne Hoffnung etc.
zu Weihnachten, zu Ostern, zu Silvester etc.
zu Fuß gehen; zu Besuch kommen; zu Boden fallen; zu Mittag essen etc.
nach / vor Feierabend; nach / vor Beginn; nach / vor Ende;
vor Ende April, seit Januar; mais: seit dem 1. Januar.

10 Complétez si nécessaire avec l'article défini ou indéfini.

1. Morgens trinke ich … Tee, nachmittags … Kaffee.
2. Schmeckt dir denn … kalte Kaffee?
3. Er ist … Engländer und sie … Japanerin.
4. Siehst du … Japaner dort? Er arbeitet in unserer Firma.
5. Ich glaube an … Gott.
6. Allah ist … Gott des Islam.
7. … Arbeit meines Freundes ist hart.
8. Ich möchte ohne … Arbeit nicht leben.
9. Du hast doch … Geld! Kannst du mir nicht 50 Euro leihen?
10. Die Fabrik ist … Tag und … Nacht in Betrieb.
11. Wollen Sie in eine Stadt ohne … Motorenlärm? Dann gehen Sie nach Zermatt in … Schweiz; dort sind … Autos und Motorräder für Privatpersonen nicht erlaubt.
12. Zu … Ostern besuche ich meine Eltern, in … Ferien (Pl.) fahre ich in … Alpen.
13. Wenn du … Hunger hast, mach dir ein Brot.
14. Mein Bruder will … Ingenieur werden; ich studiere … Germanistik.
15. Sie als … Mediziner haben natürlich bessere Berufsaussichten!

11 Complétez, là où c'est nécessaire, avec l'article défini au cas qui convient.

1. … Rom ist die Hauptstadt von … Italien.
2. Er liebt … Deutschland und kommt jedes Jahr einmal in … Bundesrepublik.
3. … Dresden, … Stadt des Barocks, liegt in … Sachsen.
4. … schöne Wien ist … Österreichs Hauptstadt.

5. ... Bern ist die Hauptstadt ... Schweiz, aber ... Zürich ist die größte Stadt des Landes.

6. Die Staatssprache in ... Tschechischen Republik ist Tschechisch.

7. ... Ankara ist die Hauptstadt ... Türkei; ... schöne Istanbul ist die größte Stadt des Landes.

8. ... GUS (= Gemeinschaft Unabhängiger Staaten) ist ungefähr 62-mal größer als ... Deutschland.

9. ... Mongolei, genauer ... Mongolische Volksrepublik, liegt zwischen ... Russland und ... China.

10. In ... Nordamerika spricht man ... Englisch, in ... Kanada auch ...

Französisch, in ... Mittel- und Südamerika spricht man hauptsächlich ... Spanisch, außer in ... Brasilien; dort spricht man ... Portugiesisch.

11. In ... Vereinigten Staaten leben 250 Millionen Menschen.

12. In ... Nordafrika liegen die arabischen Staaten, das Gebiet südlich davon ist ... sogenannte Schwarzafrika.

13. ... Arktis ist im Gegensatz zu ... Antarktis kein Erdteil.

14. Der offizielle Name von ... Holland ist „... Niederlande".

12 Article défini, article indéfini ou absence d'article? Justifiez votre choix.

... kalifornische Filmgesellschaft wollte ... spannenden Goldgräberfilm drehen, der zu ... großen Teil in ... Wäldern ... Kanadas spielen sollte. Man hätte natürlich ... winterliche Goldgräberdorf in ... Filmstudios nachbauen können und ... Holzhäuser und ... Straßen mit ... weißem, glitzerndem Salz bestreuen können,
5 aber ... Regisseur wünschte ... echten Schnee, ... wirkliche Kälte und ... natürliches Licht. Deshalb brachte man alles Notwendige in ... schweren Lastwagen in ... einsames Dorf an ... kanadischen Grenze. Etwas Besseres hätten sich ... Schauspieler nicht vorstellen können, denn es bedeutete für sie ... herrliche Tage in ... ruhigen Wäldern von ... Kanada. Dort war noch kein Schnee gefallen
10 und ... Schauspieler lagen in ... warmen Oktobersonne, fingen ... Fische in ... Seen und genossen ... freie Zeit. Nach ... drei langen Wochen verlor ... Filmgesellschaft endlich ... Geduld, denn jeder Tag kostete ... Menge Geld. So ließ sie ... zwanzig Lastwagen voll ... Salz nach ... Kanada fahren, was wieder ... Geld kostete. ... Salz wurde von ... kanadischen Sportfliegern über ... ganze Dorf ver-
15 streut und es war, als es fertig war, ... wunderschöne Winterlandschaft. In ... nächsten Nacht begann es zu schneien, a... frühen Morgen lag in ... Wäldern ringsum ... dicker Schnee, nur in ... Goldgräberdorf war nichts anderes zu sehen als ... hässlicher, brauner Matsch.

13 Complétez si nécessaire avec l'article défini ou indéfini.

1. Seit ... Anfang ... April arbeitet ... Martin in ... Österreich als ... Krankenpfleger.

2. Seine Freundin ... Inge, geboren in ... Deutschland, studiert jetzt in ... Schweiz ... Medizin.

3. Sie will später ... Ärztin für ... Lungenheilkunde und ... Allergie werden.

4. Sie hat leider noch ... Probleme mit ... Sprache.

5. Sie studiert nämlich in ... Genf.

6. ... Sprache an ... Universität ist ... Französisch.

7. Sie hatte wohl ... Französisch in ... Schule gelernt, aber das ist nicht genug für ... Studium.
8. ... Martin arbeitet in ... Graz.
9. ... Martin und ... Inge treffen sich immer zu ... Ostern, ... Pfingsten und an ... Weihnachtsfeiertagen.
10. Manchmal hat ... Martin ... Urlaub und ... Inge hat ... Semesterferien.
11. Dann reisen sie mit ... Flugzeug nach ... Ägypten.
12. Er ist nämlich ... Hobby-Archäologe.
13. Oft ist ... Inge auch bei ... Martin in ... Graz.
14. Dann besuchen sie zusammen ... Theater, ... Oper oder auch ... Disko.
15. Auch ... Martins ... Schwester ... Angela in ... Wien besuchen sie manchmal.
16. Letztes Jahr konnte ... Inge nicht kommen; sie hatte ... Fieber und ... Bronchitis.
17. ... Bronchitis hatte sie schon als ... Kind oft gehabt.
18. Inge fliegt auch manchmal auf ... Insel Helgoland.
19. Inges ... Mutter lebt nämlich auf ... Helgoland.
20. Sie ist ... Künstlerin; sie malt gern ... Bilder vom Meer.
21. Auf ... meisten Bildern sieht man nur ... Wellen, manchmal auch ... Schiffe.
22. ... Künstlerin ist nicht sehr bekannt.
23. „... Mutti, komm doch mal zu mir nach ... Genf!", sagt ... Inge, aber ... Mutter hat ... Angst vorm Fliegen und vor langen Reisen.
24. Auf ... Helgoland holt sich ... Inge immer ... Kraft und ... Ausdauer für ... Studium.

14 Expliquez l'utilisation de l'article.

Immer wieder gibt es Brände. Mal brennt ein Haus, mal eine Scheune oder ein Stall. Auch Waldbrände gibt es von März bis Oktober immer wieder. Die Feuerwehr rät:
1. Benzin, Heizöl oder Spiritus nicht in der Wohnung lagern.
2. Gardinen brennen leicht. Deshalb Vorsicht mit Kerzen oder Zigaretten!
3. Nie im Bett rauchen! Dabei sind schon oft Brände entstanden.
4. Für Bauern gilt die Regel: Heu nur trocken in der Scheune lagern! Wenn das Heu feucht und das Wetter warm ist, kann ein Brand entstehen.
5. Rauchen in Wäldern ist von März bis Oktober sehr gefährlich. Leicht entsteht ein Waldbrand.

§ 4　Déclinaison des pronoms personnels

Singular	Person	1.	2.	3.		
Nom.		ich	du	er	sie	es
Akk.		mich	dich	ihn	sie	es
Dat.		mir	dir	ihm	ihr	ihm
Gen.*		(meiner)	(deiner)	(seiner)	(ihrer)	(seiner)
Plural		1.	2.	3.		
Nom.		wir	ihr	sie/Sie		
Akk.		uns	euch	sie/Sie		
Dat.		uns	euch	ihnen/Ihnen		
Gen.*		(unser)	(euer)	(ihrer)/(Ihrer)		

*Le génitif des pronoms personnels est maintenant inusité. On le trouve dans des textes littéraires anciens et dans des formules religieuses.

1. Les pronoms personnels *ich, du, wir, ihr, Sie*, au nominatif, datif et accusatif, se rapportent toujours à des personnes:
   Ich habe dich gestern gesehen. – Wir haben euch gut verstanden.
   Ich habe Ihnen geschrieben. – Wir rufen Sie wieder an.

2. Les pronoms personnels *er, sie, es*, (pl.) *sie*, au nominatif, datif et accusatif, se rapportent à des personnes ou à des choses qui ont été citées auparavant:
   Der Professor ist verreist. Er kommt heute nicht.
   Die Verkäuferin bedient mich oft. Ich kenne sie schon lange.
   Die Blumen sind vertrocknet. Ich habe ihnen zu wenig Wasser gegeben.
   Das Ergebnis ist jetzt bekannt. Es ist negativ ausgefallen.

Remarques:

1. a) On emploie *du* et *ihr* pour s'adresser à des enfants, des parents ou amis; ils s'utilisent également volontiers entre ouvriers et étudiants, parfois aussi à l'intérieur d'une entreprise ou d'un établissement (entre collègues de bureau par exemple).
   b) La forme de politesse *Sie* s'emploie toujours entre les adultes qui ne figurent pas dans les catégories citées sous a). *Sie* peut se rapporter à une seule ou plusieurs personnes.

2. a) Selon les règles de la nouvelle orthographe *du*, *dich*, *ihr*, *euch*, etc. s'écrivent dans les lettres et messages également avec une minuscule.
   b) A la forme de politesse, on écrit toujours *Sie, Ihnen, Ihren Brief,* etc. avec une majuscule.

1 Remplacez les substantifs en italique par les pronoms qui conviennent.

Einem alten Herrn war sein Hündchen
entlaufen, das er sehr liebte. *Der alte
Herr* suchte *das Hündchen* in allen
Straßen und Gärten, aber *der alte Herr*
5 konnte *das Hündchen* nirgendwo finden.
Darum ließ *der alte Herr* in der Zeitung
eine Belohnung ausschreiben. Wer *dem
alten Herrn* das Hündchen wiederbringt,
bekommt 250 Euro Belohnung. Als
10 *das Hündchen* nach drei Tagen noch
nicht zurückgebracht war, rief der
alte Herr wütend bei der Zeitung an.

Aber der Pförtner konnte *den alten
Herrn* nicht beruhigen und konnte *dem
alten Herrn* auch keine genaue Auskunft   15
geben, weil niemand von den Angestellten der Zeitung anwesend war. „Wo
sind *die Angestellten* denn", schrie
der alte Herr aufgeregt, „warum kann
ich mit keinem von *den Angestellten*   20
sprechen?" „*Die Angestellten* suchen alle
nach Ihrem Hündchen", antwortete
der Pförtner.

2 Remplacez les substantifs en italique et les pointillés par les pronoms personnels qui conviennent.

Die Maus und der Stier

Ein Stier war auf einer Wiese und fraß Gras. Wie *der Stier* so den
Kopf zur Erde senkte, sprang eine Maus herbei und biss *den Stier* in die
Nase.
… werde *die Maus* umbringen, dachte der Stier böse. Da hörte *der*
5 *Stier die Maus* rufen: „Fang … doch! … kriegst … ja doch nicht." „Das
ist eine Frechheit!", dachte *der Stier*, senkte die Hörner und wühlte
mit *den Hörnern* in der Erde, bis *der Stier* müde war. Dann legte *der
Stier* sich auf den Boden.
Darauf hatte die Maus nur gewartet. Hupp, da kam *die Maus* aus der
10 Erde und biss den Stier noch schlimmer als das erste Mal.
„Jetzt reicht es … aber!", schrie *der Stier*. Wütend sprang *der Stier* auf
die Beine und wühlte mit den Hörnern wieder und wieder in der Erde.
Aber es half *dem Stier* nichts. Die Maus war schon an einer ganz anderen
Stelle. „Holla!" piepste *die Maus*. „Streng … nicht so an, mein Dicker!
15 Es nützt … nichts. … will … etwas sagen: … großen Kerle könnt nicht
immer erreichen, was … wollt. Manchmal sind … Kleinen stärker,
verstehst … …?"

Nach einer Fabel von Äsop

3 Même exercice.

– Hallo Fritz, wie geht es …?
– Danke, … geht es gut. Und wie geht's … und deiner Frau?
– Bei … ist alles in Ordnung. Übrigens, … habe ein Buch für ….
  Das Buch ist sehr interessant.
– … danke …!

– Gib ... *das Buch* zurück, wenn du ... gelesen hast. ... gehört meiner Schwester;
    meine Schwester hat das Buch auch noch nicht gelesen. Sag *meiner Schwester*, wie
    das Buch ... gefallen hat. Das wird *meine Schwester* interessieren.
– ... komme nächste Woche ... und deine Eltern besuchen. Sag *deinen*
    Eltern schöne Grüße. Ruft ... an und sagt ..., wann es ... passt. Es gibt viel
    zu besprechen.

4   Complétez en utilisant les pronoms personnels manquants. Faites l'exercice par écrit
    et veillez à l'emploi de majuscules ou minuscules (voir § 11).

1. Kommst du morgen? Dann gebe ich ... das Buch. ... ist sehr interessant.
    Gib ... ... zurück, wenn du ... gelesen hast.
2. Besuchst ... deinen Bruder? Gib ... bitte dieses Geschenk. ... ist von
    meiner Schwester. Ich glaube, sie mag ... .
3. Du hast noch meine Schreibmaschine. Gib ... ... bitte zurück; ich
    brauche ... dringend.
4. Hört mal, ihr zwei, ich habe so viele Blumen im Garten; ... könnt euch
    ruhig ein paar mitnehmen. ... verwelken sonst doch nur.
5. Hier sind herrliche Äpfel aus Tirol, meine Dame. Ich gebe ... ... für
    einen Euro fünfzig das Kilo. ... sind sehr aromatisch!
6. „Kommst du morgen mit in die Disko?" „... weiß noch nicht. ... rufe ...
    heute Abend an und sage ... Bescheid."
7. Wenn du das Paket bekommst, mach ... gleich auf. Es sind
    Lebensmittel drin. Leg ... gleich in den Kühlschrank, sonst werden ...
    schlecht.
8. Geh zu den alten Leuten und gib ... die Einladung. ... freuen
    sich bestimmt, wenn ... ... bekommen.
9. „Also, Herr Maier, ich sage ... jetzt noch einmal: Drehen ... das Radio
    etwas leiser!" „Aber ich bitte ..., Herr Müller, stört ... das denn?"
10. „Schickst ... den Eltern eine Karte?" „Ich schicke ... keine Karte, ...
    schreibe ... einen Brief."

§ 5   Les adjectifs possessifs

I Les adjectifs possessifs des 1ère, 2ème et 3ème personnes du singulier et du pluriel au nominatif

Singular	maskulin	feminin	neutral	Plural	m + f + n
1.	mein	meine	mein		meine
2.	dein	deine	dein		deine
3.	sein	seine	sein		seine
	ihr	ihre	ihr		ihre
	sein	seine	sein		seine
1.	unser	uns(e)re	unser		uns(e)re
2.	euer	eure	euer		eure
3.	ihr	ihre	ihr		ihre
	Ihr	Ihre	Ihr		Ihre

1. L'adjectif possessif indique l'appartenance:

Das ist meine Tasche.	=	Sie gehört mir.
Das ist seine Tasche.	=	Sie gehört dem Chef.
Das ist ihre Tasche.	=	Sie gehört der Kollegin.
Das ist unsere Tasche.	=	Sie gehört uns.
Das ist ihre Tasche.	=	Sie gehört den beiden Kindern.

2. La forme de politesse *Ihr, Ihre, Ihr* peut s'employer pour s'adresser à une ou plusieurs personnes.
   Ist das Ihre Tasche? – Ja, sie gehört mir.
   Ist das Ihre Tasche? – Ja, sie gehört uns.

II Déclinaison des adjectifs possessifs

Singular	maskulin		feminin		neutral	
Nom.	mein	Freund	meine	Freundin	mein	Haus
Akk.	meinen	Freund	meine	Freundin	mein	Haus
Dat.	meinem	Freund	meiner	Freundin	meinem	Haus
Gen.	meines	Freundes	meiner	Freundin	meines	Hauses

Plural	maskulin / feminin / neutral	
Nom.	meine	Freunde / Freundinnen / Häuser
Akk.	meine	Freunde / Freundinnen / Häuser
Dat.	meinen	Freunden / Freundinnen / Häusern
Gen.	meiner	Freunde / Freundinnen / Häuser

1. La terminaison de l'adjectif possessif se rapporte toujours à la personne ou la chose placée après l'adjectif possessif:
   a) en cas (nominatif, génitif, datif, accusatif)
   b) en genre (masculin, féminin, neutre)
   c) en nombre (singulier ou pluriel)
      Das ist meine Tasche. (nom. sg. f)
      Ich kenne ihren Sohn. (acc. sg. m)
      mais: Ich kenne ihre Söhne. (acc. pl. m)

2. Résumé: Pour l'emploi de l'adjectif possessif, vous devez toujours vous poser deux questions:
   a) Qui est le «possesseur»?
   b) Quelle est la terminaison correcte?
      Ich hole *den* Mantel **der Kollegin**. = 3ème pers. sg. f
      Ich hole **ihren** Mantel.   = acc. sg. m

1a Transformez d'après le modèle suivant. L'adjectif possessif est au nominatif. Continuez l'exercice tout seul.

    Wo ist dein Lexikon?　　*Mein Lexikon ist hier!*

Wo ist deine Tasche?	Wo sind deine Arbeiten?
Wo ist dein Kugelschreiber?	Wo sind deine Aufgaben?
Wo ist dein Deutschbuch?	Wo sind deine Hefte?
Wo ist …?	Wo sind …?

b Wo ist mein Mantel?　　*Dein Mantel ist hier!*

Vous pouvez exprimer votre impatience, après un certain temps de recherche, p. ex.: *Wo ist denn nur mein Mantel?*

Wo ist mein Hut?	Wo ist mein Portmonee?
Wo ist meine Tasche?	Wo ist meine Brieftasche?
Wo sind meine Handschuhe?	Wo sind meine Zigaretten?
Wo ist …?	Wo sind …?

2 Reprenez les questions de l'exercice 1 et refaites l'exercice.

    Wo ist Ihr Lexikon?　　*Mein Lexikon ist hier!*
    Wo ist mein Mantel?　　*Ihr Mantel ist hier!*

3 Complétez avec les adjectifs possessifs au datif.

Das ist Herr Müller mit …

seiner Familie (f).	… Töchtern (Pl.).
… Frau.	… Kind.
… Sohn.	… Nichte.

Das ist Frau Schulze mit…

… Freundinnen (Pl.).	… Söhnen.

... Schwester.   ... Mann.
... Tochter.   ... Enkelkindern.
Das sind Thomas und Irene mit...
... Spielsachen (Pl.).   ... Fußball (m).
... Eltern (Pl.).   ... Freunden (Pl.).
... Lehrer (m).   ... Mutter.

4 Transformez d'après le modèle suivant:

> Haus (n) / Tante   *Das Haus gehört meiner Tante.*

1. Wagen (m) / Schwiegersohn
2. Garten (m) / Eltern
3. Möbel (Pl.) / Großeltern
4. Fernseher (m) / Untermieterin
5. Bücher (Pl.) / Tochter
6. Teppich (m) / Schwägerin
7. Schmuck (m) / Frau
8. CDs (Pl.) / Sohn

5 Transformez d'après le modèle suivant. L'adjectif possessif est à l'accusatif.

> Wo hab' ich nur meinen Kugelschreiber hingelegt? (... auf den Tisch gelegt.)
> *Deinen Kugelschreiber? Den hast du auf den Tisch gelegt.*

Dans la réponse, vous pouvez exprimer un léger étonnement ou de l'impatience:
Den hast du doch auf den Tisch gelegt! (on ne met pas l'accent sur «doch»)

Wo hab' ich nur ...
1. ... Brille (f) hingelegt? (... auf den Schreibtisch gelegt.)
2. ... Jacke (f) hingehängt? (... an die Garderobe gehängt.)
3. ... Handschuhe (Pl.) gelassen? (... in die Schublade gelegt.)
4. ... Schirm (m) hingestellt? (... da in die Ecke gestellt.)
5. ... Bleistift (m) gelassen? (... in die Jackentasche gesteckt.)
6. ... Briefmarken (Pl.) gelassen? (... in die Brieftasche gesteckt.)
7. ... Brief (m) hingetan? (... in den Briefkasten geworfen.)

6 Reprenez les questions de l'exercice 5 et transformez d'après le modèle ci-dessous:

> Wo hab' ich nur meinen Kugelschreiber hingelegt?
> *Ihren Kugelschreiber? Den haben Sie auf den Tisch gelegt.*

7 Complétez en employant les adjectifs possessifs avec la terminaison qui convient.

1. Wir sind in ein anderes Hotel gezogen. ... altes Hotel (n) war zu laut.
2. ... Eltern haben ... Schlafzimmer gegenüber von ... Zimmer.
3. ... Schlafzimmer ist aber kleiner.
4. ... Bruder Alex hat ... Bett (n) an der Tür, ... Bett steht am Fenster.
5. Die Mutter fragt: „Habt ihr ... Sachen (Pl.) schon ausgepackt?"
6. „... Seife (f) und ... Waschlappen (Pl.) legt bitte ins Bad!"
7. „... Anzüge (Pl.) hängt ihr in den Schrank, ... Hemden legt ihr hierhin und ... Schuhe (Pl.) stellt ihr unters Bett."

8. Alex ruft plötzlich: „Wo ist ... Mantel (m)? Hast du ... Mantel gesehen?"
9. „Alex," sage ich, „da kommt Vater mit ... Mantel und ... Schuhen."
10. „Ihr habt die Hälfte ... Sachen (Gen.) im Auto gelassen!" sagt Vater.
11. Mutter sucht ... Portmonee (n). „...Portmonee ist weg! Und ... Handtasche (f) auch!" ruft sie aufgeregt.
12. „Hier ist ... Handtasche und auch ... Portmonee", sagt der Vater.
13. „Wenn sich ... Aufregung (f) gelegt hat," meint Vater, „dann gehen wir jetzt essen. ... Freunde warten schon auf uns."

8 Complétez – là où c'est nécessaire – avec la terminaison de l'adjectif possessif.

Frankfurt, den 30. Mai

Lieber Hans,

dein__ Antwort (f) auf mein__ Brief (m) hat mich sehr gefreut.
So werden wir also unser__ Ferien (Pl.) gemeinsam auf dem
Bauernhof mein__ Onkels verbringen.
Sein__ Einladung (f) habe ich gestern bekommen. Er lädt
5 dich, dein__ Bruder und mich auf sein__ Bauernhof (m) ein.
Mein__ Freude (f) kannst du dir vorstellen. Es war ja schon
lange unser__ Plan (m), zusammen zu verreisen.
Mein__ Verwandten (Pl.) haben auf ihr__ Bauernhof (m) allerdings ihr__ eigene Methode (f): Mein__ Onkel verwendet kei-
10 nen chemischen Dünger, er düngt sein__ Boden (m) nur mit
dem Mist sein__ Schafe und Kühe (Pl.). Ebenso macht es
sein__ Frau: Ihr__ Gemüsegarten (m) düngt sie nur mit natür-
lichem Dünger. Ihr__ Gemüse (n) und ihr__ Obst (n) wachsen
völlig natürlich! Sie braucht keine gefährlichen Gifte gegen
15 Unkraut oder Insekten und ihr__ Obstbäume (Pl.) wachsen
und gedeihen trotzdem. Deshalb schmecken ihr__ Äpfel und
Birnen (Pl.) auch besser als unser__ gekauften Früchte (Pl.).
Ihr__ Hühner und Gänse (Pl.) laufen frei herum; nur abends
treibt sie mein__ Onkel in ihr__ Ställe (Pl.). Dort legen sie Eier
20 und brüten ihr__ Küken (Pl.) aus; das wird dein__ kleinen Bruder interessieren!
Die Landwirtschaft mein__ Verwandten (Pl.) ist übrigens sehr
modern. Ihr__ Haushalt (m) versorgen sie mit Warmwasser
aus Sonnenenergie; sogar die Wärme der Milch ihr__ Kühe
25 (Pl.) verwenden sie zum Heizen! Die Maschinen sind die mo-
dernsten ihr__ Dorfes (n).
Mein__ Verwandten sind noch jung: Mein__ Onkel ist 30,
mein__ Tante 25 Jahre alt. Ich finde ihr__ Leben (n) und ihr__
Arbeit (f) sehr richtig und sehr gesund. Aber du wirst dir
30 dein__ Meinung (f) selbst bilden.

Herzliche Grüße, dein__ Klaus

§ 6   Conjugaison des verbes

Les verbes représentent pour l'étudiant francophone un des problèmes essentiels dans l'apprentissage de la langue allemande:
Verbes *faibles* et verbes *forts*, verbes *composés*. En effet, même s'il a de nombreuses catégories de conjugaison et de verbes *irréguliers*, le français ne possède rien de comparable aux verbes à particule de l'allemand, qui constituent pour l'apprenant francophone une des difficultés principales à surmonter.

I   Remarques préliminaires

1. Le verbe se compose, comme en français, d'un *radical* et d'une *terminaison*:
   lach-en, folg-en, trag-en, geh-en

2. On distingue les verbes *faibles*, les verbes *forts* et quelques verbes mixtes. Une des particularités de l'allemand dans l'étude du verbe est la distinction entre verbes *faibles* et verbes *forts*.

3. Les verbes *faibles* – ce sont en allemand les plus nombreux – ont une conjugaison *régulière*.
   Les verbes *forts* et les verbes *mixtes* ont une conjugaison *irrégulière*. Ils constituent le groupe le plus petit; il faut les apprendre (voir annexe).

4. On apprend les verbes à l'aide des *formes du radical*. C'est d'elles que sont dérivées toutes les autres formes:
a) infinitif:	lachen, tragen
b) prétérit:	er lachte, er trug
c) participe passé:	gelacht, getragen

5. Le participe passé est formé avec le préfixe *ge-* et le suffixe *-t* (= verbes faibles) ou *-en* (= verbes forts):
   lachen – ge lacht, einkaufen – ein ge kauft
   tragen – ge tragen, anfangen – an ge fangen

   Les verbes en *-ieren* ne prennent pas de ge- au participe passé (voir § 8).

6. La plupart des verbes allemands forment le parfait et le plus-que-parfait avec l'auxiliaire *haben*, quelques-uns avec l'auxiliaire *sein* (voir § 12).

7. Le prétérit s'utilise surtout à l'écrit. Pour rapporter à l'oral un fait passé on utilise le parfait. Le plus-que-parfait est employé lorsqu'on veut rapporter une action antérieure à celle exprimée par le parfait ou le prétérit.
   Prétérit (dans les romans): Ein junger Mann *kam* in eine fremde Stadt und *sah* ein hübsches Mädchen. Er *verliebte* sich sofort …
   Parfait (dans la langue parlée): „*Hast* du deinem Freund endlich die Wahrheit *gesagt*?" – „Ich *habe* ihm vor zwei Wochen einen langen Brief *geschrieben*, aber er *hat* noch nicht *geantwortet*."
   Plus-que-parfait (à l'écrit surtout): Ein junger Mann liebte ein Mädchen und stand jeden Abend vor ihrem Fenster, aber er *hatte* noch nie vorher mit ihr *gesprochen*.

II Conjugaison des verbes faibles

avec haben

	Präsens	Präteritum	Perfekt	Plusquamperfekt
Singular	ich lache	ich lachte	ich habe gelacht	ich hatte gelacht
	du lachst	du lachtest	du hast gelacht	du hattest gelacht
	er	er	er	er
	sie lacht	sie lachte	sie hat gelacht	sie hatte gelacht
	es	es	es	es
Plural	wir lachen	wir lachten	wir haben gelacht	wir hatten gelacht
	ihr lacht	ihr lachtet	ihr habt gelacht	ihr hattet gelacht
	sie lachen	sie lachten	sie haben gelacht	sie hatten gelacht

	Futur I		Futur II	
Singular	ich werde lachen		ich werde gelacht haben	
	du wirst lachen		du wirst gelacht haben	
	er		er	
	sie wird lachen		sie wird gelacht haben	
	es		es	
Plural	wir werden lachen		wir werden gelacht haben	
	ihr werdet lachen		ihr werdet gelacht haben	
	sie werden lachen		sie werden gelacht haben	

avec sein

	Präsens	Präteritum	Perfekt	Plusquamperfekt
Singular	ich folge	ich folgte	ich bin gefolgt	ich war gefolgt
	du folgst	du folgtest	du bist gefolgt	du warst gefolgt
	er	er	er	er
	sie folgt	sie folgte	sie ist gefolgt	sie war gefolgt
	es	es	es	es
Plural	wir folgen	wir folgten	wir sind gefolgt	wir waren gefolgt
	ihr folgt	ihr folgtet	ihr seid gefolgt	ihr wart gefolgt
	sie folgen	sie folgten	sie sind gefolgt	sie waren gefolgt

	Futur I		Futur II	
Singular	ich werde folgen		ich werde gefolgt sein	
	du wirst folgen		du wirst gefolgt sein	
	er		er	
	sie wird folgen		sie wird gefolgt sein	
	es		es	
Plural	wir werden folgen		wir werden gefolgt sein	
	ihr werdet folgen		ihr werdet gefolgt sein	
	sie werden folgen		sie werden gefolgt sein	

1. Pour les verbes faibles, la voyelle du radical ne change pas.

2. On forme le prétérit en ajoutant -te au radical. Cette forme du verbe peut correspondre également en français au passé simple ou encore à un passé composé.

3. Les verbes faibles se terminent au participe passé par -t. Le parfait ainsi formé avec l'auxiliaire *haben* ou *sein* correspond au passé composé français.

4. Le futur I est formé de l'auxiliaire *werden* suivi de l'infinitif du verbe, le futur II avec l'auxiliaire *werden* suivi de l'infinitif passé du verbe (= participe passé + *haben* ou *sein*). (Emploi, voir § 21)

Remarques

1. Forme interrogative (Lachst du? Lacht ihr? Lachen Sie?) voir § 17.
2. Forme impérative (Lach! Lacht! Lachen Sie!) voir § 11.

1 Conjuguez les verbes les colonnes 1, 2 et 3 au présent (ich schicke, du heilst, etc.), au prétérit et au parfait.

		1	2	3
Sg.	1. Person	schicken	glauben	zählen
	2.	heilen	kaufen	spielen
	3.	fragen	machen	kochen
Pl.	1.	legen	weinen	drehen
	2.	führen	lachen	stecken
	3.	stellen	bellen	leben

2 Faites l'exercice ci-dessous a) d'après le modèle de gauche, b) d'après le modèle de droite.

Brauchst du ein Wörterbuch?   Braucht ihr ein Wörterbuch?
Ja, ich brauche ein Wörterbuch.   *Ja, wir brauchen ein Wörterbuch.*
Er braucht ein Wörterbuch!   *Sie brauchen ein Wörterbuch!*

Vous pouvez montrer votre intérêt en ajoutant: *Benutzt du eigentlich ein Wörterbuch?* Vous pouvez dans votre réponse souligner le côté naturel de la chose: *Ja, natürlich benutze ich ein Wörterbuch*; ou de manière plus soutenue: *Ja, selbstverständlich benutze ich ein Wörterbuch.*

1. Hörst du morgens die Vögel?
2. Holst du den Koffer mit dem Taxi?
3. Machst du den Kaffee immer so?
4. Brauchst du heute das Auto?
5. Lernst du die Verben?
6. Übst du immer laut?
7. Kletterst du über die Mauer?
8. Sagst du es dem Kellner?

3 Refaites maintenant l'exercise 2 au parfait.

III Conjugaison des verbes forts*

avec **haben**	Präsens	Präteritum	Perfekt	Plusquamperfekt
Singular	ich trage	ich trug	ich habe getragen	ich hatte getragen
	du trägst	du trugst	du hast getragen	du hattest getragen
	er	er	er	er
	sie trägt	sie trug	sie hat getragen	sie hatte getragen
	es	es	es	es
Plural	wir tragen	wir trugen	wir haben getragen	wir hatten getragen
	ihr tragt	ihr trugt	ihr habt getragen	ihr hattet getragen
	sie tragen	sie trugen	sie haben getragen	sie hatten getragen

avec **sein**	Präsens	Präteritum	Perfekt	Plusquamperfekt
Singular	ich gehe	ich ging	ich bin gegangen	ich war gegangen
	du gehst	du gingst	du bist gegangen	du warst gegangen
	er	er	er	er
	sie geht	sie ging	sie ist gegangen	sie war gegangen
	es	es	es	es
Plural	wir gehen	wir gingen	wir sind gegangen	wir waren gegangen
	ihr geht	ihr gingt	ihr seid gegangen	ihr wart gegangen
	sie gehen	sie gingen	sie sind gegangen	sie waren gegangen

1. Le radical des verbes forts change de voyelle au prétérit et très souvent aussi au participe passé:
   finden, fand, gefunden   tragen, trug, getragen

   Certains verbes changent complètement de radical:
   gehen, ging, gegangen   sein, war, gewesen

2. A la 1ère et à la 3ème personne du singulier au prétérit, les verbes forts n'ont pas de terminaison:
   ich / er trug; ich / er ging

3. Quelques verbes forts ont à la 2ème et à la 3ème personne du singulier du présent une forme particulière. Il faut apprendre ces formes, p. ex.:
   ich gebe – du gibst, er gibt   ich lasse – du lässt, er lässt
   ich nehme – du nimmst, er nimmt   ich stoße – du stößt, er stößt
   ich lese – du liest, er liest   ich laufe – du läufst, er läuft
   ich schlafe – du schläfst, er schläft

4. Les verbes forts se terminent au participe passé par -en.

5. Le futur I se forme avec *werden* suivi de l'infinitif du verbe (*ich werde tragen / gehen*), le futur II avec *werden* suivi de l'infinitif passé (*ich werde getragen haben / gegangen sein*).

* Liste alphabétique, voir annexe

4 Complétez les phrases ci-dessous en utilisant la 2ème personne du singulier du verbe. Attention au changement de voyelle!

Ich esse Fisch.   *Was isst du?*

1. Ich brate mir ein Kotelett. Was … du dir?
2. Ich empfehle den Gästen immer das „Hotel Europa". Was … du ihnen?
3. Ich fange jetzt mit der Arbeit an. Wann … du an?
4. Ich gebe dem Jungen einen Euro. Was … du ihm?
5. Ich halte mir einen Hund. … du dir auch einen?
6. Ich helfe ihr immer montags. Wann … du ihr?
7. Ich verlasse mich nicht gern auf ihn. … du dich denn auf ihn?
8. Ich laufe hundert Meter in 14 Sekunden. Wie schnell … du?
9. Ich lese gern Krimis. Was … du gern?
10. Ich nehme ein Stück Kirschtorte. Was … du?
11. Ich rate ihm zu fliegen. Was … du ihm?
12. Ich schlafe immer bis sieben. Wie lange … du?
13. Ich spreche sofort mit dem Chef. Wann … du mit ihm?
14. Ich sehe das Schiff nicht. … du es?
15. Ich trage den Koffer. … du die Tasche?
16. Ich treffe sie heute nicht. … du sie?
17. Ich vergesse die Namen so leicht. … du sie auch so leicht?
18. Ich wasche die Wäsche nicht selbst. … du sie selbst?
19. Ich werde im Mai 25. Wann … du 25?
20. Ich werfe alte Flaschen nicht in den Mülleimer. … du sie in den Mülleimer?

5 Mettez les phrases suivantes au singulier.

1. Die Köchinnen eines Restaurants haben viel Arbeit.
2. Schon früh kommen die Boten und bringen Obst und Gemüse, Fleisch und Kartoffeln.
3. Die Köchinnen waschen das Gemüse, schälen die Kartoffeln und salzen das Fleisch.
4. Sie kochen die Suppen und backen die Süßspeisen für den Mittagstisch.
5. Später kommen die Kellner.
6. Sie stellen die Teller und Gläser auf den Tisch.
7. Dann legen sie Messer, Gabel und Löffel daneben.
8. Auch die Servietten vergessen sie nicht.
9. Sie füllen die Kannen mit Wasser und holen den Wein aus dem Keller.
10. Die Kellner geben den Gästen die Speisekarten.
11. Die Gäste studieren die Karte und bestellen.
12. Nun haben die Köchinnen viel Arbeit.
13. Sie braten das Fleisch, kochen das Gemüse und machen den Salat fertig.
14. Sie bringen die Speisen zum Speisesaal und die Kellner servieren sie.
15. Nach dem Essen bezahlen die Gäste und verlassen das Restaurant.

6 Refaites l'exercice 4 (sans les questions!) en utilisant le parfait et l'exercice 5 en utilisant le prétérit.

7   Mettez les phrases suivantes au singulier.

1. a) Die Münzen (f) fallen* in den Spielautomaten.
   b) Meistens gewinnen die Spieler nichts.
2. a) Die Fischer geraten in einen Sturm.
   b) Sie fahren zum nächsten Hafen.
3. a) Die Gärtner graben ein Loch.
   b) Dann setzen sie einen Baum in das Loch und geben Erde auf die Stelle.
4. a) Die Schüler messen die Temperatur der Flüssigkeiten.
   b) Dann schreiben sie die Messdaten an die Tafel.
5. a) Die Diebe stehlen ein Auto.
   b) Dann verbergen sie es in einer Scheune.
6. a) Die Gäste treten* in die Wohnung.
   b) Die Gastgeber empfangen die Gäste.
7. a) Meine Söhne wachsen* sehr schnell.
   b) Sie essen jetzt mehr als früher.
8. a) Die Firmen (die Firma) werben für ihre Produkte.
   b) Sie geben dafür viel Geld aus.

8   Refaites maintenant l'exercice ci-dessus en mettant les phrases au prétérit et au
    parfait. (Les verbes formé avec *sein* sont signalés par *.)

IV Conjugaison des verbes avec -e intercalé

verbes faibles			
	Präsens	*Präteritum*	*Perfekt*
Singular	ich antworte	ich antwortete	ich habe geantwortet
	du antwortest	du antwortetest	du hast geantwortet
	er antwortet	er antwortete	er hat geantwortet
Plural	wir antworten	wir antworten	wir haben geantwortet
	ihr antwortet	ihr antwortetet	ihr habt geantwortet
	sie antworten	sie antworteten	sie haben geantwortet
verbes forts			
	Präsens	*Präteritum*	*Perfekt*
Singular	ich biete	ich bot	ich habe geboten
	du bietest	du botest	du hast geboten
	er bietet	er bot	er hat geboten
Plural	wir bieten	wir boten	wir haben geboten
	ihr bietet	ihr botet	ihr habt geboten
	sie bieten	sie boten	sie haben geboten

1. Pour les verbes dont le radical se termine par -d- ou -t-, on intercale un -e devant les terminaisons -st, -te, -t.

2. La même règle vaut pour les verbes dont le radical se termine par -m- ou -n-, mais seulement si ces consonnes sont précédées d'une autre consonne (sauf r):
atm-en: er atmet, du atmetest, er hat geatmet
rechn-en: du rechnest, wir rechneten, ihr rechnetet

9 Posez les questions.

Die Bauern reiten ins Dorf. *Wer reitet ins Dorf?*

1. Die Verkäufer bieten einen günstigen Preis.
2. Einige Parteimitglieder schaden der Partei.
3. Die Kinder baden schon im See.
4. Die Frauen öffnen die Fenster.
5. Die Angestellten rechnen mit Computern.
6. Die Sportler reden mit dem Trainer.
7. Die Schauspieler verabschieden sich von den Gästen.
8. Die Fußballspieler gründen einen Verein.
9. Die Politiker fürchten eine Demonstration.
10. Die Sanitäter retten die Verletzten.
11. Die Fachleute testen das Auto.
12. Die Schüler warten auf die Straßenbahn.
13. Die Techniker zeichnen die Maschinenteile.
14. Die Jungen streiten mit den Mädchen.

10 Reprenez l'une après l'autre les phrases de l'exercice 9 et mettez-les au prétérit, puis au parfait.

V Conjugaison des verbes mixtes

Präsens	Präteritum	Perfekt
ich denke	ich dachte	ich habe gedacht
du denkst	du dachtest	du hast gedacht
er denkt	er dachte	er hat gedacht
wir denken	wir dachten	wir haben gedacht
ihr denkt	ihr dachtet	ihr habt gedacht
sie denken	sie dachten	sie haben gedacht

1. Les verbes mixtes ont les terminaisons des verbes faibles.

2. Mais la voyelle de leur radical change; c'est pourquoi il faut les apprendre avec les verbes forts.

3. Font également partie des verbes mixtes: *brennen, bringen, kennen, nennen, rennen, senden, wenden, wissen* ainsi que les verbes de modalité (voir liste alphabétique en annexe).

4. Le verbe *wissen* présente des formes irrégulières au présent singulier:
ich *weiß,* du *weißt,* er *weiß,* wir wissen, ihr wisst, sie wissen

11 Mettez les phrases suivantes au prétérit et au parfait:

1. Die Abiturienten bringen die Bücher zur Bibliothek.
2. Meine Schwestern denken gern an den Urlaub im letzten Jahr.
3. Die Kinder wissen den Weg nicht.
4. Ihr kennt die Aufgabe.
5. Die Mieter senden dem Hausbesitzer einen Brief.
6. Ihr wisst seit langem Bescheid.
7. Die Teilnehmer denken an den Termin.
8. Die Lampen im Wohnzimmer brennen.

12 Mettez les phrases de l'exercice 11 au singulier et refaites l'exercice au prétérit et au parfait.

13 Formez des phrases au présent et au parfait.

1. (bringen) ihr ihm die Post nicht?
2. (wissen) Sie nichts von dem Vorfall?
3. (denken) du an die Verabredung?
4. (nennen) er die Namen der Mitarbeiter nicht?
5. (senden) ihr den Brief mit Luftpost?
6. (brennen) die Heizung im Keller nicht?

14 Formez des phrases au présent, au prétérit et au parfait.

1. du / denken / ja nie / an mich
2. das Haus / brennen / jetzt schon / zum zweiten Mal
3. wieder / bringen / der Briefträger / mir / keine Nachricht
4. du / kennen / deine Nachbarn / nicht / ?
5. immer / rennen / der Hund / wie verrückt / durch den Garten
6. ich / senden / ihr / herzliche Grüße
7. bei Problemen / ich / sich wenden / immer / an meinen Vater
8. warum / wissen / du / seine Telefonnummer / nicht / ?

VI Irrégularités de conjugaisons

1. Si le radical du verbe se termine par *-s-, -ß-* ou *-z-,* la terminaison de la 2ème personne du singulier présent est toujours *-t:*

   les-en: du lies*t*   ras-en: du ras*t*   lass-en: du läss*t*
   stoß-en: du stöß*t*   heiz-en: du heiz*t*   schütz-en: du schütz*t*

2. Les verbes faibles se terminant par *-eln* et *-ern* forment toujours la 1ère et la 3ème personne du pluriel en *-n.* Ces formes sont donc toujours semblables à celle de l'infinitif:

kling*eln:*	wir kling*eln,* sie kling*eln*	Imperativ: *Klingle!*
läch*eln:*	wir läch*eln,* sie läch*eln*	Imperativ: *Lächle!*
streich*eln:*	wir streich*eln,* sie streich*eln*	Imperativ: *Streichle!*
änd*ern:*	wir änd*ern,* sie änd*ern*	Imperativ: *Ändre!*

fördern: wir fördern, sie fördern   Imperativ: *Fördre!*
rudern: wir rudern, sie rudern   Imperativ: *Rudre!*

Pour les verbes se terminant par *-eln*, le *e* disparaît à la 1ère personne du singulier du présent:
ich lächle, ich klingle

15 Formez la 2ème personne du singulier du présent des verbes suivants:

gießen, messen, schließen, sitzen, stoßen, vergessen, wissen, lassen, beißen, fließen, schmelzen, heizen

16 Formez la 1ère personne du présent des verbes suivants au singulier et au pluriel:

angeln, wechseln, bügeln, sich ekeln, handeln, klingeln, schaukeln, stempeln, zweifeln, ändern, liefern, wandern, bedauern, hindern, erwidern, flüstern, verhungern, zerkleinern

17 Faites l'exercice ci-dessous d'après le modèle suivant:

Wechselst du dein Geld denn nicht?   *Doch, natürlich wechsle ich es!*

1. Bügelst du denn nicht alle Hemden?
2. Ekelst du dich denn nicht vor Schlangen? (vor ihnen)
3. Handelst du denn nicht mit den Verkäufern?
4. Zweifelst du denn nicht an der Wahrheit seiner Aussage? (daran)
5. Regelst du denn deine Steuerangelegenheiten nicht selbst?
6. Klingelst du denn nicht immer zweimal, wenn du kommst?
7. Plauderst du denn nicht gern mit deinen Nachbarn?
8. Änderst du denn nicht deine Reisepläne?
9. Lieferst du denn deine Arbeit nicht ab?
10. Wanderst du denn nicht gern?
11. Bedauerst du denn seine Absage nicht?
12. Förderst du denn nicht unsere Interessengemeinschaft?

18 Mettez au pluriel les questions de l'exercice 17 et donnez à chaque question une réponse négative.

Wechselt ihr euer Geld denn nicht?   *Nein, wir wechseln es nicht.*

Dans la question, *denn* peut être remplacé par *eigentlich*; dans la réponse on peut aussi employer *selbstverständlich* au lieu de *natürlich*.

19 Mettez l'histoire suivante au prétérit.

1. Werner Stubinreith hält sein Entlassungsschreiben in der Hand.
2. Das scheint ihm ungerecht.
3. Er arbeitet schon viele Jahre dort und kennt den Leiter gut.
4. Er kennt auch alle Kollegen und nennt sie beim Vornamen.
5. Er denkt an Rache, weiß aber noch nicht wie.
6. Im Traum sieht er den Betrieb.

7. Es ist dunkel.
8. Er nimmt ein paar Lappen, tränkt sie mit Öl und legt damit im Betrieb an drei Stellen Feuer.
9. Dann rennt er schnell weg.
10. Dabei verliert er seinen Hausschlüssel.
11. Ab und zu wendet er sich um.
12. Tatsächlich! Der Betrieb brennt!
13. Alles steht in Flammen.
14. Die Feuerwehr schickt drei Löschfahrzeuge.
15. Der Betriebsleiter nennt der Polizei die Namen der Entlassenen.
16. Werner Stubinreith ist auch dabei.
17. An der Brandstelle findet man einen Schlüssel.
18. Der Schlüssel passt zu Stubinreiths Haustür.
19. Werner sagt die Wahrheit.
20. Er kommt für drei Jahre ins Gefängnis.
21. Werner wacht auf und findet seine Rachepläne nicht mehr so gut.

§ 7   Les verbes à particule séparable

Infinitiv: zuhören, weglaufen		
Präsens	*Präteritum*	*Perfekt*
ich höre … zu	ich hörte … zu	ich habe … zugehört
ich laufe … weg	ich lief … weg	ich bin … weggelaufen

1. Les verbes à particule séparable sont des verbes précédés d'une particule – le plus souvent une préposition – dont le sens est connu ou facilement compréhensible: p. ex., *ab-, an-, auf-, aus-, bei-, ein-, fest-, hin-, her-, los-, mit-, vor-, weg-, zu-, zurück-, zusammen-*, etc. Dans la langue parlée, ces particules verbales sont accentuées.

   Exception: la particule *hinter-* est inséparable.

2. Dans les propositions principales au présent et au prétérit, la particule du verbe conjugué se place à la fin de la phrase:
   Er *hörte* gestern Abend dem Redner eine halbe Stunde lang *zu.*

3. Au parfait et au plus-que-parfait, la particule est de nouveau reliée au participe:
   Er hat dem Redner eine halbe Stunde lang *zugehört.*

4. D'autres particules (adjectif, verbe, substantif …) peuvent s'ajouter au radical du verbe pour former des verbes à particule séparable.
   Er hat sein Auto *kaputt*gefahren.
   Sie hat das Insekt *tot*getreten.
   Er hat den ganzen Abend *fern*gesehen.
   Haben Sie an der Versammlung *teil*genommen?

Remarques

1. Lorsqu'une expression est formée de l'association de deux verbes, ceux-ci s'écrivent, selon la nouvelle orthographe, séparément: *spazieren gehen*
2. Forme interrogative: *Hörst du zu? Hast du zugehört?*
3. Forme impérative: *Hör zu! Hört zu! Hören Sie zu!*
4. Forme infinitive avec *zu*: *aufzuhören, anzufragen*

1a Mettez les verbes à particule séparable au présent.

Von der Arbeit einer Sekretärin
Telefonate weiterleiten   *Sie leitet Telefonate weiter.*

1. Besucher anmelden
2. Aufträge durchführen
3. Gäste einladen
4. Termine absprechen
5. die Post abholen
6. Besprechungen vorbereiten
7. wichtige Papiere bereithalten
8. Geschäftsfreunde anschreiben

b Was hat die Sekretärin alles gemacht?

Sie hat Telefonate weitergeleitet. Sie hat …

c Von der Arbeit einer Hausfrau

1. einkaufen   *Sie kauft ein.*
2. das Geschirr abwaschen und abtrocknen
3. alles in den Schrank zurückstellen
4. Möbel abstauben
5. die Wäsche aus der Waschmaschine herausnehmen und aufhängen
6. die Wäsche abnehmen, zusammenlegen und wegräumen
7. die Kinder an- und ausziehen
8. die Kinder zum Kindergarten bringen und sie von dort wieder abholen
9. Geld von der Bank abheben

d Abends fragt sie sich:

Was habe ich eigentlich alles gemacht? Ich *habe eingekauft, ich habe* das … usw.

e Ecrivez:

Sie kaufte ein, sie … usw.

2a Complétez les phrases avec les verbes à particule séparable.

Bei einer Flugreise: Was macht der Passagier?
Wir landen in wenigen Minuten!

Bitte

1. aufhören zu rauchen!	Er hört auf zu rauchen.
2. anschnallen!	Er ... sich ...
3. den Pass bereithalten!	Er ...
4. die Flugtickets vorzeigen!	Er ... die Flugtickets ...
5. den Koffer aufmachen!	Er ...
6. das Gepäck mitnehmen!	Er ...
7. die Zollerklärung ausfüllen!	Er ...
8. den Pass abgeben!	Er ...

b Racontez ensuite à votre partenaire:

Ich *habe aufgehört* zu rauchen. Ich *habe mich* ... etc.

c Maintenant écrivez:

Er *hörte auf* zu rauchen. Er ... usw.

3 Ein Abteilungsleiter hat seine Augen überall. – Faites l'exercice d'après le modèle suivant:

Hat Inge die Pakete schon weggebracht?　　*Nein, sie bringt sie gerade weg.*

1. Hat Udo die Flaschen schon aufgestellt? – Nein, er ...
2. Hat Frau Schneider die Waren schon ausgezeichnet?
3. Hat Fritz den Abfall schon rausgebracht?
4. Hat Reimar schon abgerechnet?
5. Hat die Firma Most das Waschpulver schon angeliefert?
6. Hat Frau Holzinger die Preistafeln schon aufgehängt?
7. Hat Uta den Keller schon aufgeräumt?
8. Hat die Glasfirma die leeren Flaschen schon abgeholt?
9. Hat Frau Vandenberg die neue Lieferung schon ausgepackt?
10. Hat Herr Kluge die Bestelllisten schon ausgeschrieben?
11. Hat Gerda die Lagerhalle schon aufgeräumt?

4a Hier gibt's Ärger!

Sie zieht den Vorhang auf. (zu-)　　*Er zieht ihn wieder zu.*

1. Sie schließt die Tür auf. (zu-)	4. Sie packt die Geschenke ein. (aus-)
2. Sie dreht den Wasserhahn auf. (zu-)	5. Sie macht die Fenster auf. (zu-)
3. Sie schaltet das Radio an. (ab-)	6. Sie hängt die Bilder auf. (ab-)

b Wie war das bei den beiden? – Reprenez les phrases de l'exercice 5a et mettez-les au parfait.

Sie hat den Vorhang aufgezogen; er hat ihn wieder zugezogen.

5   Mettez les phrases suivantes au parfait.

1. Mein Hund läuft weg. Ich laufe hinterher.
2. Er rechnet ihr ihre Dummheiten vor. Sie leiht ihm einen Taschenrechner aus.
3. Der Lehrling sagt etwas und der Chef stimmt zu. Der Chef sagt etwas und der Lehrling hört nicht zu.
4. Der Arzt steht dem Kranken bei, aber der Kranke wirft seine Tabletten weg.
5. Ich gebe meine Fehler zu, aber sie sieht ihre Fehler nicht ein.
6. Sie schaltet das Radio ein; aber er schaltet es wieder aus.
7. Sie macht das Licht an und er schaltet es wieder aus.
8. Meine Schwiegermutter kommt heute früh an; sie fährt zum Glück gegen Mittag wieder weiter.
9. Der Junge stößt den Nachbarn weg. Der Nachbar stürzt die Treppe hinunter.
10. Unsere Freunde führen uns einen Film vor. Ich schlafe beinahe ein.
11. Ich rufe ihn immer wieder an, aber er nimmt den Hörer nicht ab.
12. Die Kühe reißen sich los. Der Bauer bindet sie wieder an.

6   Mettez les phrases suivantes au présent et au prétérit.

1. Der Chef hat die Schreibtischschublade zugeschlossen. Die Sekretärin hat sie am anderen Morgen wieder aufgeschlossen.
2. Die Kinder sind vorangelaufen und die Großeltern sind langsam hinterhergegangen.
3. Er hat mir einige Teegläser aus der Türkei mitgebracht. Ich habe sie gleich ausgepackt.
4. Sie hat ihr Wörterbuch ausgeliehen, aber sie hat es leider nicht zurückbekommen.
5. Er hat sich alle grauen Haare ausgerissen. Es sind leider nicht viele Haare auf seinem Kopf zurückgeblieben.
6. Der Dieb hat die Tasche hingestellt und ist fortgerannt. Ich bin hinterhergelaufen.
7. Den Dieb habe ich festgehalten. Die Tasche hat inzwischen ein anderer Dieb mitgenommen.
8. Der Beamte hat mir endlich die Genehmigung ausgestellt. Ich bin sofort losgefahren.
9. Das Töchterchen hat die Milch ausgetrunken und ihr Brot aufgegessen. Der Hund hat die Tasse und den Teller ausgeleckt.
10. Die beiden jungen Leute sind endlich zusammengezogen. Der Hausbesitzer hat ihnen aber den Strom abgestellt.

§ 8   Les verbes à particule inséparable

Präsens	Präteritum	Perfekt
ich erzähle	ich erzählte	ich habe … erzählt
ich verstehe	ich verstand	ich habe … verstanden

1. Les verbes à particule inséparable sont formés avec de courts préfixes qui, seuls, n'ont pas de sens: *be-, emp-, ent-, er-, ge-, miss-, ver-, zer-*, etc. Ils ne sont pas accentués dans la langue parlée.

   Bien que la particule *hinter-* ait une signification, elle est inséparable.
   Er hinterlässt seinem Sohn einen Bauernhof.

2. Ces préfixes donnent au verbe une nouvelle signification qu'on ne peut générale-ment pas déduire du sens du verbe principal:

Ich suche den Schlüssel.	mais: Ich besuche meinen Onkel.
Sie zählt das Geld.	mais: Sie erzählt ein Märchen.
Wir stehen im Flur.	mais: Wir verstehen den Text.

3. ces préfixes sont toujours reliés au verbe:
   ich versuche, ich versuchte; ich bekomme, ich bekam

4. Le préfixe *ge-* normalement utilisé au participe passé disparaît (comme pour les verbes en *-ieren*):
   er hat berichtet, er hat erklärt, er hat verstanden

   De même pour les verbes à particule inséparable reliés par une préfixe séparable:
   Er hat das Essen vorbereitet.

Remarques

1. Certains verbes formés avec une particule inséparable n'ont plus de radical propre:
   p. ex. *gelingen, verlieren* etc.
2. Forme interrogative: *Versteht ihr das? Habt ihr das verstanden?*
3. Forme impérative: *Erzähl! Erzählt! Erzählen Sie!*
4. Infinitif avec *zu*: *zu verstehen, zu erzählen*

1 Mettez les verbes au présent et au parfait. (Le parfait est ici toujours formé avec le verbe «haben»).

1. Der Arzt (verbieten) meinem Vater das Rauchen.
2. Die Kinder (empfinden) die Kälte nicht.
3. Der Student (beenden) seine Doktor-arbeit.
4. Auch der Wirtschaftsminister (errei-chen) keine Wunder.
5. Seine Freundin (gefallen) mir gut.
6. Heute (bezahlen) Gustl die Runde.
7. Wer (empfangen) die Gäste?
8. Die Schauspielerin (erobern) die Her-zen ihrer Zuschauer.
9. Franz und Sigrun (erreichen) den Zug nicht mehr.

10. Warum (versprechen) er sich eigentlich dauernd?
11. Heinz (beachten) die Ampel nicht und (verursachen) leider einen Unfall.
12. Die Stadtverordneten (beschließen) den Bau des Schwimmbades.
13. Der Vater (versprechen) der Tochter eine Belohnung.
14. Du (zerstören) unsere Freundschaft!
15. Paul (vergessen) bestimmt wieder seine Schlüssel!
16. Der Architekt (entwerfen) einen Bauplan.

2 Les verbes des phrases suivantes sont des verbes à particule inséparable. Mettez-les au présent et au prétérit.

1. Die Eltern haben das Geschenk versteckt.
2. Er hat mir alles genau erklärt.
3. Der Hausherr hat unseren Mietvertrag zerrissen.
4. Die Kinder haben die Aufgaben vergessen.
5. Die Fußballmannschaft hat das Spiel verloren.
6. Der Medizinstudent hat die erste Prüfung bestanden.
7. Ich habe ihm vertraut.
8. Der Ingenieur hat einen neuen Lichtschalter erfunden.
9. In der Vorstadt ist eine neue Wohnsiedlung entstanden.
10. Das Kind hat die chinesische Vase zerbrochen.
11. Der alte Professor hat die Frage des Studenten gar nicht begriffen.
12. Er hat mich immer mit seiner Freundin verglichen.
13. Wir haben den Bahnhof rechtzeitig erreicht.
14. Er hat seine Gäste freundlich empfangen.
15. Auf dem langen Transport ist das Fleisch verdorben.

3 Les phrases ci-dessous sont formées de verbes à particule séparable et inséparable. Mettez-les au parfait.

Vorschläge der Bevölkerung:

1. den Park erweitern
2. Sträucher anpflanzen
3. Straßen verbreitern
4. einen Busbahnhof anlegen
5. neue Buslinien einrichten
6. den Sportplatz vergrößern
7. das Klubhaus ausbauen
8. das Gasleitungsnetz erweitern
9. die alte Schule abreißen
10. eine neue Schule errichten
11. das hässliche Amtsgebäude abbrechen
12. den Verkehrslärm einschränken
13. neue Busse anschaffen
14. die Straßen der Innenstadt entlasten
15. Fußgängerzonen einrichten
16. ein Denkmal errichten
17. Luftverschmutzer feststellen
18. den Fremdenverkehr ankurbeln

Durchführung:

Man hat den Park erweitert.
Man hat Sträucher angepflanzt.
...

19. leer stehende Häuser enteignen
20. historische Feste veranstalten
21. einen Stadtplan herausgeben
22. die Durchfahrt des Fernverkehrs
    durch die Stadt verhindern
23. die Rathausfenster anstreichen
24. Radfahrwege anlegen
25. Grünflächen einplanen

Explication du lexique:
erweitern, vergrößern, ausbauen: größer machen
abreißen, abbrechen: zerstören, wegnehmen
anschaffen: kaufen
einschränken: (hier) weniger/geringer machen
einrichten: (hier) schaffen
errichten: bauen
feststellen: (hier) finden
ankurbeln: stärker/schneller machen
veranstalten: organisieren, machen
verhindern: machen, dass etwas nicht geschieht
enteignen: einem Besitzer (zugunsten der Allgemeinheit) etwas wegnehmen

4 Mettez les phrases suivantes au parfait.

1. Kirstin besuchte das Museum.
2. Sie besorgte sich eine Eintrittskarte für Studenten und bezahlte drei Euro dafür.
3. Sie betrat den ersten Saal.
4. Dort betrachtete sie die Bilder der Künstler des 17. Jahrhunderts.
5. Kirstin blieb hier nicht so lange.
6. Sie verließ den Saal und gelangte in den nächsten Raum zu den Bildern der Maler des 19. Jahrhunderts.
7. Hier verbrachte sie viel Zeit.
8. Sie studierte beinah jedes Bild ganz genau.
9. Manchmal erkannte sie den Maler schon an der Art der Technik.
10. So verging die Zeit sehr schnell.

5 Les phrases suivantes sont formées avec des verbes à particule inséparable. Mettez-les au parfait.

Man versteht dich ja! *Bis jetzt hat mich noch niemand verstanden!*

1. Man enteignet die Leute!   –   Bis jetzt hat man noch niemand(en) ... !
2. Man entlässt die Arbeiter!   –   ... hat man noch niemand(en) ... !
3. Man verklagt die Anführer!   –   ... hat man sie noch nicht ... !
4. Man verbietet ihnen alles!   –   ... hat man ihnen noch nichts ... !
5. Man bedroht die Leute!   –   ... hat man noch niemand(en) ... !
6. Begreifen die Leute endlich?   –   ... hat noch niemand etwas ... !
7. Verhungern die Leute nicht?   –   ... ist noch niemand ... !
8. Verlangen sie nicht Unmögliches?   –   ... haben sie nichts Unmögliches ... !
9. Der Versuch misslingt!   –   ... ist er noch nicht ... !

10. Das Fleisch verdirbt bestimmt!   –   … ist es jedenfalls nicht … !
11. Das Glas zerspringt bestimmt!   –   … ist es jedenfalls noch nicht … !
12. Bekämpft man den Lärm nicht?   –   … hat ihn noch niemand … !
13. Du vergisst deine Freunde.   –   … habe ich sie noch nicht … !
14. Vermisst du die Zigaretten nicht?   –   … habe ich sie noch nicht … !

§ 9   Les verbes à particule séparable et inséparable

Les verbes à particule allemands sont source d'importantes difficultés pour l'étudiant franco-phone, la langue française ne possédant rien d'analogue. Les particules sont, au sens large, des éléments invariables d'origine diverse (le plus souvent des prépositions) associés à un verbe. L'association peut être permanente formant alors un mot unique, ou bien chacun des éléments suit les mêmes règles d'accentuation et de position que s'il était indépendant.

	Präsens	*Perfekt*
trennbar	Das Schiff *geht* im Sturm *unter*.	Das Schiff *ist* im Sturm *untergegangen*.
untrennbar	Er *unterschreibt* den Brief.	Er *hat* den Brief *unterschrieben*.

1. Pour quelques verbes formés avec *durch-, über-, um-, unter-, voll-, wider-, wieder-* la particule est séparable, pour d'autres elle est inséparable.

2. Pour les verbes à particule séparable, l'accentuation porte sur la particule (p. ex. *úntergehen*); par contre pour les verbes à particule inséparable l'accentuation porte sur le radical du verbe (p. ex. *unterschréiben*).

3. Dans les verbes à particule séparable, le sens de la préposition n'est généralement pas altéré. Les verbes formés avec une particule inséparable acquièrent le plus souvent un sens nouveau. La plupart des verbes à particule inséparable de ce type sont suivis d'un complément à l'accusatif.

	trennbar	*untrennbar*
durch	Er *bricht* den Stock *durch*.	Der Richter *durchschaut* den Zeugen.
über	Er *läuft* zum Feind *über*.	Der Lehrer *übersieht* den Fehler.
um	Er *fuhr* den Baum *um*.	Das Kind *umarmt* die Mutter.
unter	Die Insel *geht* im Meer *unter*.	Der Präsident *hat* das Gesetz *unterschrieben*.
wider	Das *spiegelt* die Lage *wider*.	Warum *widersprichst* du mir?
wieder	Er *bringt* mir die Zeitung *wieder*.	Ich *wiederhole* den Satz.

4. Certains verbes sont composés de particules tantôt séparables tantôt inséparables; ils ont alors un sens différent.

wiéderholen (= etwas zurückholen)   *wiederhólen* (= etwas noch einmal sagen / lernen)

Das Kind holt den Ball wieder.   Er wiederholt die Verben.

úmfahren (= etwas mit einem Fahrzeug zu Fall bringen)	*umfáhren* (= außen um etwas herum- fahren)
Ein Autofahrer hat den kleinen Baum umgefahren.	Auf der neuen Straße umfährt man das Dorf in wenigen Minuten.
dúrchbrechen (= etwas in zwei Teile teilen)	*durchbréchen* (= durch etwas hin- durchgehen)
Die Holzbrücke über den Bach ist durchgebrochen.	Das Düsenflugzeug hat die Schallmauer durchbrochen.
überziehen (= etwas zusätzlich anziehen)	*überzíehen* (= das Bett mit frischer Wäsche versehen; vom Konto mehr Geld abheben, als drauf ist)
Zieh dir etwas über, es ist kalt.	Sie hat die Betten frisch überzogen.
	Ich überziehe mein Konto nur ungern.

II Comme il est très difficile de différencier grammaticalement et sémantiquement les verbes à particules séparables et/ou à particules inséparables formés avec *durch-*, *über-*, *um-*, *unter-*, etc. nous n'en donnons ici qu'une liste brève.

1. *durch-* La plupart des verbes formés avec *durch-* sont séparables; seuls quelques-uns sont inséparables.

séparables

er reißt … durch	Sie riss den Brief durch und warf ihn weg.
er fällt … durch	Er ist bei der Prüfung durchgefallen.
er schläft … durch	Der Kranke hat bis zum Morgen durchgeschlafen.
er streicht … durch	Der Lehrer streicht das falsche Wort durch.
er liest … durch	In einer Woche hat er das dicke Buch durchgelesen.

inséparables

durchqueren	Die Flüchtlinge durchquerten den Wald in einer halben Stunde.
durchschauen	Der Junge hatte eine schlechte Note bekommen. Er wollte es zu Hause nicht sagen, aber die Mutter durchschaute ihn sofort und fragte …
durchsuchen	Drei Polizisten durchsuchten die Wohnung des angeklagten Betrügers.

2. *über-* La plupart des verbes formés avec *über-* sont séparables ; seuls quelques-uns sont inséparables.

séparables

er läuft … über	Der Verräter ist zum Feind übergelaufen.
er tritt … über	Der Parlamentarier hat seine Partei verlassen. Er ist zu einer anderen Partei übergetreten.
etwas kocht … über	Der Topf ist zu klein. Der Reis kocht über.

inséparables

überfallen	Die Räuber haben ein kleines Dorf überfallen.
überfahren	Der Autofahrer überfuhr eine Katze.
überleben	Die meisten Einwohner der Stadt überlebten das Erdbeben.
überraschen	Dein Bericht hat mich überrascht.
sich überlegen	Ich weiß jetzt, was ich tun will. Ich habe mir alles genau überlegt.
übersetzen	Er übersetzte den Roman aus dem Russischen ins Deutsche.
überweisen	Ich habe 200 Euro von meinem Konto auf dein Konto überwiesen.
übertreiben	Wenn er von seinen Abenteuern erzählt, übertreibt er immer.

3. *um-* La plupart des verbes formés avec *um-* sont séparables; seuls quelques-uns sont inséparables.

séparables

er bindet … um	Weil es kalt ist, bindet sie (sich) ein Tuch um.
er wirft … um	Als er betrunken war, hat er sein Glas umgeworfen.
er stellt … um	Sie hat alle Möbel in ihrer Wohnung umgestellt.
er zieht … um	Die Familie ist umgezogen, sie wohnt jetzt in einer anderen Stadt.
er steigt … um	Der Reisende ist in einen anderen Zug umgestiegen.
er kehrt … um	Weil das Wetter so schlecht war, sind wir umgekehrt und wieder ins Hotel gegangen.
er fällt … um	Bei dem Sturm letzte Nacht sind im Park sieben Bäume umgefallen.
er bringt … um	Der Mörder hat vier Frauen umgebracht.
er kommt … um	Bei der Flugzeugkatastrophe ist der Pilot umgekommen.

inséparables

umarmen	Die Mutter umarmt den Sohn, der aus einem fremden Land zurückgekommen ist.
umgeben	Ein Wald umgibt das kleine Dorf. Die Umgebung des Dorfes ist sehr schön.
umringen	Zum Abschied umringten die Kinder die Kindergärtnerin.
umkreisen	Satelliten umkreisen die Erde.

4. *unter-* La plupart des verbes formés avec *unter-* sont séparables; seuls quelques-uns sont inséparables.

séparables

er geht … unter	Bei der Sturmflut 1348 gingen viele Inseln im Meer unter.
er bringt … unter	Weil das Hotel schon geschlossen war, hat ihn sein Freund bei Bekannten untergebracht.

inséparables

unterbrechen	Er redete eine Stunde lang. Dann haben wir ihn schließlich unterbrochen.
unterhalten	1. Ich habe mich mit meinem Nachbarn unterhalten. (= reden)
	2. Im Theater haben wir uns gut unterhalten. (= sich amüsieren)
	3. Während des Studiums hat ihn sein Vater unterhalten. (= finanziell unterstützen)
unterstützen	Ich spende monatlich 50 Euro. Damit unterstütze ich behinderte Kinder.
unterrichten	Er unterrichtet Chemie an einem Frankfurter Gymnasium.
unterscheiden	Bitte unterscheiden Sie die schwachen und starken Verben.
untersuchen	1. Der Arzt untersucht einen Patienten.
	2. Die Polizei untersucht einen Kriminalfall.
unterlassen	Unterlassen Sie es, im Unterricht zu rauchen. (= etwas nicht tun)
unterdrücken	Der Tyrann unterdrückt sein Volk.

5. *wieder-* La plupart des verbes formés avec *wieder-* sont séparables; le verbe à particule inséparable le plus important est *wiederholen*.

séparables

er bringt … wieder	Der Hund bringt den Stock wieder.
er holt … wieder	Was? Du hast das Messer in den Müll geworfen? Hol es sofort wieder.
er findet … wieder	Nach langem Suchen fand er seinen Schlüssel wieder.
er kommt … wieder	Nach zwei Monaten kam er wieder.
er sieht … wieder	Später sah ich ihn wieder.

inséparables

wiederholen	Er wiederholte den Satz zweimal.

6. *wider-* Le seul verbe séparable est *widerspiegeln*. Tous les autres verbes formés avec *wider-* sont inséparables.

er spiegelt … wider	Die Bäume spiegeln sich im See wider.

inséparables

widersprechen	Der Lehrling widersprach dem Meister.
sich widersetzen	Er sollte seinen Kollegen denunzieren, aber er widersetzte sich.
widerrufen	Was er gesagt hat, hat er später widerrufen.

Remarque

Tous les verbes avec *hinter-* sont inséparables (voir § 8, 1).
Nach seinem Tod hat mir mein Onkel sein Ferienhaus in den Alpen
hinterlassen. (= vererbt)
Sie hat mir ein Geheimnis hinterbracht. (= verraten)

1 Est-ce un verbe à particule séparable ou inséparable? Formez des phrases au présent
et au parfait. La syllabe accentuée du verbe est imprimée en italique.

1. Ernst / die starken Verben / wieder*holen.*
2. die Fischer / die Leine / *durch*schneiden
3. der Direktor / den Brief / unter*schreiben*
4. ich / mich / mit den Ausländern / unter*halten*
5. wir / die Großstadt / auf der Autobahn / um*fahren*
6. der Betrunkene / die Laterne / *um*fahren
7. er / zum katholischen Glauben / *über*treten
8. ich / die Pläne meines Geschäftspartners / durch*schauen*
9. die Milch / *über*laufen
10. der Einbrecher / den Hausbesitzer / *um*bringen
11. warum / du / schon wieder alle Möbel / *um*stellen?
12. warum Sie / den Sprecher / dauernd unter*brechen*?
13. der Assistent / den Professor mit seinen guten Kenntnissen / über*raschen*
14. das Schiff / im Sturm *unter*gehen
15. der Politiker / seinen Austritt aus der Partei sehr genau über*legen*
16. die Soldaten / in Scharen zum Feind *über*laufen
17. der Redner / den Vortrag unter*brechen*

2 Mettez les verbes à la forme qui convient.

1. Du (übernehmen/Präsens) also tatsächlich am 1. Januar das Geschäft deines Vaters? Das (überraschen/Präsens) mich, denn ich habe (annehmen), dein Vater (weiterführen/Präsens) das Geschäft, bis er die Siebzig (überschreiten) hat.
2. Man (annehmen/Präsens), dass der Buchhalter mehrere zehntausend Euro (unterschlagen) hat. Lange Zeit hatte es die Firma (unterlassen), die Bücher zu (überprüfen). Dann aber (auffallen/Präteritum) der Buchhalter durch den Kauf einer sehr großen Villa. Nun (untersuchen/Präteritum) man den Fall. Dann (durchgreifen/Präteritum) die Firma schnell. Sie (einschalten/Präteritum) sofort die Polizei. Der Mann war aber (dahinterkommen) und war schnell in der Großstadt (untertauchen). Nach zwei Wochen fand man ihn im Haus seiner Schwester; dort war er nämlich (unterkommen). Aber im letzten Moment (durchkreuzen/Präteritum) der Buchhalter die Absicht der Polizei: Er nahm seine Pistole und (sich umbringen/Präteritum).

3 Verbes séparables ou inséparables? Faites des phrases complètes en utilisant le temps qui convient.

1. er / durchfallen / bei / letztes Examen (n) (Perfekt)
2. ich / durchschauen / Ausrede (f) / sofort (Perfekt)
3. Lehrer / durchstreichen / ganzer Satz (m) (Perfekt)

4. Verkäufer / durchschneiden / Brot (n) (Perfekt)
5. zum Glück / durchschlafen / krankes Kind / bis zum Morgen (Perfekt)
6. Bauern (Pl.) / durchqueren / mit / ihre Wagen (Pl.) / ganze Stadt (Präteritum)
7. er / überweisen / Betrag (m) / an / Versicherung (f) (Präteritum)
8. in / seine Tasche / wiederfinden / er / sein Pass (m) (Präteritum)
9. an / nächster Tag / widerrufen / Politiker / seine Äußerung (m) (Perfekt)
10. Lehrling / sich widersetzen / Anordnung (f) / des Chefs (Präteritum)
11. warum / unterlassen / ihr / Besuch (m) / bei / euer Onkel / ? (Perfekt)

§ 10   Les verbes réfléchis

Il existe en allemand comme en français un grand nombre de verbes réfléchis. Il faut noter que beaucoup de verbes réfléchis en allemand ont un équivalent non réfléchi en français et inversement (sich bewerben = poser sa candidature; sich etwas ansehen = regarder).

	Akkussativ		Dativ
ich	mich		mir
du	dich		dir
er, sie, es		sich	
wir		uns	
ihr		euch	
sie, Sie		sich	

1. La déclinaison du pronom réfléchi est la même que celle du pronom personnel (voir § 4) à l'exception de la 3ème personne du singulier et du pluriel où l'on trouve toujours *sich*.

2. Le pronom réfléchi se rapporte au sujet de la phrase:
   Ich habe mich in der Stadt verlaufen. (= mich selbst)
   Die Geschwister haben sich wieder vertragen. (= sich miteinander)
   Die Gleise haben sich verbogen. (= sich selbstständig)

   En allemand, tout comme dans d'autres langues, il n'y a pas de règles permettant de dire si un verbe est réfléchi ou non. Il faut donc les apprendre.

3. Certains verbes s'emploient toujours associés avec un pronom réfléchi à l'accusatif, p. ex.:

sich ausruhen	Das war ein langer Weg! Wir ruhen *uns* erst einmal aus.
sich bedanken	Der Busfahrer war sehr freundlich. Ich bedankte *mich* und stieg aus.
sich beeilen	Wir kommen zu spät! – Ja, ich beeile *mich* schon.
sich befinden	Neben dem Hotel befindet *sich* eine kleine Bar.

sich beschweren	Die Heizung funktionierte nicht. Die Mieter beschwerten *sich* beim Hausmeister.
sich einigen	Nicht jeder kann Recht haben. Wir müssen *uns* einigen.
sich entschließen	Er hat *sich* entschlossen Chemie zu studieren.
sich ereignen	Bei Nebel und glatten Straßen ereignen *sich* viele Unfälle.
sich erkälten	Hast du *dich* schon wieder erkältet?
sich erkundigen	Ich erkundige *mich* bei meinem Nachbarn, ob er meine Katze gesehen hat.
sich freuen	Er freut *sich* sehr, weil er im Lotto gewonnen hat.
sich irren	Ich habe *mich* geirrt. Der Zug fährt erst um 9 Uhr ab.
sich verabreden	Sie hat *sich* mit ihrem neuen Freund im Restaurant verabredet.
sich verlieben	Er hat *sich* in seine neue Mitschülerin verliebt.
sich wundern	Du bist ja ganz verändert. Ich wundere *mich*.

4. Certains verbes peuvent être employés soit à la forme réfléchie soit avec un complément d'objet à l'accusatif. Ils ont dans ce cas un sens différent, p. ex.:

sich ändern		Er ist nicht mehr so unzuverlässig, er hat *sich* wirklich geändert.
	mais:	Er ändert seine Pläne.
sich anmelden		Ich möchte den Direktor sprechen. – Haben Sie *sich* angemeldet?
	mais:	Habt ihr euer Kind schon im Kindergarten angemeldet?
sich anziehen		Er hatte verschlafen. Er zog *sich* schnell an und ...
	mais:	Heute ziehe ich das rote Kleid an.
sich ärgern		Ich ärgere *mich*, weil die Haustür wieder offen ist.
	mais:	Warum bellt der Hund? – Der Junge hat ihn wieder geärgert.
sich aufregen		Warum hast du *dich* so aufgeregt?
	mais:	Meine Lügen regen meine Frau auf.
sich beherrschen		Sei ruhig, du musst *dich* beherrschen.
	mais:	Er beherrscht die englische Sprache.
sich beruhigen		Er war sehr aufgeregt. Erst nach einer Stunde hat er *sich* beruhigt.
	mais:	Die Mutter beruhigt das weinende Kind.
sich beschäftigen		Der Professor beschäftigt *sich* mit russischer Literatur.
	mais:	Die Firma beschäftigt 200 Angestellte.

sich bewegen		Wenn du *dich* mehr bewegst, wirst du gesund.
	mais:	Der Wind bewegt die Zweige.
sich entschuldigen		Er hat *sich* bei mir entschuldigt.
	mais:	Ich kann zu der Party nicht mitkommen. Entschuldigst du mich bitte?
sich fürchten		Abends geht sie nicht mehr aus dem Haus. Sie fürchtet *sich*.
	mais:	Er fürchtet eine Katastrophe.
sich hinlegen		Du siehst schlecht aus. Du musst *dich* hinlegen (= ins Bett gehen).
	mais:	Die Mutter legt das Kind hin (= ins Bett).
sich langweilen		Der Film langweilt *mich*. So etwas habe ich schon hundertmal gesehen.
	mais:	Der Lehrer langweilt die Schüler mit den reflexiven Verben.
sich treffen		Morgen treffe ich *mich* mit ihm am Hauptbahnhof.
	mais:	Er traf zufällig seinen Schulfreund.
sich unterhalten		Morgens unterhält *sich* die Hausfrau gern mit ihrer Nachbarin.
	mais:	Der Gastgeber unterhält seine Gäste.
sich verabschieden		Ich möchte *mich* jetzt verabschieden. Auf Wiedersehen.
	mais:	Gestern hat das Parlament das Gesetz verabschiedet. (= Die Mehrheit hat zugestimmt, es ist angenommen.)
sich verletzen		Ich habe *mich* beim Sport verletzt.
	mais:	Er verletzte ihn an der Hand.
sich verstehen		Ich habe in der letzten Zeit immer mehr Ärger mit meiner Schwester. Wir verstehen *uns* nicht mehr.
	mais:	Er spricht sehr leise. Ich verstehe kein Wort.
sich verteidigen		Was du über mich sagst, ist falsch. Jetzt muss ich *mich* verteidigen.
	mais:	Als die Soldaten kamen, verteidigten die Bauern ihr Dorf.

5. Pour les verbes réfléchis ayant également un complément d'objet à l'accusatif, le pronom réfléchi se met au datif. On ne trouve ces formes différentes au datif et à l'accusatif qu'à la première et à la deuxième personne du singulier:

sich etwas ansehen	Hast du *dir* den Film schon angesehen?
sich etwas ausdenken	Ich denke *mir* eine Geschichte aus.
sich etwas rasieren	Als Radprofi muss ich *mir* die Beine rasieren.
sich etwas vorstellen	Du stellst *dir* die Sache zu einfach vor.
sich etwas waschen	Vor dem Essen wasche ich *mir* noch die Hände.
sich etwas merken	Ich habe *mir* seine Autonummer gemerkt.

Remarques

1. *lassen* + pronom réfléchi (voir Rem. § 19 III, § 48)
   Man kann etwas leicht ändern. = Das lässt sich leicht ändern.
   Man kann das nicht beschreiben. = Das lässt sich nicht beschreiben.

2. Forme interrogative: *Freust du dich? Habt ihr euch gefreut?*

3. Forme impérative: *Fürchte dich nicht! Fürchtet euch nicht! Fürchten Sie sich nicht!*

4. Infinitif avec *zu*: *sich zu fürchten, sich vorzustellen*

1 Conjuguez au présent, au prétérit et au parfait.

ich	sie / Sie	sich anziehen	sich die Aufregung vorstellen
du	ihr	sich umziehen	sich eine Entschuldigung ausdenken
er / sie	wir	sich entfernen	sich die Ausstellung ansehen
wir	er / sie	sich beschweren	sich ein Moped kaufen
ihr	du	sich erinnern	sich ein Bier bestellen
sie / Sie	ich	sich freuen	sich die Adresse merken

2 Mettez les phrases suivantes au présent, au prétérit puis au parfait.

> *Das Wetter ändert sich in diesem Winter dauernd.*
> *Das Wetter änderte sich in diesem Winter dauernd.*
> *Das Wetter hat sich in diesem Winter dauernd geändert.*

1. Wir (sich ausruhen) nach der Wanderung erst einmal.
2. Der Student (sich bemühen) um ein Stipendium.
3. Der Geschäftsmann (sich befinden) in finanziellen Schwierigkeiten.
4. Die Kinder (sich beschäftigen) mit einer Spielzeugeisenbahn.
5. Der Junge (sich fürchten) vor der Dunkelheit.
6. Die Autonummer (sich merken) wir jedenfalls.
7. (sich treffen) ihr jede Woche im Café?
8. Wann (sich trennen) du von deiner Freundin?
9. Ich (sich rasieren) immer mit einem Elektrorasierer.
10. Wir (sich unterhalten) gern mit dem Bürgermeister.
11. Wir (sich verstehen) immer gut.
12. Sie (sich waschen) vor dem Essen die Hände.
13. Die Eltern (sich wundern) über die Zeugnisnoten ihrer Tochter.

3 Répondez aux questions suivantes, d'après le modèle ci-dessous, en employant le pronom réfléchi à la forme qui convient.

> Wunderst du dich nicht über die Rechnung?   *Doch, ich wundere mich über die Rechnung.*

1. Fürchtet ihr euch nicht vor Schlangen?
2. Ruht ihr euch nach dem Fußmarsch nicht aus?
3. Erholst du dich nicht bei dieser Tätigkeit?
4. Duscht ihr euch nicht nach dem Sport?
5. Zieht ihr euch zum Skifahren nicht wärmer an?
6. Legen Sie sich nach dem Essen nicht etwas hin?

7. Setzen Sie sich nicht bei dieser Arbeit?
8. Erkundigt sich der Arzt nicht regelmäßig nach dem Zustand des Kranken?
9. Überzeugt sich Vater nicht vorher von der Sicherheit des Autos?
10. Erinnert ihr euch nicht an das Fußballspiel?
11. Wunderst du dich nicht über meine Geduld?
12. Unterhaltet ihr euch nicht oft mit euren Freunden über eure Pläne?
13. Rasierst du dich nicht mit dem Elektrorasierer?
14. Bewerben Sie sich nicht um diese Stelle?
15. Besinnst du dich nicht auf den Namen meiner Freundin?
16. Freuen Sie sich nicht auf die Urlaubsreise?
17. Schämst du dich nicht?
18. Entschuldigst du dich nicht bei den Nachbarn?
19. Ziehst du dich fürs Theater nicht um?
20. Ärgerst du dich nicht über seine Antwort?

4 Mettez maintenant la question et la réponse au parfait.

Hat er sich nicht nach dem Geld gebückt?
Doch, er hat sich nach dem Geld gebückt.

5 Qu'est-ce que vous pouvez associer?

1. Das Huhn setzt	a) im Sanatorium?
2. Erholen Sie	b) nicht für ihr Benehmen.
3. Müllers schämen	c) um diese Stelle?
4. Ruth interessiert pronom	d) für Hans.
5. Erkundigst du réfléchi	e) nicht an Sie.
6. Albert beschäftigt	f) mit Spanisch.
7. Ich erinnere	g) ins Nest.
8. Wir bemühen	h) um einen Studienplatz.
9. Bewerbt ihr	i) nach dem Zug?

6 Qu'est-ce que vous pouvez associer?

1. Wir leisten	a) ein Haus.
2. Helen leiht	b) eine Weltreise.
3. Die Geschwister kaufen pronom	c) die Haare?
4. Erlaubt ihr réfléchi	d) über diesen Lärm!
5. Färben Sie	e) einen Scherz?
6. Ich ärgere	f) einen Kugelschreiber.
7. Du wäschst	g) die Hände.

7 Complétez avec les pronoms réfléchis.

Sie trafen … am Rathaus, begrüßten … mit einem Kuss und begaben … in ein
Café. „Komm, wir setzen … hier ans Fenster, da können wir … den Verkehr
draußen anschauen", meinte er. Sie bestellte … einen Tee, er … eine Tasse Kaffee.
„Wie habe ich … auf diesen Moment gefreut! Endlich können wir … mal in
5 Ruhe unterhalten!" – „Ja, ich habe … sehr beeilt; beinahe hätte ich … verspätet."
– „Wir müssen … von jetzt ab öfter sehen!" – „Ja, da hast du recht. Sag mal, was

hast du … denn da gekauft? Einen Pelzmantel? Kannst du … denn so etwas
Teures kaufen?" – „Kaufen kann ich … den natürlich nicht; aber ich kann ihn …
schenken lassen." – „Du hast ihn … schenken lassen??" – „Ja, von einem sehr
10   guten Freund." – „Ha! Schau an! Sie lässt … Pelzmäntel schenken! Von ‚guten'
Freunden!" – „Reg … doch nicht so auf!" – „Du begnügst … also nicht mit
einem Freund? Mit wie vielen Freunden amüsierst du … denn? Du bildest …
wohl ein, ich lasse … das gefallen?" – „Beruhige … doch! Sprich nicht so laut!
Die Leute schauen … schon nach uns um. Benimm … bitte, ja? Schau, der, sehr
15   gute Freund' ist doch mein Vater; wir verstehen … wirklich gut, aber zur Eifersucht gibt es keinen Grund! Da hast du … jetzt ganz umsonst geärgert."

§ 11   L'Impératif

On adresse une demande ou un ordre

a) à une personne:
   Anrede mit *du*   *Gib* mir das Lexikon!
   Anrede mit *Sie*   *Geben Sie* mir das Lexikon!

b) à plusieurs personnes:
   Anrede mit *ihr*   *Macht* die Tür *zu*!
   Anrede mit *Sie*   *Machen Sie* die Tür *zu*!

On exprime une demande, un souhait en ajoutant „bitte" au verbe à l'impératif. Mais
une demande ainsi formulée paraît dans de nombreuses situations trop directe et par
conséquent impolie; on utilise alors le subjonctif II (cf. § 54, VI).

1. Ordre/demande avec *du*

a) l'impératif est formé à partir de la 2ème personne du singulier du présent. La
   terminaison *-st* disparaît:
   du fragst   Imperativ: Frag!
   du kommst   Imperativ: Komm!
   du nimmst   Imperativ: Nimm!
   du arbeitest   Imperativ: Arbeite!

b) Les verbes forts perdent l'inflexion à la 2ème personne du singulier:
   du läufst   Imperativ: Lauf!
   du schläfst   Imperativ: Schlaf!

c) Formes irrégulières pour les auxiliaires de temps:
   haben: du hast   Imperativ: Hab keine Angst!
   sein: du bist   Imperativ: Sei ganz ruhig!
   werden: du wirst Imperativ: Werd(e) nur nicht böse!

2. Ordre/demande avec *ihr*
   La forme de l'impératif et la 2ème personne du pluriel du présent sont identiques:
   ihr fragt   Imperativ: Fragt!
   ihr kommt   Imperativ: Kommt!
   ihr nehmt   Imperativ: Nehmt!

3. Ordre/demande avec *Sie* (singulier ou pluriel)
   La forme de l'impératif et la 3ème personne du pluriel du présent sont identiques.
   Le pronom personnel *Sie* est placé après le verbe:
   sie fragen   Imperativ: Fragen Sie!
   sie kommen   Imperativ: Kommen Sie!
   sie nehmen   Imperativ: Nehmen Sie!
   sie sind   Imperativ: Seien Sie so freundlich! (Ausnahme)

4. A la 2ème personne du singulier de l'impératif, on trouvait autrefois la terminaison
   -e: Komm*e* bald! Lach*e* nicht! Ces formes ne sont plus usitées aujourd'hui dans la
   langue parlée. Elles ne sont plus employées que rarement à l'écrit. Le *e* est cependant utilisé pour des raisons de prononciation avec les verbes en *-d-, -t-, -ig-*, et
   également avec rech*n*en et öff*n*en (voir aussi § 6 IV 2):
   leiden: du leidest   Imperativ: Leide, ohne zu klagen!
   bitten: du bittest   Imperativ: Bitte ihn doch zu kommen!
   entschuldigen: du entschuldigst   Imperativ: Entschuldige mich!
   rechnen: du rechnest   Imperativ: Rechne alles zusammen!

Remarques

1. Quand il s'agit d'ordres de sens général, on emploie l'infinitif à la place de
   l'impératif:
   Nicht aus dem Fenster lehnen!
   Nicht öffnen, bevor der Zug hält!

2. Pour des ordres devant être exécutés immédiatement, on emploie le participe passé:
   Aufgepasst! Hiergeblieben!

1 Der Hotelportier hat viel zu tun

Was er tut: Die Bitte des Gastes:
Er bestellt dem Gast ein Taxi.   *Bestellen Sie mir bitte ein Taxi!*

1. Er weckt den Gast um sieben Uhr.
2. Er schickt dem Gast das Frühstück aufs Zimmer.
3. Er besorgt dem Gast eine Tages-zeitung.
4. Er bringt den Anzug des Gastes zur Reinigung.
5. Er verbindet den Gast mit der Tele-fonauskunft.

6. Er lässt den Gast mittags schlafen und stört ihn nicht durch Telefon-anrufe.
7. Er besorgt dem Gast ein paar Kopf-schmerztabletten.
8. Er lässt die Koffer zum Auto brin-gen.
9. Er schreibt die Rechnung.

2 a Schüler haben's manchmal schwer!

Was sie tun: Was sie tun sollen:
Hans spricht *zu* laut.   *Sprich nicht so laut!*

Vous pouvez donner à l'ordre plus d'insistance: *Sprich doch nicht so laut!*
(*doch* n'est pas accentué).

1. Günther schreibt zu undeutlich.   6. Angelika spricht zu leise.
2. Heidi isst zu langsam.   7. Else kommt immer zu spät.
3. Fritz raucht zu viel.   8. Ruth ist zu unkonzentriert.
4. Otto fehlt zu oft.   9. Maria ist zu nervös.
5. Edgar macht zu viele Fehler.   10. Willi macht zu viel Unsinn.

b   Was sie nicht getan haben: Was sie tun sollen:

Udo hat seine Schultasche nicht   *Nimm bitte deine Schultasche mit!*
mitgenommen.

1. Gisela hat ihre Arbeit nicht abgege-   5. Monika hat das Theatergeld nicht
   ben.   eingesammelt.
2. Heinz hat sein Busgeld nicht be-   6. Didi hat seine Vokabeln nicht
   zahlt.   gelernt.
3. Irmgard hat ihren Antrag nicht aus-   7. Uschi hat die Unterschrift des Vaters
   gefüllt.   nicht mitgebracht.
4. Alex hat seine Hausaufgaben nicht   8. Wolfgang ist nicht zum Direktor
   gemacht.   gegangen.

3 Die Bevölkerung fordert ... – Reprenez l'exercice § 8 no. 3 et mettez les phrases à
l'impératif.

Erweitert den Park!   *Pflanzt Sträucher an!*

4 Reprenez l'exercice § 7 no. 1a et 1c et mettez les phrases à l'impératif.

Telefonate weiterleiten   *Leiten Sie die Telefonate bitte weiter!*

5 Einige Fluggäste werden aufgefordert. – Reprenez l'exercice § 7 no. 2 et mettez les
phrases à l'impératif.

Bitte aufhören zu rauchen!   *Hören Sie bitte auf zu rauchen!*
Bitte anschnallen!   *Schnallen Sie sich bitte an!*

6 Reprenez l'exercice § 7 no. 4a et transformez les phrases sur le modèle suivant:

Sie zieht den Vorhang auf. (zu-)   *Zieh den Vorhang bitte wieder zu!*

§ 12   Formation du parfait
avec «haben» ou «sein»

Remarques préliminaires

Pour former le parfait et le plus-que-parfait on utilise un verbe auxiliaire et le participe passé. Quand utilise-t-on l'auxiliaire *haben* et quand utilise-t-on l'auxiliaire *sein*?

I Les verbes conjugués avec «sein»

On emploie avec *sein*

1. tous les verbes qui ne peuvent pas avoir de complément d'objet direct (= verbes intransitifs) et qui indiquent un mouvement avec changement de lieu: *aufstehen, begegnen, fahren, fallen, fliegen, gehen, kommen, reisen,* etc.

2. tous les verbes intransitifs indiquant un changement d'état:
   a) un début ou une évolution: *aufblühen, aufwachen, einschlafen, entstehen, werden, wachsen,* etc.
   b) une fin ou la dernière étape d'une évolution: *sterben, ertrinken, ersticken, umkommen, vergehen, verblühen* etc.

3. les verbes *sein* et *bleiben.*

Remarques

1. Les verbes *fahren* et *fliegen* peuvent être employés également avec un complément d'objet à l'accusatif; dans ce cas l'auxiliaire au parfait est *haben*:
   Ich habe *das Auto* selbst in die Garage gefahren.
   Der Pilot hat *das Flugzeug* nach New York geflogen.

2. Le verbe *schwimmen*:
   Er ist *zu der Insel* geschwommen. (= déplacement vers un but)
   Er hat zehn Minuten *im Fluss* geschwommen. (= sans indication précise de direction, endroit fixe)

II Les verbes conjugués avec «haben»

Tous les autres verbes se conjuguent avec l'auxiliaire *avoir*:

1. tous les verbes qui peuvent avoir un complément d'objet direct (= verbes transitifs): *bauen, fragen, essen, hören, lieben, machen, öffnen,* etc.

2. tous les verbes réfléchis: *sich beschäftigen, sich bemühen, sich rasieren,* etc..

3. tous les verbes de modalité (voir § 18 II): *dürfen, können, mögen, müssen, sollen, wollen.*

4. les verbes qui ne peuvent pas avoir de complément d'objet direct (= verbes intransitifs) mais seulement si ceux-ci expriment un mouvement et non pas un état ou la durée d'une action. Ce sont:

   a) les verbes employés avec des indications de lieu ou de temps mais n'exprimant pas de déplacement ou de changement d'état: *hängen* (= verbe fort), *liegen, sitzen, stehen, stecken; arbeiten, leben, schlafen, wachen*, etc. Dans le Sud de l'Allemagne les verbes *liegen, sitzen, stehen* sont la plupart du temps conjugués avec l'auxiliaire *sein*.

   b) les verbes construits avec un complément d'objet au datif mais n'exprimant pas de mouvement: *antworten, danken, drohen, gefallen, glauben, nützen, schaden, vertrauen*, etc.

   c) les verbes indiquant un début et une fin: *anfangen, aufhören, beginnen*.

1 Parfait avec «haben» ou «sein»?

> Wann beginnt das Konzert?   *Es hat schon begonnen.*
> Wann reist euer Besuch ab?   *Er ist schon abgereist.*

1. Wann esst ihr zu Mittag? – Wir …
2. Wann rufst du ihn an? – Ich …
3. Wann kaufst du die Fernsehzeitschrift?
4. Wann kommt die Reisegruppe an?
5. Wann fährt der Zug ab?
6. Wann schreibst du den Kündigungsbrief?
7. Wann ziehen eure Nachbarn aus der Wohnung aus?
8. Wann ziehen die neuen Mieter ein?
9. Wann schafft ihr euch einen Fernseher an?

2 «haben» ou «sein»? Complétez avec l'un des deux auxiliaires à la forme qui convient.

1. „ … du geschlafen?" „Ja, ich … plötzlich eingeschlafen; aber ich … noch nicht ausgeschlafen." „Ich … dich geweckt, entschuldige bitte!"
2. Die Rosen … wunderbar geblüht! Aber jetzt … sie leider verblüht.
3. Heute Morgen waren alle Blüten geschlossen; jetzt … sie alle aufgegangen; heute Abend … sie alle verblüht, denn sie blühen nur einen Tag. Aber morgen früh … wieder neue aufgeblüht.
4. Wir … lange auf die Gäste gewartet, aber jetzt … sie endlich eingetroffen.
5. Um 12.15 Uhr … der Zug angekommen; er … nur drei Minuten gehalten, dann … er weitergefahren.
6. Die Kinder … am Fluss gespielt; dabei … ein Kind in den Fluss gefallen. Es … um Hilfe geschrien. Ein Mann … das gehört, er … in den Fluss gesprungen und er … das Kind gerettet.
7. Gas … in die Wohnung gedrungen. Die Familie … beinahe erstickt. Das Rote Kreuz … gekommen und … die Leute ins Krankenhaus gebracht. Dort … sie sich schnell erholt.

3 Christof kommt nach Hause und erzählt: «Heute ist eine Unterrichtsstunde ausgefallen, und wir haben gemacht, was wir wollten.»

> Hans (zum Fenster rausschauen)   *Hans hat zum Fenster rausgeschaut.*

1. Ulla (ihre Hausaufgaben machen)
2. Jens (sich mit Hans-Günther unterhalten)
3. Gilla (die Zeitung lesen)
4. Ulrich (mit Carlo Karten spielen)
5. Karin (Männchen malen)
6. Ulrike (Rüdiger lateinische Vokabeln abhören)
7. Christiane (sich mit Markus streiten)
8. Katja (ein Gedicht auswendig lernen)
9. Heike (mit Stefan eine Mathematikaufgabe ausrechnen)
10. Iris (etwas an die Tafel schreiben)
11. Claudia und Joachim (sich Witze erzählen)
12. Wolfgang und Markus (ihre Radtour besprechen)
13. Ich (in der Ecke sitzen und alles beobachten)

4 Construisez les phrases au parfait. Lorsque le sujet est le même, il n'est pas nécessaire de le répéter après «und». Si l'auxiliaire est le même, il n'est pas nécessaire de le répéter.

Herr Traut im Garten // Beete umgraben / Salatpflanzen setzen
Was hat Herr Traut im Garten gemacht?
Er hat Beete umgegraben und er hat Salatpflanzen gesetzt.
besser: *Er hat Beete umgegraben und Salatpflanzen gesetzt.*

Lieschen Müller gestern // in die Schule gehen / eine Arbeit schreiben
Was hat Lieschen Müller gestern gemacht?
Sie ist in die Schule gegangen und sie hat eine Arbeit geschrieben.
besser: *Sie ist in die Schule gegangen und hat eine Arbeit geschrieben.*

1. Frau Traut im Garten // Unkraut vernichten / Blumen pflücken
2. Inge gestern in der Stadt // ein Kleid kaufen / Schuhe anprobieren
3. Herr Kunze gestern // in die Stadt fahren / Geld von der Bank abheben
4. Frau Goldmann gestern // zur Post fahren / ein Paket aufgeben
5. Herr Lange gestern // den Fotoapparat zur Reparatur bringen / die Wäsche aus der Wäscherei abholen
6. Herr Kollmann gestern // Unterricht halten / Hefte korrigieren
7. Frau Feldmann gestern im Büro // Rechnungen bezahlen / Briefe schreiben
8. Professor Keller gestern // Vorlesungen halten / Versuche durchführen
9. Fritzchen Hase gestern // in den Kindergarten gehen / Blumen und Schmetterlinge malen
10. Frau Doktor Landers gestern // Patienten untersuchen / Rezepte ausschreiben

5 Eine Woche Urlaub. – Mettez les phrases au parfait.

Zuerst fahren wir nach Bayreuth. Dort gehen wir am Samstag in die Oper.
An diesem Tag steht der „Tannhäuser" von Wagner auf dem Programm. Auch
am Sonntag bleiben wir in Bayreuth und schauen uns die Stadt und die
Umgebung an.
Am Sonntagabend treffen wir uns mit Freunden und fahren ins Fichtelgebirge.
Da bleiben wir eine Woche. Wir wandern jeden Tag zu einem anderen Ziel.
Abends sitzen wir dann noch zusammen und unterhalten uns, sehen fern
oder gehen tanzen. Kaum liegt man dann im Bett, schläft man auch schon ein.
Am Sonntag darauf fahren wir dann wieder nach Hause.

6   Mettez les phrases suivantes au parfait.

> Der Mieter kündigte und zog aus.
> *Der Mieter hat gekündigt und ist ausgezogen.*

> Maiers besichtigten die Wohnung und unterschrieben den Mietvertrag.
> *Maiers haben die Wohnung besichtigt und den Mietvertrag unterschrieben.*

1. Herr Maier besorgte sich Kartons und verpackte darin die Bücher.
2. Er lieh sich einen Lieferwagen und fuhr damit zu seiner alten Wohnung.
3. Die Freunde trugen die Möbel hinunter und verstauten sie im Auto. (verstauen = auf engem Raum unterbringen, verpacken)
4. Dann fuhren die Männer zu der neuen Wohnung und luden dort die Möbel aus.
5. Sie brachten sie mit dem Aufzug in die neue Wohnung und stellten sie dort auf.
6. Frau Maier verpackte das Porzellan sorgfältig in Kartons und fuhr es mit dem Auto zu der neuen Wohnung.
7. Dort packte sie es wieder aus und stellte es in den Schrank.
8. Maiers fuhren mit dem Lieferwagen fünfmal hin und her, dann brachten sie ihn der Firma zurück.

7   Même exercice:

1. Ein Mann überfiel eine alte Frau im Park und raubte ihr die Handtasche.
2. Ein Motorradfahrer fuhr mit hoher Geschwindigkeit durch eine Kurve und kam von der Straße ab. Dabei raste er gegen einen Baum und verlor das Bewusstsein.
3. Ein betrunkener Soldat fuhr mit einem Militärfahrzeug durch die Straßen und beschädigte dabei fünfzehn Personenwagen.
4. Auf einem Bauernhof spielten Kinder mit Feuer und steckten dabei die Stallungen in Brand. Die Feuerwehrleute banden die Tiere los und jagten sie aus den Ställen.
5. Zwei Räuber überfielen eine Bank und nahmen eine halbe Million Mark mit.

8   Transformez au parfait. Utilisez la 1ère pers. sing. (ich).

Er wachte zu spät auf, sprang sofort aus dem Bett, zerriss dabei die Bettdecke und warf das Wasserglas vom Nachttisch. Das machte ihn schon sehr ärgerlich. Er wusch sich nicht, zog sich in aller Eile an, verwechselte die Strümpfe und band sich eine falsche Krawatte um. Er steckte nur schnell einen Apfel ein, verließ die Wohnung und rannte die Treppe hinunter. Die Straßenbahn fuhr ihm gerade vor der Nase weg. Er lief ungeduldig zehn Minuten lang an der Haltestelle hin und her. Er stieg eilig in die nächste Bahn, verlor aber dabei die Fahrkarte aus der Hand. Er drehte sich um, hob die Fahrkarte vom Boden auf, aber der Fahrer machte im selben Augenblick die automatischen Türen zu. Er hielt ein Taxi an, aber der Taxifahrer verstand die Adresse falsch und lenkte den Wagen zunächst in die falsche Richtung. So verging wieder viel Zeit. Er kam 45 Minuten zu spät in der Firma an, entschuldigte sich beim Chef und beruhigte die Sekretärin. Er schlief dann noch eine halbe Stunde am Schreibtisch.

§ 13   Les verbes transitifs et intransitifs difficiles à différencier

I   legen / liegen, stellen / stehen, etc.

verbes transitifs forts	verbes intransitifs faibles
hängen, hängte, hat gehängt Ich *habe* den Mantel in die Garderobe *gehängt*.	hängen, hing, hat gehangen Der Mantel *hat* in der Garderobe *gehangen*.
legen, legte, hat gelegt Ich *habe* das Buch auf den Schreibtisch *gelegt*.	liegen, lag, hat gelegen Das Buch *hat* auf dem Schreibtisch *gelegen*.
stellen, stellte, hat gestellt Ich *habe* das Buch ins Regal *gestellt*.	stehen, stand, hat gestanden Das Buch *hat* im Regal *gestanden*.
setzen, setzte, hat gesetzt Sie *hat* das Kind auf den Stuhl *gesetzt*.	sitzen, saß, hat gesessen Das Kind *hat* auf dem Stuhl *gesessen*.
stecken, steckte, hat gesteckt Er *hat* den Brief in die Tasche *gesteckt*.	stecken, steckte (stak), hat gesteckt Der Brief *hat* in der Tasche *gesteckt*.

1. Les verbes transitifs (verbes suivis d'un complément à l'accusatif) indiquent une action: Sujet (nom.) + Objet (acc.)
   Le complément de lieu répondant à la question *wohin?* est introduit par une préposition suivie de l'accusatif (voir § 57).

2. Les verbes intransitifs (verbes qui ne sont pas suivis d'un complément à l'accusatif) indiquent le résultat d'une action.
   Le complément de lieu répondant à la question *wo?* est introduit par une préposition suivie du datif (voir § 57).

3. Généralement le complément d'objet à l'accusatif devient le sujet du verbe intransitif.

1   Choisissez le verbe qui convient et mettez-le au parfait.

1. Die Bilder haben lange Zeit im Keller (liegen / legen).
2. Jetzt habe ich sie in mein Zimmer (hängen st. / schw.).
3. Früher haben sie in der Wohnung meiner Eltern (hängen st. / schw.)
4. Das Buch hat auf dem Schreibtisch (liegen / legen).
5. Hast du es auf den Schreibtisch (liegen / legen)?
6. Ich habe die Gläser in den Schrank (stehen / stellen).

7. Die Gläser haben in der Küche (stehen / stellen).
8. Der Pfleger hat den Kranken auf einen Stuhl (sitzen / setzen).
9. Der Kranke hat ein wenig in der Sonne (setzen / sitzen).
10. Die Bücher haben im Bücherschrank (stehen / stellen).
11. Hast du sie in den Bücherschrank (stehen / stellen)?
12. Die Henne hat ein Ei (legen / liegen).
13. Hast du den Jungen schon ins Bett (legen / liegen)?
14. Die Familie hat sich vor den Fernseher (setzen / sitzen).
15. Dort hat sie den ganzen Abend (setzen / sitzen).
16. Im Zug hat er sich in ein Abteil 2. Klasse (setzen / sitzen).
17. Er hat den Mantel an den Haken (hängen st./schw.).
18. Vorhin hat der Mantel noch an dem Haken (hängen st./schw.).

2 Herr Müller macht die Hausarbeit – Datif ou accusatif? Ecrivez les phrases en employant le cas qui convient.

1. Er stellt das Geschirr in (Schrank [m]) zurück.
2. Die Gläser stehen immer in (Wohnzimmerschrank [m]).
3. Die Tassen und Teller stellt er in (Küchenschrank [m]).
4. Die Tischtücher legt er in (Schränkchen [n]) in (Esszimmer [n]).
5. In (Schränkchen [n]) liegen auch die Servietten.
6. Gebrauchte Handtücher hängen noch in (Badezimmer [n]).
7. Die Wäsche hängt noch auf (Wäscheleine [f]) hinter (Haus [n]).
8. Er nimmt sie ab und legt sie in (Wäscheschrank [m]).
9. Die schmutzige Wäsche steckt er in (Waschmaschine [f]).
10. Später hängt er sie auf (Wäscheleine [f]).

3 Maintenant refaites l'exercice no. 2 au parfait.

II Autres verbes transitifs et intransitifs

verbes transitifs forts	*verbes intransitifs faibles*
erschrecken (erschreckt), erschreckte, hat erschreckt Der Hund *hat* das Kind *erschreckt*.	erschrecken (erschrickt), erschrak, ist erschrocken Das Kind *ist* vor dem Hund *erschrocken*.
löschen, löschte, hat gelöscht Die Männer *haben* das Feuer *gelöscht*.	erlöschen (erlischt), erlosch, ist erloschen Das Feuer *ist erloschen*.
senken, senkte, hat gesenkt Der Händler *hat* die Preise *gesenkt*.	sinken, sank, ist gesunken Die Preise *sind gesunken*.
sprengen, sprengte, hat gesprengt Die Soldaten *haben* die Brücke *gesprengt*.	zerspringen, zersprang, ist zersprungen Das Glas *ist zersprungen*.

verbes transitifs forts	verbes intransitifs faibles
versenken, versenkte, hat versenkt Das U-Boot *hat* das Schiff *versenkt*.	versinken, versank, ist versunken Die Insel *ist* im Meer *versunken*.
verschwenden, verschwendete, hat verschwendet Der Sohn *hat* das Geld *verschwendet*.	verschwinden, verschwand, ist verschwunden Das Geld *ist verschwunden*.

1. Les verbes transitifs indiquent une action.

2. Les verbes intransitifs indiquent le résultat d'une action ou bien l'état dans lequel est mis quelqu'un ou quelque chose par cette action.
   Die Kinder haben sich hinter der Kellertür versteckt und erschrecken die alte Dame. – Die alte Dame erschrickt.
   Wütend griff er nach seinem Weinglas. Das Glas zersprang.

4 Choisissez pour chaque phrase le verbe qui convient et mettez-le à la forme qui convient.

1. „löschen" oder „erlöschen"?
   a) Sie ... das Licht und ging schlafen. (Prät.)
   b) Meine Liebe zu Gisela ... (Perf.)
   c) Nach dem langen Marsch mussten alle ihren Durst ...
   d) Die Pfadfinder ... das Feuer, bevor sie das Lager verließen. (Prät.)
   e) Siehst du das Licht dort? Es geht immer an und ... wieder. (Präs.)
   f) Der Vulkan ..., jedenfalls ist er seit 200 Jahren nicht mehr tätig. (Perf.)

2. „(ver)senken" oder „(ver)sinken"?
   a) Der Angeklagte ... den Blick bei den strengen Fragen des Richters. (Prät.)
   b) Der Wert des Autos ... von Jahr zu Jahr. (Präs.)
   c) Schon nach dem dritten Jahr ... der Wert des Wagens auf die Hälfte ... (Perf.)
   d) Der Fallschirmspringer ... langsam zu Boden. (Präs.)
   e) Die Steuern werden hoffentlich bald ...
   f) Während der letzten 24 Stunden ... die Temperatur um 12 Grad ... (Perf.)
   g) Die „Titanic" stieß auf ihrer ersten Fahrt mit einem Eisberg zusammen und ... innerhalb von drei Stunden. (Prät.)
   h) Die Kinder ... bis zu den Knien im Schnee. (Prät.)
   i) 1960 ... die Stadt Agadir bei einem Erdbeben in Schutt und Asche ... (Perf.)
   j) Der Feind ... das Schiff mit einer Rakete. (Prät.)

3. „sprengen" oder „springen"?
   a) Man ... die alten Burgmauern ... (Perf.)
   b) Das Wasser gefriert und ... das Glas. (Präs.)
   c) Der Polizeihund ... über den Zaun ... (Perf.)
   d) Man muss die baufällige Brücke ...
   e) Die Feder der Uhr ...; sie muss repariert werden. (Perf.)
   f) Jede Minute ... der Zeiger der Uhr ein Stück vor. (Präs.)
   g) Der Sportler ... 7,10 Meter weit ... (Perf.)

4. „verschwenden" oder „verschwinden"?
   a) ..., und lass dich hier nicht mehr sehen! (Imperativ)
   b) Die Donau ... in ihrem Oberlauf plötzlich im Boden und kommt erst viele Kilometer weiter wieder aus der Erde. (Präs.)

c) Die Sonne ... hinter den Wolken. (Prät.)
d) „Tu das Geld in die Sparbüchse und ... es nicht wieder für Süßigkeiten!" (Imperativ)
e) Mit diesem Mittel ... jeder Fleck sofort. (Präs.)
f) Er ... sein ganzes Vermögen. (Prät.)
g) Der Bankräuber ... spurlos ... (Perf.)

5. „erschrecken, erschreckt" oder „erschrecken, erschrickt"?
a) ... er dich mit seiner Maske sehr ...? (Perf.)
b) Ja, ich ... furchtbar ... (Perf.)
c) Bei dem Unfall ist nichts passiert, aber alle ... sehr ... (Perf.)
d) ... bitte nicht! Gleich knallt es. (Imperativ)
e) Der Schüler ... den Lehrer mit seiner Spielzeugpistole. (Prät.)
f) Sie ... bei jedem Geräusch. (Präs.)
g) „Wenn du mich nochmal so ..., werde ich böse!" (Präs.)
h) „Ich ... dich bestimmt nicht mehr!" (Präs.)

§ 14   La rection des verbes

Remarque préliminaire

Rection des verbes, cela signifie que certains verbes exigent un cas bien défini. L'emploi des différents cas n'est régi par aucune règle. Il est particulièrement difficile de distinguer les verbes suivis d'un complément à l'accusatif de ceux construits avec un complément au datif. La distinction est d'autant plus difficile à faire que nombre de verbes allemands ont un objet au datif alors que l'équivalent français est un verbe transitif. Inversement, nombre de verbes transitifs en allemand n'ont pas d'équivalent transitif en français.

Ich frage *ihn.*   –   Ich antworte *ihm.*
Er trifft *ihn.*   –   Er begegnet *ihm.*

I   Les verbes suivis de l'accusatif

1. En allemand, la plupart des verbes sont construits avec un accusatif:

   Er baut *ein Haus.*   Wir bitten *unseren Nachbarn.*
   Er pflanzt *einen Baum.*   Ich liebe *meine Geschwister.*
   Der Bauer pflügt *den Acker.* Der Professor lobt *den Studenten.*
   Ich erreiche *mein Ziel.*   Sie kennen *die Probleme.*

2. Quelques verbes impersonnels: ces verbes ont un sujet impersonnel, *es,* et un complément d'objet à l'accusatif, le plus souvent un pronom. Ils sont suivis le plus souvent d'une complétive introduite par *dass* ou d'une proposition infinitive (voir § 16 II 4):

   Es ärgert *mich,* dass ...   Es langweilt *den Schüler,* dass ...
   Es beleidigt *uns,* dass ...   Es macht *mich* froh (traurig, fertig), dass ...

Es beunruhigt *ihn,* dass …   Es stößt *mich* ab, dass …
Es erschreckt *mich,* dass …   Es wundert *mich,* dass …
Es freut *den Kunden,* dass …   usw.

3. La plupart des verbes à particule inséparable, plus particulièrement ceux formés
avec les préfixes *be-, ver-, zer-* sont suivis de l'accusatif:

Er *bekommt die Stellung* nicht.   Wir *verstehen dich* nicht.
Wir *besuchen unsere Freunde.*   Er *zerreißt die Rechnung.*
Er *bereiste viele Länder.*   Der Sturm *zerbrach die Fenster.*
Sie *verließ das Zimmer.*   usw.

4. L'expression *es gibt* et *haben* en tant que verbe principal sont suivis de l'accusatif:

Es gibt *keinen Beweis* dafür.   Wir haben *einen Garten.*
Es gibt heute *nichts* zu essen.   Er hatte *das beste Zeugnis.*

1   Mettez les compléments d'objet à l'accusatif au singulier.

1. Auf einer Busreise besichtigen die Touristen Burgen (f), Schlösser (n), Dome
   (m), Klöster (n) und Denkmäler (n).
2. Die Ballonfahrer sehen von oben Wälder (m), Wiesen (f), Äcker (m), Dörfer
   (n), Städte (f) und Stauseen (m).
3. Der Student befragt nicht nur die Professoren und Kommilitonen, sondern
   auch die Professorinnen und Kommilitoninnen.
4. Neben Arbeitern braucht die Firma Fachleute für Computertechnik, Schreiner,
   Schlosser und LKW-Fahrer oder -Fahrerinnen.
5. Der Bastler bastelt nicht nur Drachen (m) und Flugzeuge (n), sondern auch
   Lampenschirme (m) und Möbelstücke (n).

II Les verbes suivis du datif

Les verbes construits avec le datif expriment souvent un rapport avec une personne.
Leur nombre est limité.

La liste suivante contient les verbes le plus couramment usités avec un complément au
datif:

ähneln	Sie ähnelt *ihrer Mutter* sehr.
antworten	Antworte *mir* schnell!
befehlen	Der Zöllner befiehlt *dem Reisenden* den Koffer zu öffnen.
begegnen	Ich bin *ihm* zufällig begegnet.
beistehen	Meine Freunde stehen *mir* bestimmt bei.
danken	Ich danke *Ihnen* herzlich für die Einladung.
einfallen	Der Name fällt *mir* nicht ein.
entgegnen	Der Minister entgegnete *den Journalisten,* dass …
erwidern	Er erwiderte *dem Richter,* dass …
fehlen	Meine Geschwister fehlen *mir.*
folgen	Der Jäger folgt *dem Wildschwein.*
gefallen	Die Sache gefällt *mir* nicht.
gehören	Dieses Haus gehört *meinem Vater.*
gehorchen	Der Junge gehorcht *mir* nicht.
gelingen	Das Experiment ist *ihm* gelungen.

genügen	Zwei Wochen Urlaub genügen *mir* nicht.
glauben	Du kannst *ihm* glauben.
gratulieren	Ich gratuliere *Ihnen* herzlich zum Geburtstag.
helfen	Könnten Sie *mir* helfen?
missfallen	Der neue Film hat *den Kritikern* missfallen.
misslingen	Der Versuch ist *dem Chemiker* misslungen.
sich nähern	Der Wagen näherte sich *der Unfallstelle*.
nützen	Der Rat nützt *ihm* nicht viel.
raten	Ich habe *ihm* geraten gesünder zu essen.
schaden	Lärm schadet *dem Menschen*.
schmecken	Schokoladeneis schmeckt *allen Kindern*.
vertrauen	Der Chef vertraut *seiner Sekretärin*.
verzeihen	Ich verzeihe *dir*.
ausweichen	Der Radfahrer ist *dem Auto* ausgewichen.
widersprechen	Ich habe *ihm* sofort widersprochen.
zuhören	Bitte hör *mir* zu!
zureden	Wir haben *ihm* zugeredet die Arbeit anzunehmen.
zusehen	Wir haben *dem Meister* bei der Reparatur zugesehen.
zustimmen	Die Abgeordneten stimmten *dem neuen Gesetz* zu.
zuwenden	Der Verkäufer wendet sich *dem neuen Kunden* zu.

2 Trouvez le substantif qui convient et mettez-le au datif.

1. Das Gras schmeckt	a) der Jäger
2. Das Medikament nützt	b) die Blumen
3. Die Kinder vertrauen	c) der Hund
4. Der Sportplatz gehört	d) das Geburtstagskind
5. Wir gratulieren	e) der Gastgeber
6. Die Gäste danken	f) die Patientin
7. Der Jäger befiehlt	g) die Eltern
8. Der Hund gehorcht	h) der Ladendieb
9. Die Trockenheit schadet	i) die Gemeinde
10. Der Detektiv folgt	j) die Kühe

3 Verbes suivis du datif. Faites l'exercice suivant. Le sujet est toujours en première position.

1. er / sein Vater / immer mehr ähneln (Präs.)
2. der Angeklagte / der Richter / nicht antworten (Prät.)
3. ich / gestern / mein Freund / begegnen (Perf.)
4. sein Vater / er / finanziell beistehen (Fut.)
5. meine Telefonnummer / mein Nachbar / nicht einfallen (Perf.)
6. das Geld für das Schwimmbad / die Gemeinde / leider fehlen (Präs.)
7. mein Hund / ich / aufs Wort folgen (= gehorchen) (Präs.)
8. das Wetter / die Wanderer / gar nicht gefallen (Prät.)
9. die Villa / ein Bankdirektor / gehören (Präs.)
10. die Lösung der Aufgabe / die Schüler / nicht gelingen (Perf.)

III Les verbes suivis du datif et de l'accusatif

En général, le complément au datif est une personne, celui à l'accusatif une chose. Les verbes suivants peuvent être utilisés avec un complément à l'accusatif et un complément au datif. Souvent n'est exprimé que le complément à l'accusatif:
Er beantwortet dem Sohn die Frage.
Er beantwortet die Frage.

La liste suivante contient les verbes les plus couramment usités avec un complément au datif et à l'accusatif:

anvertrauen	Er hat dem Lehrling die Werkstattschlüssel anvertraut.
beantworten	Ich beantworte dir gern die Frage.
beweisen	Er bewies dem Schüler den mathematischen Lehrsatz.
borgen	Ich habe ihm das Buch nur geborgt, nicht geschenkt.
bringen	Er brachte mir einen Korb mit Äpfeln.
empfehlen	Ich habe dem Reisenden ein gutes Hotel empfohlen.
entwenden	Ein Unbekannter hat dem Gast die Brieftasche entwendet.
entziehen	Der Polizist entzog dem Fahrer den Führerschein.
erlauben	Wir erlauben den Schülern das Rauchen in den Pausen.
erzählen	Ich erzähle dir jetzt die ganze Geschichte.
geben	Er gab mir die Hand.
leihen	Er hat mir das Handy geliehen.
liefern	Die Fabrik liefert der Firma die Ware.
mitteilen	Er teilt mir die Geburt seines Sohnes mit.
rauben	Die Räuber raubten dem Boten das Geld.
reichen	Er reichte den Gästen die Hand.
sagen	Ich sagte ihm deutlich meine Meinung.
schenken	Ich schenke ihr ein paar Blumen.
schicken	Meine Eltern haben mir ein Paket geschickt.
schreiben	Er schrieb dem Chef einen unfreundlichen Brief.
senden	Wir senden Ihnen anliegend die Antragsformulare.
stehlen	Unbekannte Täter haben dem Bauern zwölf Schafe gestohlen.
überlassen	Er überließ mir während der Ferien seine Wohnung.
verbieten	Er hat seinem Sohn das Motorradfahren verboten.
verschweigen	Der Angeklagte verschwieg dem Verteidiger die Wahrheit.
versprechen	Ich habe ihm 100 Euro versprochen.
verweigern	Die Firma verweigert den Angestellten das Urlaubsgeld.
wegnehmen	Er hat mir die Schreibmaschine wieder weggenommen.
zeigen	Er zeigte dem Besucher seine Bildersammlung.

4 Faites l'exercice ci-dessous d'après le modèle suivant:

Hast du deinem Freund das Auto geliehen?
Ja, ich hab' ihm das Auto geliehen.

Hast du
1. ... dem Chef die Frage beantwortet?
2. ... deinen Eltern deinen Entschluss mitgeteilt?
3. ... den Kindern das Fußballspielen v erboten?
4. ... deiner Wirtin die Kündigung geschickt?

5. ... deinem Sohn das Rauchen gestattet?
6. ... deiner Freundin den Fernseher überlassen?
7. ... deinem Bruder die Wahrheit gesagt?
8. ... deinem Vater deine Schulden verschwiegen?
9. ... den Kindern den Ball weggenommen?
10. ... deinen Freunden die Urlaubsbilder schon gezeigt?
11. ... deiner Familie einen Ausflug versprochen?
12. ... deinen Eltern einen Gruß geschickt?

5 Construisez des phrases au prétérit et au parfait. Mettez les substantifs au cas qui convient.

der Arzt / der Mann / das Medikament / verschreiben
Der Arzt verschrieb dem Mann das Medikament.
Der Arzt hat dem Mann das Medikament verschrieben.

1. die Hausfrau / der Nachbar / die Pflege der Blumen / anvertrauen
2. die Tochter / der Vater / die Frage / beantworten
3. der Angeklagte / der Richter / seine Unschuld / beweisen
4. Udo / mein Freund / das Moped / borgen
5. der Briefträger / die Einwohner / die Post / jeden Morgen gegen 9 Uhr / bringen
6. er / die Kinder / Märchen / erzählen
7. der Bürgermeister / das Brautpaar / die Urkunden / geben
8. Gisela / der Nachbar / das Fahrrad / gern leihen
9. das Versandhaus / die Kunden / die Ware / ins Haus liefern
10. sie / die Tante / das Geburtstagsgeschenk / schicken
11. Hans / der Chef / die Kündigung / aus Frankreich / schicken
12. das Warenhaus / der Kunde / der Kühlschrank / ins Haus senden
13. der Angestellte / der Chef / seine Kündigungsabsicht / verschweigen
14. die Zollbehörde / der Ausländer / die Einreise / verweigern
15. eine Diebesbande / die Fahrgäste im Schlafwagen / das Geld / entwenden
16. die Polizei / der Busfahrer / der Führerschein / entziehen
17. der Motorradfahrer / die Dame / die Tasche / im Vorbeifahren rauben
18. meine Freundin / die Eltern / dieses Teeservice / zu Weihnachten / schenken
19. ein Dieb / der Junggeselle / die ganze Wohnungseinrichtung / stehlen
20. der Vater / der Sohn / zum Abitur / das Geld für eine Italienreise / versprechen

6 Accusatif et/ou datif? Construisez des phrases au prétérit.

1. der Pfleger / die Kranke / das Medikament / reichen
2. er / ihre Angehörigen / ein Brief / schreiben
3. die Verwandten / die Kranke / besuchen
4. die Angehörigen / die Patientin / bald wieder / verlassen müssen
5. der Arzt / die Dame / nicht erlauben aufzustehen
6. der Chefarzt / die Kranke / noch nicht entlassen wollen
7. die Frau / der Arzt / nicht widersprechen wollen
8. die Pfleger / die Frau / beistehen müssen
9. mein Bruder / die Touristen / in der Stadt / treffen

10. die Touristen / der Bus / verlassen
11. ich / die Touristen / begegnen
12. das Informationsbüro / die Touristen / das „Hotel Ritter" / empfehlen
13. die Touristen / der Vorschlag / zustimmen
14. die Leute / das Hotel / suchen
15. ein Fußgänger / die Reisenden / der Weg / zeigen
16. der Bus / das Hotel / sich nähern
17. das Musikstück / die Besucher / missfallen
18. der Vater / der Junge / eine Belohnung / versprechen
19. die Lügen / die Politiker / nicht helfen
20. das Parlament / ein Gesetz / beschließen

7 Refaites maintenant les phrases 1 à 14 de l'exercice 2 d'après le modèle suivant:

Der Arzt hat dem Mann das Medikament verschrieben.
Nein, das stimmt nicht, er hat ihm das Medikament nicht verschrieben!

Au lieu de «Nein, das stimmt nicht», vous pouvez dire aussi: Nein, ganz im Gegenteil, … ; Nein, das ist nicht wahr, … ; Nein, da irren Sie sich, … ; Nein, da sind Sie im Irrtum, …

IV Les verbes suivis de deux accusatifs

Peu de verbes sont employés avec deux accusatifs. Les principaux sont: *kosten, lehren, nennen, schelten, schimpfen.*
Er nennt / schilt / schimpft ihn einen Dummkopf.
Das Essen kostet mich 50 Euro.
Er lehrt mich das Lesen.

V Les verbes suivis de l'accusatif et du génitif

Ces verbes sont le plus souvent utilisés au tribunal:

anklagen	Man klagt *ihn des Meineids* an.
bezichtigen	Er bezichtigt *ihn der Unehrlichkeit.*
überführen	Die Polizei überführte *den Autofahrer der Trunkenheit* am Steuer.
verdächtigen	Man verdächtigte *den Zeugen der Lüge.*

VI Les verbes suivis du génitif

Ces verbes ne sont plus très usités aujourd'hui:

sich erfreuen	Sie erfreute sich *bester Gesundheit.*
bedürfen	Der Krankenbesuch bedurfte *der Genehmigung* des Chefarztes.

VII Verbes suivis d'un nominatif attribut

Les verbes *sein, werden, bleiben, heißen* et *scheinen* peuvent, en plus du sujet, avoir un deuxième nominatif:
Die Biene ist *ein Insekt.*
Mein Sohn wird später *Arzt.*
Er blieb sein Leben lang *ein armer Schlucker.*
Der Händler scheint *ein Betrüger* zu sein.

Remarque

Les verbes *sein* et *werden* ne peuvent pas être employés seuls. Ils ont toujours un complément. Exemples (excepté avec le sujet attribut):
Bienen sind *fleißig.* Du bist *tapfer.* Der Musiker wurde *berühmt.* Er blieb immer *freundlich.*
    Er scheint *geizig* zu sein. (= adverbe, voir § 42)
Sein Geburtstag ist am 29. Februar. Wir bleiben in der Stadt. Er scheint zu Hause
    zu sein. (= Compléments circonstanciels de lieu et de temps)
Das sind meine Haustiere. Das wird eine schöne Party. Das bleibt Wiese,
    das wird kein Bauland. (voir § 36 III 4 b)

VIII Verbes formant, avec un complément d'objet à l'accusatif, une expression fixe

Les expressions fixes sont très fréquentes en allemand. Le verbe perd pratiquement sa propre signification; le verbe et le complément d'objet à l'accusatif se complètent pour former ensemble une unité. On les appelle des verbes de fonction.
die Flucht ergreifen
eine Erklärung abgeben
eine Entscheidung treffen
Vous trouverez les listes d'exemples et d'exercices au § 62.

§ 15   Les verbes avec complément prépositionnel

Remarques préliminaires

1. Beaucoup de verbes sont employés avec une préposition fixe suivie d'un complément à un cas défini (datif ou accusatif). La préposition et le complément forment ensemble le complément prépositionnel.

2. L'emploi de tel verbe avec telle préposition ou bien l'emploi d'un cas défini pour le complément n'est régi par aucune règle. C'est pourquoi le verbe, la préposition et le cas doivent être appris ensemble (voir tableau sous III).

I Emploi

Die Nachtschwester sorgt für den Schwerkranken.
Wir haben an dem Ausflug nicht teilgenommen.
Le verbe est lié à un complément prépositionnel.

Sie erinnert sich gern an die Schulzeit.
Wir beschäftigen uns schon lange mit der Grammatik.
De nombreux verbes utilisés à la forme réfléchie sont suivis d'un complément d'objet prépositionnel.

Der Reisende dankt dem Schaffner für seine Hilfe.
Der Einheimische warnt den Bergsteiger vor dem Unwetter.
Quelques verbes ayant un complément prépositionnel exigent en plus un autre complément (datif ou accusatif). Celui-ci précède le complément prépositionnel.

Er beschwert sich bei den Nachbarn über den Lärm.
Wir haben uns bei dem Beamten nach der Ankunft des Zuges erkundigt.
Certains verbes ont même deux compléments prépositionnels. En général, le complément prépositionnel au datif précède celui à l'accusatif.

II Emploi avec les questions, les propositions avec «dass» et les propositions infinitives

La préposition dépend du verbe et régit le complément; c'est pourquoi elle fait partie de l'interrogation incluant un complément prépositionnel (a + b); elle fait partie du pronom remplaçant un complément prépositionnel (c + d) et elle est employée dans les propositions avec *dass* et les propositions infinitives (e + f).

a) Er denkt *an seine Freundin.*   Frage: *An wen* denkt er? (= Person)
b) Er denkt *an seine Arbeit.*   Frage: *Woran* denkt er? (= Sache)

Pour les questions portant sur un complément prépositionnel, il faut faire la distinction entre personnes et choses.
Quand il s'agit de personnes, la préposition est placée avant le mot interrogatif, p. ex. *bei wem?, an wen?,* etc.
Quand il s'agit de choses, la préposition est reliée à *wo,* p. ex. *wofür?, wonach?* Si la préposition commence par une voyelle, on la fait précéder d'un *–r–,* p. ex. *woran?*

c) Denkst du *an deine Freundin*?   Antwort: Ich denke immer *an sie.*
d) Denkst du *an deine Arbeit*?   Antwort: Ich denke immer *daran.*

Pour former les pronoms remplaçant un complément prépositionnel, il faut également faire la distinction entre personnes et choses:
Quand il s'agit de personnes, la préposition est placée avant le pronom personnel, p. ex. *vor ihm, an ihn,* etc.
Quand il s'agit de choses, la préposition est reliée à *da-,* p. ex. *damit, davon,* etc. Si la préposition commence par une voyelle, on la fait précéder, d'un *-r-,* p. ex. *daran, darauf,* etc.

e) Er denkt *daran*, dass seine Eltern bald zu Besuch kommen.

f) Er denkt *daran*, sich eine neue Stellung zu suchen.

Le complément prépositionnel peut être élargi à une complétive avec *dass* ou à une proposition infinitive (voir § 16 II 2). En règle générale, la préposition avec *da-* ou *dar-* est placée à la fin de la proposition principale ou de la proposition subordonnée.

1 Formulez des questions selon l'exemple suivant.

| Ich freue mich auf die Ferien. | *Worauf freust du dich?* |
| Ich freue mich auf Tante Vera. | *Auf wen freust du dich?* |

1. Der Diktator herrschte grausam über sein Volk.
2. Ich habe auf meinen Freund gewartet.
3. Er bereitet sich auf sein Examen vor.
4. Wir sprachen lange über die Politik des Landes.
5. Er schimpfte laut über den Finanzminister.
6. Alle beklagten sich über die hohen Steuern.
7. Bei dem Betrug geht es um 12 Millionen Dollar.
8. Er unterhielt sich lange mit seinem Professor.
9. Sie schützten sich mit einer Gasmaske vor dem Rauch. (2 Fragen)
10. Heute sammeln sie wieder fürs Rote Kreuz.

III   Liste des verbes les plus courants avec préposition

abhängen	von + D	den Eltern	
es hängt ab	von + D	den Umständen	davon, dass… / ob… / wie… / wann…
achten	auf + A	die Fehler	darauf, dass… / ob… / Inf.-K.
anfangen	mit + D	dem Essen	(damit), Inf.-K.
sich anpassen	an + A	die anderen	
sich ärgern	über + A	den Nachbarn	(darüber), dass… / Inf.-K.
jdn. ärgern	mit + D	dem Krach	damit, dass…
aufhören	mit + D	dem Unsinn	(damit), Inf.-K.
sich bedanken	für + A	das Geschenk	dafür, dass …
	bei + D	den Eltern	
sich / jdn. befreien	von + D	den Fesseln	
	aus + D	der Gefahr	
beginnen	mit + D	der Begrüßung	(damit), Inf.-K.
sich beklagen	bei + D	dem Chef	
	über + A	die Mitarbeiter	(darüber), dass… / Inf.-K.
sich bemühen	um + A	die Zulassung	(darum), dass… / Inf.-K.
sich / jdn. beschäftigen	mit + D	dem Problem	(damit), dass… / Inf.-K.
sich beschweren	bei + D	dem Direktor	
	über + A	den Kollegen	(darüber), dass… / Inf.-K.
sich bewerben	um + A	ein Stipendium	darum, dass… / Inf.-K.

jdn. bitten	um + A	einen Rat	(darum), dass... / Inf.-K.
bürgen	für + A	den Freund	dafür, dass...
		die Qualität	
jdm. danken	für + A	die Blumen	(dafür), dass...
denken	an + A	die Schulzeit	(daran), dass... / Inf.-K.
sich entschuldigen	bei + D	dem Kollegen	
	für + A	den Irrtum	(dafür), dass...
sich / jdn. erinnern	an + A	die Reise	(daran), dass... / Inf.-K.
jdn. erkennen	an + D	der Stimme	daran, dass...
sich erkundigen	bei + D	dem Beamten	
	nach + D	dem Pass	(danach), ob... / wann... / wie ... / wo ...
jdn. fragen	nach + D	dem Weg	(danach), ob... / wann... / wo...
sich freuen	auf + A	die Ferien	(darauf), dass... / Inf.-K.
	über + A	das Geschenk	(darüber), dass... / Inf.-K.
sich fürchten	vor + D	der Auseinandersetzung	(davor), dass... / Inf.-K.
jdm. garantieren	für + A	den Wert der Sache	(dafür), dass...
gehören	zu + D	einer Gruppe	es gehört dazu, dass...
es geht	um +A	die Sache	darum, dass ...
geraten	in + A	eine schwierige Lage; Wut	
	unter + A	die Räuber	
sich / jdn. gewöhnen	an + A	das Klima	daran, dass... / Inf.-K.
glauben	an + A	Gott; die Zukunft	daran, dass ...
jdn. halten	für + A	einen Betrüger	
etwas / nichts halten	von + D	dem Mann; dem Plan	davon, dass... / Inf.-K.
es handelt sich	um + A	das Kind; das Geld	darum, dass... / Inf.-K.
herrschen	über + A	ein Land	
hoffen	auf + A	die Geldsendung	(darauf), dass... / Inf.-K.
sich interessieren	für + A	das Buch	dafür, dass... / Inf.-K.
sich irren	in + D	dem Datum; dem Glauben, dass...	
kämpfen	mit + D	den Freunden	
	gegen + A	die Feinde	dagegen, dass...
	für + A	den Freund	dafür, dass... / Inf.-K.
	um + A	die Freiheit	darum, dass... / Inf.-K.
es kommt an	auf + A	die Entscheidung	darauf, dass... / ob... / wann... / Inf.-K.
es kommt jdm. an	auf + A	diesen Termin	
sich konzentrieren	auf + A	den Vortrag	darauf, dass... / Inf.-K.
sich kümmern	um + A	den Gast	darum, dass...
lachen	über + A	den Komiker	(darüber), dass...
leiden	an + D	einer Krankheit	daran, dass...
	unter + D	dem Lärm	darunter, dass... / Inf.-K.
jdm. liegt	an + D	seiner Familie	daran, dass... / Inf.-K.
es liegt	an + D	der Leitung	daran, dass...

nachdenken	über + A	den Plan	darüber, dass… / wie… / wann…
sich rächen	an + D	den Feinden	
	für + A	das Unrecht	dafür, dass…
jdm. raten	zu + D	diesem Studium	(dazu), dass… / Inf.-K.
rechnen	auf + A	dich	darauf, dass…
	mit + D	deiner Hilfe	damit, dass… / Inf.-K.
schreiben	an + A	den Vater	
	an + D	einem Roman	
	über + A	ein Thema	darüber, wie… / wann…
sich / jdn. schützen	vor + D	der Gefahr	davor, dass… / Inf.-K.
sich sehnen	nach + D	der Heimat	danach, dass… / Inf.-K.
sorgen	für + A	die Kinder	dafür, dass…
sich sorgen	um + A	die Familie	
sprechen	mit + D	der Freundin	
	über + A	ein Thema	darüber, dass… / ob… / wie… / was…
	von + D	einem Erlebnis	davon, dass… / wie… / was…
staunen	über + A	die Leistung	(darüber), dass… / wie… / was…
sterben	an + D	einer Krankheit	
	für + A	eine Idee	
sich streiten	mit + D	den Erben	
	um + A	das Vermögen	darum, wer… / wann… / ob…
teilnehmen	an + D	der Versammlung	
etwas zu tun haben	mit + D	dem Mann; dem Beruf	damit, dass… / wer… / was… / wann…
sich unterhalten	mit + D	dem Freund	
	über + A	ein Thema	darüber, dass… / ob… / wie … / was…
sich verlassen	auf + A	dich; deine Zusage	darauf, dass… / Inf.-K.
sich verlieben	in + A	ein Mädchen	
sich vertiefen	in + A	ein Buch	
vertrauen	auf + A	die Freunde; die Zukunft	darauf, dass… / Inf.-K.
verzichten	auf + A	das Geld	darauf, dass… / Inf.-K.
sich / jdn. vorbereiten	auf + A	die Prüfung	darauf, dass… / Inf.-K.
jdn. warnen	vor + D	der Gefahr	(davor), dass… / Inf.-K.
warten	auf + A	den Brief	(darauf), dass… / Inf.-K.
sich wundern	über + A	die Technik	(darüber), dass… / Inf.-K.
zweifeln	an + D	der Aussage des Zeugen	(daran), dass… / Inf.-K.

Remarques

jd. = jemand (nominatif); jdm. = jemandem (datif); jdn. = jemanden (accusatif); Inf.-K. = construction infinitive

Les indications dans la colonne de droite signifient que les constructions suivantes sont possibles, p. ex. *sich ärgern (darüber), dass ... / Inf.-K.:*
Ich ärgere mich darüber, dass ich nicht protestiert habe.
                 nicht protestiert zu haben.
Ich ärgere mich, dass ich nicht protestiert habe.
           nicht protestiert zu haben.

Si le pronom adverbial (p. ex. *darüber*) n'est pas entre parenthèses, il doit être mentionné.

sich erkundigen (danach), ob ... / wie ... / wann ... signifie que la proposition subordonnée est introduite par *ob* ou par un autre mot interrogatif:
Ich erkundige mich (danach), ob sie noch im Krankenhaus ist.
                     wann sie entlassen wird.
                     wer sie operiert hat.
                     wie es ihr geht.

2 Complétez à l'aide de prépositions ou d'adverbes prépositionnels (*darauf, davon* etc.).

Gespräch zwischen einem Chef (C) und seiner Sekretärin (S)
S: Abteilungsleiter Müller möchte ... Ihnen sprechen; es geht ... seine Gehalts-erhöhung.
C: Im Augenblick habe ich keine Zeit mich ... diese Sorgen zu kümmern.
S: Wollen Sie ... dem Kongress der Textilfabrikanten teilnehmen?
C: Schreiben Sie, dass ich ... die Einladung danke, meine Teilnahme hängt aber d... ab, wie ich mich gesundheitlich fühle.
S: Hier ist eine Dame, die sich ... die Stelle als Büroangestellte bewirbt.
C: Sagen Sie ihr, sie möchte sich schriftlich ... die Stelle bewerben. Ich kann ja nicht ... alle Zeugnisse verzichten.
S: Vorhin hat sich Frau Lahner ... ihre Arbeitsbedingungen beklagt. Sie kann sich nicht d... gewöhnen in einem Zimmer voller Zigarettenqualm zu arbeiten.
C: Sagen Sie ihr, sie kann sich d... verlassen, dass in den nächsten Tagen ein Rauchverbot ausgesprochen wird.
S: Der Betriebsleiter hält nichts d..., dass die Arbeitszeiten geändert werden.
C: O.k.
S: Ich soll Sie d... erinnern, dass Sie Ihre Medizin einnehmen.
C: Ja, danke; man kann sich doch ... Sie verlassen.
S: Unsere Abteilungsleiterin entschuldigt sich ... Ihnen; sie kann ... der Be-sprechung nicht teilnehmen, sie leidet ... starken Kopfschmerzen.
C: Ich hoffe ... baldige Besserung!
S: Sie hatten die Auskunftei Detex ... Informationen über die Firma Schüssler gebeten. Die Auskunftei warnt Sie d..., mit dieser fast bankrotten Firma Ge-schäfte zu machen.

C: Man muss sich doch d... wundern, wie gut die Auskunftei ... die Firmen Bescheid weiß!

S: Die Frauen unseres Betriebes beschweren sich d..., dass die Gemeinde keinen Kindergarten einrichtet. Sie bitten Sie d..., einen betriebseigenen Kindergarten aufzumachen.

C: Das hängt natürlich d... ab, wie viele Kinder dafür in Frage kommen.

S: Ich habe mich d... erkundigt; es handelt sich ... 26 Kinder.

C: D... muss ich noch nachdenken.

S: Ich möchte jetzt d... bitten, mich zu entschuldigen. Um 14 Uhr schließt die Kantine und ich möchte nicht gern ... mein Mittagessen verzichten.

3 Complétez, avec les prépositions manquantes, les pronoms adverbiaux (*darum* etc.) et les terminaisons manquantes.

1. Du kannst dich d... verlassen, dass ich ... dies_ Kurs teilnehme, denn ich interessiere mich ... dies_ Thema.
2. Wie kannst du dich nur ... d_ Direktor fürchten? Ich halte ihn ... ein_ sehr freundlichen Menschen.
3. Wenn ich mich d... erinnere, wie sehr er sich ... meine Fehler (m) gefreut hat, gerate ich immer ... Wut.
4. Hast du dich ... _ Professor erkundigt, ob er ... dir ... dein_ Doktorarbeit sprechen will?
5. Er hatte d... gerechnet, dass sich seine Verwandten ... d_ Kinder kümmern, weil er sich d... konzentrieren wollte, eine Rede zum Geburtstag seines Chefs zu schreiben.
6. Er kann sich nicht ... unser_ Gewohnheiten anpassen; er gehört ... d_ Menschen, die sich nie d... gewöhnen können, dass andere Menschen anders sind.
7. Seit Jahren beschäftigen sich die Wissenschaftler ... dies_ Problem (n) und streiten sich d..., welches die richtige Lösung ist. Man kann ihnen nur d... raten, endlich ... dies_ Diskussion (f) aufzuhören.
8. Die Angestellte beklagte sich ... _ Personalchef d..., dass sie noch immer keine Lohnerhöhung bekommen hat.

4 Complétez avec la préposition ou le pronom adverbial qui convient (*darüber, darauf* etc.).

Eine Hausfrau redet ... ihre Nachbarin: „Das ist eine schreckliche Person! Sie gehört ... den Frauen, die erst sauber machen, wenn der Staub schon meterhoch liegt. Man kann sich ... verlassen, dass sie den Keller noch nie geputzt hat, und dann wundert sie sich ..., dass sie böse Briefe vom Hauswirt bekommt. Ich kann mich nicht ... besinnen, dass sie ihre Kinder jemals rechtzeitig zur Schule geschickt hat. Jeden Abend zankt sie sich ... ihrem Mann ... das Wirtschaftsgeld. Sie denkt gar nicht ..., sparsam zu sein. Ihre Kinder warten ... eine Ferienreise und freuen sich ..., aber sie hat ja immer alles Geld verschwendet. Sie sorgt nur ... sich selbst und kümmert sich den ganzen Tag nur ... ihre Schönheit. Ich habe meinen Sohn ... ihr gewarnt. Er hatte sich auch schon ... sie verliebt, aber jetzt ärgert er sich nur noch ... ihren Hochmut. Neulich hat

sie mich doch tatsächlich … etwas
Zucker gebeten. Ich werde mich mal …
25 der Polizei erkundigen, ob das nicht Bet-
telei ist. – Die dumme Gans leidet ja …
Größenwahn!" – Gott schütze uns …
solchen Nachbarinnen!

IV Groupes verbaux avec un complément d'objet à l'accusatif et un objet prépositionnel

Bezug nehmen auf
sich Hoffnung machen auf
Bescheid wissen über

Le verbe forme avec son complément d'objet à l'accusatif une unité (voir § 14 VIII).
Cette expression fixe est liée à un complément prépositionnel. L'emploi ou l'absence
d'un article est généralement déterminé. Le pluriel sans article peut remplacer l'article
indéfini:

Sinon prévalent les règles citées plus haut (voir § 15 III).

Vous trouverez la liste des exemples et exercices au § 62.

§ 16   Verbes suivis d'une proposition avec «dass» ou d'une proposition infinitive

I Généralités

Les propositions introduites par *dass* de même que les propositions infinitives sont
régies par certains verbes. Ces verbes peuvent être placés dans la proposition principale
ou dans la subordonnée

Er glaubt, dass *er* sich richtig verhält.
Ich hoffe, dass *ich* dich bald wiedersehe.
Weil *wir* befürchten, dass *wir* Ärger bekommen, stellen wir das Radio leiser.

Les phrases introduites par *dass* sont des propositions subordonnées (voir § 25), c.-à-d.
que le verbe conjugué est placé à la fin de la phrase. Elles sont toujours introduites par
la conjonction *dass* et ont leur sujet propre.

Er glaubt sich richtig zu verhalten.
Ich hoffe dich bald wiederzusehen
Weil *wir* befürchten Ärger zu bekommen, stellen wir das Radio leiser.

Les propositions infinitives n'ont jamais de sujet propre; elles se rapportent à une personne ou une chose citée dans la subordonnée.

La proposition infinitive n'ayant pas de sujet, le verbe n'apparaît pas sous une forme conjuguée mais à l'infinitif, et il est placé à la fin de la phrase. L'infinitif est précédé de *zu*. Pour les verbes à particule séparable, *zu* est placé entre la particule et le radical du verbe:

Ich beabsichtige das Haus *zu kaufen*.
Ich beabsichtige das Haus *zu verkaufen*. (= particule inséparable)
Ich beabsichtige ihm das Haus *abzukaufen*. (= particule séparable)

Lorsqu'il y a plusieurs infinitifs, il faut répéter *zu* à chaque fois:
Ich hoffe ihn *zu* sehen, *zu* sprechen und mit ihm *zu* verhandeln.

II Verbes qui peuvent régir des propositions avec «dass» ou des propositions infinitives

Groupe 1

Les propositions avec *dass* et les propositions infinitives peuvent jouer le rôle de complément d'objet.
Ich erwarte die Zusage. (= Akkusativobjekt)
Ich erwarte, dass *mein Bruder* die Zusage erhält.
On emploie une proposition avec *dass* si le sujet de la proposition principale, personne ou chose, est différent de celui de la proposition avec *dass*.

Ich erwarte, dass *ich* die Zusage erhalte.
Ich erwarte,   die Zusage zu erhalten.
Si le sujet est le même dans les deux propositions, on utilise le plus souvent une proposition infinitive.

Font partie de ce groupe les verbes suivants:

1. les verbes exprimant quelque chose de personnel, p. ex. un souhait, un sentiment ou une intention:

annehmen = vermuten	gestehen	verlangen
beabsichtigen	fordern	versprechen (+D)
erwarten	hoffen	sich weigern
fürchten / befürchten	meinen	wünschen
glauben = annehmen	vergessen	zugeben u.a.

2. les verbes dont l'emploi introduit nécessairement une proposition infinitive. Pour renforcer le contexte, on ajoute souvent un *es*.
    Wir haben *es* mit Absicht unterlassen, ihn zu benachrichtigen.

ablehnen (es)	fortfahren	versuchen
anfangen	unterlassen (es)	wagen (es)
aufhören	vermeiden (es)	u.a.
beginnen	versäumen (es)	

Remarques

1. Quelques verbes peuvent être employés avec *es* dans la proposition subordonnée.

2. Après les verbes *annehmen, fürchten, glauben, hoffen, meinen, wünschen,* etc. on peut trouver une proposition principale à la place de la proposition avec *dass:*
   Ich nehme an, es gibt morgen Regen.
   Ich befürchte, er kommt nicht rechtzeitig.

3. Ne sont pas cités ici les verbes rapportant les paroles de quelqu'un: *sagen, antworten, fragen, berichten* etc. Ils sont suivis d'une proposition avec *dass,* mais il peut y avoir dans ce cas aussi une principale. (voir aussi le discours indirect, § 56 I).
   Er berichtete, dass die Straße gesperrt sei.
   Er berichtete, die Straße sei gesperrt.

4. Les verbes *brauchen, drohen, pflegen, scheinen* peuvent être employés de façon autonome.
   Ich *brauche* einen neuen Anzug.
   Er *drohte* seinem Nachbarn.
   Sie *pflegte* die kranken Kinder.
   Die Sonne *scheint.*

   Quand ces verbes, par contre, sont employé avec infinitif + *zu,* leur sens change:
   Er *braucht* nicht / nur wenig / kaum *zu arbeiten.*
   (= er muss nicht … ; toujours négatif ou avec restriction)
   Die schwefelhaltigen Abgase *drohen* die Steinfiguren an der alten Kirche *zu zerstören.* (= le danger existe)
   Er *pflegt* jeden Tag einen Spaziergang *zu machen.* (= il en a l'habitude)
   Der Kellner *scheint* uns nicht *zu sehen.* (= il en est peut-être ainsi; semble-t-il)

1 Subordonnée avec *dass* ou infinitive?

   Haustiere müssen artgerecht gehalten werden. (Das Tierschutzgesetz verlangt,)
   Das Tierschutzgesetz verlangt, dass Haustiere artgerecht gehalten werden.

   Sie ziehen die Kälber *nicht* in dunklen Ställen groß. (Manche Bauern lehnen es ab,)
   Manche Bauern lehnen es ab, die Kälber in dunklen Ställen großzuziehen.

Von der Tierhaltung

1. Die Kälber werden nicht von ihren Muttertieren getrennt.
   (Viele Menschen nehmen an,)
2. Die meisten Eier auf dem Markt stammen von Hühnern in Käfigen.
   (Ich befürchte,)
3. Die Hühner laufen wie früher auf Äckern und Wiesen frei herum.
   (Viele Menschen nehmen an,)
4. Die Eier von Hühnern in Käfighaltung werden *nicht* gekauft. (Immer mehr Menschen weigern sich,)
5. Fleisch von Tieren aus der Massentierhaltung esse ich *nicht.*
   (Ich vermeide es,)
6. Sie können langsam immer mehr landwirtschaftliche Erzeugnisse verkaufen. (Die Biobauern erwarten,)

7. Die Tierschutzgesetze sollen strenger angewendet werden. (Ich meine,)

8. Rindern werden Injektionen gegeben, damit sie schneller wachsen. (Es ist abzulehnen,)

2 Faites des phrases avec et sans *dass*.

> ich / annehmen / morgen / regnen
> *Ich nehme an, dass es morgen regnet.*
> *Ich nehme an, es regnet morgen.*

1. ich / fürchten / unsere Wanderung / ausfallen / dann
2. a) wir / glauben / die Theateraufführung / ein großer Erfolg werden
   b) wir / annehmen / nicht alle Besucher / eine Karte / bekommen
3. a) ich / befürchten / der Bäcker an der Ecke / seinen Laden / bald aufgeben
   b) ich / glauben / wir / unser Brot dann / wohl oder übel im Supermarkt / kaufen müssen
4. a) wir / fürchten / wir / nächste Woche / viel Arbeit / haben
   b) wir / annehmen / wir / zu nichts anderem / Zeit haben
5. a) ich / annehmen / das hier / ein sehr fruchtbarer Boden / sein
   b) ich / glauben / verschiedene Arten Gemüse / hier / gut / wachsen
6. a) du / glauben / der FC Bayern / das Fußballspiel / gewinnen
   b) ich / annehmen / die Chancen / eins zu eins / stehen
7. a) ihr / meinen auch / wir / den 30-Kilometer-Fußmarsch / an einem Tag / schaffen
   b) wir / fürchten / einige / dazu / nicht in der Lage sein

Groupe 2

Les propositions avec *dass* et les propositions infinitives peuvent résulter de la transformation d'un complément prépositionnel.
Der Kollege hat nicht *an die Besprechung* gedacht. (= präpositionales Objekt)
Der Kollege hat nicht *daran* gedacht, dass *wir* eine Besprechung haben.
(*Der Kollege* hat nicht *daran* gedacht, dass *er* zur Besprechung kommt.)
Der Kollege hat nicht *daran* gedacht zur Besprechung zu kommen.

La préposition + *da(r)*- est dans la proposition principale. Sinon les règles sont les mêmes que pour les verbes du groupe 1.

Font partie de ce groupe les verbes suivants:
sich bemühen um + A   sich gewöhnen an + A
denken an + A   sich verlassen auf + A
sich fürchten vor + D   verzichten auf + A u.a. (voir § 15, III)

3 Transformez les phrases suivantes en subordonnées avec *dass*, ou bien, là où c'est possible, en propositions infinitives.

Von der Arbeit einer Chefdolmetscherin

1. Die Chefdolmetscherin bemüht sich um eine möglichst genaue Wiedergabe der Rede des Außenministers. (die Rede ... wiedergeben)
2. Die anwesenden Politiker müssen sich auf die Zuverlässigkeit und Vollständigkeit der Übersetzung verlassen können. (zuverlässig und vollständig sein)
3. Die Dolmetscherin denkt an die schlimmen Folgen eines Übersetzungsfehlers. (Folgen haben können)
4. Sie gewöhnt sich an das gleichzeitige Hören und Übersetzen einer Rede.
5. Der Politiker kann während seiner Rede auf Übersetzungspausen verzichten. (Übersetzungspausen machen)
6. Viele Zuhörer wundern sich über die Fähigkeit der Dolmetscherin, gleichzeitig zu hören und zu übersetzen. (hören und übersetzen können)
7. Niemand wundert sich über die notwendige Ablösung einer Dolmetscherin nach ein bis zwei Stunden. (abgelöst werden müssen)
8. Auch eine gute Dolmetscherin kann sich nie ganz an die ständige hohe Konzentration gewöhnen. (ständig hoch konzentriert sein müssen)
9. Sie fürchtet sich vor einer frühzeitigen Ablösung als Chefdolmetscherin. (abgelöst werden)
10. Wer wundert sich über das gute Gehalt einer Chefdolmetscherin? (ein gutes Gehalt bekommen)

Groupe 3

Verbes exprimant l'idée de souhait et d'ordre sont accompagnés d'un objet personnel.
Er bat *die Sekretärin*, dass *der Chef* ihn rechtzeitig anruft.
On emploie une proposition avec *dass* si le complément d'objet de la proposition principale et le sujet de la proposition avec *dass* désignent des personnes ou des choses différentes.

Er bat *die Sekretärin*, dass *sie* ihn rechtzeitig anruft.
Er bat *die Sekretärin*   ihn rechtzeitig anzurufen.
Si le complément d'objet de la proposition principale et le sujet de la proposition avec *dass* sont les mêmes, on emploie le plus souvent une proposition infinitive.

Font partie de ce groupe les verbes suivants:

ich befehle ihm (D)	ich fordere ihn (A) ... auf
ich bitte ihn (A)	ich rate ihm (D)
ich empfehle ihm (D)	ich überzeuge ihn (A)
ich erlaube ihm (D)	ich verbiete ihm (D)
ich ermahne ihn (A)	ich warne ihn (A)
ich ersuche ihn (A)	ich zwinge ihn (A) etc.

Groupe 4

Les propositions avec *dass* et les propositions infinitives peuvent résulter de la transformation d'un sujet. Elles dépendent de verbes impersonnels (verbes avec *es*).

1. *Die Zusammenarbeit* freut mich. (= Subjekt)
   Es freut *mich*, dass *du*   mit mir zusammenarbeitest.
   Es freut *mich*, dass *ich*   mit dir zusammenarbeite.
   Es freut *mich*,   mit dir zusammenzuarbeiten.

Verbes impersonnels avec un complément d'objet se rapportant à une personne: on emploie une proposition avec *dass* si le sujet de la proposition avec *dass* et le complément d'objet du verbe impersonnel désignent une personne ou une chose différente. Dans le cas contraire, on emploie le plus souvent une proposition infinitive.

Font partie de ce groupe les verbes suivants:

es ärgert mich (A)	es gelingt mir (D)
es ekelt mich (A)	es genügt mir (D)
es freut mich (A)	es scheint mir (D), dass …
es gefällt mir (D)	es wundert mich (A) etc.

2. *Entwicklungshilfe* ist notwendig. (= Subjekt)

Es ist notwendig, dass *wir*   Ländern der Dritten Welt helfen.
Es ist notwendig, dass *man*   Ländern der Dritten Welt hilft.
Es ist notwendig,   Ländern der Dritten Welt zu helfen.

On emploie une proposition avec *dass* si le sujet est défini. Avec le sujet indéfini *man*, on emploie généralement une proposition infinitive.

Font partie de ce groupe les expressions suivantes avec *sein*:

es ist angenehm	es ist unangenehm
es ist erfreulich	es ist unerfreulich
es ist erlaubt	es ist verboten
es ist möglich	es ist unmöglich
es ist nötig / notwendig	es ist unnötig / nicht notwendig
es ist verständlich	es ist unverständlich etc.

Remarques

1. Les propositions infinitives ou les propositions avec *dass* peuvent être placées avant la proposition principale ou subordonnée. Elles sont ainsi mises en valeur:
   Dass du den Brief geöffnet hast, hoffe ich.
   Deinen Pass rechtzeitig abzuholen verspreche ich dir.

2. Avec les verbes impersonnels ou les expressions impersonnelles (groupe 4), les propositions infinitives ou les propositions avec *dass* peuvent également précéder la proposition principale. Dans ce cas, *es* disparaît. Ces constructions sont stylistiquement meilleures:
   Dass er mich nicht erkannt hat, ärgert mich.
   Den Abgeordneten anzurufen war leider unmöglich.

3. Mais si une autre proposition subordonnée se trouve placée en première position (voir § 25), celle-ci est alors suivie d'une proposition principale complète avec *es*:
   Weil das Telefon des Abgeordneten immer besetzt war, war es unmöglich ihn anzurufen.

4 Faites ces phrases en utilisant des propositions infinitives.

Kauf dir bitte endlich einen neuen Anzug. (Frau Kunz bat ihren Mann sich …)
Frau Kunz bat ihren Mann sich endlich einen neuen Anzug zu kaufen.

1. Geh zum Bekleidungsgeschäft Müller und Co. (Sie empfahl ihm …)
2. Schauen Sie sich die Anzüge in Ruhe an. (Der Verkäufer schlug ihm vor sich …)
3. Probieren Sie an, was Ihnen gefällt. (Er riet ihm …)
4. Nehmen Sie keins der Billigangebote dort drüben. (Der Verkäufer warnte ihn davor … [ohne Negation])
5. Kaufen Sie den Anzug mit dem Streifenmuster. (Er überzeugte den Käufer …)
6. Du musst dir auch bald ein Paar neue Schuhe kaufen. (Frau Kunz ermahnte ihren Mann sich … [ohne *müssen*])

III   Emploi des temps dans la proposition infinitive

1. Dans la proposition infinitive active il y a deux temps (passif, voir § 19 IV):
   a) infinitif présent: *zu machen, zu tragen, zu wachsen*
   b) infinitif passé: *gemacht zu haben, getragen zu haben, gewachsen zu sein*

simultanéité	Der Schwimmer *versucht* das Ufer *zu erreichen.*
	Der Schwimmer *versuchte* das Ufer *zu erreichen.*
	Der Schwimmer *hat versucht* das Ufer *zu erreichen.*

   S'il y a simultanéité entre les deux parties de la phrase, la proposition infinitive est à l'infinitif présent. Le temps (présent, parfait, etc.) est indiqué dans la proposition principale.

antériorité	Der Angeklagte *leugnet* das Auto *gestohlen zu haben.*
	Der Angeklagte *leugnete* das Auto *gestohlen zu haben.*
	Der Angeklagte *hat geleugnet* das Auto *gestohlen zu haben.*

   Si l'action de la proposition infinitive est antérieure à celle de la proposition à laquelle elle se rapporte, on emploie l'infinitif passé indépendamment du temps utilisé dans la proposition principale.

2. Après les verbes suivants, on trouve souvent un infinitif passé, p. ex. *Er behauptet, das Geld verloren zu haben.*

bedauern	bekennen	sich erinnern	gestehen	versichern
behaupten	bereuen	erklären	leugnen	etc.

5   Construisez des propositions avec «dass». Commencez par «Wussten Sie schon …?»

Die am häufigsten gesprochene Sprache der Welt ist Chinesisch.
Wussten Sie schon, dass die am häufigsten gesprochene Sprache der Welt Chinesisch ist?

1. Über 90 Millionen Menschen auf der Welt sprechen Deutsch als Muttersprache.
2. Die deutsche Sprache steht an neunter Stelle in der Liste der am meisten gesprochenen Sprachen auf der Welt.

3. Saudi-Arabien, die Vereinigten Staaten und Russland zusammen fördern mehr als ein Drittel der gesamten Weltförderung an Erdöl.

4. Die größten Erdöllieferanten der Bundesrepublik Deutschland sind Russland (31,5 %), Norwegen (18,4 %), Großbritannien (15,6 %) und Libyen (11,1 %).

5. Der längste Eisenbahntunnel Europas ist der rund 50 Kilometer lange Eurotunnel unter dem Kanal zwischen Frankreich und Großbritannien.

6. Österreich ist seit Jahren das bevorzugte Reiseziel der deutschen Auslandsurlauber.

7. Nach Österreich sind Italien, die Schweiz, Spanien und Frankreich die beliebtesten Urlaubsländer der Deutschen.

8. Die meisten ausländischen Besucher der Bundesrepublik kommen aus den Niederlanden.

9. 65 Prozent der Schweizer sprechen Deutsch als Muttersprache.

10. Nur 18,4 Prozent der Schweizer sprechen Französisch und 9,8 Prozent Italienisch als Muttersprache.

Révision générale

6 Construisez des propositions infinitives.

> Warum übernachtest du im „Hotel Stern"?
> (meine Bekannten / jdm. empfehlen)
> *Meine Bekannten haben mir empfohlen im „Hotel Stern" zu übernachten.*

> Vous pouvez utiliser un ton plus familier:
> *Sag mal, warum übernachtest du eigentlich im „Hotel Stern"?*

1. Warum fährst du nach London? (mein Geschäftsfreund / jdn. bitten)
2. Warum fährst du mit seinem Wagen? (mein Freund / es jdm. erlauben)
3. Warum besuchst du ihn? (er / jdn. dazu auffordern)
4. Warum fährst du im Urlaub an die Nordsee? (das Reisebüro / jdm. dazu raten)
5. Warum zahlst du so viel Steuern? (das Finanzamt / jdn. dazu zwingen)
6. Warum stellst du das Radio leiser? (mein Nachbar / jdn. dazu auffordern)
7. Warum gehst du abends nicht durch den Park? (ein Bekannter / jdn. davor warnen) [without „nicht"!]
8. Warum fährst du nicht in die Berge? (meine Bekannten / jdm. davon abraten) [without „nicht"!]

7 Reliez une phrase de la colonne de gauche avec une phrase de la colonne de droite. Quatre de ces phrases peuvent être construites avec une proposition infinitive. Lesquelles?

1. Ich kann mich nicht daran gewöhnen, …

2. Warum kümmert sich der Hausbesitzer nicht darum, …

3. Wie soll der Briefträger sich denn davor schützen, …

4. Kann ich mich auf Sie verlassen, …

a) dass Sie mir den Teppich heute noch bringen?

b) dass ich jeden Morgen um fünf Uhr aufstehen muss.

c) dass ich euch eure Ferienreise finanzieren kann.

d) dass wir immer noch auf einen Telefonanschluss warten.

5. Wie sehne ich mich danach, …   e) dass die Mieter das Treppenhaus reinigen?

6. Du musst bei der Telekom Bescheid geben, …   f) dass ihr euch eine Quittung über die Getränke geben lasst!

7. Denkt bitte im Lebensmittelgeschäft daran, …   g) dass ich dich endlich wiedersehe!

8. Ich habe leider nicht so viel Geld, …   h) dass ihn immer wieder Hunde der Hausbewohner anfallen?

8 Complétez les phrases.

1. Ich habe mich darüber geärgert, dass …
2. Meine Eltern fürchten, dass …
3. Wir alle hoffen, dass …
4. Meine Schwester glaubt, dass …
5. Ich kann nicht leugnen, dass …
6. Mein Bruder freut sich darüber, dass …
7. Ich freue mich darauf, dass …
8. Ich danke meiner Freundin dafür, dass …

9 Ein Interview mit dem Bürgermeister

Sprechen Sie auf der Versammlung über das geplante Gemeindehaus?
(Ja, ich habe vor / Inf.-K.)
Ja, ich habe vor auf der Versammlung über das geplante Gemeindehaus zu sprechen.

Treten bei dem Bau finanzielle Schwierigkeiten auf?
(Nein, ich glaube nicht, dass …)
Nein, ich glaube nicht, dass bei dem Bau finanzielle Schwierigkeiten auftreten.

1. Kommen Sie heute Abend zu der Versammlung? (Ja, ich habe vor / Inf.-K.)
2. Sprechen Sie auch über den neuen Müllskandal?
(Nein, vor Abschluss der Untersuchungen beabsichtige ich nicht / Inf.-K.)
3. Kommen weitere Firmen in das neue Industriegebiet?
(Ja, ich habe Nachricht, dass …)
4. Hat sich die Stadt im vergangenen Jahr noch weiter verschuldet?
(Nein, ich freue mich Ihnen mitteilen zu können, dass …)
5. Setzen Sie sich für den Bau eines Flughafens in Stadtnähe ein?
(Nein, ich bin wegen des Lärms nicht bereit / Inf.-K.)
6. Berichten Sie heute Abend auch über Ihr Gespräch mit der Landesregierung?
(Ja, ich habe die Absicht / Inf.-K.)
7. Bekommen die Stadtverordneten regelmäßig freie Eintrittskarten fürs Theater?
(Es ist mir nichts davon bekannt, dass …)
8. Muss man die Eintrittspreise für das Hallenbad unbedingt erhöhen?
(Ja, ich fürchte, dass …)

10 En utilisant la phrase entre parenthèses, formez, quand c'est possible, une proposition infinitive; sinon une proposition avec «dass».

Er unterließ es … (Er sollte den Antrag rechtzeitig abgeben.)
Er unterließ es, den Antrag rechtzeitig abzugeben.

Das Kind hofft … (Vielleicht bemerkt die Mutter den Fleck auf der Decke nicht.)
Das Kind hofft, dass die Mutter den Fleck auf der Decke vielleicht nicht bemerkt.

Ich warne dich … (Du sollst dich nicht unnötig aufregen.)
Ich warne dich, dich unnötig aufzuregen.

1. Er vergaß … (Er sollte den Schlüssel mitnehmen.)
2. Wir lehnen es ab … (Man soll Singvögel nicht fangen und essen.)
3. Ich habe ihn gebeten … (Er soll uns sofort eine Antwort geben.)
4. Die Behörde ersucht die Antragsteller …
   (Sie sollen die Formulare vollständig ausfüllen.)
5. Der Geschäftsmann befürchtet … (Vielleicht betrügt ihn sein Partner.)
6. Jeder warnt die Autofahrer … (Sie sollen nicht zu schnell fahren.)
7. Ich habe ihm versprochen … (Ich will seine Doktorarbeit korrigieren.)
8. Er hat mich ermahnt …
   (Ich soll Flaschen und Papier nicht in den Mülleimer werfen.)
9. Meinst du … (Hat er wirklich im vorigen Jahr wieder geheiratet?)
10. Wir haben ihn überzeugt … (Er soll sich einen kleinen Hund kaufen.)

11 Construisez des phrases avec l'infinitif passé.

nicht früher heiraten (Ich bedaure es, …)
Ich bedaure es, nicht früher geheiratet zu haben.

aus dem Haus ausziehen (Fritz ist froh …)
Fritz ist froh aus dem Haus ausgezogen zu sein.

1. von dir vorige Woche einen Brief erhalten (Ich habe mich gefreut …)
2. dir nicht früher schreiben (Ich bedaure es, …)
3. noch nie zu spät kommen (Ulrike behauptet …)
4. dich nicht früher informieren (Es tut mir Leid, …)
5. nicht früher zu einem Architekten gehen (Herr Häberle bereut …)
6. mit diesem Brief endlich eine Anstellung finden (Es beruhigt mich, …)
7. Sie mit meinem Vortrag gestern Abend nicht langweilen (Ich hoffe sehr …)
8. Sie nicht vorher warnen (Es ist meine Schuld, …)
9. aus dem Gefängnis entfliehen (Er gibt zu …)
10. gestern verschlafen und zu spät kommen
    (Ich ärgere mich … zu … und … zu …)

§ 17 L'interrogation

Remarque préliminaire

On distingue deux sortes de questions:

a) les questions sans mot interrogatif (= *Entscheidungsfragen*).

b) les questions avec un mot interrogatif (= *Bestimmungsfragen*).

I Questions sans mot interrogatif

Simples questions avec réponse par oui ou par non

a) *Kennst* du den Mann?

Ja, ich kenne ihn.
Nein, ich kenne ihn nicht.

b) *Habt* ihr mich *nicht* verstanden?

Doch, wir haben dich verstanden.
Nein, wir haben dich nicht verstanden.

Hast du *keine* Zeit?

Doch, ich habe Zeit.
Nein, ich habe keine Zeit.

Dans les questions sans mot interrogatif, le verbe conjugué se place au début de la phrase. Dans une question avec négation (voir b) la réponse positive est introduite le plus souvent par *doch*.

1 A lit la phrase pour lui seul et pose une question. B lui répond.

A: *Seid ihr heute abend zu Hause?*
B: Nein, wir sind heute abend nicht zu Hause; wir sind im Garten.

A: *Geht ihr gern in den Garten?*
B: Ja, wir gehen gern in den Garten.

1. Nein, wir haben den Garten nicht gekauft; wir haben ihn geerbt.
2. Nein, die Obstbäume haben wir nicht gepflanzt; sie waren schon da.
3. Ja, die Beete haben wir selbst angelegt.
4. Nein, die Beerensträucher waren noch nicht im Garten; die haben wir gesetzt.
5. Ja, das Gartenhaus ist ganz neu.
6. Ja, das haben wir selbst gebaut.
7. Nein, einen Bauplan haben wir nicht gehabt. (Habt ihr keinen Bauplan ... ?)
8. Nein, so ein Gartenhäuschen ist nicht schwer zu bauen.
9. Nein, das Material dazu ist nicht billig.
10. Ja, so ein Garten macht viel Arbeit!

2 Posez une question sur la phrase proposée.

> *Haben Sie dem Finanzamt denn nicht geschrieben?*
> *Doch,* ich habe dem Finanzamt geschrieben.

1. Doch, ich habe mich beschwert.
2. Doch, ich habe meine Beschwerde schriftlich eingereicht.
3. Doch, ich habe meinen Brief sofort abgeschickt.
4. Doch, ich bin sofort zum Finanzamt gegangen.
5. Doch, ich habe Steuergeld zurückbekommen.
6. Doch, ich bin zufrieden.
7. Doch, ich bin etwas traurig über den Verlust.
8. Doch, ich baue weiter.

3 Répondez à la question à la forme affirmative et négative. Faites l'exercice à trois si possible.

> Backt dieser Bäcker auch Kuchen? *Nein, er backt keinen Kuchen.*
> *Doch, er backt auch Kuchen.*

1. Verkauft der Metzger auch Hammelfleisch?
2. Macht dieser Schuster auch Spezialschuhe?
3. Ist Herr Hase auch Damenfrisör?
4. Arbeitet Frau Klein als Sekretärin?
5. Holt man sich in der Kantine das Essen selbst?
6. Bedient der Ober auch draußen im Garten?
7. Bringt der Briefträger auch am Samstag Post?
8. Ist die Bank am Freitag auch bis 17 Uhr geöffnet?
9. Hat der Busfahrer der Frau eine Fahrkarte gegeben?
10. Hat die Hauptpost auch einen Sonntagsdienst eingerichtet?
11. Ist der Kindergarten am Nachmittag geschlossen?
12. Gibt es in der Schule auch am Samstag Unterricht?

Questions nuancées

a) Sind Sie *erst* heute angekommen?
 Ja, wir sind *erst* heute angekommen.
 Nein, wir sind *schon* gestern angekommen.

b) Hat er den Brief *schon* beantwortet?
 Ja, er hat den Brief *schon* beantwortet.
 Nein, er hat den Brief *noch nicht* beantwortet.

c) Hat er *schon* 3000 Briefmarken?
 Ja, er hat *schon* 3000 Briefmarken.
 Nein, er hat *erst* etwa 2500 Briefmarken.

d) Hat er *noch nichts* erzählt?
 Doch, aber er hat *noch nicht alles* erzählt.
 Nein, er hat *noch nichts* erzählt.

e) Lebt er *noch*?
 Ja, er lebt *noch*.
 Nein, er lebt *nicht mehr*.

f) Bleibst du *nur* drei Tage hier?
 Ja, ich bleibe *nur* drei Tage hier.
 Nein, ich bleibe *noch länger* hier.

g) Liebt er dich etwa *nicht mehr*?
 Doch, er liebt mich *noch*.
 Nein, er liebt mich *nicht mehr*.

Réponse et question peuvent être nuancées à l'aide de *schon, erst, noch*, etc.

4 A pose des questions, B répond en utilisant les indications entre parenthèses.

1. Geht Gustav noch in den Kindergarten? (nicht mehr)
2. Hat Dagmar schon eine Stelle? (noch kein_)
3. Hat Waltraut schon ihr Examen gemacht? (noch nicht)
4. Arbeitet Hilde noch in dem Anwaltsbüro? (nicht mehr)
5. Bleibt Ulli noch länger bei der Firma? (nicht mehr lange)
6. Hat er schon gekündigt? (noch nicht)
7. Hat Andreas immer noch keine Anstellung gefunden? (noch kein_)
8. Kommt dein Bruder denn nicht mehr von Amerika zurück? (nur noch im Urlaub)
9. Hat er dort eine gut bezahlte Stelle gefunden? (noch keine)
10. Bekommt er denn keine Aufenthaltsgenehmigung? (erst in vier Wochen)
11. Hat Ulrich noch keinen Bescheid über das Ergebnis seiner Bewerbung?
    (… kommt erst im nächsten Monat …)
12. Hat sich Gisela denn noch nicht um die Stelle beworben? (schon seit langem)
13. Musst du schon wieder nach China reisen? (erst in zwei Wochen …)
14. Sind wir bald in Hamburg? (erst in drei Stunden …)
15. Ist Herr Müller schon gegangen? (schon vor zehn Minuten…)

5 … schon …? – … erst … / … erst …? – … schon … –
Faites l'exercice d'après l'exemple a ou b.

a) Habt ihr die Wohnung schon renoviert? (anfangen)
   Nein, wir haben erst angefangen.

b) Habt ihr erst ein Zimmer tapeziert? (zwei Zimmer)
   Nein, wir haben schon zwei Zimmer tapeziert.

1. Habt ihr schon alle Fenster geputzt? (die Fenster im Wohnzimmer)
2. Habt ihr das Treppenhaus schon renoviert? (den Hausflur)
3. Habt ihr erst eine Tür gestrichen? (fast alle Türen)
4. Habt ihr die neuen Waschbecken schon installiert? (die Spüle in der Küche)
5. Habt ihr erst den Fußboden im Wohnzimmer erneuert? (alle Fußböden)
6. Habt ihr schon alle Lampen aufgehängt? (die Lampe im Treppenhaus)

6 … schon …? – noch nicht / noch nichts / noch kein …
Faites l'exercice d'après l'exemple a, b ou c.

a) Waren Sie *schon* mal in Hamburg? *Nein, ich war noch nicht dort.*
b) Haben Sie *schon etwas* von ihrem Freund gehört? *Nein, ich habe noch nichts von ihm gehört.*
c) Haben Sie *schon eine* Fahrkarte? *Nein, ich habe noch keine.*

1. Haben Sie schon eine Einladung?
2. Hat Horst das Fahrrad schon bezahlt?
3. Hast du ihm schon geschrieben?
4. Hast du schon eine Nachricht von ihm?

5. Hat er dir schon gedankt?
6. Bist du schon müde?

7. Habt ihr schon Hunger?
8. Hast du deinem Vater etwas von dem Unfall erzählt?

7 ... noch ... ? – nicht mehr / nichts mehr / kein ... mehr – Faites l'exercice d'après l'exemple a, b ou c.

a) Erinnerst du dich *noch* an seinen Namen?   *Nein, ich erinnere mich nicht mehr daran.*
b) Hat Gisela *noch etwas* gesagt?   *Nein, sie hat nichts mehr gesagt.*
c) Haben Sie *noch* Zeit?   *Nein, ich habe keine Zeit mehr.*

1. Hast du noch Geld?
2. Hast du noch einen Bruder?
3. Hast du vom Nachtisch noch etwas übrig?
4. Habt ihr noch Fotos von euren Klassenkameraden?

5. Hast du heute noch Unterricht?
6. Haben Sie noch besondere Wünsche?
7. Bleiben Sie noch lange hier?
8. Möchten Sie noch etwas Wein?

II Questions avec mot interrogatif

Mots interrogatifs simples

temporal	*Wann* kommt ihr aus Kenia zurück?	Im November.
kausal	*Warum* schreibt ihr so selten?	Weil wir so wenig Zeit haben.
modal	*Wie* fühlt ihr euch dort?	Ausgezeichnet.
lokal	*Wo* habt ihr die Elefanten gesehen?	Im Nationalpark.
	Wohin reist ihr anschließend?	Nach Ägypten.
Subjekt	*Wer* hat euch das Hotel empfohlen?	Der Reiseleiter. (= Person)
	Was hat euch am besten gefallen?	Die Landschaft. (= Sache)
Akk.-Objekt	*Wen* habt ihr um Rat gebeten?	Einen Arzt. (= Person)
	Was hat er euch gegeben?	Tabletten. (= Sache)
Dat.-Objekt	*Wem* habt ihr 100 Euro borgen müssen?	Einer Zoologiestudentin.
Gen.-Attribut	*Wessen* Pass ist verloren gegangen?	Der Pass der Studentin.

La phrase interrogative commence par le mot interrogatif (position I), suivi du verbe conjugué (position II) et du sujet (position III ou IV), voir § 22 et suiv.

Mots interrogatifs avec substantif

Wie viele Stunden seid ihr gewandert?	Sieben Stunden.
Wie viel Geld habt ihr schon ausgegeben?	Erst 80 Dollar.

avec *wie viele* ou *wie viel* la question porte sur une quantité mesurable. *Wie viele* est le plus souvent suivi d'un substantif au pluriel sans article, *wie viel* d'un substantif au singulier sans article.

Welches Hotel hat euch am besten gefallen?   Das „Hotel zum Stern".

avec *welcher, -e, -es*; pl. *-e* la question porte sur une personne ou une chose quand il y a le choix entre différentes personnes ou choses. Les terminaisons sont les mêmes que pour celles de l'article défini (voir § 39 I).

Was für ein Zimmer habt ihr genommen?   Ein Doppelzimmer mit Bad.

avec *was für ein, -e*; pl. *was für* (substantif sans article) la question porte sur la nature d'une personne ou d'une chose.

«wie» + adverbe

Wie lange seid ihr schon in Nairobi?   Einen Monat. (Akk.)
Wie oft hört ihr Vorträge?   Dreimal in der Woche.

avec *wie lange* la question porte sur la durée, avec *wie oft* sur la fréquence d'une action ou d'un état.

Wie lang war die Schlange?   Einen Meter. (Akk.)
Wie hoch war das Gebäude?   Fünf Stockwerke hoch. (Akk.)

Après *wie* on peut trouver les adjectifs *alt, dick, groß, hoch, lang, schwer, tief, weit* etc. La question porte sur la taille, le poids, l'âge etc. d'une personne ou d'une chose. Les indications dans la réponse sont alors à l'accusatif (voir § 43 II).

Mots interrogatifs avec préposition

Mit wem habt ihr euch angefreundet?   Mit einer dänischen Familie.
An wen erinnert ihr euch am liebsten?   An den witzigen Fremdenführer.
Womit habt ihr euch beschäftigt?   Mit Landeskunde.
Worüber habt ihr euch gewundert?   Über die Fortschritte des Landes.

Pour les questions ayant un complément prépositionnel, il faut distinguer entre personnes et choses (voir § 15 II). Quand il s'agit de personnes, la préposition est placée avant le mot interrogatif, quand il s'agit d'une chose ou d'un état, on emploie *wo(r)-* + préposition.

In welche Länder fahrt ihr noch?   Nach Ägypten und Tunesien.
Bis wann wollt ihr dort bleiben?   Bis Ende März.

La préposition peut précéder aussi les mots interrogatifs de temps, de lieu etc.

8 Question et réponse

     Wie… ; – Ich heiße Franz Wehner.
     Wie heißen Sie? – Ich heiße Franz Wehner.

1. Wo … ?   Ich wohne in Kassel, Reuterweg 17.
2. Wann … ?   Ich bin am 13. 12. 1962 geboren.
3. Um wie viel Uhr … ? Gegen 20 Uhr bin ich durch den Park gegangen.
4. Wer … ?   Ein junger Mann hat mich angefallen.
5. Was … ?   Er hat mir die Brieftasche abgenommen.

6. Woher ... ? — Er kam aus einem Gebüsch rechts von mir.
7. Wohin ... ? — Er ist tiefer in den Park hineingelaufen.
8. Weshalb ... ? — Ich war so erschrocken; deshalb habe ich nicht um Hilfe gerufen.
9. Wie groß ... ? — Der Mann war ungefähr 1,80 Meter groß.
10. Wie ... ? — Er sah schlank aus, hatte dunkle Haare, aber keinen Bart.
11. Was ... ? — Er hatte eine blaue Hose und ein blaues Hemd an.
12. Was für ... ? — Er trug ein Paar alte Tennisschuhe.
13. Wie viel Geld ... ? — Ich hatte einen Hunderteuroschein in der Brieftasche.
14. Was ... ? — Außerdem hatte ich meinen Personalausweis, meinen Führerschein und ein paar Notizzettel in der Brieftasche.
15. Wie viele ... ? — Zwei Personen haben den Überfall gesehen.
16. Was für ... ? — Ich habe keine Verletzungen erlitten.

9 Même exercice:

1. An wen ... ? — Ich habe an meine Schwester geschrieben.
2. Von wem ... ? — Den Ring habe ich von meinem Freund.
3. Hinter welchem Baum ... ? — Der Junge hat sich hinter dem dritten Baum versteckt.
4. Was für ein ... ? — Mein Freund hat sich ein Fahrrad mit Dreigangschaltung gekauft.
5. Wo ... ? — Der Radiergummi liegt in der zweiten Schublade.
6. Zum wie vielten Mal ... ? — Ich fahre dieses Jahr zum siebten Mal nach Österreich in Urlaub.
7. Wessen ... ? — Das ist das Motorrad meines Freundes.
8. In welchem Teil ... ? — Meine Großeltern liegen im unteren Teil des Friedhofs begraben.
9. Von welcher Seite ... ? — Die Bergsteiger haben den Mont Blanc von der Südseite bestiegen.
10. Am wie vielten April ... ? — Mutter hat am 17. April ihren sechzigsten Geburtstag.
11. Um wie viel Uhr ... ? — Der Schnellzug kommt um 17.19 Uhr hier an.
12. Wie viele ... ? — Wir sind vier Geschwister.
13. Welches Bein ... ? — Mir tut das linke Bein weh.
14. Von wem ... ? — Den Teppich habe ich von meinen Eltern.
15. Wie oft ... ? — Ich fahre dreimal in der Woche nach Marburg in die Klinik.

10 Posez la question sur la phrase ou la partie de la phrase en italique.

Meine Schwester wohnt im *Stadtteil Bornheim*.
In welchem Stadtteil wohnt Ihre Schwester?

1. Sie wohnt *im 5. Stockwerk*.
2. Sie hat eine *Drei-Zimmer*-Wohnung mit *Balkon*.

3. Die Wohnung kostet *520 Euro*.
4. Die Wohnung darunter gehört *mir*.
5. Sie ist *genauso* groß.
6. Ich wohne hier schon *seit drei Jahren*.
7. Wir wohnen *mit drei Personen* in der Wohnung.
8. Unser Vorort hat *3000 Einwohner*.
9. Er ist *nur 5 Kilometer* von der Großstadt entfernt.
10. Ich brauche *eine halbe Stunde* bis zu meinem Dienstort.
11. Ich fahre *mit der Linie 7*.
12. *Um fünf Uhr abends* bin ich wieder zu Hause.

11 Formulez le plus grand nombre de questions auxquelles répondra votre partenaire.

In den Sommerferien fährt Familie Bug mit ihren zwei Söhnen und
einer Tochter für zwei Wochen zum Wandern und Bergsteigen in die Alpen.

Wer fährt in die Berge?	*Eine Familie.*
Wie heißt die Familie?	*Sie heißt Bug.*
Wann fährt die Familie in die Berge?	*In den Sommerferien.*
Fährt die Familie nicht in die Alpen?	*Doch, sie fährt in die Alpen.*
Aus wie viel Personen besteht die Familie?	*Aus den Eltern, zwei Söhnen und einer Tochter.*
Wie lange machen sie dort Urlaub?	*Zwei Wochen.*
Wollen die Bugs dort Städte besichtigen?	*Nein, sie wollen wandern und bergsteigen.*
Fährt die Familie nach Österreich?	*Das weiß ich nicht, auf jeden Fall in die Alpen.*

1. Die Familie fährt schon seit sieben Jahren jeden Sommer zur Familie Moosbichl in dieselbe Pension, wo sie schon so herzlich wie Familienmitglieder begrüßt wird.
2. Manchmal machen sie gemeinsam eine Wanderung von zwanzig bis dreißig Kilometern, manchmal geht Vater Bug mit den Kindern zum Bergsteigen in den Fels, während Frau Bug in der nahen Stadt Einkäufe tätigt oder sich in der Sonne ausruht.
3. Mutter Bug freut sich, wenn alle wieder heil nach Hause gekommen sind, denn Bergsteigen ist bekanntlich nicht ungefährlich.

§ 18 Verbes de modalité

Remarque préliminaire

Les verbes de modalité permettent d'exprimer la position d'une personne par rapport à une action, p. ex.:
si quelqu'un *veut* faire quelque chose (*wollen*),
si quelqu'un *peut* faire quelque chose (*können*),
si quelqu'un *doit* faire quelque chose (*müssen*), etc.

On emploie pour cela un verbe de modalité et un autre verbe: le verbe principal. Celui-ci est à la forme infinitive sans *zu*:
Er *muss* heute länger *arbeiten.*

I Le sens des verbes de modalité

dürfen
a) une permission ou un droit
   In diesem Park dürfen Kinder spielen.
b) une interdiction (toujours avec négation)
   Bei Rot darf man die Straße nicht überqueren.
c) une consigne négative
   Man darf Blumen in der Mittagshitze nicht gießen.

können
a) une possibilité ou occasion
   In einem Jahr können wir das Haus bestimmt teurer verkaufen.
b) une capacité
   Er kann gut Tennis spielen.

mögen
a) un penchant ou une aversion
   Ich mag mit dem neuen Kollegen nicht zusammenarbeiten.
b) même sens pour le verbe employé seul
   Ich mag keine Schlagsahne!

ich möchte, du möchtest usw.
c) un souhait
   Wir möchten ihn gern kennen lernen.
d) une demande polie
   Sie möchten nach fünf bitte noch einmal anrufen.

müssen
a) une contrainte extérieure
   Mein Vater ist krank, ich muss nach Hause fahren.
b) une nécessité
   Nach dem Unfall mussten wir zu Fuß nach Hause gehen.
c) la constatation a posteriori d'une nécessité
   Das musste ja so kommen, wir haben es geahnt.

d) la négation de *müssen* est: *nicht brauchen* + *zu* + infinitif (voir § 16 II remarque 4)
   Mein Vater ist wieder gesund, ich brauche nicht nach Hause zu fahren.

sollen

a) une prière, une loi
   Du sollst nicht töten.
b) un devoir, un ordre moral
   Jeder soll die Lebensart des anderen anerkennen.
c) un ordre d'une tierce personne
   Ich soll nüchtern zur Untersuchung kommen. Das hat der Arzt gesagt.

wollen

a) un souhait, une volonté
   Ich will dir die Wahrheit sagen.
b) une intention, un projet (se rapportant à une personne)
   Im Dezember wollen wir in das neue Haus einziehen.

Autres sens des verbes de modalité, voir § 20, § 54 VI.

Remarques

1. Dans certains cas, le verbe principal peut ne pas être mentionné:
   Ich muss nach Hause (gehen). Sie kann gut Englisch (sprechen).
   Er will in die Stadt (fahren).   Ich mag keine Schlagsahne (essen).

2. Si le contexte est clair, les verbes de modalité peuvent être aussi utilisés avec une
   valeur de verbe principal:
   Ich *kann* nicht gut *kochen*.
   Meine Mutter *konnte* es auch nicht.
   Wir haben es beide nicht gut *gekonnt*.

II Formes et emploi

Présent (Formes irrégulières au singulier)

dürfen	können	mögen	müssen	sollen	wollen
ich **darf**	ich **kann**	ich **mag**	ich **muss**	ich **soll**	ich **will**
du **darfst**	du **kannst**	du **magst**	du **musst**	du **sollst**	du **willst**
er **darf**	er **kann**	er **mag**	er **muss**	er **soll**	er **will**
wir dürfen	wir können	wir mögen	wir müssen	wir sollen	wir wollen
ihr dürft	ihr könnt	ihr mögt	ihr müsst	ihr sollt	ihr wollt
sie dürfen	sie können	sie mögen	sie müssen	sie sollen	sie wollen

Place des verbes de modalité dans la proposition principale

Präsens	Der Arbeiter *will*	den Meister *sprechen*.
Präteritum	Der Arbeiter *wollte*	den Meister *sprechen*.
Perfekt	Der Arbeiter *hat*	den Meister *sprechen wollen*.
Plusquamperfekt	Der Arbeiter *hatte*	den Meister *sprechen wollen*.

1. Au présent et au prétérit le verbe conjugué occupe la position II.

2. Au parfait et au plus-que-parfait le verbe de modalité conjugué est en position II. L'auxiliaire est toujours *haben*. Le verbe de modalité est alors à l'infinitif et est placé à la fin de la phrase c.-à-d. après le verbe principal.

Place des verbes de modalité dans la proposition subordonnée

Präsens	Es ist schade, dass er uns nicht	*besuchen kann.*
Präteritum	Es ist schade, dass er uns nicht	*besuchen konnte.*
Perfekt	Es ist schade, dass er uns nicht *hat*	*besuchen können.*
Plusquamperfekt	Es ist schade, dass er uns nicht *hatte*	*besuchen können.*

1. Au présent et au prétérit le verbe de modalité est placé, à la forme conjuguée, à la fin de la subordonnée.

2. Au parfait et au plus-que-parfait, le verbe de modalité est à l'infinitif et est placé à la fin de la subordonnée. L'auxiliaire conjugué précède alors les deux infinitifs (passif avec les verbes de modalité voir § 19 III).

1 Complétez avec le verbe de modalité qui convient.

> A *In diese Straße dürfen keine Fahrzeuge hineinfahren.*
>
> B *Hier müssen Sie halten.*
>
> C *Achtung! Hier können Tiere über die Straße laufen.*

1. Hier … man auf Kinder aufpassen.

2. Hier … Sie den Verkehr auf der Hauptstraße vorlassen.

3. Hier … wilde Tiere (= Rehe, Wildschweine etc.) die Straße überqueren.

4. Diese Straße … man nur in einer Richtung befahren.

5. In diese Straße … keine Kraftfahrzeuge hineinfahren.

6. Von dieser Seite … man nicht in die Straße hineinfahren.

7. Hier … Sie links abbiegen.

8. In diese Straße … keine Lastwagen hineinfahren.

9. Hier … Sie geradeaus fahren oder rechts abbiegen. Sie … nicht links abbiegen.

10. In dieser Straße … man nicht schneller als 30 km/h fahren.

11. Hier … man nicht überholen.

2 Choisissez le verbe de modalité qui convient et complétez en faisant attention à la forme exigée par la phrase.

1. Leider … ich nicht länger bei dir bleiben, denn ich … um 17 Uhr mit dem Zug nach München fahren.
2. Eis oder Kaffee? Was … du?
3. Ich … keinen Kaffee trinken; der Arzt hat's mir verboten.
4. Ich … täglich dreimal eine von diesen Tabletten nehmen.
5. Wo … du denn hin? … du nicht einen Moment warten, dann gehe ich gleich mit dir?
6. „Guten Tag! Wir … ein Doppelzimmer mit Bad; aber nicht eins zur Straße. Es … also ein ruhiges Zimmer sein." – „Ich … Ihnen ein Zimmer zum Innenhof geben. … Sie es sehen?" – „Ja, sehr gern." – „… wir Sie morgen früh wecken?" – „Nein, danke, wir … ausschlafen."

3 Mettez le texte au prétérit.

Herr Müller will ein Haus bauen. Er muss lange sparen. Auf den Kauf eines Grundstücks kann er verzichten, denn das hat er schon.
Er muss laut Vorschrift einstöckig bauen. Den Bauplan kann er nicht selbst machen. Deshalb beauftragt er einen Architekten; dieser soll ihm einen Plan für einen Bungalow machen. Der Architekt will nur 750 Euro dafür haben; ein „Freundschaftspreis", sagt er.
Einen Teil der Baukosten kann der Vater finanzieren. Trotzdem muss sich Herr Müller noch einen Kredit besorgen. Er muss zu den Banken, zu den Ämtern und zum Notar laufen. – Endlich kann er anfangen.

4 Mettez maintenant le texte au parfait. Commencez par:

Mein Freund erzählte mir: „Herr Müller hat ein Haus bauen wollen. Er hat … "

5 a Faites les exercices suivants sur les verbes de modalité d'après le modèle proposé.

Gehst du morgen in deinen Sportklub?
Nein, morgen kann ich nicht in meinen Sportklub gehen.

1. Bezahlst du die Rechnung sofort?
2. Kommst du morgen Abend zu unserer Party?
3. Reparierst du dein Motorrad selbst?
4. Fährst du im Urlaub ins Ausland?
5. Kaufen Sie sich diesen Ledermantel?
6. Sprechen Sie Türkisch?

b Kannst du mich morgen besuchen? (in die Bibliothek gehen)
Nein, morgen muss ich in die Bibliothek gehen.

1. Hast du morgen Zeit für mich? (Wäsche waschen)
2. Fährst du nächste Woche nach Hamburg? (nach München fahren)
3. Machst du nächstes Jahr die Amerikareise? (mein Examen machen)
4. Kommst du heute Abend in die Disko? (meine Mutter besuchen)
5. Gehst du jetzt mit zum Sportplatz? (nach Hause gehen)
6. Machst du am Sonntag die Wanderung mit? (zu Hause bleiben und lernen)

c   Lösen Sie diese mathematische Aufgabe!
     Ich soll diese mathematische Aufgabe lösen? Aber ich kann sie nicht lösen.

1. Schreiben Sie einen Aufsatz über die Lage der Behinderten in der Bundesrepublik!
2. Machen Sie eine Reise durch die griechische Inselwelt!
3. Verklagen Sie Ihren Nachbarn wegen nächtlicher Ruhestörung!
4. Geben Sie Ihre Reisepläne auf!
5. Lassen Sie Ihren Hund für die Dauer der Reise bei Ihrem Nachbarn!
6. Kaufen Sie sich einen schnellen Sportwagen!

6 Gartenarbeit

Wollten Sie nicht Rasen (m) säen?
Doch, aber ich konnte ihn noch nicht säen.

Wollten Sie nicht ...

1. Unkraut (n) ausreißen?
2. Salat (m) pflanzen?
3. Blumen (Pl.) gießen?
4. ein Beet (n) umgraben?
5. ein Blumenbeet anlegen?
6. die Obstbäume beschneiden?
7. neue Beerensträucher setzen?
8. Kunstdünger (m) streuen?

7 Reprenez les phrases de l'exercice 5 et mettez-les maintenant au parfait d'après le modèle suivant:

Wollten Sie nicht Rasen (m) säen?
Ja schon, aber ich habe ihn noch nicht säen können.

8 «müssen – nicht brauchen» – Répondez aux questions à la forme négative en utilisant «nicht brauchen»!

Musst du heute ins Büro *gehen?*   *Nein, ich brauche heute nicht ins Büro zu gehen.*

Musst du ...

1. ... aus der Wohnung ausziehen?
2. ... die Wohnung gleich räumen?
3. ... die Möbel verkaufen?
4. ... eine neue Wohnung suchen? (keine neue Wohnung)
5. ... die Wohnungseinrichtung bar bezahlen?
6. ... den Elektriker bestellen?
7. ... ein neues Schloss in die Tür einbauen? (kein)
8. ... einen Wohnungsmakler einschalten? (keinen)
9. ... eine Garage mieten? (keine)
10. ... den Hausbesitzer informieren?

III Verbes utilisés comme les verbes de modalité

hören, lassen, sehen, helfen

a) dans la	Präsens	Er *hört* mich Klavier *spielen.*
principale	Präteritum	Er *ließ* den Taxifahrer *warten.*
	Perfekt	Du hast die Gefahr *kommen sehen.*

b) dans la	Präsens	Ich weiß, dass er mich Klavier *spielen hört.*
subordonnée	Präteritum	Ich weiß, dass er den Taxifahrer *warten ließ.*
	Perfekt	Ich weiß, dass du die Gefahr *hast kommen sehen.*

Si les verbes *hören, lassen, sehen, helfen* sont utilisés avec un verbe principal, ils suivent, dans la proposition principale et dans la subordonnée exactement les mêmes règles que les verbes de modalité (voir sous II).

bleiben, gehen, lehren, lernen

a) dans la	Präsens	Er *bleibt* bei der Begrüßung *sitzen.*
principale	Perfekt	Er *ist* bei der Begrüßung *sitzen geblieben.*
	Präsens	Sie *geht* jeden Abend *tanzen.*
	Perfekt	Sie *ist* jeden Abend *tanzen gegangen.*
	Präsens	Er *lehrt* seinen Sohn *lesen* und *schreiben.*
	Perfekt	Er *hat* seinen Sohn *lesen* und *schreiben gelehrt.*

b) dans la	Präsens	Ich weiß, dass sie nicht gern *einkaufen geht.*
subordonnée	Präteritum	Ich weiß, dass er noch mit 80 Rad *fahren lernte.*
	Perfekt	Ich weiß, dass dein Mantel im Restaurant *hängen geblieben ist.*

Les verbes *bleiben, gehen, lehren, lernen* employés avec un verbe principal suivent, au présent et au prétérit dans la proposition principale et dans la subordonnée exactement les mêmes règles que les verbes de modalité (voir sous II). Mais au parfait et au plus-que-parfait, le verbe de modalité et le participe passé reprennent leur place habituelle.

Remarque

Le verbe *bleiben* ne s'emploie qu'avec quelques verbes:
jemand / etwas bleibt … liegen / hängen / sitzen / stehen / stecken / haften / kleben / wohnen

IV Verbes de modalité avec deux infinitifs

a) dans la	Präsens	Ich kann dich nicht weinen sehen.
principale		Du musst jetzt telefonieren gehen.
	Präteritum	Er musste nach seinem Unfall wieder laufen lernen.
		Er konnte den Verletzten nicht rufen hören.
	Perfekt*	Sie hat ihn nicht weggehen lassen wollen.
		Der Wagen hat dort nicht stehen bleiben dürfen.

b) dans la	Präsens	Ich weiß, dass er sich scheiden lassen will.
subordonnée	Präteritum	Ich weiß, dass er das Tier nicht leiden sehen konnte.
	Perfekt*	Ich weiß, dass er mit uns hat essen gehen wollen.

*Le parfait avec trois verbes et plus à la fin de la phrase est complexe et pose des problèmes de style. On lui préfère le plus souvent le prétérit.

1. Quand un verbe de modalité et un autre verbe pouvant avoir la fonction d'un verbe de modalité (voir sous III) sont employés dans une même phrase, c'est le verbe de modalité qui occupe la position la plus importante dans la phrase. On observe toutes les règles d'emploi des verbes de modalité. L'auxiliaire au parfait et au plus-que-parfait est toujours *haben*.

2. Le verbe pouvant être utilisé comme un verbe de modalité se place après le verbe principal; tous les deux sont à l'infinitif.

Remarques

1. Les verbes *helfen, lehren* et *lernen* sont en général employés comme les verbes de modalité seulement s'ils sont suivis d'un infinitif seul ou bien si ce dernier est complété par une ou plusieurs phrases courtes:
   Wir helfen euch die Koffer packen.
   Er lehrte seinen Enkel schwimmen.

2. Si l'infinitif est suivi d'une longue phrase on emploie, après la virgule, une proposition infinitive avec *zu*:
   Ich *habe* ihm *geholfen* ein Haus für seine fünfköpfige Familie und seine Anwaltspraxis zu finden.
   Endlich *haben* wir *gelernt,* die Erläuterungen zur Lohnsteuer *zu verstehen.*

3. Les verbes *fühlen* et *spüren* peuvent être employés également à l'infinitif avec un verbe principal:
   Ich spüre den Schmerz wiederkommen.
   Er fühlt das Gift wirken.

   On dit plus souvent:
   Ich spüre, wie der Schmerz wiederkommt.
   Er fühlt, wie das Gift wirkt.

4. Le verbe *brauchen* s'emploie avec un infinitif précédé de *zu*. On emploie *nicht brauchen* comme forme négative de *müssen* (voir Rem. § 16 II 4):
   Musst du heute kochen? – Nein, heute brauche ich nicht zu kochen.

9 Deux verbes de modalité dans une même phrase – Transformez les phrases d'après le modèle suivant:

> Der Hausbesitzer lässt das Dach nicht reparieren. (müssen)
> A: *Muss der Hausbesitzer das Dach nicht reparieren lassen?*
> B: *Doch, er muss es reparieren lassen.*

1. Die Autofahrer sehen die Kinder dort nicht spielen. (können)
2. Müllers gehen heute nicht auswärts essen. (wollen)
3. Der kleine Junge lernt jetzt nicht lesen. (wollen)
4. Herr Gruber lässt sich keinen neuen Anzug machen. (wollen)
5. Man hört die Kinder auf dem Hof nicht rufen und schreien. (können)
6. Die Studenten bleiben in dem Haus nicht länger wohnen. (dürfen)
7. Sie lässt sich nach 35-jähriger Ehe nicht plötzlich scheiden. (wollen) (Nein, …)
8. Die Krankenschwestern lassen die Patienten nicht gern warten. (wollen) (Nein, …)

9. Der Autofahrer bleibt nicht am Straßenrand stehen. (dürfen)
10. Er hilft ihm nicht suchen. (wollen)

10 Mettez maintenant les questions et réponses de l'exercice 9 au parfait.

A: *Hat der Hausbesitzer das Dach reparieren lassen müssen?*
B: *Nein, er hat es nicht reparieren lassen müssen.*

11 Prenez les réponses de l'exercice 10 et faites-les précéder d'une proposition principale pour former des propositions subordonnées, p. ex.: *Es ist (mir) klar, dass ...;*
Ich weiß, ...; Es ist verständlich, ...; Es ist (mir) bekannt, ...

Ich weiß, dass er es nicht hat reparieren lassen müssen.

12 Feuer! – hören / sehen. Transformez les phrases d'après le modèle suivant:

Die Sirenen heulen.   *Hörst du die Sirenen heulen?*
Die Feuerwehrleute rennen zu den Wagen.   *Siehst du die Feuerwehrleute zu*
den Wagen rennen?

1. Das Haus brennt.
2. Rauch quillt aus dem Dach.
3. Die Feuerwehr eilt herbei.
4. Die Leute rufen um Hilfe.

5. Das Vieh brüllt in den Ställen.
6. Ein Mann steigt auf die Leiter.
7. Die Kinder springen aus dem Fenster.

13 In der Jugendherberge helfen.

Ich packe jetzt den Rucksack!   *Ich helfe dir den Rucksack packen.*
Wir tragen die Rucksäcke jetzt zum Bus!   *Wir helfen euch die Rucksäcke*
zum Bus tragen.

1. Wir machen jetzt die Betten!
2. Wir decken jetzt den Tisch!
3. Wir kochen jetzt den Kaffee!

4. Ich teile jetzt das Essen aus!
5. Ich spüle jetzt das Geschirr!
6. Wir räumen jetzt das Zimmer auf!

14 Beim Hausbau – lassen

das Dach decken   *Deckst du das Dach selbst?*
Nein, ich lasse es decken.

1. die Elektroleitungen verlegen
2. die Heizung installieren
3. die Fenster streichen
4. die Schränke einbauen

5. die Wohnung mit Teppichen auslegen
6. die Möbel aufstellen

15 Transformez maintenant les exemples de l'exercice 12 au parfait.

Ich habe die Sirenen heulen hören.
Ich habe die Feuerwehrleute zu den Wagen rennen sehen.

16 Même exercice à partir des phrases de l'exercice 13.

Ich habe den Rucksack packen helfen.

17 Même exercice à partir des phrases de l'exercice 14.

Ich habe das Dach decken lassen.

18 bleiben, gehen, lehren, lernen

schwimmen gehen   *Gehst du schwimmen?*
Nein, aber die anderen sind schwimmen gegangen.

1. Maschine schreiben lernen
2. hier wohnen bleiben
3. Tennis spielen gehen

4. Gitarre spielen lernen
5. tanzen gehen
6. hier sitzen bleiben

§ 19   Le passif

I Conjugaison

	Präsens			Präteritum		
Singular	ich	werde	gefragt	ich	wurde	gefragt
	du	wirst	gefragt	du	wurdest	gefragt
	er	wird	gefragt	er	wurde	gefragt
Plural	wir	werden	gefragt	wir	wurden	gefragt
	ihr	werdet	gefragt	ihr	wurdet	gefragt
	sie	werden	gefragt	sie	wurden	gefragt

	Perfekt			Plusquamperfekt		
Singular	ich	bin	gefragt worden	ich	war	gefragt worden
	du	bist	gefragt worden	du	warst	gefragt worden
	er	ist	gefragt worden	er	war	gefragt worden
Plural	wir	sind	gefragt worden	wir	waren	gefragt worden
	ihr	seid	gefragt worden	ihr	wart	gefragt worden
	sie	sind	gefragt worden	sie	waren	gefragt worden

1. On forme le passif à l'aide de l'auxiliaire *werden* et du participe passé du verbe utilisé dans la phrase.
2. Au parfait et au plus-que-parfait, l'auxiliaire est toujours *sein*; le participe passé du verbe principal est suivi de *worden*.

Remarque

Les formes de *werden* sont: *werden – wurde – geworden*. On trouve la forme abrégée *worden* seulement au parfait et au plus-que-parfait passif.

1a Construisez des phrases en utilisant le passif présent.

Von den Aufgaben des Kochs: Was ist los in der Küche?
Kartoffeln schälen   *Kartoffeln werden geschält.*

1. Kartoffeln reiben   8. Milch, Mehl und Eier mischen
2. Salz hinzufügen   9. Teig rühren
3. Fleisch braten   10. Kuchen backen
4. Reis kochen   11. Sahne schlagen
5. Salat waschen   12. Brötchen (Pl.) streichen und
6. Gemüse schneiden   belegen
7. Würstchen (Pl.) grillen

b Die Küchenarbeit ist beendet. Was wurde gemacht? Exercez-vous à faire des phrases passives en utilisant le vocabulaire ci-dessus.

Kartoffeln schälen   *Kartoffeln wurden geschält.*

2a Was ist alles im Büro los? Reprenez les exercices § 7 no. 1 et formez des phrases au passif présent.

Telefonate weiterleiten *Telefonate werden weitergeleitet.*

b Was war los im Büro? Reprenez les exercices § 7 no. 1 et formez des phrases au prétérit du passif.

Telefonate weiterleiten *Telefonate wurden weitergeleitet.*

3 Formez des phrases au passif. Vous pouvez vous aider des verbes proposés à la fin de l'exercice.

In der Fabrik wird gearbeitet.

Was geschieht …
1. in der Kirche?   6. in der Küche?   11. auf dem Feld?
2. in der Schule?   7. in der Bäckerei?   12. beim Schuster?
3. an der Kasse?   8. auf der Jagd?   13. auf dem Eis?
4. auf dem Sportplatz?   9. beim Frisör?   14. in der Wäscherei?
5. im Gesangverein?   10. im Schwimmbad?

Verbes: schießen, säen und ernten, Haare schneiden, kochen, schwimmen, singen, Fußball spielen, lernen, beten, zahlen, Schuhe reparieren, Wäsche waschen, Schlittschuh laufen, Brot backen.

II Emploi

L'allemand emploie le passif de façon beaucoup plus large et plus fréquente que le français.

Remarques préliminaires

1. Dans une phrase active, c'est le sujet, l'agent, qui est important:
   Der Hausmeister schließt abends um 9 Uhr die Tür ab.

   Dans une phrase passive, l'action passe au premier plan; l'agent (le sujet de la phrase active) est souvent sans importance ou inintéressant et le plus souvent il n'est pas mentionné:
   Abends um 9 Uhr wird die Tür abgeschlossen.

2. Souvent le complément d'agent n'est pas connu; on emploie dans ce cas une phrase active avec *man* comme sujet ou bien une phrase passive d'où *man* est toujours exclu.
   Man baut hier eine neue Straße.
   Hier *wird* eine neue Straße *gebaut*.

Phrases passives avec une personne comme sujet

Präsens Aktiv	Die Ärztin untersucht *den Patienten* vor der Operation.
Präsens Passiv	*Der Patient* wird vor der Operation untersucht.
Perfekt Aktiv	Die Ärztin hat *den Patienten* vor der Operation untersucht.
Perfekt Passiv	*Der Patient* ist vor der Operation untersucht worden.

Le complément d'objet de la phrase active devient sujet (= nominatif) de la phrase passive.
Le sujet de la phrase active – à l'exception de *man* – devient le complément d'agent de la phrase passive: il est alors introduit par *von* et est suivi du datif:
Die Ärztin untersucht den Patienten vor der Operation.

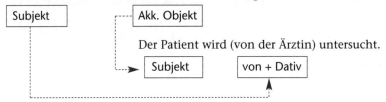

Mais quand l'agent est important, on emploie de préférence une phrase active:
Die berühmte Ärztin Frau Professor Müller untersuchte den
Patienten vor der Operation.

Aktiv	Man renoviert jetzt endlich die alten Häuser am Marktplatz.
Passiv	Die alten Häuser am Marktplatz werden jetzt endlich renoviert.

Attention: Tous les compléments (p. ex. génitif attribut, compléments de lieu, de temps) qui, dans la phrase active accompagnent le complément d'objet, accompagneront le sujet de la phrase passive.

Phrases passives sans sujet (principales)

En allemand, même des verbes intransitifs peuvent être employés au passif.

Aktiv	Man arbeitet sonntags nicht.
Passiv	*Es wird* sonntags nicht *gearbeitet.*
Aktiv	Man half den Verunglückten erst nach zwei Tagen.
Passiv	*Es wurde* den Verunglückten erst nach zwei Tagen *geholfen.*

Si la phrase active n'a pas de complément d'objet, il ne peut pas y avoir de sujet dans la phrase passive. On emploie dans ce cas *es*, sujet apparent de la forme passive impersonnelle. *Es* ne peut être placé qu'en première position, au début de la phrase principale.

Sonntags *wird* nicht *gearbeitet.*
Den Verunglückten *wurde* erst nach zwei Tagen *geholfen.*
Erst nach zwei Tagen *wurde* den Verunglückten *geholfen.*

Quand la phrase commence par le sujet réel ou par un complément quelconque, *es* disparaît.
Les phrases passives sans sujet sont toujours au singulier même si *es* disparaît ou si d'autres parties de la phrase sont au pluriel.

Remarque

1. On peut en allemand commencer une phrase passive avec le pronom *es* même si le sujet est exprimé dans la phrase.
   Es wurden in diesem Jahr viele Äpfel geerntet.
   einfacher: In diesem Jahr wurden viele Äpfel geerntet.

2. On utilise volontiers cette tournure lorsque le sujet de la phrase passive est un sujet indéfini et que le sujet apparaît ultérieurement dans la phrase, à une place générale-ment mieux adaptée.
   Warum sind Sie so aufgeregt? Es wird eine neue Müllverbrennungsanlage gebaut!
   Es wurde ein anderer Termin für die Abstimmung festgelegt!
   Es sind Geheimdokumente veröffentlicht worden!

Les phrases passives sans sujet (subordonnées)

Aktiv	Er wird immer böse, wenn man ihm sagt, dass er unordentlich ist.
Passiv	Er wird immer böse, *wenn ihm gesagt wird*, dass er unordentlich ist.
Aktiv	Ich war ratlos, als mir der Arzt von einer Impfung abriet.
Passiv	Ich war ratlos, *als mir von einer Impfung abgeraten wurde.*

Es disparaît toujours dans les subordonnées parce que les conjonctions (*weil, als, nachdem, wenn, dass*, etc.) sont placées au début de la phrase.

4 Mettez au passif.

Beim Fernsehhändler
Wir beraten die Kunden   *Die Kunden werden beraten.*

1. Wir holen den Fernseher ab und   2. Wir bringen die Geräte ins
   reparieren ihn.   Haus.

3. Wir installieren Satellitenschüsseln.
4. Wir führen die neuesten Apparate vor.

5. Wir bedienen die Kunden höflich.
6. Wir machen günstige Angebote.

5 Was in einem Unrechtsstaat geschieht

Man belügt das Volk.   *Das Volk wird belogen.*

1. Man bedroht Parteigegner.
2. Man enteignet Leute.
3. Man verurteilt Unschuldige.
4. Man verteufelt die Andersdenkenden.
5. Man schreibt alles vor.
6. Man zensiert die Zeitungen.

7. Man beherrscht Rundfunk und Fernsehen.
8. Man steckt Unschuldige ins Gefängnis.
9. Man misshandelt die Gefangenen.
10. Man unterdrückt die freie Meinung.

6a Was war in letzter Zeit los in der Stadt?

Wiedereröffnung des Opernhauses   *Das Opernhaus wurde wiedereröffnet.*

1. Ausstellung von Gemälden von Picasso
2. Aufführung zweier Mozartopern
3. Eröffnung der Landesgartenschau
4. Ehrung eines Komponisten und zweier Dichter
5. Ernennung des Altbürgermeisters zum Ehrenbürger der Stadt

6. Errichtung eines Denkmals zur Erinnerung an einen Erfinder
7. Einweihung des neuen Hallenbades
8. Veranstaltung eines Sängerwettstreits
9. Vorführung von Kulturfilmen
10. Start eines Rennens über 50 Jahre alter Automobile

b Refaites l'exercice 6 a au parfait d'après le modèle ci-dessous.

Wiedereröffnung des Opernhauses   *Das Opernhaus ist wiedereröffnet worden.*

7 Was stand gestern in der Zeitung? – Transformez les parties de phrases d'après le modèle ci-dessous et complétez-les.

Man gab bekannt, …
Es wurde bekannt gegeben, dass die Tiefgarage nun doch gebaut wird.

1. Man berichtete, …
2. Man gab bekannt, …
3. Man behauptete, …
4. Man befürchtete, …

5. Man stellte die Theorie auf, …
6. Man nahm an, …
7. Man äußerte die Absicht, …
8. Man stellte die Behauptung auf, …

8 Reprenez les phrases de l'exercice 5 et transformez-les d'après le modèle ci-dessous.

Man belügt das Volk.
Warum ist das Volk belogen worden?

9 Répondez aux questions d'après le modèle ci-dessous.

Warum sagst du nichts? (fragen) *Ich bin nicht gefragt worden.*

1. Warum gehst du nicht mit? (bitten)
2. Warum singst du nicht mit? (auffordern)
3. Warum wehrst du dich nicht? (bedrohen)
4. Warum kommst du nicht zur Party? (einladen)
5. Warum verklagst du ihn nicht vor Gericht? (schädigen)
6. Warum gehst du nicht zu dem Vortrag? (informieren)
7. Warum sitzt du immer noch hier? (abholen)
8. Wie kommst du denn hier herein? (kontrollieren)
9. Warum hast du das kaputte Auto gekauft? (warnen)
10. Warum bist du so enttäuscht? (befördern)

10 Backen Sie Ihren Obstkuchen selbst!

Mehl mit Backpulver mischen und auf ein Brett legen.
Mehl wird mit Backpulver gemischt und auf ein Brett gelegt.

Mehl mit Backpulver mischen und auf ein Brett legen. In der Mitte des Mehls eine Vertiefung machen. Zucker und Eier mit einem Teil des Mehls schnell zu einem Brei verarbeiten. Auf diesen Brei die kalte Butter in kleinen Stücken geben und etwas Mehl darüber streuen. Alles mit der Hand zusammendrücken und möglichst schnell zu einem glatten Teig verarbeiten. Den Teig vorläufig kalt stellen. Dann etwas Mehl auf das Brett geben, den Teig ausrollen und in die Form legen.
Auf dem Teigboden viel Semmelmehl ausstreuen und das Obst darauf legen. Im Backofen bei 175–200 Grad den Kuchen etwa 30 bis 35 Minuten backen.

III Le passif avec les verbes de modalité

dans la principale

Präsens	Aktiv	Man muss den Verletzten sofort operieren.
	Passiv	Der Verletzte *muss* sofort *operiert werden.*
Präteritum	Aktiv	Man musste den Verletzten sofort operieren.
	Passiv	Der Verletzte *musste* sofort *operiert werden.*
Perfekt	Aktiv	Man hat den Verletzten sofort operieren müssen.
	Passiv	Der Verletzte *hat* sofort *operiert werden müssen.*

dans la subordonnée

Präsens	Passiv	Es ist klar, dass der Verletzte sofort *operiert werden muss.*
Präteritum	Passiv	Es ist klar, dass der Verletzte sofort *operiert werden musste.*
Perfekt	Passiv	Es ist klar, dass der Verletzte sofort *hat operiert werden müssen.*

1. Les règles générales d'emploi des verbes de modalité valent également pour la phrase passive (voir § 18 II).

2. L'infinitif passif (= participe passé + *werden*) prend, dans la phrase passive, la place de l'infinitif actif, p. ex.:

Infinitif actif:	operieren	anklagen	zerstören
Infinitif passif:	operiert werden	angeklagt werden	zerstört werden

Remarques

1. phrase passive:
   Die Schuld des Angeklagten *kann* nicht *bestritten werden*.
   a) Die Schuld des Angeklagten *ist* nicht *zu bestreiten*. (voir § 48)
   b) Die Schuld des Angeklagten *ist unbestreitbar*.
   c) Die Schuld des Angeklagten *lässt sich* nicht *bestreiten*. (voir § 10, § 48)

2. Le verbe de modalité *wollen* de la phrase active est remplacé au mode passif par *sollen*.
   Man *will* am Stadtrand eine neue Siedlung errichten.
   Am Stadtrand *soll* eine neue Siedlung errichtet werden.

11a Le passif avec les verbes de modalité

Umweltschützer stellen fest:
Die Menschen verschmutzen die Flüsse.

Umweltschützer fordern:
Die Flüsse dürfen nicht länger verschmutzt werden!

Si vous voulez exprimer l'idée que les choses ne changent pas et se répètent toujours, employez *nach wie vor* ou *immer noch*: *Die Menschen verschmutzen nach wie vor die Flüsse*. Si vous voulez être catégorique, remplacez *nicht* par *auf keinen Fall* ou *unter (gar) keinen Umständen*: *Die Flüsse dürfen auf keinen Fall länger verschmutzt werden!*

1. Sie verunreinigen die Seen.
2. Sie verpesten die Luft.
3. Sie verseuchen die Erde.
4. Sie vergiften Pflanzen und Tiere.
5. Sie vernichten bestimmte Vogelarten.
6. Sie werfen Atommüll ins Meer.
7. Sie vergraben radioaktiven Müll in der Erde.
8. Sie ruinieren die Gesundheit der Mitmenschen durch Lärm.

b Der Landwirt berichtet von der Tagesarbeit:
Ich muss das Vieh füttern.

Von der Tagesarbeit auf dem Bauernhof:
Das Vieh muss gefüttert werden.

Ich muss
1. die Felder pflügen
2. die Saat aussäen
3. die Äcker düngen
4. die Ställe säubern
5. die Melkmaschine reinigen
6. Bäume fällen
7. Holz sägen
8. ein Schwein schlachten

9. Gras schneiden
10. Heu wenden

11. Äpfel und Birnen pflücken

c   Eine Krankenschwester erzählt
von ihren Aufgaben:
Ich muss einige Patienten waschen
und füttern.

Von den Aufgaben einer
Krankenschwester:
Einige Patienten müssen gewaschen und
gefüttert werden.

1. Ich muss die Patienten wiegen.
2. Ich muss die Größe der Patienten feststellen.
3. Ich muss den Puls der Kranken zählen und das Fieber messen.
4. Ich muss beides auf einer Karte einzeichnen.
5. Ich muss Spritzen geben und Medikamente austeilen.
6. Ich muss Blut abnehmen und ins Labor schicken.
7. Ich muss Karteikarten ausfüllen.
8. Ich muss die Kranken trösten und beruhigen.

12 Von den Plänen der Stadtverwaltung. Faites l'exercice d'après le modèle ci-dessus en
réutilisant les mots de l'exercice § 8 no. 3.

    Man will den Park erweitern.   *Der Park soll erweitert werden.*

IV Le passif dans la proposition infinitive

L'emploi de la proposition infinitive est possible seulement dans le cas où le sujet de la
principale et le sujet de la proposition avec *dass* désignent une même personne ou une
même chose.

Ich fürchte, dass ich bald entlassen werde.
Ich fürchte,   bald *entlassen zu werden.*
Sie hofft, dass sie   vom Bahnhof abgeholt wird.
Sie hofft   vom Bahnhof *abgeholt zu werden.*

Quand il y a simultanéité on emploie l'infinitif présent au passif avec *zu* dans la proposition infinitive: *gezwungen zu werden, erkannt zu werden, angestellt zu werden.*

Er behauptet, dass er niemals vorher gefragt worden ist.
Er behauptet,   niemals vorher *gefragt worden zu sein.*

Quand il y a antériorité dans la proposition infinitive par rapport à la principale, on
emploie l'infinitif passé au passif avec *zu*: *gelobt worden zu sein, verstanden worden*
zu sein, überzeugt worden zu sein.

Remarque

La virgule précédant la proposition infinitive n'est, suivant la nouvelle orthographe, plus obligatoire; on peut toutefois la maintenir si l'on veut marquer plus clairement l'articulation de la phrase ou éviter les malentendus. Elle est obligatoire quand la proposition infinitive interrompt la phrase ou bien lorsqu'elle est annoncée, dans la proposition dont elle dépend, par un pronom.

Révision générale

13 Brand in der Großmarkthalle – Mettez le texte suivant au passif. Ne nommez pas «l'agent» s'il est écrit en italique. Faites attention aux temps!

Gestern Abend meldete man der Feuerwehr einen leichten Brandgeruch in der Nähe der Großmarkthalle. Sofort schickte man drei Feuerwehrwagen an den Ort, aber man konnte zunächst den Brandherd nicht feststellen, weil *die Geschäftsleute* den Eingang zur Großmarkthalle mit zahllosen Kisten und Handwagen versperrt hatten. Als man die Sachen endlich weggeräumt hatte, musste man noch das eiserne Gitter vor dem Hallentor aufsägen, denn man hatte in der Eile vergessen die Schlüssel rechtzeitig zu besorgen. Immer wieder mussten *die Polizeibeamten* die neugierigen Zuschauer zurückdrängen. Nachdem man endlich die Türen aufgebrochen hatte, richteten *die Feuerwehrleute* die Löschschläuche in das Innere der Halle. Erst nach etwa zwei Stunden konnten *die Männer* das Feuer unter Kontrolle bringen. *Die Polizei* gab bekannt, dass *das Feuer* etwa die Hälfte aller Waren in der Markthalle vernichtet hat. Erst spät in der Nacht rief man die letzten Brandwachen vom Unglücksort ab.

14 Jugendliche aus Seenot gerettet – Mettez le texte suivant au passif:

Gestern Morgen alarmierte man den Seenotrettungsdienst in Cuxhaven, weil man ein steuerlos treibendes Boot in der Nähe des Leuchtturms Elbe I gesehen hatte. Wegen des heftigen Sturms konnte man die Rettungsboote nur unter großen Schwierigkeiten zu Wasser bringen. Über Funk gab man den Männern vom Rettungsdienst den genauen Kurs bekannt. Mit Hilfe von starken Seilen konnte man die drei Jugendlichen aus dem treibenden Boot an Bord ziehen, wo man sie sofort in warme Decken wickelte und mit heißem Tee stärkte. Vorgestern Nachmittag hatte der scharfe Ostwind die drei Jungen in ihrem Segelboot auf die Elbe hinausgetrieben, wo sie bald die Kontrolle über ihr Fahrzeug verloren (Aktiv). Erst bei Anbruch der Dämmerung konnte man sie sichten. Niemand hatte ihre Hilferufe gehört. Wegen Verdachts einer Lungenentzündung musste man den Jüngsten der drei in ein Krankenhaus einliefern; die anderen beiden brachte man auf einem Polizeischnellboot nach Hamburg zurück, wo ihre Eltern sie schon erwarteten.

§ 20   Les verbes de modalité dans l'énonciation subjective

Remarques préliminaires

1. Les verbes de modalité étudiés (voir § 18) indiquent un jugement objectif par rapport à une action:
   „Wie geht es dem alten Herrn?" – „Er war schwerkrank, aber er *kann* sich wieder erholen."
   > = Er ist dazu fähig, er ist kräftig genug, die Krankheit zu überstehen.

   Ein Professor *soll* alles verständlich *erklären.*
   > = Das ist seine Pflicht.

2. Ces mêmes phrases peuvent aussi avoir une valeur subjective:
   Der alte Herr ist schwerkrank, aber er kann sich (vermutlich) wieder erholen.
   > = Das hoffe / vermute ich.

   „Zu welchem Professor gehst du?" – „Zu Professor M., er *soll* alles verständlich *erklären."*
   > = Das haben mir andere Studenten gesagt, das habe ich gehört.

3. Si la phrase est au présent, seul le contexte ou bien l'intonation dans la langue parlée permettent de savoir s'il s'agit du sens objectif du verbe de modalité ou de sa valeur subjective.

4. Si la phrase est au passé, il existe des distinctions formelles entre les valeurs objectives et subjectives de l'énonciation.

I Formes et emploi

1. a) Les verbes de modalité exprimant une valeur subjective sont employés au présent. On ne les trouve au prétérit que dans les récits ou les rapports. Ils sont placés en deuxième position dans la proposition principale, et à la fin de la phrase dans la subordonnée:
   Er *kann* mich gesehen haben.
   Ich bin beunruhigt, weil er mich gesehen haben *kann.*

   b) Pour donner à un événement passé une valeur subjective, on emploie l'infinitif passé
   infinitif passé actif: *gemacht haben, gekommen sein*
   infinitif passé passif: *gemacht worden sein*
   Vor 300 Jahren *sollen* Soldaten das Schloss völlig *zerstört haben.*
   Vor 300 Jahren *soll* das Schloss völlig *zerstört worden sein.*

   Une amie dit: *Warum ist deine Schwiegermutter nicht zu deinem Geburtstag gekommen?* A ceci plusieurs réponses sont possibles.
   a)   Du weißt doch, wie beschäftigt sie ist. Sie *muss* einen dringenden Termin in ihrem Betrieb *gehabt haben.* = c'est très probable

Du weißt doch, dass sie kein Zeitgefühl hat. Sie *kann* wieder mal den Zug *verpasst haben.* = c'est possible

Du weißt doch, dass sie Familienfeiern nicht schätzt. Wir verstehen uns gut, aber sie *mag* einfach keine Lust *gehabt haben.* = il en est peut-être ainsi mais cela n'a pas beaucoup d'importance

b) Du weißt doch, dass jetzt weniger gebaut wird, aber sie *soll* einen wichtigen Auftrag *bekommen haben.* = c'est ce que j'ai entendu dire, des amis me l'ont dit, mais je n'en suis pas sûr

c) Du weißt doch, wie empfindlich sie ist. Ich habe ihr die Einladung ein bisschen zu spät geschickt, aber sie *will* sie erst nach meinem Geburtstag *erhalten haben.* = c'est ce qu'elle prétend, mais je ne crois pas que ce soit vrai

2. à a) *mögen, können, müssen* expriment, dans une phrase à valeur subjective, une supposition.

Aide-mémoire: Lorsque le verbe de modalité *müssen* a une valeur subjective, il exprime un grand degré de certitude (de l'ordre de 90 %).
Können exprime un degré de certitude ou d'incertitude qui n'est plus que de 50 %.
Quant à *mögen,* il n'exprime lui aussi qu'un degré de certitude ou d'incertitude de l'ordre de 50 %, mais il importe peu qu'il en soit ainsi ou autrement.

à b) *sollen* confère à la phrase une idée de rumeur: *On* dit, on rapporte, on raconte quelque chose mais on manque d'informations exactes. Cette forme est souvent utilisée dans la presse:
In Italien *sollen* die Temperaturen auf minus 20 Grad *gesunken sein.*

à c) *wollen* indique que la phrase est une affirmation non prouvée: *Quelqu'un* affirme quelque chose qu'il ne peut pas prouver, mais dont on ne peut pas lui prouver le contraire non plus. Ce type d'affirmation est souvent utilisé au tribunal:
Der Angeklagte *will* die Zeugin nie *gesehen haben.*

II Emploi des verbes de modalité à valeur subjective au subjonctif II

Afin de faciliter la distinction dans des énoncés au présent à valeur subjective (voir les remarques préliminaires, 3), on emploie le verbe de modalité également au subjonctif II (voir § 54 VI):

Quelqu'un demande: *Wo ist Frau M.? In ihrem Büro ist sie nicht.* A cette question différentes réponses sont possibles.
a) Sie *müsste* beim Chef sein, denn dort ist eine wichtige Besprechung.
= c'est très probable
Sie *könnte* auch in der Kantine sein, denn dort ist sie meistens um die Mittagszeit.
= c'est possible
b) Sie *sollte* (eigentlich) an ihrem Arbeitsplatz sein, denn die Mittagszeit ist schon vorbei.
= elle est sensée y être, mais apparemment elle déroge à cette obligation
c) Sie arbeitet nicht mehr bei uns; sie *dürfte* schon über 65 sein.

à a) les emplois de *können* et *müssen* au subjonctif II, lorsqu'ils expriment une valeur subjective, correspondent aux règles énoncées au § 20, I, a)

à b) *sollte / sollen* sont souvent suivis de l'adverbe «eigentlich». On exprime ainsi l'idée qu'un comportement différent serait jugé préférable.

à c) *dürfte* s'utilise essentiellement en relation avec des chiffres ou des dates dont on n'est pas absolument sûr. Mais on le trouve aussi avec la signification suivante:
Das *dürfte* ihn interessieren. = cela devrait l'intéresser
Der Witz *dürfte* schon bekannt sein. = tout le monde connaît certainement cette plaisanterie

1 Transformez les phrases avec le verbe de modalité indiqué de manière à faire disparaître les expressions exprimant la supposition ou la conviction «wohl», «sicher(lich)», «angeblich», er behauptet», «so wird gesagt» etc.

> Ich habe gehört, dass der Schriftsteller sich zur Zeit in Südamerika aufhält. (sollen)
> *Der Schriftsteller soll sich zur Zeit in Südamerika aufhalten.*

1. Man hat den Mann verurteilt; aber er war unschuldig, so wird gesagt. (sollen)
2. Sie hat vielleicht Recht. (mögen)
3. Er hat angeblich sein ganzes Vermögen an eine Hilfsorganisation verschenkt. (sollen)
4. Der Zeuge behauptet, dass er den Unfall genau gesehen hat. (wollen)
5. Wie war das nur möglich? Es war doch 22 Uhr und wahrscheinlich stockdunkel. (müssen)
6. Er behauptet, dass er die 20 Kilometer lange Strecke in zweieinhalb Stunden gelaufen ist. (wollen)
7. Der Angeklagte behauptet, von zwei betrunkenen Gästen in der Wirtschaft angegriffen worden zu sein. (wollen)
8. Man ist überzeugt, dass der Angeklagte sich in großer Angst und Aufregung befunden hat. (müssen)
9. Ich frage mich, wie dem Angeklagten wohl zumute war. (mögen)
10. Sicherlich hat der Angeklagte die Tat nur im ersten Schrecken begangen. (können)

2 Aus der Zeitung – Expliquez le sens des verbes de modalité en italique.

Wieder ist der Polizei ein Raubüberfall gemeldet worden. Drei Unbekannte *sollen* in der Zuckschwerdtstraße einen 26 Jahre alten Brückenbauer aus Frankfurt
5 überfallen und niedergeschlagen haben. Nach Angaben der Polizei *soll* einer der Täter dem Brückenbauer in die Jackentasche gegriffen und Ausweispapiere sowie Schlüssel entwendet haben. Vorher
10 *will* der Überfallene in einer Gaststätte in der Bolongarostraße gewesen sein, in der sich auch die Täter befunden haben *sollen*. Beim Bezahlen *können* die Täter gesehen haben, dass er einen größeren Geldbetrag – es *soll* sich um etwa 500 Euro gehandelt haben – bei sich führte. „Das *muss* der Anlass gewesen sein, dass die Kerle mir folgten und mich dann überfielen", meinte der Brückenbauer.

3 Choisissez le verbe de modalité exigé par le sens et complétez à la forme qui convient puis expliquez la raison de votre choix.

1. Der Mann hat doch eine Verletzung! Wer das nicht sieht, … blind sein.
2. Du … Recht haben; aber es klingt sehr merkwürdig.
3. Diese Schauspielerin … 80 Jahre alt sein, so steht es in der Zeitung. Sie sieht doch aus wie fünfzig!
4. Der Junge … die Geldbörse gefunden haben; dabei habe ich gesehen, wie er sie einer Frau aus der Einkaufstasche nahm.
5. „Er … ein Vermögen von zwei bis drei Millionen besitzen, glaubst du das?" – „Also das … übertrieben sein. Es … sein, dass er sehr reich ist, aber so reich sicher nicht!"
6. In Griechenland … gestern wieder ein starkes Erdbeben gewesen sein.
7. Es ist schon zehn Uhr. Der Briefträger … eigentlich schon da gewesen sein.
8. Eben haben sie einen Fernsehbericht über Persien angekündigt, jetzt zeigen sie Bilder über Polen. Da … doch wieder ein Irrtum passiert sein!
9. Wir haben dein Portmonee in der Wohnung nicht gefunden. Du … es nur unterwegs verloren haben. Wenn du es nicht verloren hast, … es dir gestohlen worden sein.
10. Den Ring … sie geschenkt bekommen haben, aber das glaube ich nicht.
11. Er ist vor einer halben Stunde weggegangen. Er … eigentlich schon im Büro sein.
12. Es … heute Nacht sehr kalt gewesen sein, die Straßen sind ganz vereist.

4 Remplacez le verbe de modalité par l'expression donnée entre parenthèses.

1. Der Vater mag 72 Jahre alt gewesen sein, als er starb. (vielleicht)
2. Der Sohn soll das Millionenerbe seines Vaters, Häuser und Grundstücke, verkauft haben. (wie man sich erzählt)
3. Sein Onkel will davon nichts gewusst haben. (sagt er selbst)
4. Es mag sein, dass der Sohn alles verkauft hat; aber warum bezieht er jetzt Sozialhilfe? (möglicherweise)
5. Er soll Spieler gewesen sein. (habe ich gehört)
6. Er muss das ganze Geld in der Spielbank verjubelt (= leichtsinnig ausgegeben) haben. (mit großer Wahrscheinlichkeit)
7. Ein Bekannter will ihn als Straßenmusikanten gesehen haben. (Ein Bekannter glaubt …)
8. Er soll ungepflegt ausgesehen haben. (angeblich)

5 Même exercice que le no. 1. Employez les verbes de modalité seuls pour former une phrase à valeur subjective.

1. Man sagt, dass im Krankenhaus der Stadt B. im letzten Jahr viele Millionen Euro veruntreut worden sind.
2. Ein junger Arzt sagt, dass er gehört habe, dass die Medikamente für das Krankenhaus gleich wieder verkauft worden seien.

3. Die Krankenschwestern und Pfleger haben davon vielleicht gar nichts gewusst.
4. Die Leute erzählen, dass der Chefarzt vor kurzem die hässliche Tochter des Gesundheitsministers geheiratet hat.
5. Sehr wahrscheinlich waren die Beamten des Gesundheitsministeriums über die Unterschlagungen im Krankenhaus schon seit langem informiert.
6. Vielleicht sind einige Beamte sogar bestochen worden.
7. Außerdem wird berichtet, dass alle Akten aus den Geschäftsräumen des Krankenhauses verschwunden sind.
8. Vielleicht waren unter den verschwundenen Medikamenten auch Drogen.
9. Ein verhafteter Drogenhändler sagt, dass er seinen „Stoff" immer an der Hintertür des Krankenhauses abgeholt habe.
10. Möglicherweise sind auch Verbandszeug und Kopfschmerztabletten verschoben worden.
11. In einem Zeitungsartikel wird berichtet, dass der Chefarzt in der vorigen Woche 450 000 Euro von seinem Konto abgehoben hat.
12. Sehr wahrscheinlich haben die Patienten unter den ungeordneten Zuständen in diesem Krankenhaus sehr gelitten.
13. Vielleicht wird der Prozess gegen den Chefarzt und den Gesundheitsminister noch in diesem Jahr eröffnet.

6 Remplacez le verbe de modalité par des expressions disant le doute, la supposition et la conviction.

1. a) Äsop, bekannt durch seine Fabeln, *soll* ein Sklave gewesen sein.
   b) Er *dürfte* im 6. Jahrhundert vor unserer Zeitrechnung in Kleinasien gelebt haben.
2. a) Der Graf von Sandwich *soll* das nach ihm benannte Sandwich 1762 erfunden haben.
   b) Er *soll* auf die Idee gekommen sein, weil er wegen des Essens nicht vom Spieltisch aufstehen wollte.
3. Der Hund *kann* schon vor 10 000 Jahren dem Menschen zur Jagd gedient haben.
4. Die fruchtbare Lösserde in Norddeutschland *kann* vom Wind von China nach Europa herübergetragen worden sein, sagen Wissenschaftler.
5. a) Der Vogel Strauß *soll* in Angstsituationen seinen Kopf in den Sand stecken
   b) Das *muss* aber ein Märchen sein.
6. Um ein Straußenei essen zu können, *soll* man es 40 Minuten kochen müssen.
7. a) Der Wanderfalke, ein Raubvogel, *soll* etwa 320 km/h schnell fliegen können.
   b) Das *mag* stimmen, aber sicher nur über sehr kurze Zeit.
8. Die Seeschwalbe, ein Meeresvogel, *soll* jahrelang pausenlos übers Meer fliegen.
9. a) Über Robin Hood, den Helfer der Armen, gibt es viele Geschichten.
   b) Es *kann* ihn tatsächlich gegeben haben; bewiesen ist es nicht.

§ 21   Futur I et Futur II pour exprimer la supposition

Remarque préliminaire

1. Contrairement à ce qui se passe dans les autres langues européennes, où le futur est obligatoirement exprimé par un verbe au futur, on utilise en allemand le présent et un indicateur de temps, lorsqu'une action, un événement ou une situation futurs sont considérés comme certains.
   Ich *komme morgen früh* zu dir und *bringe* dir die Fotos *mit*.
   Heute Abend gibt es bestimmt noch ein Gewitter.

2. Si l'action exprimée dans le futur est déjà terminée (Futur II), on emploie le parfait + complément de temps :
   Wenn ihr morgen erst um 10 Uhr kommt, *haben* wir schon *gefrühstückt*.

3. Lorsque, pour exprimer une action future, le locuteur utilise tout de même le futur, il signifie ainsi qu'il est absolument sûr que cette action aura bien lieu. C'est pourquoi on désigne ce futur de «futur prophétique».
   Ist es schon entschieden, dass man alle Bäume dieser Allee fällt? –
   Ja, kein einziger Baum *wird stehen bleiben*.

4. Lorsqu'une action, un événement ou une situation futurs ou présents sont encore incertains, on utilise *werden* et l'infinitif. *Werden* n'est pas, dans ce cas, à proprement parler un auxiliaire mais il exprime plutôt, comme les verbes de modalité, un jugement subjectif face à un événement. En ajoutant des adverbes tels que *wohl, vielleicht, wahrscheinlich*, on peut exprimer plus précisément qu'il ne s'agit que d'une supposition ; lorsqu'on a une forme de futur I, seuls la présence d'un tel adverbe ou le contexte permettent de dire si ce futur exprime une supposition. Le futur II, lui, exprime l'incertitude concernant des événements ou des situations passés.

I   Principales

Futur I Aktiv	Er *wird* die neue Stellung wahrscheinlich *annehmen*.
Futur II Aktiv	Er *wird* bei seiner Suche nach einer besseren Stellung (wohl) keinen Erfolg *gehabt haben*.
Futur I Passiv	Das Gesetz *wird* wohl bald *geändert werden*.
Futur II Passiv	Das Gesetz *wird* (wohl) inzwischen *geändert worden sein*.

Dans une affirmation subjective, *werden* s'emploie à la forme active et passive comme un verbe de modalité.

Futur I Aktiv mit Modalverb	Meine Freunde *werden* das Auto wohl *reparieren können*.
Futur II Aktiv mit Modalverb	In der kurzen Zeit *werden* die Gäste (wohl) nicht alles *gesehen haben können*.

Futur I Passiv mit Modalverb	Das Auto *wird* (wohl) nicht mehr *repariert werden können.*

S'il vient s'ajouter un verbe de modalité, celui-ci est placé à l'infinitif à la fin de la phrase. Cette forme compliquée n'est plus utilisée au futur II passif.

II Subordonnées

Futur I Aktiv	Es ist ärgerlich, dass das Flugzeug wohl nicht planmäßig *landen wird.*
Futur II Aktiv	Ich mache mir Sorgen, obwohl das Flugzeug inzwischen in Rom *gelandet sein wird.* (oder: … inzwischen wahrscheinlich in Rom gelandet ist.)
Futur I Aktiv mit Modalverb	Der Geschäftsmann regt sich auf, weil er sein Reiseziel wohl nicht rechtzeitig *wird erreichen können.* (oder: … rechtzeitig erreichen kann.)

1. Quand *werden* est employé dans une subordonnée pour exprimer la supposition, il est placé à la forme conjuguée à la fin de la phrase.

2. Si la phrase comporte un verbe de modalité, celui-ci est placé à l'infinitif à la fin de la phrase. La forme conjuguée de *werden* est placée avant le verbe principal (voir § 18 II).

3. Dans les subordonnées au passif qui expriment une supposition, il est généralement préférable d'employer le présent simple ou le parfait. En y ajoutant *wohl* ou *wahrscheinlich* le sens est absolument clair.

    Passif présent:
    Die alten Formulare gelten noch, obwohl das Gesetz wohl bald *geändert wird.* (au lieu de: …, obwohl das Gesetz wohl bald *geändert werden wird.*)

    Passif passé:
    Die alten Formulare gelten noch bis zum 1. Januar, obwohl das Gesetz wohl inzwischen schon *geändert worden ist.* (au lieu de: …, obwohl das Gesetz wohl inzwischen schon *geändert worden sein wird.)*

4. De même dans les subordonnées comportant un verbe de modalité et exprimant une supposition dans le futur, il est préférable d'employer le présent simple ou le parfait.

    Présent actif avec verbe de modalité:
    Es ist beruhigend, dass der Meister das Auto vielleicht schon bis übermorgen *reparieren kann.* (au lieu de: …, dass der Meister das Auto vielleicht schon bis übermorgen *wird reparieren können.*)

    Parfait passif avec verbe de modalité:
    Am 1. Mai wollen wir nach Spanien fahren. Es ist beruhigend, dass der Meister das Auto wohl schon vorher *hat reparieren können.* (au lieu de: … , dass der Meister das Auto wohl schon vorher *wird repariert haben können.*)

Présent passif avec verbe de modalité:
Es ist beruhigend, dass unser Auto vielleicht schon übermorgen *repariert werden kann*. (invece di: ..., dass unser Auto vielleicht schon übermorgen *wird repariert werden können*.)

Parfait passif avec verbe de modalité:
Am 1. Mai wollen wir nach Spanien fahren. Es ist beruhigend, dass unser Auto schon vorher *hat repariert werden können*. (La construction avec *werden* n'est plus usitée.)

Remarque

Pour exprimer une menace ou une prédiction menaçante, on emploie *werden* + infinitif (aussi à la forme interrogative):
Du *wirst* jetzt zu Hause *bleiben* und nicht in den Club *gehen*.
Wirst du endlich deine Hausaufgaben *machen*?

1 Répondez aux questions d'après le modèle ci-dessous en exprimant le doute dans votre réponse.

> Kommt Ludwig auch zu der Besprechung?
> *Ja, er wird wahrscheinlich auch zu der Besprechung kommen.*

Vous pouvez aussi employer *wohl* ou *vielleicht* au lieu de *wahrscheinlich*.

1. Gibt Hans seine Stellung als Ingenieur auf?
2. Geht er ins Ausland?
3. Will er in Brasilien bleiben?
4. Fliegt er noch in diesem Jahr rüber?
5. Nimmt er seine Familie gleich mit?
6. Besorgt ihm seine Firma dort eine Wohnung?

2 Hans und Inge haben einen langen Weg von Andreas Party nach Hause. Bis sie zu Hause sind, wird Andrea schon viel erledigt haben.

> schon alle Gläser in die Küche bringen
> *Sie wird schon alle Gläser in die Küche gebracht haben.*

1. die Schallplatten wieder einordnen
2. die Wohnung aufräumen
3. die Möbel an den alten Platz stellen
4. das Geschirr spülen und in den Schrank räumen
5. den Teppich absaugen
6. sich ins Bett legen
7. einschlafen

3 Müllers waren lange von zu Hause weg. Wie wird es wohl aussehen, wenn sie zurückkommen?

> der Gummibaum / vertrocknen   *Wird der Gummibaum vertrocknet sein?*

1. die Zimmerpflanzen / eingehen (= sterben)
2. die Möbel / sehr verstauben
3. die Teppiche / nicht gestohlen werden
4. die Blumen im Garten / verblühen
5. die Pflanzen auf dem Balkon / vertrocknen
6. die Nachbarin / die Post aufheben

4 Exprimez une supposition dans votre réponse. Employez le futur II.

Hat er noch Geld? (sicher alles ausgeben) *Er wird sicher alles ausgegeben haben.*

1. Sind die Gäste noch da? (wahrscheinlich schon nach Hause gehen)
2. Geht es ihm noch schlecht? (sich sicher inzwischen erholen)
3. Hat sie ihre Bücher mitgenommen? (ganz sicher mitnehmen)
4. Haben sie den letzten Bus noch gekriegt? (wahrscheinlich noch bekommen)
5. Ist Heinrich noch zum Zug gekommen? (sich bestimmt ein Taxi zum Bahnhof nehmen)

5 Exprimez la supposition par l'emploi du futur II.

Ich vermute, dass der Weg inzwischen gesperrt worden ist.
Der Weg wird inzwischen gesperrt worden sein.

1. Ich nehme an, dass der Lastwagen inzwischen aus dem Graben gezogen worden ist.
2. Ich vermute, dass die Polizei sofort benachrichtigt worden ist.
3. Ich glaube, dass niemand ernstlich verletzt worden ist.
4. Es ist anzunehmen, dass dem betrunkenen Fahrer der Führerschein entzogen worden ist.
5. Ich nehme an, dass die Ladung inzwischen von einem anderen Lastwagen übernommen worden ist.

Partie II

§ 22   L'ordre de la phrase dans la proposition indépendante

I Généralités

1. Une phrase est composée de différents éléments: sujet, verbe, compléments, adverbes etc.

2. Ces éléments de la phrase suivent dans toute langue un ordre déterminé.

3. En allemand, l'ordre de la phrase est déterminé par la position du verbe conjugué: ich geh*e*, du geh*st*.

4. La place du verbe conjugué n'est pas la même dans la principale et dans la subordonnée.

5. La proposition indépendante est une phrase complète qui se suffit à elle-même. Le verbe conjugué est toujours en deuxième position.

6. Dans la proposition indépendante, le sujet peut varier de la position I à la position III (IV), c.-à-d. qu'il tourne autour du verbe conjugué (position II) comme autour d'un axe.

Remarques

1. Les chiffres I, II, III, (IV) serviront dans les pages suivantes à expliquer l'ordre de la phrase dans la proposition indépendante.

2. Le changement du sujet de la première à la troisième position sera appelé dans les pages suivantes *inversion*.

3. L'ordre des autres parties de la phrase faisant suite au sujet dépend du sens ou du contexte de la phrase; c'est pourquoi il n'est plus possible de déterminer les positions.

4. La négation: Lorsque la négation porte sur la phrase entière *nicht* se place le plus loin possible dans la phrase mais vient obligatoirement avant le second élément du verbe. Lorsque la négation ne porte que sur un seul élément de la phrase, *nicht* se place devant cet élément.
Der Postbote kommt heute *nicht*. (= négation portant sur la phrase)
Der Postbote ist heute *nicht* gekommen. (= négation portant sur la phrase)
Der Postbote kommt *nicht* heute, sondern morgen.
    (= négation portant sur l'adverbe)
Nicht der Postbote kommt heute, sondern die Postbotin.
    (= négation portant sur le sujet)

II L'ordre de la phrase avec des compléments

I	II		Dativ-objekt	Akkusativ-objekt		Partizip
a) Die Firma	liefert	heute			nicht.	
b) Die Firma	lieferte	gestern			nicht.	
c) Die Firma	liefert	morgen			nicht.	
d) Die Firma	hat	gestern			nicht	geliefert.
e) Die Firma	liefert		dem Kunden	die Ware	nicht.	
f) Die Firma	hat		dem Kunden	die Ware	nicht	geliefert.

Le sujet est en position I, puis vient le verbe conjugué en position II.

à a + b + c)   Au présent, au prétérit et au futur (= présent avec indication de temps, voir § 21, remarque préliminaire), le verbe conjugué est en position II.

à d)   Au parfait et au plus-que-parfait, l'auxiliaire conjugué est toujours en position II. Le participe passé du verbe principal est placé à la fin de la phrase.

à e)   Certains verbes s'emploient avec un complément au datif ou à l'accusatif ou bien avec les deux (voir § 14 I–III).
Quand les deux compléments se trouvent dans une même phrase, le complément au datif est généralement placé avant le complément à l'accusatif (voir en partie IV).

III Inversion

I	II	III	Dativ-objekt	Akkusativ-objekt		Partizip
a) *Der Postbote*	kommt	*heute*			nicht.	
Heute	kommt	*der Postbote*			nicht.	
b) *Der Postbote*	ist	*heute*			nicht	ge-kommen.
Heute	ist	*der Postbote*			nicht	ge-kommen.
c) *Die Firma*	liefert	*wahr-scheinlich*	dem Kunden	die Ware	nicht.	
Wahr-scheinlich	liefert	*die Firma*	dem Kunden	die Ware	nicht.	
Die Firma	hat	*wahr-scheinlich*	dem Kunden	die Ware	nicht	geliefert.
Wahr-scheinlich	hat	*die Firma*	dem Kunden	die Ware	nicht	geliefert.

1. Il y a inversion quand une autre partie de la phrase est placée en position I. Suivent alors le verbe conjugué en position II puis le sujet en position III. On peut placer presque n'importe quelle partie de phrase en position I.

2. Le sens de la phrase se trouve à peine changé par l'inversion. La position I se rapporte souvent à une énonciation antérieure et met l'accent sur la suite et le déroulement de l'action:
    Wir frühstücken immer um 8 Uhr. Heute haben wir verschlafen.
    Einstein emigrierte nach Amerika. Dort konnte er weiterarbeiten.
    Man stellte den Zeugen einige Männer vor. Den Täter erkannte niemand.
    Mein Fotoapparat ist nicht in Ordnung. Damit kannst du nichts anfangen.

à a + b + c)   Avec l'inversion, seules les positions I et III se trouvent permutées; l'ordre ne change pas dans le reste de la phrase.

IV   L'ordre de la phrase avec les pronoms à l'accusatif et au datif

	I	II	Pronomen	Objekte
a)	Der Lehrer	gab		dem Schüler das Buch vor dem Unterricht.
b)	Der Lehrer	gab	*ihm*	das Buch vor dem Unterricht.
	Der Lehrer	gab	*es*	dem Schüler vor dem Unterricht.
	Der Lehrer	gab	*es ihm*	vor dem Unterricht.

à a)   Le complément d'objet au datif est placé avant le complément d'objet à l'accusatif (voir sous II).

à b)   Les pronoms sont placés immédiatement après le verbe conjugué. Le pronom à l'accusatif précède l'objet au datif.

V   Inversion

a)			Pronomen	Subjekt (Substantiv)	
I	II	(III)		IV	
Um 7 Uhr	bringt	*mir*	*der Briefträger*	die Post.	
Aus Kairo	ruft	*mich*	*der Chef*	bestimmt nicht an.	
Zum Glück	hat	*es ihm*	*der Professor*	noch mal erklärt.	

b)			Subjekt (Pron.)		Akk./Dat.-Pronomen	
I	II	III				
Vorgestern	hat	*er*		mir	das Buch geliehen.	
Vorgestern	hat	*er*		es	dem Schüler geliehen.	
Vorgestern	hat	*er*		es ihm	geliehen.	

à a)   Avec l'inversion également, le pronom à l'accusatif et le pronom au datif sont en règle générale toujours placés après le verbe conjugué. Dans ce cas, le sujet – si c'est un substantif – peut être déplacé en position IV.

à b)   Mais si le sujet est un pronom, il reste toujours en position III.

VI Place des pronoms réfléchis

I	II			
Ich	habe	mich		gewaschen.
Ich	habe	*mir*	*die Hände*	gewaschen.
Ich	habe	*sie*	*mir*	gewaschen.

(voir § 10.5)

Inversion

I	II	III	Pronomen		
Vor dem Essen	hat	*er*	sich	die Hände	gewaschen.
Vor dem Essen	hat	*er*	sie sich		gewaschen.

Avec les pronoms réfléchis, l'ordre de la phrase suit les règles citées plus haut.

1   Répondez aux questions d'après le modèle ci-dessous en veillant à l'ordre des mots.

Hat der Hotelgast der Schauspielerin den Pelzmantel gestohlen?
Ja, er hat ihn ihr gestohlen.

1. Hast du deiner Freundin dein Ge-heimnis verraten? (Ja, ich …).
2. Hat Maria dir deine Frage beant-wortet?
3. Hat der Reiseleiter Ihnen das Hotel Ritter empfohlen?
4. Hat die Gemeindeverwaltung dei-nen Freundinnen die Pensions-adressen zugeschickt?
5. Hat der Chef den Bewerbern schon eine Nachricht zugesandt?
6. Hat Ursula der Hauswirtin einen Blumenstock zum Geburtstag ge-schenkt?
7. Hat der Verlag dem Verfasser das Manuskript zurückgesandt?
8. Hat Angela dir ihre Ankunft ver-schwiegen?
9. Hat dir der Kaufmann die Liefe-rung versprochen?
10. Liefert diese Firma den Kunden die Ware kostenlos ins Haus?
11. Leihst du deinem Freund dein Auto?
12. Hat der Postbeamte dem Kunden den Scheck zurückgegeben?
13. Haben die Jungen den Eltern das Abenteuer erzählt?
14. Borgst du der Familie Schulz das Auto?
15. Hat der Taxifahrer den Beamten seine Unschuld bewiesen?
16. Teilst du deinen Verwandten deine Ankunft mit?
17. Hat der Mann den Kindern den Fußball weggenommen?
18. Verbietet die Stadt den Studenten die Demonstration?

2 Reprenez les mots de l'exercice § 14 no. 5 et faites l'exercice suivant.

der Arzt / der Mann / das Medikament / verschreiben
Hat der Arzt dem Mann das Medikament verschrieben?
Ja, er hat es ihm verschrieben.

3 Reprenez les questions de l'exercice § 14 no. 4 et faites l'exercice suivant.

Hast du deinem Freund das Auto geliehen?
Ja, ich hab' es ihm geliehen.

4 Placez la partie de phrase en italique en position I et veillez à la place du pronom.

1. Er hat mich *heute* wieder furchtbar geärgert.
2. Dein Vater hat es dir *gestern* doch ganz anders dargestellt.
3. Wir haben ihn *zufällig* auf dem Weg nach Hause getroffen.
4. Er hat mir *die Frage* leider immer noch nicht beantwortet.
5. Der Koffer steht *seit zehn Jahren* bei uns im Keller.
6. Ihr habt *mich* überhaupt nicht beachtet.
7. Der Zeuge hat ihn *trotz der Sonnenbrille* sofort erkannt.
8. Sie hat ihm *wütend* die Tür vor der Nase zugeschlagen.
9. Es hat *in der Nacht* stark geregnet.
10. Sie hat es mir *bis heute* verschwiegen.
11. Er hat *den Jugendlichen* mit seinem Zeitungsartikel nur geschadet.
12. Der Bäcker bringt mir *seit drei Monaten* die Brötchen ins Haus.
13. Sie ist *natürlich* immer vorsichtig gefahren.
14. Der Bauer schlug *vor Ärger* mit der Faust auf den Tisch.
15. Er gibt mir die Papiere *übermorgen* zurück.
16. Sie erklärte uns *vorsichtshalber* die ganze Sache noch einmal.
17. Der Nachbar hat ihnen *schon seit langem* misstraut.
18. Es geht *mir* eigentlich gut.
19. Das Gold liegt *aus Sicherheitsgründen* im Keller der Bank.
20. Der Beamte hat es euch *bestimmt* gesagt.

5 Complétez en utilisant des pronoms.

1. Der Museumsdirektor zeigte den Gästen die Ausstellung. In einem zweistündigen Vortrag führte ... ... jedes einzelne Bild vor.
2. Der Vater hatte dem Sohn nach dem Abitur eine Skandinavienreise versprochen. ... wollte ... ... voll finanzieren.
3. Der Landwirt musste das Gebäude wieder abreißen. Das Bauamt hatte ... ... nicht genehmigt.
4. Die Studentin hatte sich von ihrem Freund ein Armband gewünscht. ... schenkte ... ... zu ihrem Geburtstag.
5. Der Gefangene bat um seine Uhr, aber man gab ... ... nicht.
6. Ein Dieb hatte einer Rentnerin die Handtasche gestohlen. Nach einer Stunde konnte man ... ..., allerdings ohne Geld und Papiere, zurückgeben.
7. Ein Bauer hatte den Wanderern den Weg zur Berghütte erklärt. Sie fanden ihr Ziel leicht, denn ... hatte ... ... sehr gut beschrieben.
8. In ihrem Testament vermachte (= schenkte) die alte Dame ihren Nichten und Neffen ihr ganzes

Vermögen. Der Notar ließ ... ...
durch die Bank überweisen.
9. Die Polizei hatte dem Kaufmann
den Führerschein entzogen. Nach
einem Jahr gab ... ... zurück.
10. Der Gast hatte bei der Kellnerin noch
ein Bier bestellt, aber ... brachte ...
... nicht.

11. Alle Kinder hören gern Märchen
und Großmütter erzählen ... ...
gern.
12. Sie bat die Ärztin um den Termin
für die Operation, aber ... teilte ...
... nicht mit.

VII L'ordre de la phrase avec des compléments circonstanciels et prépositionnels

Subjekt	II	wann? (temporal)	warum? (kausal)	wie? (modal)	wo? wohin? (lokal)
Ich	komme	morgen		mit Vergnügen	zu eurer Party.
Sie	schlief	gestern	vor Ärger	sehr schlecht.	
Sie	ging	heute früh	wegen der Prüfung	voller Furcht	zur Schule.

La place des compléments circonstanciels n'est régie par aucune règle. On suit en général l'ordre suivant: **TCML** (= **t**emps, **c**ause, **m**anière, **l**ieu).

VIII L'ordre de la phrase avec des compléments d'objet et des compléments circonstanciels

I	II	Spalte A		Spalte B		Spalte C	
		wann?	Dat.-objekt	warum?	wie?	Akk.-obj.	wo? wohin? woher?
Er	hilft	abends	seinem Vater		gerne		im Büro.
Ich	schreibe	morgen	meinem Mann	wegen der Rechnung		einen Brief	nach Italien.
Sie	riss		dem Kind		voller Angst	das Messer	aus der Hand.

Il n'existe pas de règle fixe déterminant l'ordre de la phrase. On suit en général l'ordre suivant:

a) Le verbe conjugué est suivi du complément de temps et du complément au datif ou inversement (colonne A).
b) Le complément de cause et de manière est placé au milieu de la phrase (colonne B).
c) Le complément à l'accusatif et le complément de lieu – surtout celui répondant à la question *wohin* – sont placés à la fin de la phrase (colonne C).

IX Inversion

	I	*II*	*III*	
a) temporale Angabe	*Heute*	fährt	mein Vetter	nach Köln.
b) kausale Angabe	*Wegen der Hitze*	arbeiteten	die Angestellten	nur bis 14 Uhr.
c) konzessive Angabe	*Trotz des Verbots*	rauchte	der Kranke	zwanzig Zigaretten pro Tag.
d) modale Angabe	*Höflich*	öffnete	der Herr	der Dame die Tür.
e) lokale Angabe (wo?)	*Im Garten*	fand	der Junge	sein Taschenmesser wieder.
f) Akkusativobjekt	*Den Lehrer*	kennen	alle Bauern	seit ihrer Kindheit.
g) Dativobjekt	*Dem Gast*	hat	das Essen ·	leider nicht geschmeckt.
h) Akkusativpronomen	*Mich*	sieht	die Schwiegermutter	niemals wieder.
i) Dativpronomen	*Mir*	tut	das Missverständnis	noch immer Leid.

à a–e) 1. Plusieurs compléments de temps, cause, concession et manière peuvent se suivre en position I, mais seulement s'ils sont de même nature.

Wann?   Am Sonntag, dem 22. Juli, einem Sommertag, verließ er sein Elternhaus.

Wo?   Auf dem Busbahnhof, direkt vor der Sparkasse, treffen wir uns morgen um 7 Uhr.
(faux: Auf dem Busbahnhof, um 7 Uhr treffen wir uns.)

2. Le complément de lieu répondant à la question *wo?* est généralement placé en position I tandis que celui répondant à la question *wohin?* est, en règle générale, placé à la fin de la phrase.

à f–i) Les substantifs et les pronoms en tant que complément à l'accusatif ou au datif peuvent être placés en position I. Ils sont accentués dans la langue parlée. Cette position est quelquefois rendue nécessaire par l'enchaînement des énoncés. Seul le pronom-accusatif *es* ne se trouve jamais placé en première position.

Remarques

1. Les compléments *wann – wo*: ils sont tous les deux placés de préférence au début de la phrase pour informer sur le temps et le lieu d'une action, p. ex. dans des articles de presse:
Im Frankfurter Hauptbahnhof fuhr *gestern Nachmittag* eine Lokomotive auf einen voll besetzten Zug.
Am Ostersonntag fand *in Rom* ein feierlicher Gottesdienst statt.

2. Le complément de lieu répondant à la question *woher?* est placé généralement – comme le complément répondant à la question *wohin* – tout à la fin de la phrase: Si les deux indications de lieu sont nécessaires, le complément de lieu indiquant la provenance (*woher*) précède généralement celui indiquant la direction (*wohin*):
Er kam gestern mit einer Reisegesellschaft *aus Polen* zurück.
Die Angestellten strömten *aus den Büros* (woher?) *auf die Straße* (wohin?).

X L'ordre de la phrase avec des compléments prépositionnels

Er schrieb seit Jahren zum ersten Mal wieder einen Brief *an seinen Vater.*
Die alte Dame dachte später oft mit freundlichen Gefühlen *an ihn.*
Natürlich ärgert er sich schon lange *darüber.*
Der Wissenschaftler beschäftigt sich seit langem intensiv *mit diesem Problem.*

1. Le complément prépositionnel est généralement placé tout à la fin de la phrase, après tous les autres compléments.

2. Le pronom adverbial formé avec *da(r)-* est placé suivant le contexte et l'accentuation, en position I:
Über ihn haben wir uns schon lange gewundert.
Darüber haben wir uns schon lange gewundert.

6 Mettre les différents éléments dans l'ordre qui convient.

> Sie hat ... mitgeteilt. (ihre Kündigung zum 31. Mai / ihrem Arbeitgeber / schon am Jahresanfang)
> *Sie hat ihrem Arbeitgeber ihre Kündigung zum 31. Mai schon am Jahresanfang mitgeteilt.*

1. Ich habe ... geliehen. (leider / mein neues Auto / meinem Freund)
2. Der Unglückliche hat ... gefahren. (gestern / gegen einen Baum / es)
3. Er teilte ... mit. (seine Ankunft / mir / in New York / mit einem Fax / gestern)
4. Die Firma wird ... liefern. (den neuen Kühlschrank / mir / wahrscheinlich erst am kommenden Montag)
5. Die Lehrer sprachen ... (über die neuen Bestimmungen / heute / mit den Schülern)
6. Der Hausherr hat ... gekündigt. (die Wohnung / zum 31.12. / mir)
7. Die Eltern bezahlten ... (in England / einen Studienaufenthalt / ihrer Tochter)
8. Die Firma hat ... geschenkt. (zum 70. Geburtstag / ihrem Angestellten / eine Kiste Sekt)
9. Er hat ... mitgegeben. (mir / für seine Schwester / ein Paket)
10. Meine Kollegen haben ... geschickt. (aus Rom / eine Ansichtskarte / dem Chef)

7 Commencez les phrases de l'exercice 6 par les éléments suivants.

1. Leider
2. Gestern
3. Mit einem Fax
4. Den neuen Kühlschrank
5. Heute
6. Die Wohnung
7. Ihrer Tochter
8. Zum 70. Geburtstag
9. Für seine Schwester
10. Aus Rom

Révision générale

8 Placez les éléments de la phrase dans le bon ordre.

1. Er kam ...
   a) ins Büro
   b) aufgeregt
   c) gegen 9 Uhr
2. Sie hat ... geantwortet.
   a) aus dem Sanatorium
   b) bis jetzt noch nicht
   c) uns
3. Er teilt ... mit.
   a) das Ergebnis der Be-
      sprechung
   b) erst morgen
   c) mir
4. Sie steigt ... ein.
   a) jetzt immer langsam
      und vorsichtig
   b) wegen ihrer Verletzung
   c) in die Straßenbahn
5. Der Bus fährt ... vorbei.
   a) an unserem Haus
   b) ab heute
   c) wegen der Umleitung
6. Er hat ... gelegt.
   a) voller Wut
   b) den Brief
   c) auf den Schreibtisch
   d) ihr

7. Sie hat ... vergessen.
   a) im Zug   c) ihre Tasche
   b) gestern   d) dummerweise
8. Er hat ... vorgestellt.
   a) immer   c) es
   b) genau so d) sich
9. Er gab ... zurück.
   a) das falsche Buch
   b) mit Absicht
   c) dem Professor
   d) nach dem Examen
10. Sie hat ... verlassen.
    a) die Wohnung
    b) wegen der bösen Bemerkungen
       ihres Mannes
    c) heute Morgen
    d) wütend
11. Er brachte ...
    a) mit einer Entschuldigung
    b) ins Hotel
    c) mir
    d) den geliehenen Mantel
    e) erst gegen Mitternacht

9 Même exercice.

1. Ein Bauer hat ... getreten.
   a) bei einer Jagdgesellschaft
   b) aus Versehen
   c) auf den Fuß
   d) seinem Fürsten
2. Der Gast überreichte ...
   a) einen Blumenstrauß
   b) an der Wohnungstür
   c) mit freundlichen Worten
   d) der Dame des Hauses
   e) zu ihrem 75. Geburtstag
3. Die junge Frau gab ...
   a) zum Abschied
   b) an der Autotür

   c) einen Kuss
   d) ihrem Mann
4. Der Arzt legte ...
   a) prüfend
   b) auf die Stirn
   c) dem Fieberkranken
   d) vor der Untersuchung
   e) die Hand
5. Die Versammelten verurteilten ...
   a) in ein unabhängiges Land
   b) einstimmig
   c) den Einmarsch fremder Truppen
   d) Anfang Februar

6. Der Verfolgte sprang ...
   a) mit letzter Kraft
   b) über den Gebirgsbach
   c) kurz vor seiner Verhaftung
7. Der Motorradfahrer riss ...
   a) die Einkaufstasche
   b) aus der Hand
   c) einer alten Dame
   d) gestern gegen 17 Uhr
8. Der Vater zog ... weg.
   a) die Bettdecke
   b) wütend
   c) um 11 Uhr
   d) dem schlafenden Sohn

9. Du hast ... erzählt.
   a) schon gestern
   b) mir
   c) in der Mensa
   d) diese Geschichte
10. Er bot ... an.
    a) mit freundlichen Worten
    b) ihm
    c) es
    d) zum zweiten Mal
11. Ich habe ... vorgestellt.
    a) auf der Party
    b) ihm
    c) selbstverständlich
    d) mich

10 Faites l'exercice suivant sur l'inversion.

Prenez l'exercice 1 et commencez la phrase 1 avec b; 2 avec a; 3 avec a; 4 avec b; 5 avec c; 6 avec a; 7 avec d; 8 avec b; 9 avec d; 11 avec e.

§ 23   L'articulation de la phrase:
Les conjonctions en position zéro

Hauptsatz			Konjunktion	Hauptsatz	
I	II	III	0	I	II
...	Verb	...	...	...	Verb ...

I   Ordre de la phrase

	0	I	II	
Die Eltern fahren nach Italien	und	die Tante	sorgt	für die Kinder.
Die Eltern fahren nach Italien,	aber	die Kinder	bleiben	zu Hause.
Die Eltern fahren unbeschwert ab,	denn	die Tante	sorgt	für die Kinder.
Entweder fahren die Eltern allein	oder	sie	nehmen	die Kinder mit.
Die Eltern fahren nicht weg,	sondern	sie	bleiben	bei den Kindern.

Les conjonctions *und, aber, denn, oder, sondern* sont en position zéro. Après elles vient une proposition indépendante qui suit l'ordre normal de la phrase: le sujet est en position I et le verbe conjugué comme toujours en position II. (Pour *aber* voir aussi en partie V).

La nouvelle orthographe ne prévoit plus de virgule devant *und* et *oder*.

II Inversion

	0	I	II	III	
Ich habe heute die Prüfung bestanden	und	**morgen**	bekom-me	**ich**	das Zeugnis.
Ich habe das Zeugnis abgeholt,	aber	*leider*	war	*mein Name*	falsch ge-schrieben.
Ich habe das Zeugnis zurückgegeben,	denn	*so*	ist	*es*	nicht brauch-bar.
Entweder hat sich die Sekretärin verschrie-ben	oder	*in mei-nem Pass*	steht	*der Name*	falsch.
So habe ich nicht nur Ärger,	sondern	*bestimmt*	gibt	*es*	auch Streit mit der Sekretärin.

Après *und, aber, oder, denn, sondern*, on peut avoir l'inversion, comme dans toute proposition indépendante: un autre élément de la phrase se trouve en position I; il est suivi du verbe conjugué en position II et enfin du sujet en position III.

III Inversion avec les pronoms

	0	I	II	III Prono-men	IV Subjekt (Substantiv)
Er hatte gut ge-schlafen	und	am Mor-gen	weck-ten	ihn	die Vögel.
Er wollte aus dem Zug springen,	aber	im letzten Augen-blick	hielt	ihn	ein Reisender zurück.

Quand il y a un pronom dans la phrase, celui-ci est placé après le verbe conjugué. Le sujet est alors déplacé en position IV.

IV Omission du sujet après «und»

	0	I	II	III
Ich ließ ihn stehen	und	ich	rannte	davon.
besser:				
Ich ließ ihn stehen	und		rannte	davon.
Der Verkäufer irrte sich	und	er	schrieb	eine zu hohe Rech-nung aus.
besser:				
Der Verkäufer irrte sich	und		schrieb	eine zu hohe Rech-nung aus.

1. Quand deux phrases indépendantes ayant un même sujet sont reliées par *und*, il vaut mieux pour des raisons de style, omettre le sujet avant *und*. On obtient une seule phrase composée de deux énoncés et la virgule disparaît.

2. On peut aussi énumérer plusieurs énoncés. Si le sujet est le même, il ne sera pas répété:
   Er kam nach Hause, *sagte* kein Wort, *holte* eine Flasche Bier aus dem Kühlschrank und *setzte sich* vor den Fernsehapparat.

3. Si le sujet après *und* ne se trouve pas en position I, c.-à-d. dans le cas d'une inversion, il doit alors être répété:

	0	I	II		
Er hörte nur kurz zu	und	sofort	war	*er*	dagegen.
Heute packe ich	und	morgen	fahre	*ich*	fort.

4. Il vaut mieux répéter le sujet après *aber, oder, sondern*, même si le sujet est le même:
   Er verlor sein Vermögen, aber *er* war nicht unglücklich.
   Entweder helft *ihr* ihm oder *ihr* lasst ihn in Ruhe.
   Sie beklagten sich nicht, sondern *sie* begannen von vorn.

5. Il faut absolument répéter le sujet après *denn*:
   Er ist nicht mehr ausgegangen, denn *er* war müde.

1 Reliez les phrases avec «und». Ne répétez pas le sujet si ce n'est pas nécessaire.

Ich bleibe hier. *Du* gehst fort.　*Ich bleibe hier und du gehst fort.*
Ich bleibe hier. *Ich* erledige meine Arbeit.　*Ich bleibe hier und erledige meine Arbeit.*
Wir bleiben hier. Abends machen *wir* noch einen Besuch.
Wir bleiben hier und abends machen wir noch einen Besuch.
Wir bleiben hier und machen abends noch einen Besuch.

Aus der Zeitung

a) *Nachtwächter zerstört drei Wohnungen*

1. Ein Nachtwächter übte Pistolenschießen. Er zerstörte mit einem Schuss drei Wohnungen.
2. Der Mann hatte Dosen auf die Gasuhr seiner Wohnung gestellt. Er versuchte sie zu treffen.

3. Dabei traf er die Gasuhr. Gas strömte in großen Mengen aus.
4. Das Gas entzündete sich an einer Zigarette. Es entstand eine furchtbare Explosion.
5. Drei Wohnungen wurden zerstört. Der Nachtwächter musste mit schweren Verbrennungen ins Krankenhaus gebracht werden.

b) *Frau jagt Haus in die Luft*

1. Eine Frau wollte ihre Kleidung in der Waschmaschine reinigen. Sie zerstörte dabei ihr Haus.
2. Sie war sehr sparsam. Sie wollte das Geld für die Reinigung sparen.
3. Sie schüttete Benzin in die Waschmaschine. Sie stellte den Schalter auf 60 Grad.
4. Schließlich schaltete sie die Maschine an. Dann ging sie aus dem Zimmer.

5. Plötzlich gab es eine starke Explosion. Ein Teil des Hauses brach zusammen und brannte.
6. Die Feuerwehr wurde gerufen. Die Löscharbeiten begannen.
7. Die Frau war gerade in den Keller gegangen. Dort wurde sie von der Explosion überrascht.
8. Sie erlitt einen schweren Schock. Deshalb musste sie sofort ins Krankenhaus gebracht werden.

c) *Hund erschießt Hund*

1. Die Jäger hatten ihre Jagd beendet. Nun saßen sie an einer Waldecke am Feuer.
2. Es war schon kalt. Die Jäger waren halb erfroren.
3. Jetzt freuten sie sich über die Wärme. Sie legten immer wieder Holz auf das Feuer.
4. Natürlich erzählten sie ganz unglaubliche Jagdgeschichten. Niemand achtete auf die Hunde.

5. Die Gewehre hatten sie an einen Baum gestellt. Die Hunde waren angebunden.
6. Aber plötzlich kamen die Tiere in Streit. Ein Gewehr fiel um.
7. Dabei löste sich ein Schuss. Er traf einen der Hunde tödlich.
8. Nun standen die Jäger um den toten Hund. Sie waren sehr erschrocken.
9. Nachdenklich packten sie zusammen. Sie fuhren nach Hause.

d) *Dackel frisst Haschisch*
(der Dackel = kleine Hunderasse)

1. Spaziergänger gingen durch einen Frankfurter Park. Sie beobachteten einen lustigen, kleinen Dackel, der auf einer Wiese herumsprang.
2. Der Hund hatte die Nase immer dicht am Boden. Er schnüffelte. Er suchte anscheinend etwas. Er begann plötzlich zu graben.
3. Auf einmal hatte der Dackel ein weißes Päckchen zwischen den

Zähnen. Er spielte damit. Er biss darauf herum.
4. Da kam ein Mann angelaufen. Er jagte den Hund. Er packte und schüttelte ihn. Er riss ihm das Päckchen aus den Zähnen.
5. Die Besitzerin des Dackels, eine ältere Dame, lief sofort aufgeregt auf die Wiese. Die Spaziergänger folgten ihr.
6. Der Mann ließ den Dackel los. Er lief mit dem Päckchen ins Gebüsch.

7. Die Dame nahm den Hund auf den Arm. Sie tröstete und beruhigte ihn. Sie brachte ihn nach Hause.
8. Dort benahm sich der Dackel wie ein Betrunkener. Er lief von einer Ecke des Zimmers zur anderen. Er schlief plötzlich mitten im Zimmer auf dem Teppich ein.
9. Die Dame war beunruhigt. Sie telefonierte nach einem Taxi. Sie fuhr mit dem Hund zum Tierarzt.
10. Der Tierarzt untersuchte das kranke Tier. Er stellte eine Haschischvergif-tung fest. Er gab der Dame den Rat, den Dackel ausschlafen zu lassen.
11. Die Dame rief bei der Polizei an. Sie erzählte ihr Erlebnis. Sie erhielt die Auskunft, dass man schon lange einen Haschischhändler in dem Park vermutete.
12. Die Dame beschrieb den Mann. Sie gab den Ort und die Uhrzeit genau an. Vier Polizisten machten sich auf die Suche nach dem Rauschgifthändler.

V Les conjonctions «aber, oder, denn, sondern»

1. *aber* relie des phrases ou des éléments de phrases opposés, *aber erst, aber doch* peuvent aussi exprimer une restriction (voir § 24 II 3c):
   Er bot mir Kekse und Schokolade an, *aber* keinen Kaffee.
   Sie kamen endlich an, *aber erst* nach langem Suchen.
   Gewiss, er hat sein Ziel erreicht, *aber doch* nicht ohne unsere Hilfe.

   aber ne doit pas nécessairement être placé en position zéro. Il peut se trouver à une autre place dans la phrase, qui est déterminée par l'intonation. Il peut également être placé ailleurs dans la phrase selon l'intonation:

	0	I	II		
Du kannst zu uns kommen,	*aber*	du	kannst	hier	nicht übernachten.
Du kannst zu uns kommen,		du	kannst	*aber* hier	nicht übernachten.
Du kannst zu uns kommen,		hier *aber*	kannst	du	nicht übernachten.
Du kannst zu uns kommen,		du	kannst	hier *aber*	nicht übernachten.

2. *allein, doch* et *jedoch* sont employés avec le même sens que *aber*. *Allein* est toujours en position zéro, *doch* et *jedoch* en position zéro ou derrière le verbe conjugué:
   Er versuchte, den Gipfel des Berges zu erreichen, *allein* er schaffte es nicht.
        (vieilli, littéraire)
   Er beeilte sich sehr, er kam *(aber) doch* zu spät.
   Er wollte gern Maler werden, er hatte *jedoch* zu wenig Talent.

3. *oder* relie des phrases ou des éléments de phrases offrant un choix entre deux possibilités:
Er bringt immer Blumen *oder* Süßigkeiten mit.
Ist er wirklich krank *oder* tut er nur so?

4. *denn* est une conjonction de cause apportant une explication à la phrase précédente:
Ich konnte nicht mit ihm sprechen, *denn* er war verreist.

5. *sondern* suit un énoncé négatif. On emploie souvent la forme *nicht nur ..., sondern auch*:
Ich habe *nicht* dich gefragt, *sondern* ihn.
Sein Verhalten ist *keine* Hilfe, *sondern* es bringt nur zusätzlichen Ärger.
Er war *nicht nur* arm, *sondern* (er war) *auch* krank und einsam.

2 «aber» en position zéro ou dans la phrase.

Seine Frau hatte zu ihm gesagt:
Fahr nicht so schnell!   *Aber er ist doch zu schnell gefahren.*
                          Er ist aber doch zu schnell gefahren.

1. Gib nicht so viel Geld aus!
2. Schreib nicht so undeutlich!
3. Komm nicht zu spät!
4. Lauf nicht so schnell!
5. Lass dir nicht so viel gefallen!
6. Iss nicht so hastig!
7. Zieh dich nicht zu leicht an!
8. Fotografier nicht so viel!

3 Faites l'exercice suivant d'après le modèle ci-dessous:

(n) Stahlmesser / Brotmesser (zum B.)
Das Stahlmesser ist ein Messer aus Stahl, das Brotmesser aber
ist ein Messer zum Brotschneiden.

1. (m) Eisenofen / Holzofen (für H.)
2. (m) Porzellanteller / Suppenteller (für S.)
3. (m) Holzkasten / Kohlenkasten (für K.)
4. (f) Ledertasche / Schultasche (für die S.)
5. (n) Papiertaschentuch / Herrentaschentuch (für H.)
6. (n) Baumwollhemd / Sporthemd (für den S.)
7. (Pl.) Lederschuhe / Wanderschuhe (zum W.)
8. (m) Plastikbeutel / Einkaufsbeutel (zum E.)

4 Reliez les phrases avec «denn», «aber» ou «sondern». Choisissez la conjonction qui convient.

In einer Großgärtnerei können die Kunden ihre Erdbeeren selber pflücken.
Folgende Anzeige steht in der Zeitung:

Erdbeeren vom Feld!
1. Sie kaufen die Erdbeeren nicht fertig im Korb. Sie pflücken sie selbst!
2. Sie haben nur erstklassige Beeren. Was Ihnen nicht gefällt, pflücken Sie nicht.
3. Wir können Sie billig bedienen. Wir zahlen keine Ladenmiete!
4. Besuchen Sie uns bald! Wir sind am Ende der Saison.
5. Viele kommen nicht allein. Sie bringen ihre Familie mit.
6. Bringen Sie auch die Kleinen mit. Sie sind in unserem Kindergarten gut aufgehoben.
7. Sie sparen nicht nur Geld. Sie machen beim Sammeln gleich ein bisschen Gymnastik.
8. Sie sind nicht einsam. Die Sammler haben sich immer etwas zu erzählen.
9. Erdbeermarmelade kann man jeden Tag essen. Auch Erdbeersaft ist erfrischend zu jeder Jahreszeit!
10. Essen Sie mal ein paar Tage nur Erdbeeren! Das ist gesund.

5 Urlaubssorgen – Reliez les phrases avec «denn», «aber», «oder», «sondern», «und». Choisissez la conjonction qui convient.

1. Ilse möchte im Urlaub in den Süden fahren. Sie liebt die Sonne und das Meer.
2. Willi und Helga möchten auch in Urlaub fahren. Sie müssen dieses Jahr zu Hause bleiben. Ihr Junge ist krank.
3. Ich verbringe dieses Jahr meinen Urlaub nicht auf einem Bauernhof. Ich bleibe zu Hause. Ich muss sparen.
4. Fritz macht keinen Urlaub auf dem Bauernhof. Er arbeitet lieber in seinem eigenen Garten.
5. Ruth bleibt dieses Jahr zu Hause. Sie will im nächsten Jahr zu ihrer Schwester nach Kanada fliegen. Dafür muss sie fleißig sparen.
6. Wolfgang und Heidi fliegen nicht nach Spanien. Sie fahren mit ihren Kindern an die Nordsee. Für die Kinder ist ein raues Klima besser, sagt der Arzt.
7. Eberhard will ins Hochgebirge. Er klettert gern. Seine Mutter ist davon nicht begeistert.
8. Rosemarie fährt zu ihrem Bruder nach Wien. Sie besucht ihre Verwandten in Leipzig.

§ 24 L'articulation de la phrase: Les conjonctions en position I

Remarque préliminaire

A l'exception des conjonctions citées § 23 et placées en position zéro, toutes les autres conjonctions permettant de relier des phrases sont en position I et introduisent une proposition indépendante. Elles donnent son sens à la phrase.

I Ordre de la phrase

Conjonctions en position I (= a) et inversion (= b)

	I	II	III	IV	
1. Er will abrei-sen,	a) *darum*	hat	er		sein Zimmer
	b) er	hat	*darum*		gekündigt.
2. Du schuldest mir noch 20 Euro,	a) *folglich*	gebe	ich	dir	nur 10 Euro
	b) ich	gebe	dir	*folglich*	zurück.
3. Er hatte sich sehr beeilt,	a) *trotzdem*	kam	er		zu spät.
	b) er	kam	*trotzdem*		
4. Wir mussten ihn anrufen,	a) *dann*	kam	er		endlich.
	b) er	kam	*dann*		
5. Einerseits wollte er mit-kommen,	a) *anderer-seits*	fürchtete	er	sich	vor den Unkos-ten.
	b) er	fürchtete	sich	*andererseits*	
6. Er hat be-stimmt viel Arbeit,	a) *sonst*	wäre	er		gekommen.
	b) er	wäre	*sonst*		

à a)   Les conjonctions sont généralement placées entre les phrases en position I, puis vient le verbe conjugué en position II et le sujet en position III.

à b)   La plupart des conjonctions placées en position II peuvent selon les règles de l'inversion, être placées également en position III ou IV si un pronom est employé dans la phrase.

II Les conjonctions – Explications

1. Les conjonctions causales sont p. ex.: *darum, deshalb, deswegen, daher*, entre autres. La phrase qui les précède explique la cause de l'action:
    Warum ging er zur Polizei? *Er hatte seinen Pass verloren, darum* ging er zur Polizei.
    Weshalb musst du jetzt gehen? *Wir erwarten Gäste, deshalb* muss ich jetzt gehen.
    Weswegen zog er sich zurück? *Man hatte ihn belogen, deswegen* zog er sich zurück.
    Aus welchem Grund interessiert er sich für griechische Kultur? *Seine Mutter stammt aus Griechenland, daher* interessiert er sich für griechische Kultur.

2. Les conjonctions de conséquence sont p. ex.: *also, so, folglich, infolgedessen, demnach, insofern*, entre autres. Les phrases introduites par ces conjonctions indiquent la conséquence d'un énoncé:

Die alte Dame war erblindet, *also (so)* war sie gezwungen in ein Heim zu gehen.

In dem Geschäft hat man mich betrogen, *folglich* kaufe ich dort nicht mehr.

Der Kassierer hatte Geld aus der Kasse genommen, *infolgedessen* wurde er entlassen.

Er fuhr bei Rot über die Kreuzung, *demnach* handelte er verkehrswidrig.

Er war immer pünktlich und fleißig, *insofern* ist die Kündigung nicht gerechtfertigt.

3. a) Les conjonctions de concession sont p. ex.: *trotzdem, dennoch, allerdings, indessen*, entre autres. Ces conjonctions indiquent une restriction ou une opposition par rapport à l'énoncé qui précède:

Sie war ein freundliches und hübsches Mädchen, *trotzdem* liebte er sie nicht.

Er hatte die besten Zeugnisse, *dennoch* bekam er die Stelle nicht.

Er ist ein großartiger Mathematiker, *allerdings* verrechnet er sich immer wieder.

Er spielte leidenschaftlich gern, er hatte *indessen* nur selten Glück.

b) On peut accentuer la phrase concessive en la faisant commencer par *zwar*. *Zwar* est placé dans la première partie de la proposition de la phrase en position I ou III (ou IV):

Zwar war das Zimmer ungeheizt, *trotzdem* liefen die Kinder barfuß umher.

Er kennt mich *zwar* vom Sehen, *allerdings* grüßt er mich nicht.

c) *aber doch* fait partie également des conjonctions concessives. *Aber* peut être placé seul au début de la phrase en position zéro ou bien avec *doch* en position III (ou IV).

Zwar hatte er seit langem Kopfschmerzen, *aber* er wollte *doch* keinen Arzt aufsuchen.

Er hatte *zwar* seit langem Kopfschmerzen, er wollte *aber doch* keinen Arzt aufsuchen.

4. Les conjonctions de temps sont p. ex.: *dann, da, danach, daraufhin, inzwischen*, entre autres. Elles indiquent une suite d'événements dans le temps:

Er begrüßte sie anfangs sehr feierlich, *dann* lachte er und umarmte sie.

Ich kam zuerst an, *danach* kam mein Bruder.

Wir waren kaum zehn Schritte aus dem Haus, *da* begann es plötzlich heftig zu regnen.

Sie hatte nur eine unbedeutende Bemerkung gemacht, *daraufhin* rannte er aus dem Zimmer.

Die Touristen füllten die Formulare aus, *inzwischen* brachte der Hoteldiener die Koffer in die Zimmer.

Remarque

Les conjonctions de temps ont des sens différents:
   1. *dann* introduit une suite d'actions se succédant dans le temps. *danach* introduit l'action succédant à la précédente.
   2. *da* indique qu'une action survient brusquement.

3. *daraufhin* indique la conséquence d'une action dans le temps.
4. *inzwischen* ou *unterdessen* indiquent ce qui arrive ou est arrivé entretemps.

Il existe aussi d'autres conjonctions doubles offrant un choix, p. ex.: *entweder – oder, nicht nur – sondern...auch, weder – noch, einerseits – andererseits, mal – mal, bald – bald*, entre autres. La première phrase indique une possibilité, la deuxième une autre.

a) entweder – oder

I	II	III		0	I	II	
Entweder	kommt	er	noch heute	**oder**	er	kommt	überhaupt nicht mehr.

entweder est toujours en position I ou III, *oder* comme toujours en position zéro.

b) nicht nur – sondern ... auch

I	II	III		0	I	II	
Er	hatte	**nicht nur** private Sorgen,		**sondern**	er	war	**auch** finanziell am Ende.

nicht nur est presque toujours en position III, *sondern* comme toujours en position zéro. Le verbe conjugué est le plus souvent suivi de *auch*.

c) weder – noch

I	II	III		I	II	III
Er	war	**weder**	zu Hause	**noch**	konnten	wir	ihn in seinem Büro erreichen.

weder – noch exprime une double négation: *weder* est le plus souvent en position III, plus rarement en position I; *noch* suit en position I dans la deuxième partie de la phrase.

d) einerseits – andererseits, mal – mal, bald – bald
Einerseits ist er geizig und rechnet mit jedem Pfennig, *andererseits* gibt er das Geld mit vollen Händen aus.
Mal putzt sie das Treppenhaus, *mal* tut er es.
Bald ist die Patientin optimistisch, *bald* ist sie verzweifelt.

1 darum, deshalb, deswegen, daher – trotzdem, dennoch, allerdings: choisissez la conjonction qui convient et complétez.

1. Mein Bruder hat tausend Hobbys, ... hat er nur selten Zeit dafür.

2. Herr M. geht nicht gern ins Theater, ... tut er es seiner Frau zuliebe.

3. Herr K. macht nicht gern große Reisen, ... hat er sich jetzt einen Garten gekauft.

4. Ich habe ihm erst kürzlich wieder 50 Euro gegeben, ... soll er mich jetzt mal in Ruhe lassen.

5. Frau H. hat sich so viel Mühe mit dem Essen gegeben, es schmeckte ... nicht besonders gut.

6. Gisela hat heute Nacht bis drei Uhr gearbeitet, ... braucht sie jetzt Zeit zum Schlafen.

7. Die Ärzte haben alles versucht, ... konnten sie den Patienten nicht retten.

8. Dem Professor hört kein Mensch mehr zu, er spricht ... ruhig weiter.

9. Der Vortrag war schrecklich langweilig, ... schliefen die Zuhörer langsam ein.

10. Mein Freund hatte sich das Bein gebrochen, ... hat ihm der Arzt das Tennisspielen verboten, ... spielt er natürlich längst wieder mit.

11. Herr Z. ist Diabetiker, ... darf er bestimmte Speisen nicht essen.

12. Die Kinder sollen nicht an dem gefährlichen Fluss spielen, sie tun es ... immer wieder.

13. Das ganze Haus schläft, ... stellt Herr N. das Radio auf volle Lautstärke.

14. Mein Schreibpapier ist zu Ende, ... höre ich jetzt auf zu schreiben.

2 Reliez les phrases selon le sens avec une conjonction du groupe I ou II de l'exercice 1.

Er läuft gern Ski.   a) Er fährt diesen Winter nicht in Urlaub.
                       b) Er legt seinen Urlaub in den Winter.

Er läuft gern Ski, allerdings fährt er diesen Winter nicht in Urlaub.
Er läuft gern Ski, darum legt er seinen Urlaub in den Winter.

1. Die Kartoffeln sind noch nicht gar. a) Wir essen sie jetzt. b) Sie müssen noch fünf Minuten kochen.

2. Das Eis auf dem See ist noch nicht fest. a) Der Junge läuft darauf Schlittschuh. b) Das Betreten der Eisfläche ist gefährlich.

3. Die Familie kennt die Pilze nicht. a) Sie lässt sie stehen. b) Sie nimmt sie mit nach Hause.

4. Der kleine Kerl friert sehr. a) Er geht jetzt raus aus dem Wasser. b) Er bleibt stundenlang im Wasser.

5. Die Wanderer sind längst müde vom Laufen. a) Sie wollen die restliche Strecke noch schaffen. b) Sie machen erst einmal Pause.

6. Rauchen ist in diesem Gebäude verboten. a) Einige Leute rauchen ruhig weiter. b) Die meisten Leute machen ihre Zigarette aus.

7. Benzin wird immer teurer. a) Die meisten Autobesitzer wollen nicht auf ihr Fahrzeug verzichten. b) Immer mehr Personen fahren mit dem Zug.

8. Sie hat hohes Fieber. a) Sie bleibt im Bett liegen. b) Sie geht in den Dienst.

9. Er kann nicht schwimmen. a) Er geht gern segeln. b) Er hat immer Angst auf dem Wasser.

10. Er verdient sehr viel. a) Er kann sich die Villa kaufen. b) Er ist immer unzufrieden.

11. Kein Mensch will dick sein. a) Viele Menschen essen zu viel. b) Viele Leute sind vorsichtig mit dem Essen.

12. Sie isst sehr wenig. a) Sie wiegt noch zu viel. b) Sie ist immer müde.

3 Complétez les phrases.

1. Die Kellner in dem Restaurant waren recht unhöflich; infolgedessen ...
2. Die Kinder bekamen auf der Geburtstagsfeier von jedem Kuchen ein Stück; so ...
3. Die Autobahn war zwischen Kassel und Göttingen gesperrt; folglich ...
4. In der Studentengruppe waren Anhänger der verschiedensten politischen Parteien; infolgedessen ...
5. Der Redner beschimpfte die Anwesenden immer von neuem; insofern ...
6. Nach kurzer Zeit sahen die Wanderer wieder ein Wanderzeichen; also ...
7. Das Wasser war eiskalt; insofern ...
8. Die Zahl der Brände in Hochhäusern nimmt zu; infolgedessen ...
9. Die Kinokarten waren ausverkauft; folglich ...
10. Die Strecke a ist so lang wie die Strecke c, die Strecke b ist ebenfalls so lang wie c; demnach ...

4 Reliez les phrases avec «zwar ... aber (doch)».

Das Heizen mit Strom ist bequem. Es ist teuer.
Zwar ist das Heizen mit Strom bequem, aber es ist (doch) teuer.
Das Heizen mit Strom ist zwar bequem, es ist aber (doch) teuer.

1. Das Wasser ist kalt. Wir gehen schwimmen.
2. Das Bild ist teuer. Das Museum kauft es.
3. Ich wollte jetzt schlafen. Ich helfe dir erst.
4. Genf ist 600 Kilometer von Frankfurt entfernt. Wir schaffen die Strecke in fünf bis sechs Stunden.
5. Der Patient ist sehr schwach. Er muss sofort operiert werden.
6. Ich habe dir meinen Plan neulich erklärt. Ich erkläre dir jetzt alles noch einmal.
7. Du bist ein kluger Kopf. Alles verstehst du auch nicht.
8. Meine Eltern tun alles für mich. Meinen Studienaufenthalt können sie nicht bezahlen.
9. Deutschland gefällt mir ganz gut. Die Schweiz gefällt mir besser.
10. Die Schweiz ist schön. In Österreich lebt man billiger.

5 «da», «dann» ou «daraufhin»?

1. Zunächst gab es eine Wirtschaftskrise, ... kam die Geldentwertung; ... verlor die Regierungspartei die nächste Wahl.
2. Ich beende erst mein Studium, ... muss ich zum Militärdienst.
3. Wir waren gerade beim Essen, ... klingelte das Telefon.
4. Die Vorstellung war zu Ende, ... schrie plötzlich jemand „Feuer!"
5. Er wollte bezahlen, ... merkte er, dass er sein Geld vergessen hatte.
6. Er musste sich nun erst Geld besorgen, ... konnte er weiterreisen.
7. Alles war still, ... fiel plötzlich ein Schuss.
8. Erst waren alle ganz erschrocken, ... redeten alle durcheinander.
9. Die beiden Alten gingen durch den Wald, ... trat plötzlich ein Mann mit einer Pistole in der Hand hinter einem Baum hervor und sagte: „Erst das Geld, ... können Sie weitergehen." ... gaben ihm die beiden ihr gesamtes Geld. ... zog der Alte, ein pensionierter Polizeibeamter, seine Pistole und sagte: „Erst die Pistole und ... kommen Sie mit!"

6 Complétez d'après le sens avec «da», «dann», «daraufhin», «also», «darum», «trotzdem».

Es war nachts gegen halb vier. Der Wächter im Kaufhaus war beinah eingeschlafen, ... hörte er ein verdächtiges Geräusch. Er lauschte einige Zeit, ...
5 schlich er sich vorsichtig in die Lebensmittelabteilung hinunter. Die Nachtbeleuchtung war merkwürdigerweise ausgeschaltet, ... knipste er seine Taschenlampe an und bemerkte sofort, dass die
10 Bürotür nicht geschlossen war. Er wusste genau, dass die Tür vorher verschlossen war, ... war ein Fremder in das Haus eingedrungen. Der Wächter zog seinen Revolver und atmete einmal tief durch, ... riss er die Tür auf und schrie: „Hände hoch!" Die beiden Männer im Büro waren schwer bewaffnet, ... verlor der Wächter keinen Augenblick die Ruhe und es gelang ihm, den Alarmknopf neben dem Schreibtisch zu erreichen. Seine Tat wurde in der Presse groß herausgebracht, ... erhöhte die Geschäftsleitung sein Gehalt.

7 Ausbildungs- und Berufsfragen – Construisez des phrases avec «entweder ... oder» en utilisant les mots indiqués ci-dessous.

der Student / jetzt / die Prüfung / bestehen // er / in sein Heimatland / zurückkehren müssen
Entweder besteht der Student jetzt die Prüfung oder er muss in sein Heimatland zurückkehren.

1. Helga / Medizin / studieren // sie / die Musikhochschule / besuchen
2. er / jetzt / die Stelle als Ingenieur in Stuttgart / erhalten // er / eine Stelle in der Schweiz / annehmen
3. mein Bruder / den Facharzt / machen // er / praktischer Arzt / werden
4. der Arbeitslose / die angebotene Stelle / annehmen // er / die Arbeitslosenunterstützung / verlieren
5. Fritz / jetzt / das Abitur / bestehen // er / die Schule / verlassen müssen
6. meine Mutter / jetzt / eine Stelle als Sekretärin / erhalten // sie / eine neue Stellenanzeige in der Zeitung / aufgeben
7. ich / ab Januar / eine Gehaltserhöhung / bekommen // ich / meine Stellung kündigen
8. der Schüler / einen Notendurchschnitt von 1,7 / erhalten // er / keine Zulassung zur Universität / bekommen

8 «Jedes Ding hat seine zwei Seiten» – Construisez des phrases avec «einerseits ... andererseits» en utilisant les mots indiqués ci-dessous.

Felix / ein sehr guter Schüler / sein // er / überhaupt kein Selbstvertrauen / besitzen
Felix ist einerseits (oder: Einerseits ist Felix) ein sehr guter Schüler, andererseits besitzt er (oder: ... , er besitzt andererseits) überhaupt kein Selbstvertrauen.

1. Klaus / ein sehr langsamer Schüler / sein // er / immer / gute Noten / nach Hause bringen
2. das Institut / genug Lehrer für 200 Schüler / haben // nicht genügend Räume / für den Unterricht / vorhanden sein

3. der Mann / ein Vermögen / verdienen // er / keine Zeit haben / das Leben zu genießen
4. das Land / sehr gute Möglichkeiten zur Förderung des Tourismus / haben // dazu / das Geld / fehlen
5. man / immer mehr elektrischen Strom / benötigen // die Leute / keine Kraftwerke / in ihrer Nähe / haben wollen
6. jeder / mehr Geld / haben wollen // alle / weniger arbeiten wollen
7. er möchte ein Haus bauen // er / Angst vor den hohen Kosten / haben
8. sie / möchten / heiraten und Kinder haben // sie / ihre Freiheit / nicht verlieren wollen

9 Beim Radiohändler – Construisez des phrases avec «nicht nur …, sondern … auch» en utilisant les mots indiqués ci-dessous.

an diesem Fernseher / der Lautsprecher / kaputt sein // er / schwer zu bedienen sein
An diesem Fernseher ist nicht nur der Lautsprecher kaputt, sondern er ist auch schwer zu bedienen.

1. diese Musik / viel zu laut sein // sie / ganz verzerrt / klingen
2. mit diesem Radiogerät / Sie / Mittelwelle und UKW / empfangen können // Sie / die Kurzwellensender im 41- und 49-Meter-Band hören können
3. dieser Apparat / Ihnen / Stereoempfang / bieten // er / einen eingebauten Kassettenrecorder / enthalten
4. wir / Ihnen / ein Fernsehgerät / zu einem günstigen Preis / verkaufen // wir / es / ins Haus bringen und / es einstellen
5. dieser Videorecorder / jedes Fernsehprogramm / aufzeichnen // er / in Ihrer Abwesenheit / sich automatisch an- und abstellen
6. der Kassettenrecorder / viel zu teuer sein // er / einen schlechten Klang / haben
7. der Apparat / mit 220 Volt arbeiten // er / mit eingebauter Batterie oder mit den 12 Volt aus dem Auto / funktionieren
8. ich / einen Fernseher / kaufen // ich / eine neue Satellitenschüssel / brauchen

10 Gesundheit und Krankheit – «entweder … oder», «nicht nur …, sondern auch», ou «einerseits …, andererseits»? Reliez les phrases avec la conjonction qui convient. (Il y a parfois deux solutions possibles.)

1. Ich muss ständig Tabletten nehmen. Ich muss mich operieren lassen.
2. Ich fühle mich müde. Ich kann nicht schlafen.
3. Sie brauchen viel Schlaf. Sie müssen viel an die frische Luft.
4. Sie nehmen Ihre Medizin jetzt regelmäßig. Ich kann Ihnen auch nicht helfen.
5. Sie haben Übergewicht. Sie sind zuckerkrank.
6. Sie wollen gesund werden. Sie leben sehr ungesund.
7. Sie sind stark erkältet. Sie haben hohes Fieber.
8. Dieses Medikament gibt es in Tropfenform. Sie können es auch als Tabletten bekommen.
9. Es wird Ihnen Ihre Schmerzen nehmen. Sie werden auch wieder Appetit bekommen.

10. Ihnen fehlt der Schlaf. Sie brauchen unbedingt Erholung.
11. Sie hören sofort auf zu rauchen. Ich behandle Sie nicht mehr.
12. Ihr Kind leidet an Blutarmut. Es ist sehr nervös.
13. Sie müssen sich natürlich viel bewegen. Sie dürfen den Sport nicht übertreiben.
14. Sie trinken keinen Alkohol mehr. Sie werden nie gesund.

§ 25   Les propositions subordonnées

Généralités

1. Les subordonnées sont, du point de vue du contenu, des phrases qui ne se suffisent pas à elles-mêmes. Elles complètent une proposition principale; on ne peut donc pas les trouver seules.

2. Du point de vue grammatical, les subordonnées sont cependant des phrases complètes; elles ont toujours un sujet et un verbe conjugué. Même si le sujet est le même dans la principale et dans la subordonnée, il doit être répété:
   Er sprang in den Fluss, als *er* Hilferufe hörte.

3. Les subordonnées sont introduites par une conjonction qui confère à la phrase un sens particulier:
   … , *als* er nach Hause kam.
   … , *obwohl* er nicht schwimmen konnte.

4. Dans les subordonnées, le sujet est le plus souvent placé après la conjonction. Le verbe conjugué est placé à la fin de la subordonnée (exceptions, voir § 18 II–IV, § 19 III).

5. Les subordonnées peuvent être placées avant ou après la principale ou la phrase dont elles dépendent.

   a) La subordonnée est placée après la principale:
      Er schrieb an seine Tante, *als er Geld brauchte.*

   b) Si la subordonnée est placée avant la principale, elle est en position I. Le verbe conjugué de la principale est alors en position II, c'est-à-dire tout de suite après la virgule; puis vient le sujet en position III (IV):

I	II	III
Als er Geld brauchte,	schrieb	er an seine Tante.

6. Dans la subordonnée aussi les pronoms sont placés le plus en avant possible dans la phrase, la plupart du temps, juste après la conjonction.
   Nachdem *sich* meine Freundin die Wohnung angesehen hatte, machte sie ein unzufriedenes Gesicht.
   „Wenn *dir* die Wohnung nicht gefällt, brauchst du sie nicht zu nehmen."

Mais si le sujet est lui-même un pronom, il précède immédiatement les autres pronoms à l'accusatif et au datif.

„Wenn *du dich* für eine andere Wohnung entscheidest, bin ich dir nicht böse."
„Bevor *ich es dir* endgültig sage, muss ich es mir genau überlegen."

7. Les subordonnées peuvent aussi dépendre de propositions infinitives ou relatives:
Er ärgerte sich, *weil sie ihn nicht begrüßte, als er ankam.*
Der Besucher fürchtet, *die Gastgeber zu kränken, wenn er das Hammelfleisch zurückweist.*
Es gibt Medikamente, *die frei verkäuflich sind, obwohl sie schädliche Stoffe enthalten.*
Attention: Par souci de simplification, la subordonnée dépendra toujours, dans les explications qui suivent, d'une principale.

§ 26 Les subordonnées temporelles (subordonnée de temps)

I wenn, als

Wenn der Wecker klingelt, stehe ich sofort auf.

On emploie *wenn* au présent et au futur s'il s'agit d'un fait unique (voir aussi les phrases conditionnelles, § 28).

Jedesmal (Immer) wenn es an der Tür läutete, erschrak er furchtbar.

On emploie *wenn* au présent et à tous les temps du passé s'il s'agit d'une répétition de faits.
On peut accentuer la subordonnée en plaçant *jedesmal* ou *immer* devant *wenn.*
Quand il s'agit d'une répétition de faits, on peut aussi employer la conjonction *sooft*:
Sooft es an der Tür läutete ...

Als er das Feuer bemerkte, rannte er sofort zur Tür.
Als ich jung war, gab es noch keine Videogeräte.

Quand il s'agit d'un fait unique, *als* est toujours au passé:

	Gegenwart	Vergangenheit
einmalige Handlung	wenn	als
wiederholte Handlung	wenn	wenn

1 An der Grenze – «wenn» ou «als»? Complétez avec la conjonction qui convient.

1. Haben dich die Zollbeamten auch so gründlich untersucht, ... du nach Litauen gefahren bist?
2. Ja, sie sind immer besonders genau, ... junge Leute im Auto sitzen.
3. ... ich neulich über die Grenze fuhr, musste ich jeden Koffer aufmachen.
4. ... ich früher in Urlaub fuhr, habe ich nie ein Gepäckstück öffnen müssen.
5. Ja, ... du damals in Urlaub gefahren bist, gab's noch keine Terroristen!
6. ... ich neulich in Basel über die Grenze fuhr, haben sie einem Studenten das halbe Auto auseinander genommen!
7. Im vorigen Jahr haben sie immer besonders genau geprüft, ... ein Auto aus dem Orient kam.
8. Ich glaube, sie haben immer nach Rauschgift gesucht, ... sie diese Wagen so genau untersucht haben.
9. Hast du auch jedesmal ein bisschen Angst, ... du an die Grenze kommst?
10. Ja, ... mich neulich der deutsche Zollbeamte nach Zigaretten fragte, fing ich gleich an zu stottern.
11. Aber jetzt nehme ich keine Zigaretten mehr mit, ... ich über die Grenze fahre.
12. Und ich habe es den Zollbeamten immer lieber gleich gesagt, ... ich etwas zu verzollen hatte.

2 Employez «wenn» ou «als» avec les premières phrases pour former une subordonnée.

1. Ich war im vorigen Sommer in Wien. Ich besuchte meine Schwester.
2. Der Junge war sechs Jahre alt. Da starben seine Eltern.
3. Die Menschen waren früher unterwegs. Sie reisten immer mit einem Pferdewagen.
4. Man senkte den Vorhang. Ich verließ das Theater.
5. Ich hatte in den Semesterferien Zeit. Ich ging immer Geld verdienen.
6. Er hatte ein paar Glas Bier getrunken. Er wurde immer sehr laut.
7. Sie dachte an ihre Seereise. Es wurde ihr jedes Mal beinahe schlecht.
8. Ich traf gestern meinen Freund auf der Straße. Ich freute mich sehr.
9. Der Redner schlug mit der Faust auf den Tisch. Alle Zuhörer wachten wieder auf.
10. Er kam aus dem Urlaub zurück. Er brachte immer Räucherfisch mit.

3 «wenn» ou «als»? Répondez aux questions d'après le modèle suivant:

Wann wurde J.F. Kennedy ermordet? (1963 / im offenen Auto durch die Stadt Dallas fahren)
J.F. Kennedy wurde ermordet, als er 1963 im offenen Auto durch die Stadt Dallas fuhr.

1. Wann verschloss man früher die Stadttore? (es / abends dunkel werden)
2. Wann brachen früher oft furchtbare Seuchen aus? (Krieg / herrschen und Dörfer und Städte / zerstört sein)

3. Wann mussten sogar Kinder 10 bis 15 Stunden täglich arbeiten? (in Deutschland / die Industrialisierung beginnen)
4. Wann fand Robert Koch den Tuberkulosebazillus? (er / 39 Jahre alt sein)
5. Wann wurden früher oft Soldaten in fremde Länder verkauft? (die Fürsten / Geld brauchen)
6. Wann mussten die Kaufleute jedesmal unzählige Zollgrenzen passieren? (sie / vor 200 Jahren z.B. von Hamburg nach München fahren)
7. Wann wanderten früher oft viele Menschen nach Amerika aus? (sie / in Europa / aus religiösen oder politischen Gründen / verfolgt werden)
8. Wann kam es zum Zweiten Weltkrieg? (die deutschen Truppen unter Hitler im August 1939 in Polen einmarschieren)

II während, solange, bevor

Während er am Schreibtisch arbeitete, sah sie fern.
Solange er studierte, war sie berufstätig.

On emploie *während* et *solange* lorsque deux (ou plusieurs) actions ont lieu simultanément. Les temps dans la principale et la subordonnée sont toujours les mêmes.
Bevor er studieren konnte, musste er eine Prüfung machen.

bevor indique que l'action de la subordonnée est postérieure à celle de la principale. En allemand, on emploie cependant le même temps dans la principale et dans la subordonnée.
On peut employer *ehe* dans le même sens que *bevor*:
Ehe er studieren konnte...

Remarque

1. *während* peut également marquer une opposition:
   Ich habe mich sehr gut unterhalten, *während* er sich gelangweilt hat.
   Sie schickte ihm seine Briefe zurück, *während* sie die Geschenke behielt.

2. *Solange* ne s'utilise que dans les phrases où le moment où se termine une action, ou une situation, est exprimé ou bien lorsqu'il est possible de déduire ce moment du contexte
   Solange er studierte, war sie berufstätig. (Aber nur bis er fertig war, dann gab sie ihren Beruf auf.)
   Solange der Schriftsteller in Brasilien lebte, war er unglücklich. (Aber nur bis er wieder nach Frankreich übersiedelte.)

4 Im Restaurant – Reliez les phrases avec «während» ou «bevor».

Ich betrete das Lokal. Ich schaue mir die Preise auf der Speisekarte vor der Tür an.
Bevor ich das Lokal betrete, schaue ich mir die Preise auf der Speisekarte vor der Tür an.

1. Ich bestelle mein Essen. Ich studiere die Speisekarte.
2. Ich warte auf das Essen. Ich lese die Zeitung.

3. Ich esse. Ich wasche mir die Hände.
4. Ich warte auf den zweiten Gang. Ich betrachte die Gäste und suche nach alten Bekannten.
5. Ich esse. Ich unterhalte mich mit den Gästen an meinem Tisch.

6. Ich bezahle. Ich bestelle mir noch einen Kaffee.
7. Ich trinke meinen Kaffee. Ich werfe noch einen Blick in die Tageszeitung.
8. Ich gehe. Ich zahle.

5 Employez «bevor» ou «während» d'après le modèle de l'exercice 4 pour transformer la partie en italique en une subordonnée.

Vor den Semesterferien muss sie eine Klausur schreiben.
Bevor die Semesterferien beginnen, muss sie eine Klausur schreiben.

1. *Während des Studiums* arbeitet sie bereits an ihrer Doktorarbeit.
2. Sie hatte *vor dem Studium* eine Krankenschwesternausbildung mitgemacht.
3. *Vor ihrem Examen* will sie ein Semester in die USA gehen. (Examen machen)
4. *Während ihres Aufenthalts in den USA* kann sie bei ihrer Schwester wohnen. (sich aufhalten)
5. Ihren Mann kannte sie schon *vor dem Studium*.
6. *Vor ihrer Heirat* wohnte sie in einem möblierten Zimmer.

7. *Vor Verlassen der Universität* will sie promovieren.
8. *Während ihrer Arbeit fürs Examen* findet sie wenig Zeit für ihre Familie.
9. *Während ihrer Hausarbeit* denkt sie immer an ihre wissenschaftliche Tätigkeit. (Hausarbeit machen)
10. *Vor Sonnenaufgang* steht sie schon auf und setzt sich an ihren Schreibtisch.
11. *Während ihres Examens* muss ihr Mann für die Kinder sorgen.
12. *Vor Eintritt in die Firma ihres Mannes* will sie ein Jahr Pause machen.

6 Que signifie «während» dans les phrases suivantes: Indique-t-il le temps ou l'opposition? – Transformez les phrases qui indiquent une opposition en employant «dagegen» ou «aber».

Während er sich über die Einladung nach Australien freute, brach sie in Tränen aus.
Er freute sich über die Einladung nach Australien, dagegen brach sie in Tränen aus.

1. Während die öffentlichen Verkehrsmittel, Busse und Bahnen oft nur zu zwei Dritteln besetzt sind, staut sich der private Verkehr auf Straßen und Autobahnen.
2. Der Forscher entdeckte, während er sein letztes Experiment prüfte, dass seine gesamte Versuchsreihe auf einem Irrtum beruhte.

3. Obwohl er sich sehr anstrengte, schaffte er es kaum, 20 Kilometer pro Tag zu wandern, während trainierte Sportler mühelos 60 bis 80 Kilometer täglich laufen.
4. Die Mieter der Häuser in der Altstadt hoffen immer noch auf eine gründliche Renovierung, während der Abriss des gesamten Stadtviertels schon längst beschlossen ist.

5. Während ich anerkennen muss, dass deine Argumente richtig sind, ärgere ich mich darüber, dass du mich immerzu persönlich beleidigst.
6. Während er in seine Arbeit vertieft ist, hört er weder die Klingel noch das Telefon.
7. In dem Scheidungsurteil bestimmte der Richter, dass die Frau das Haus und das Grundstück behalten

sollte, während der Ehemann leer ausging.
8. Während früher die Post zweimal am Tag ausgetragen wurde, kommt der Briefträger jetzt nur noch einmal und samstags bald überhaupt nicht mehr.
9. Ich habe genau gesehen, dass er, während wir spielten, eine Karte in seinen Ärmel gesteckt hat.

III nachdem, sobald

Nachdem er gefrühstückt hat, beginnt er zu arbeiten.
Nachdem er gefrühstückt hatte, begann er zu arbeiten.
Sobald er eine Flasche ausgetrunken hat, öffnet er gleich eine neue.
Sobald er eine Flasche ausgetrunken hatte, öffnete er gleich eine neue.

Dans la subordonnée introduite par *nachdem* ou *sobald*, l'action est antérieure à celle de la principale; un changement de temps est toujours nécessaire dans les subordonnées introduites par *nachdem*:

Nebensatz	Hauptsatz
Perfekt	→ Präsens
Plusquamperfekt	→ Präteritum

Avec l'emploi de *nachdem*, il peut s'écouler un certain temps entre les deux actions; avec *sobald*, une action succède immédiatement à la précédente.
Dans les phrases introduites par *sobald* il peut y avoir simultanéité entre la proposition principale et la subordonnée:
Sobald ein Streit *ausbricht, zieht* er sich *zurück.*
Sobald ein Streit *ausbrach, zog* er sich *zurück.*

7 Auf dem Kongress – Mettez le verbe entre parenthèses à la forme conjuguée. Faites attention à la terminaison.

1. Nachdem der Präsident die Gäste (begrüßen), begeben sich alle in den Speiseraum.
2. Alle Teilnehmer der Konferenz begaben sich in den Versammlungsraum, nachdem sie (essen).
3. Nachdem alle Gäste Platz genommen haben, (beginnen) der erste Redner seinen Vortrag.
4. Nachdem der Redner seinen Vortrag (beenden), setzte eine lebhafte Diskussion ein.
5. Nachdem man dann eine kurze Pause gemacht hatte, (halten) ein Teilnehmer einen Lichtbildervortrag.
6. Nachdem alle Gäste zu Abend gegessen hatten, (sitzen) sie noch eine Zeit lang zusammen und (sich unterhalten).
7. Nachdem man so drei Tage (zuhören, lernen und diskutieren), fuhren alle Teilnehmer wieder nach Hause.

8 Der Briefmarkensammler – Transformez la partie en italique en une subordonnée introduite par «nachdem».

Nach dem Kauf der Briefmarken beim Briefmarkenhändler steckt sie der Sammler in sein Album.
Nachdem der Sammler die Briefmarken beim Briefmarkenhändler gekauft hat, steckt er sie in sein Album.

1. *Nach einer halben Stunde in einem Wasserbad* kann man die Briefmarken leicht vom Papier ablösen. (in einem Wasserbad liegen)
2. *Nach dem Ablösen der Briefmarken von dem Brief* legt sie der Sammler auf ein Tuch und lässt sie trocknen.
3. *Nach dem Trocknen der Briefmarken* prüft er jede Marke genau auf Beschädigungen.
4. *Nach dem Aussortieren der schon vorhandenen Briefmarken* steckt er die anderen in sein Briefmarkenalbum.
5. *Nach dem Einsortieren jeder einzelnen Briefmarke* stellt er ihren Wert in einem Katalog fest.
6. *Nach der Beendigung dieser Arbeit* sortiert er die doppelten in Tüten, die nach Ländern geordnet sind, um sie mit seinen Freunden zu tauschen.

9 Même exercice que le no. 8. Attention aux temps!

1. *Nach dem Ende der Demonstration* wurde es still in den Straßen.
2. *Nach der gründlichen Untersuchung des Patienten* schickte der Arzt ihn ins Krankenhaus.
3. *Nach einem dreistündigen Aufenthalt in Zürich* reisten die Touristen nach Genua weiter. (sich aufhalten)
4. *Nach der Lösung aller Probleme* konnten die Architekten mit dem Bau des Hochhauses beginnen.
5. *Nach dem Bestehen des Staatsexamens* tritt Herr M. eine Stelle als Assistenzarzt in einem Krankenhaus an.
6. *Nach der Auflösung der verschiedenen Mineralien* wurde die Säure auf ihre Bestandteile untersucht. (sich auflösen)
7. *Nach dem Ende des Unterrichts* geht er in die Mensa.
8. *Nach dem Beginn der Vorstellung* wird kein Besucher mehr eingelassen.
9. *Nach der Entdeckung Amerikas* kehrte Columbus nach Europa zurück.
10. *Nach dem Regen* steigt Nebel aus dem Wald. (… es geregnet …)

IV bis, seit, seit(dem)

Bis er aus Amsterdam anruft, bleibe ich im Büro.
Er *war* immer vergnügt und lustig, *bis er heiratete.*

La conjonction *bis* s'emploie pour des faits qui se situent dans le futur. L'action de la principale s'arrête au moment précis où celle de la subordonnée commence.
En règle générale, on emploie le présent ou le futur dans la principale et dans la subordonnée. On peut aussi employer les temps du passé dans les récits. Lorsque les deux actions ont lieu au même moment, il faut utiliser le même temps dans la proposition subordonnée et la proposition principale.

Bis unsere Tochter heiratet, haben wir etwa 10 000 Euro gespart.

Si une action ayant eu lieu antérieurement est définitivement achevée, on peut alors introduire un changement de temps = Présent (Futur I) ⟷ Parfait (Futur II).

Seitdem ich in Hamburg bin, habe ich eine Erkältung.

On emploie *seit* ou *seitdem* pour des actions simultanées qui ont commencé dans le passé et continuent dans le présent. Dans ce cas, les temps sont les mêmes dans la principale et dans la subordonnée.

Seit man das Verkehrsschild hier aufgestellt hat, passieren weniger Unfälle.

Quand il s'agit d'un fait unique dans le passé dont l'effet se répercute encore dans le présent, le changement de temps est nécessaire.

---

10 «bis» ou «seit»? Complétez avec la conjonction qui convient.

… seine Eltern gestorben waren, lebte der Junge bei seiner Tante. Dort blieb er, … er 14 Jahre alt war. … er die Hauptschule verlassen hatte, trieb er sich in verschiedenen Städten herum. Er lebte von Gelegenheitsarbeiten, … er in die Hände einiger Gangster fiel. … er bei diesen Leuten lebte, verübte er nur noch Einbrüche, überfiel Banken und stahl Autos, … er dann schließlich von der Polizei festgenommen wurde. … er nun im Gefängnis sitzt, schreibt er an seiner Lebensgeschichte. … er in drei Jahren entlassen wird, will er damit fertig sein.

---

11 Employez «seit» (ou «seitdem») ou «bis» pour transformer la partie en italique en une subordonnée.

Seit der Fertigstellung der Bahnstrecke zwischen Stuttgart und Mannheim können die Züge hier viel schneller fahren.
Seitdem die Bahnstrecke zwischen Stuttgart und Mannheim fertig gestellt (worden) ist, können die Züge hier viel schneller fahren.

1. *Seit der Einführung der 5-Tage-Woche* ist die Freizeitindustrie stark angewachsen.
2. *Seit der Erfindung des Buchdrucks* sind über 500 Jahre vergangen.
3. *Seit dem Bau des Panamakanals* brauchen die Schiffe nicht mehr um Kap Horn zu fahren.
4. *Seit der Verlegung des ersten Telefonkabels von Europa nach Nordamerika im Jahr 1956* ist der Telefonverkehr sicherer und störungsfreier geworden.
5. *Bis zum Bau des Tunnels* ging der ganze Verkehr über den 2500 m hohen Pass.
6. *Bis zur Entdeckung des ersten Betäubungsmittels* mussten die Menschen bei Operationen große Schmerzen aushalten.
7. *Bis zur Einrichtung von sogenannten Frauenhäusern* wussten manche Frauen nicht, wo sie Schutz vor ihren aggressiven Männern finden konnten.
8. *Bis zur Einführung der 25-Stunden-Woche* werden wohl noch viele Jahre vergehen.

12 Nach einem Unfall – Transformez la phrase prépositionnelle en une subordonnée.

Vor dem Eintreffen des Krankenwagens …
Bevor der Krankenwagen eintraf, …

Während des Transports des Patienten ins Krankenhaus …
Während der Patient ins Krankenhaus transportiert wurde, …

Nach der Ankunft des Verletzten im Krankenhaus …
Nachdem der Verletzte im Krankenhaus angekommen war, …

Sofort nach der Untersuchung …
Sobald man den Patienten untersucht hatte, …

Bei der Untersuchung des Patienten …
Als der Patient untersucht wurde, …

Seit der Operation des Patienten …
Seitdem man den Patienten operiert hat, …

1. Vor der Ankunft des Krankenwagens an der Unfallstelle wurde der Verletzte von einem Medizinstudenten versorgt.
2. Während des Transports des Verletzten in ein Krankenhaus wurde er bereits von einem Notarzt behandelt.
3. Sofort nach der Ankunft des Verletzten im Krankenhaus haben Fachärzte ihn untersucht.
4. Bei der Untersuchung des Verletzten stellte man innere Verletzungen fest.
5. Vor der Operation des Patienten gab man ihm eine Bluttransfusion.
6. Vor dem Beginn der Operation legte man alle Instrumente bereit.
7. Nach der Operation brachte man den Patienten auf die Intensivstation. (die Operation beenden)
8. Nach einigen Tagen brachte man den Patienten in ein gewöhnliches Krankenzimmer. (Tage vergehen)
9. Vor seiner Entlassung hat man ihn noch einmal gründlich untersucht.
10. Nach seiner Rückkehr in seine Wohnung musste der Patient noch vierzehn Tage im Bett liegen bleiben.
11. Seit seinem Unfall kann der Verletzte nicht mehr Tennis spielen. (einen Unfall haben)

13 Même exercice.

Ein Fußballspiel

1. *Vor dem Beginn des Fußballspiels* loste der Schiedsrichter die Spielfeldseiten aus.
2. *Während des Spiels* feuerten die Zuschauer die Spieler durch laute Rufe an.
3. *Bei einem Tor* gab es jedesmal großen Jubel.
4. *Sofort nach einem Foul* zeigte der Schiedsrichter einem Spieler die gelbe Karte.
5. *Seit dem Austausch eines Spielers* wurde das Spiel deutlich schneller.
6. *Nach der Beendigung des Spiels* tauschten die Spieler ihre Trikots.

§ 27   Subordonnées causales
(subordonnées de cause)

weil, da, zumal

Weil man starke Schneefälle vorausgesagt hatte, mussten wir unseren
Ausflug verschieben.
Da eine Bergwanderung im Schnee gefährlich ist, hat man uns geraten,
darauf zu verzichten.

1. Les conjonctions de cause *weil* et *da* sont souvent employées indifféremment. Mais
en réponse à une question directe il faut employer *weil*.
Warum fährst du nicht mit uns? – Weil ich keine Zeit habe.

2. L'emploi des temps dans les phrases avec *weil* et *da* est entièrement déterminé par
le sens de l'énoncé. Les actions peuvent avoir lieu simultanément ou bien à des
moments différents (= changement de temps).

Bei solchem Wetter bleiben wir lieber im Hotel, *zumal* unsere Ausrüstung
nicht gut ist (d'autant plus que).
La subordonnée introduite par *zumal* indique une raison encore plus importante
que celle citée dans la principale. On accentue *zumal* dans la langue parlée.

1   Die Gruppe hat abends gefeiert. Alle sind froh, aber jeder hat einen anderen Grund.
– Formez des phrases avec «weil».

A.: Ich habe eine gute Arbeit geschrieben; deshalb bin ich froh.
A. ist froh, *weil er eine gute Arbeit* geschrieben hat.

B.:   Ich habe eine nette Freundin gefunden. (B. ist froh, weil…)
C.:   Hier kann ich mal richtig tanzen.
D.:   Ich kann mich mal mit meinen Freunden aussprechen.
E.:   Ich kann mich hier mal in meiner Muttersprache unterhalten.
F.:   Ich brauche mal keine Rücksicht zu nehmen.
G.:   Ich habe mal Gelegenheit meine Sorgen zu vergessen.
H.:   Ich bin so verliebt.

2   Am nächsten Tag ist die Gruppe nicht rechtzeitig zum Unterricht gekommen.
Jeder hatte eine andere Ausrede. – Formez des phrases avec «weil».

A. ist nicht gekommen, weil er Kopfschmerzen hat.

B.:   Der Autobus hatte eine Panne.
C.:   Der Wecker hat nicht geklingelt.
D.:   Die Straßenbahn war stehen geblieben.
E.:   Der Zug hatte Verspätung.
F.:   Die Mutter hat verschlafen.
G.:   Das Motorrad ist nicht angesprungen.

H.: Die Straße war wegen eines Verkehrsunfalls gesperrt.
I.: Er musste seinen Bruder ins Krankenhaus fahren.
J.: Sie ist in den falschen Bus gestiegen.

3 Einige konnten beim Fußballspiel nicht mitspielen.

Ich konnte nicht mitspielen, weil...
A.: Ich hatte keine Zeit.
B.: Ich habe mir den Fuß verletzt.
C.: Ich habe zum Arzt gehen müssen.
D.: Ich habe mir einen Zahn ziehen lassen müssen.
E.: Ich habe das Auto in die Werkstatt bringen müssen.
F.: Ich bin entlassen worden und habe mir einen neuen Job suchen müssen.
G.: Ich habe mich bei meiner neuen Firma vorstellen müssen.
H.: Ich habe zu einer Geburtstagsparty gehen müssen.
I.: Ich habe auf die Kinder meiner Wirtin aufpassen müssen.

4 Transformez la deuxième phrase en une subordonnée introduite par «weil».

Frau Müller hat wieder als Sekretärin gearbeitet. Die Familie hat mehr Geld für den Hausbau sparen wollen.
Frau Müller hat wieder als Sekretärin gearbeitet, weil die Familie mehr Geld für den Hausbau hat sparen wollen.

1. Herr Müller hat mit dem Bauen lange warten müssen. Er hat das notwendige Geld nicht so schnell zusammensparen können.
2. Er und seine Familie haben fünf Jahre auf alle Urlaubsreisen verzichtet. Sie haben mit dem Bau nicht so lange warten wollen.
3. Herr Müller hatte das Haus zweistöckig geplant. Er hat durch Vermietung einer Wohnung schneller von seinen Schulden herunterkommen wollen.
4. Er hat dann aber doch einstöckig gebaut. Das Bauamt hat ihm eine andere Bauart nicht erlauben wollen.
5. Herr Müller war zunächst ziemlich verärgert. Er hat einstöckig bauen müssen.
6. Später war er sehr froh. Sie haben alle Kellerräume für sich benutzen können.

5 In einem Möbelhaus – Faites l'exercice suivant d'après le modèle ci-dessous:

einen Schrank zum Kunden bringen
Unser Kundendienst ist nicht da, weil ein Schrank zu einem Kunden gebracht werden muss.

Unser Kundendienst ist nicht da, weil...

1. neue Möbel abholen
2. bei einem Kunden einen Schrank aufbauen
3. bei einer Kundin die Esszimmermöbel austauschen
4. in einem Vorort ein komplettes Schlafzimmer ausliefern
5. in der Innenstadt eine Küche einrichten
6. einer Firma sechs Ledersessel liefern
7. in einem Hotel einen Elektroherd installieren
8. in einer Neubauwohnung Teppiche verlegen

6   Arbeit bei der Stadtverwaltung – Reprenez les mots de l'exercice § 19 no. 6 et construisez des phrases d'après le modèle suivant:

> Wiedereröffnung des Opernhauses
> *Ich habe noch viel zu tun, weil das Opernhaus wieder eröffnet wird.*
> *Ich habe noch viel zu tun, weil das Opernhaus wieder eröffnet werden soll.*

7   Reprenez les mots de l'exercice § 19 no. 9 et construisez des phrases d'après le modèle suivant:

> *Sagst du nichts, weil du nicht gefragt worden bist?*

§ 28 Subordonnées conditionnelles (subordonnées de condition)

I wenn, falls

Wenn ich das Stipendium bekomme, kaufe ich mir als erstes ein Fahrrad.

1. Les subordonnées conditionnelles introduites par *wenn* indiquent qu'une condition doit être remplie pour que l'énonciation de la principale puisse être réalisée.

2. Les subordonnées conditionnelles sont au présent et au futur. En allemand, on peut à peine différencier les subordonnées temporelles et conditionnelles introduites par *wenn*.

Bekomme ich das Stipendium, kaufe ich mir als Erstes ein Fahrrad.

La phrase conditionnelle peut aussi être employée sans *wenn*. Dans ce cas, le verbe conjugué est placé en tête de phrase et *wenn* disparaît.

Falls ich ihn noch treffe, was ich aber nicht glaube, will ich ihm
das Päckchen gern geben.
Treffe ich ihn noch, was ich aber nicht glaube, will ich ihm das
Päckchen gern geben.

Lorsque la condition est clairement exprimée on emploie la conjonction *falls*. *Falls* peut également être omis; dans ce cas, le verbe conjugué est placé en tête de phrase.

Du kannst dir eine Decke aus dem Schrank nehmen, *wenn* du frierst.

Si la subordonnée introduite par *wenn* ou *falls* est placée après la principale, on emploie, en règle générale, la subordonnée complète avec la conjonction.

Remarque

1. Les phrases conditionnelles au passé expriment une condition non réalisée. On emploie le subjonctif II (voir § 54 II).

2. A la différence de ce qui est dans l'ordre habituel des mots, la principale peut commencer par *dann* ou par *so* lorsqu'une conditionnelle est placée en tête de phrase. *Dann* et *so* ne peuvent être qu'en première position et renforcent l'énoncé.
   Wenn deine Katze Junge kriegt, *dann* ertränke ich sie im Teich.
   Ertränkst du meine Kätzchen, *so* verlasse ich dich.

II Autres expressions de la condition

On peut employer les expressions suivantes pour exprimer la condition:
angenommen (à supposer que, supposons que)
   a) *Angenommen, dass* der Angeklagte die Wahrheit sagt, *so* muss er freigesprochen werden.
   b) *Angenommen*, der Angeklagte sagt die Wahrheit, *so* muss er freigesprochen werden.

vorausgesetzt (à condition que)
   a) *Vorausgesetzt, dass* ich den Zug erreiche, *(so)* komme ich morgen.
   b) *Vorausgesetzt*, ich erreiche den Zug, *so* komme ich morgen.

gesetzt den Fall (à supposer que)
   a) *Gesetzt den Fall, dass* Herr H. unser Chef wird, *so / dann* gibt es viel Ärger im Büro.
   b) *Gesetzt den Fall*, Herr H. wird unser Chef, *so / dann* gibt es viel Ärger im Büro.

es sei denn (à moins que)
   a) Ich gehe nicht zu ihm, *es sei denn, dass* er mich um Verzeihung bittet.
   b) Ich gehe nicht zu ihm, *es sei denn*, er bittet mich um Verzeihung.

unter der Bedingung (à condition que)
   a) *Unter der Bedingung, dass* dein Onkel für den Kredit bürgt, können wir bauen, sonst nicht.
   b) (il est rare qu'il y ait une principale)

im Fall (si/au cas où)
   a) *Im Fall, dass* die elektrischen Leitungen nicht erneuert werden, miete ich diese Wohnung nicht.
   b) (l'usage veut qu'il n'y ait pas de principale dans ce cas)

La place de ces expressions dans la phrase peut varier. La complétive avec *dass* peut être remplacée par une indépendante. On utilise alors généralement *so*, plus rarement *dann*.

1 Postangelegenheiten – Reliez les phrases.

Der Brief ist unterfrankiert. Der Empfänger zahlt eine „Einziehungsgebühr".
Wenn der Brief unterfrankiert ist, zahlt der Empfänger eine Einziehungsgebühr.
Der Empfänger zahlt eine Einziehungsgebühr, wenn der Brief unterfrankiert ist.

1. Der Empfänger nimmt den Brief nicht an. Der Brief geht an den Absender zurück.
2. Der Brief soll den Empfänger möglichst schnell erreichen. Man kann ihn als Eilbrief schicken.
3. Es handelt sich um sehr wichtige Mitteilungen oder Dokumente. Sie schicken den Brief am besten per Einschreiben.
4. Ein Brief oder eine Postkarte ist größer oder kleiner als das Normalformat. Die Sendung kostet mehr Porto.
5. Eine Warensendung ist über zwei Kilogramm schwer. Man kann sie nicht als Päckchen verschicken.
6. Nützen Sie die verkehrsschwachen Stunden im Postamt. Sie sparen Zeit.
7. Sie telefonieren in der Zeit von 18 Uhr bis 8 Uhr. Sie zahlen wesentlich weniger für das Gespräch.
8. Sie wollen die Uhrzeit, das Neueste vom Sport oder etwas über das Wetter vom nächsten Tag erfahren. Sie können den Telefonansagedienst benützen.
9. Sie wollen ein Glückwunschtelegramm versenden. Die Postämter halten besondere Schmuckblätter für Sie bereit.
10. Sie haben ein Postsparbuch. Sie können fast überall in Deutschland Geld abheben.

2 Formez des phrases conditionnelles sans «wenn». Utilisez les phrases de l'exercice 1.

Ist der Brief unterfrankiert, so zahlt der Empfänger eine „Einziehungsgebühr".

On peut également employer *dann* au lieu de *so*; mais l'emploi de *so* ou *dann* n'est pas obligatoire.

3 Formez, avec la partie de phrase en italique, une phrase introduite par «wenn».

Bei der Reparatur einer Waschmaschine muss man vorsichtig sein.
Wenn man eine Waschmaschine repariert, muss man vorsichtig sein.

1. *Beim Motorradfahren* muss man einen Sturzhelm aufsetzen. (Wenn man …)
2. *Bei Einnahme des Medikaments* muss man sich genau an die Vorschriften halten.
3. *Beim Besuch des Parks* muss man ein Eintrittsgeld bezahlen. (… besuchen will …)
4. *Bei großer Hitze* fällt der Unterricht in der 5. und 6. Stunde aus. (es / sehr heiß sein)
5. *Bei einigen Französischkenntnissen* kann man an dem Sprachkurs teilnehmen. (Wenn man … hat)
6. *Bei achtstündigem Schlaf* ist ein Erwachsener im Allgemeinen ausgeschlafen. (acht Stunden lang)
7. *Bei entsprechender Eile* kannst du den Zug noch bekommen. (sich entsprechend beeilen)
8. *Bei Nichtgefallen* kann die Ware innerhalb von drei Tagen zurückgegeben werden. (Wenn … einem nicht gefällt)

9. *Bei unvorsichtigem Umgang mit dem Pulver* kann es explodieren. (unvorsichtig umgehen)
10. *Bei sorgfältiger Pflege* werden Ihnen die Pflanzen jahrelang Freude bereiten. (Wenn Sie … sorgfältig pflegen)
11. *Bei unerlaubtem Betreten des Geländes* erfolgt Strafanzeige. (unerlaubt betreten werden)
12. *Beim Ertönen der Feuerglocke* müssen alle Personen sofort das Gebäude verlassen.

4 Formez des propositions conditionnelles.

(Sie / die Reise nicht antreten können) … , so müssen Sie 80 Prozent der Fahrt- und Hotelkosten bezahlen. (gesetzt den Fall)
Gesetzt den Fall, Sie können die Reise nicht antreten, so müssen Sie 80 Prozent der Fahrt- und Hotelkosten bezahlen.

1. (ich / krank werden) … , so muss ich von der Reise zurücktreten. (angenommen)
2. (der Hausbesitzer / mir die Wohnung kündigen) … , so habe ich immer noch ein Jahr Zeit um mir eine andere Wohnung zu suchen. (angenommen)
3. Ich gehe nicht zu ihm, … (er mich rufen) (es sei denn)
4. (ihr alle / den Protestbrief auch unterschreiben) … , so bin ich bereit ebenfalls zu unterschreiben. (vorausgesetzt)
5. (das Telefon / klingeln) … , so bin ich jetzt nicht zu sprechen. (gesetzt den Fall)
6. (er / den Unfall verursacht haben) … , so wird man ihm eine Blutprobe entnehmen. (gesetzt den Fall)
7. (Sie / den Leihwagen eine Woche vorher bestellen) … , so können Sie sicher sein, dass Sie einen bekommen. (unter der Voraussetzung)
8. (Sie / den Leihwagen zu Bruch fahren) … , so zahlt die Versicherung den Schaden. (gesetzt den Fall)
9. Wir fahren auf jeden Fall in die Berge, … (es / in Strömen regnen) (es sei denn)
10. (ich / gleich im Krankenhaus bleiben sollen) … , so muss ich dich bitten, mir Verschiedenes herzubringen. (angenommen)

5 Reprenez les exemples de l'exercice 4 pour former des propositions conditionnelles avec «dass».

Gesetzt den Fall, dass Sie die Reise nicht antreten können, so müssen Sie 80 Prozent der Fahrt- und Hotelkosten bezahlen.

6 Complétez.

1. Angenommen, dass er mir das Geld nicht zurückgibt, …
2. Gesetzt den Fall, dass ich das gesamte Erbe meiner Tante bekomme, …
3. Im Fall, dass es Krieg gibt, …
4. Unter der Bedingung, dass du mich begleitest, …
5. Vorausgesetzt, dass ich bald eine Anstellung erhalte, …
6. … , es sei denn, dass ich wieder diese starken Rückenschmerzen bekomme.

§ 29   Subordonnées consécutives (subordonnées de conséquence)

so dass; so ..., dass

Der Gast stieß die Kellnerin an, *so dass* sie die Suppe verschüttete.

La subordonnée introduite par *so dass* indique la conséquence de l'action précédente. Elle est donc toujours placée après la principale.

Er fuhr *so* rücksichtslos durch die Pfütze, *dass* er alle Umstehenden bespritzte.

1. Lorsqu'il y a un adverbe dans la principale, on place généralement *so* devant cet adverbe. *So* et l'adverbe sont accentués dans la langue parlée. On peut utiliser *derart/dermaßen* au lieu de *so* ; cela contribue alors à renforcer l'accentuation.
   Sie war *derart* aufgeregt, dass sie nicht mehr wusste, was sie tat.
   Die Maus hat sie *dermaßen* erschreckt, dass sie in Ohnmacht fiel.

2. Si l'on veut insister sur la conséquence, on peut trouver:
   Er fuhr rücksichtslos durch die Pfütze, *so dass* er alle Umstehenden bespritzte.

3. On utilise aussi parfois *so* sans adverbe dans la principale parce qu'il est facile d'induire l'adverbe absent.
   Sein Bart wächst *so, dass* er sich zweimal am Tag rasieren muss.
   Sein Bart wächst *so* (schnell), *dass* ...

Er war ein *so erfolgreicher* Geschäftsmann, *dass* er in kurzer Zeit ein internationales Unternehmen aufbaute.

1. Lorsque la principale comprend un adjectif épithète, celui-ci est généralement directement précédé de *so*, et se trouve de ce fait accentué:
   Er war ein *so erfolgreicher* Geschäftsmann, dass ... (= singulier)
   Sie waren *so erfolgreiche* Geschäftsleute, dass ... (= pluriel)

2. Pour insister sur la conséquence on peut aussi avoir:
   Er war ein erfolgreicher Geschäftsmann, *so dass* er in kurzer Zeit ...

Remarques

1. *solch-* voir le § 39, I et V
   Es herrschte *solche* Kälte / *solch eine* Kälte, dass die Tiere im Wald erfroren.

2. les consécutives avec *zu ..., als dass* sont employées avec un subjonctif d'irréalité (voir le § 54, V).

1 Reliez les phrases avec «so dass» ou «so ..., dass».

Das Haus fiel zusammen. Die Familie war plötzlich ohne Unterkunft.
Das Haus fiel zusammen, so dass die Familie plötzlich ohne Unterkunft war.

Das Erdbeben war stark. Es wurde noch in 300 Kilometer Entfernung registriert.
Das Erdbeben war so stark, dass es noch in 300 Kilometer Entfernung registriert wurde.

Erdbeben

1. Die Erde bebte plötzlich stark. Die Menschen erschraken zu Tode und rannten aus ihren Häusern.
2. Immer wieder kamen neue Erdbebenwellen. Die Menschen wollten nicht in ihre Häuser zurückkehren.
3. Viele Häuser wurden durch das Erdbeben zerstört. Die Familien mussten bei Freunden und Bekannten Unterkunft suchen.
4. Die Zerstörungen waren groß. Das Land bat andere Nationen um Hilfe.
5. Das Militär brachte Zelte und Decken. Die Menschen konnten notdürftig untergebracht werden.
6. Es wurden auch Feldküchen vom Roten Kreuz aufgestellt. Die Menschen konnten mit Essen versorgt werden.
7. Die Menschen in den benachbarten Ländern waren von den Bildern erschüttert. Sie halfen mit Geld, Kleidung und Decken.
8. Bald war genug Geld zusammen. Es konnten zahlreiche Holzhäuser gebaut werden.

2 Reliez les phrases avec «so ..., dass».

1. Der Clown machte komische Bewegungen. Wir mussten alle lachen.
2. Die Seiltänzerin machte einen gefährlichen Sprung. Die Zuschauer hielten den Atem an.
3. Der Jongleur zeigte schwierige Kunststücke. Die Zuschauer klatschten begeistert Beifall.
4. Ein Löwe brüllte laut und böse. Einige Kinder fingen an zu weinen.
5. Ein Zauberkünstler zog viele Blumen aus seinem Mantel. Die Manege (= der Platz in der Mitte des Zirkus) sah aus wie eine Blumenwiese.
6. Die Musikkapelle spielte laut. Einige Leute hielten sich die Ohren zu.
7. Man hatte viele Scheinwerfer installiert. Die Manege war taghell beleuchtet.
8. Einige Hunde spielten geschickt Fußball. Die Zuschauer waren ganz erstaunt.

3 Exagérations avec «so ... dass».

Das Schiff war sehr lang. Der Kapitän fuhr mit dem Motorrad darauf herum.
Das Schiff war so lang, dass der Kapitän mit dem Motorrad darauf herumfuhr.

1. Der Tisch war sehr breit. Man konnte die Gegenübersitzenden kaum erkennen.
2. Er war sehr groß. Man musste eine Leiter anstellen, wenn man seine Nasenspitze sehen wollte.

3. Er war sehr fett. Man brauchte einen Schnaps, wenn man ihn gesehen hatte.
4. Sie war sehr hässlich. Das Feuer im Ofen ging aus, wenn sie hineinsah.
5. Es war sehr heiß und trocken. Die Bäume liefen den Hunden nach.

6. Das Schiff war riesig. Der Koch musste zum Umrühren mit einem Motorboot durch den Suppenkessel fahren.
7. Die Gassen in Venedig sind sehr eng. Die Hunde können nur senkrecht mit dem Schwanz wedeln.

Trouvez d'autres exagérations avec *so ... dass*

§ 30   Subordonnées concessives (subordonnées de concession)

I obwohl, obgleich, obschon

Obwohl wir uns ständig streiten, sind wir doch gute Freunde.
Obgleich wir uns schon seit zwanzig Jahren kennen, hast du mich noch niemals besucht.
Obschon der Professor nur Altgriechisch gelernt hatte, verstanden ihn die griechischen Bauern.

1. *obwohl, obgleich, obschon* sont employés indifféremment (*obschon* n'est plus employé que rarement).

2. Ces trois conjonctions indiquent que l'action de la subordonnée est en opposition ou présente certaines restrictions par rapport à l'action de la principale.

3. L'emploi des temps dans les phrases concessives dépend du sens de l'énoncé.

Remarque

obwohl introduit une subordonnée, *trotzdem* une proposition indépendante. Il faut faire attention à ne pas confondre ces deux conjonctions (dans la littérature ancienne, on trouve quelquefois *trotzdem* au lieu de *obwohl*):
Obwohl wir uns ständig *streiten,* sind wir doch gute Freunde.
Wir sind gute Freunde; *trotzdem streiten wir uns* ständig.

1 Reliez les phrases avec «obwohl», «obgleich» ou «obschon».

1. Er ist nicht gekommen, ...
   a) Ich hatte ihn eingeladen.
   b) Er hatte fest zugesagt.
   c) Er wollte kommen.
   d) Ich benötige seine Hilfe.
   e) Er wollte uns schon seit langem besuchen.
   f) Er wusste, dass ich auf ihn warte.

2. Sie kam zu spät, …
   a) Sie hatte ein Taxi genommen.
   b) Sie hatte sich drei Wecker ans Bett gestellt.
   c) Sie hatte sich übers Telefon wecken lassen.
   d) Die Straße war frei.
   e) Sie hatte pünktlich kommen wollen.
   f) Sie hatte einen wichtigen Termin.
   g) Sie hatte mir versprochen rechtzeitig zu kommen.
3. Ich konnte nicht schlafen, …
   a) Ich hatte ein Schlafmittel genommen.
   b) Ich war nicht aufgeregt.
   c) Niemand hatte mich geärgert.
   d) Ich hatte bis spät abends gearbeitet.
   e) Ich war sehr müde.

f) Das Hotelzimmer hatte eine ruhige Lage.
g) Kein Verkehrslärm war zu hören.
h) Ich hatte eigentlich gar keine Sorgen.
4. Das Hallenbad wurde nicht gebaut, …
   a) Es war für dieses Jahr geplant.
   b) Die Finanzierung war gesichert.
   c) Der Bauplatz war vorhanden.
   d) Der Bauauftrag war bereits vergeben worden.
   e) Die Bürger der Stadt hatten es seit Jahren gefordert.
   f) Auch die Schulen benötigen es dringend.
   g) Auch die Randgemeinden waren daran interessiert.
   h) Man hatte es schon längst bauen wollen.

2 Reliez les phrases de l'exercice 1 en alternant les conjonctions «zwar …, aber», «zwar …, aber doch», «zwar … allerdings», «(aber) dennoch» ou «(aber) trotzdem» (voir § 24 II, 3).

3 Subordonnées concessives et causales – Reprenez les phrases de l'exercice § 24 no. 2 et construisez-les d'après le modèle suivant (voir § 24 II, 3):

Obwohl er gern Ski läuft, fährt er diesen Winter nicht in Urlaub.
Weil er gern Ski läuft, legt er seinen Urlaub in den Winter.

4 Reliez les phrases avec les conjonctions indiquées entre parenthèses.

1. Er war unschuldig. Er wurde bestraft. (dennoch; obwohl)
2. Die Familie wohnte weit von uns entfernt. Wir besuchten uns häufig. (zwar… , aber doch; obgleich)
3. Wir mussten beide am nächsten Tag früh zur Arbeit. Wir unterhielten uns bis spät in die Nacht. (trotzdem; dennoch; obwohl)
4. Wir stritten uns häufig. Wir verstanden uns sehr gut. (allerdings; obschon)
5. Die Gastgeber waren sehr freundlich. Die Gäste brachen frühzeitig auf und gingen nach Hause. (zwar… , dennoch; obwohl)
6. Die Arbeiter streikten lange Zeit. Sie konnten die geforderte Lohnerhöhung nicht durchsetzen. (obwohl; trotzdem)
7. Er hatte anfangs überhaupt kein Geld. Er brachte es durch seine kaufmännische Geschicklichkeit zu einem großen Vermögen. (indessen; obgleich)
8. Die Jungen waren von allen Seiten gewarnt worden. Sie badeten im stürmischen Meer. (dennoch; obwohl)

II wenn … auch noch so

Wenn er *auch noch so* schlecht schlief, so weigerte er sich eine Tablette zu nehmen.

1. Cette phrase compliquée indique une opposition encore plus marquée que la phrase avec *obwohl*.

2. La subordonnée commence par *wenn* mais le sujet est suivi de *auch noch so*, ce qui donne à la phrase son sens restrictif. La principale commence en général par *so* qui renvoie à la subordonnée la précédant. Pour renforcer le sens de la phrase, on peut rajouter *doch* ou *aber*.

   Wenn er *auch noch so* schlecht schlief, *er weigerte sich doch* eine Tablette zu nehmen. La principale, placée après la subordonnée, peut ne pas subir l'inversion (= sujet en position I, puis le verbe conjugué en position II). Cette construction n'est pas possible après d'autres subordonnées.

   Schlief er *auch noch so* schlecht, *er weigerte sich* eine Tablette zu nehmen.

   wenn peut être omis après ces subordonnées concessives. Le verbe conjugué prend alors la place de celui-ci en tête de phrase.

5 Reliez les phrases suivantes avec la conjonction «wenn … auch noch so».

Die Bergsteiger strengten sich an. Sie konnten den Gipfel nicht erreichen.
Wenn die Bergsteiger sich auch noch so anstrengten, so konnten sie doch den Gipfel nicht erreichen. oder: *Die Bergsteiger strengten sich noch so an, sie …*

1. Der Junge bat seine Eltern darum. Er bekam das Fahrrad doch nicht.
2. Der Student wurde von allen Seiten gewarnt. Er reiste doch in das Krisengebiet.
3. Die Eltern sparten eisern. Das Geld reichte hinten und vorne nicht.
4. Der Reisende hatte das Haschisch gut versteckt. Die Spürhunde fanden es aber sofort.
5. Du kannst dich beeilen. Du wirst den Zug nicht mehr erreichen. (können entfällt)

§ 31   Subordonnées comparatives (comparaison et manière)

I wie, als (propositions comparatives)

Dans les phrases comparatives avec *wie* et *als*, il y a souvent un changement de temps car on compare généralement une attente ou une supposition préalable avec un fait.

Er ist *so reich, wie* ich vermutet habe.
Er machte *einen so hohen Gewinn* bei seinen Geschäften, *wie* er gehofft hatte.

Quand un fait correspond à ce qu'on souhaite ou attend, on emploie une subordonnée avec *wie*. Dans la principale, *so* (*genauso, ebenso, geradeso*) est placé avant l'adverbe ou l'adjectif épithète.

Er verhielt sich *(genau)so, wie* wir gedacht hatten.

On peut aussi employer quelquefois *so* (*genauso, ebenso, geradeso*) sans adverbe dans la principale. Dans ce cas *so* est très accentué.

Er ist noch *reicher, als* ich erwartet habe.
Er machte *einen höheren Gewinn, als* er angenommen hatte.

Quand un fait ne correspond pas à ce qu'on attend, on emploie une subordonnée avec *als*. Le comparatif est dans la principale (voir § 40 I).

Er verhielt sich ganz *anders, als* wir uns vorgestellt hatten.

Après *anders, ander-* (p. ex.: Er hat gewiss *andere Pläne, als* ...) on emploie une proposition comparative avec *als*.

1 «als» ou «wie»? Reliez les parties de phrases de la colonne I avec celles de la colonne II et III.

I	II	III
1. Es bleibt uns nichts anderes übrig		a) im Allgemeinen angenommen wird.
2. Der Bauer erntete mehr,		b) der Busfahrer geplant hatte.
3. Er erntete so dicke Äpfel,		c) wieder von vorn anzufangen.
4. Der Patient erholte sich schneller,	als	d) die Ärzte angenommen hatten.
5. Die Steuernachzahlung war nicht so hoch,	wie	e) er sie in den Wintern zuvor gehabt hatte.
6. Im letzten Jahr hatte er eine höhere Heizölrechnung,		f) er sie noch nie geerntet hatte.
7. Das Haus ist nicht so alt,		g) der Kaufmann befürchtet hatte.
8. Die Reise verlief anders,		h) er je zuvor geerntet hatte.

2 Répondez à la question avec une phrase comparative.

Was das Konzert gut?
Ja, es war besser, als ich erwartet hatte.
Es war nicht so gut, wie ich angenommen hatte.

Complétez d'après le sens avec: als ich gedacht / erwartet / angenommen / gehofft / befürchtet / vermutet / geglaubt hatte.

1. Waren die Eintrittskarten teuer?
2. War der Andrang groß?
3. Waren die Karten schnell verkauft?
4. Spielten die Künstler gut?
5. Dauerte das Konzert lange?
6. War der Beifall groß?
7. Hast du viele Bekannte getroffen?
8. Bist du spät nach Hause gekommen?

3　Même exercice:

1. War die Tagung lohnend?
2. War das Hotel gut eingerichtet?
3. War euer Zimmer ruhig?
4. War das Essen reichhaltig?

5. Waren die Vorträge interessant?
6. Wurde lebhaft diskutiert?
7. Habt ihr viel gestritten?
8. Habt ihr viele Kollegen getroffen?

II je …, desto (propositions comparatives)

Nebensatz	Hauptsatz I	II	III
a) Je schlechter die Wirtschaftslage ist,	**desto schneller** **umso schneller**	steigen steigen	die Preise. die Preise.
b)	**desto höhere Steuern**	müssen	gezahlt werden.
c)	**desto mehr Geld** **desto mehr Menschen**	fließt werden	ins Ausland. arbeitslos.
d)	**eine desto höhere Inflationsrate**	ist	die Folge.

1. Les phrases avec *je* … , *desto* ou *je* … , *umso* indiquent une comparaison entre deux formes comparatives dépendant l'une de l'autre, mais indépendantes dans l'énoncé.

2. Ordre de la phrase: On place d'abord une subordonnée avec *je* et un comparatif; le verbe conjugué est placé à la fin de la phrase. Ensuite vient une principale avec *desto* et un comparatif placé en position I. Le verbe conjugué est en position II et le sujet en position III (IV).
   à a)　La forme la plus courante: On emploie pour la comparaison des adverbes au comparatif.
   à b)　On peut aussi employer des adjectifs épithètes au comparatif, généralement devant des substantifs sans article.
   à c)　S'il n'y a pas d'épithète, on emploie la forme comparative *mehr* ou *weniger* devant les substantifs sans article.
   à d)　Une forme rare: Avec les substantifs au singulier employés avec un article, on emploie toujours l'article indéfini devant *je* ou *desto*.

3. Toutes ces formes sont variables dans la phrase avec *je-* ou *desto-*. Les substantifs peuvent être employés comme sujet ou objet, même comme complément prépositionnel:
   Je schlechter die Wirtschaftslage ist, *mit desto höheren Steuern* muss man rechnen.

4 Reliez les phrases avec «je ..., desto».

> Wir stiegen hoch; wir kamen langsam vorwärts.
> *Je höher wir stiegen, desto langsamer kamen wir vorwärts.*

1. Er trank viel; er wurde laut.
2. Er isst wenig; er ist schlecht gelaunt.
3. Du arbeitest gründlich; dein Erfolg wird groß sein.
4. Das Hotel ist teuer; der Komfort ist zufriedenstellend.
5. Der Ausländer sprach schnell; wir konnten wenig verstehen.
6. Die Sekretärin spricht viele Fremdsprachen; sie findet leicht eine gute Stellung.
7. Das Herz ist schwach; eine Operation ist schwierig.
8. Du sprichst deutlich; ich kann dich gut verstehen.
9. Es ist dunkel; die Angst der Kleinen ist groß.
10. Das Essen ist gut gewürzt; es schmeckt gut.

5 Même exercice.

1. Es wurde spät; die Gäste wurden fröhlich.
2. Du arbeitest sorgfältig; du bekommst viele Aufträge.
3. Die Musik ist traurig; ich werde melancholisch.
4. Ich bekomme wenig Geld; ich muss sparsam sein.
5. Der Vertreter muss beruflich weit fahren; er kann viel von der Steuer absetzen.
6. Ihre Schüler waren klug und fleißig; die Arbeit machte ihr viel Spaß.
7. Hans wurde wütend; Gisela musste laut lachen.
8. Die Künstler, die im Theater auftraten, waren berühmt; viele Zuschauer kamen, aber die Plätze wurden teuer. (desto... , aber desto)
9. Er hält sich lange in Italien auf; er spricht gut Italienisch.
10. Du fährst schnell; die Unfallgefahr ist groß.

6 Complétez.

1. Je leiser du sprichst,...
2. Je stärker der Kaffee ist,...
3. Je schlechter die Wirtschaftslage des Landes wird,...
4. Je größer ein Krankenhaus ist,...
5. Je mehr sie über ihn lachten,...
6. Je länger ich sie kannte,...
7. Je öfter wir uns schrieben,...
8. Je frecher du wirst, ...
9. Je mehr du angibst, ...
10. Je strenger die Grenzkontrollen werden, ...

7 Reliez les phrases d'après le modèle suivant:

> Seine Ausbildung ist *gut;* er bekommt ein hohes Gehalt.
> *Je besser seine Ausbildung ist, ein desto höheres Gehalt bekommt er.*

1. Du schreibst höflich; du erhältst eine höfliche Antwort.
2. Du triffst ihn oft; du wirst mit ihm ein gutes Verhältnis haben.
3. Du willst schnell fahren; du musst einen teuren Wagen kaufen.
4. Das Geld ist knapp; du musst einen hohen Zinssatz zahlen.
5. Wir kamen dem Ziel nah; ein starkes Hungergefühl quälte mich.

III wie (expression de la manière)

Wie es mir geht, weißt du ja.
Du weißt ja, *wie* es mir geht.
Wie ich ihn kennen gelernt habe, habe ich dir schon geschrieben.
Ich habe dir schon geschrieben, *wie* ich ihn kennen gelernt habe.

Les subordonnées exprimant la manière peuvent répondre à une question:
Wie geht es dir? Wie es mir geht, weißt du ja.

Wie gut er sich verteidigt hat, haben wir alle gehört.
Wir haben alle gehört, *wie gut* er sich verteidigt hat.

La conjonction *wie* peut être remplacée par un adverbe.

Wie ich annehme, wird er trotzdem verurteilt.
Wie ich gehört habe, hat er sein gesamtes Vermögen verloren.

Les subordonnées introduites par *wie* indiquent aussi l'attitude personnelle par rapport à une action:
Wie ich annehme, kommt er morgen.
Wie ich glaube, ...
Wie er sagte,...
Wie ich erfahren habe,...

Il est rare de trouver la subordonnée suivante, après la principale, pour exprimer la manière:
Meine Verwandten sind schon lange umgezogen, *wie ich annehme.*

8 Formez des phrases avec «wie» d'après le modèle suivant:

Ich werde morgen nach München fahren.
Wie ich Ihnen schon sagte, werde ich morgen nach München fahren.

Complétez d'après le sens: Wie ich schon erwähnte ... ; Wie ich hoffe / geplant habe; Wie Sie wissen ...

1. Ich werde dort mit Geschäftsfreunden zusammentreffen.
2. Wir werden uns sicher einig werden.
3. Ich werde interessante Aufträge für die Firma erhalten.
4. Von München aus werde ich meinen Urlaub antreten.
5. Ich werde zwei Wochen wegbleiben.
6. Die Ruhe wird mir gut tun.

IV indem (expression de la manière)

Sie gewöhnte ihm das Rauchen ab, *indem* sie seine Zigaretten versteckte.
Er kann den Motor leicht reparieren, *indem* er die Zündkerzen auswechselt.

La subordonnée introduite par *indem* indique la manière ou le moyen: comment quelqu'un réalise-t-il une action?

9 Reliez les phrases avec «indem» d'après le modèle suivant:

Wie kann man Heizkosten sparen? – Man ersetzt die alten Fenster durch Doppelglasfenster.

Man kann Heizkosten sparen, indem man die alten Fenster durch Doppelglasfenster ersetzt.

1. Wie kann man die Heizkosten auch noch senken? – Man lässt die Temperaturen abends nicht über 20 Grad steigen und senkt die Zimmertemperatur in der Nacht auf etwa 15 Grad.
2. Wie kann man ferner die Wohnung vor Kälte schützen? – Man bringt Isoliermaterial an Decke, Fußboden und Wänden an.
3. Wie können wir Rohstoffe sparen? – Im so genannten Recycling verwendet man bereits gebrauchte Materialien wieder.
4. Wie kann man Benzin sparen? – Man fährt kleinere, sparsamere Autos und geht öfter mal zu Fuß.
5. Wie kann die Regierung die Luft vor industrieller Verschmutzung schützen? – Sie schreibt Rauch- und Abgasfilter gesetzlich vor.
6. Wie kann man die Stadtbewohner vor Lärm schützen? – Man richtet mehr Fußgängerzonen ein und baut leisere Motorräder und Autos.

10 Remplacez les parties de phrases introduites par «durch ...» par une proposition subordonnée commençant par «indem».

Die Bauern zeigten *durch Demonstrationen mit Traktoren und schwarzen Fahnen* ihren Protest gegen die neuen Gesetze.

Die Bauern zeigten ihren Protest gegen die neuen Gesetze, indem sie mit Traktoren und schwarzen Fahnen demonstrierten.

1. Die ständigen Überschwemmungen an der Küste können *durch den Bau eines Deiches* verhindert werden. (indem man...)
2. Die Ärzte konnten das Leben des Politikers *durch eine sofortige Operation nach dem Attentat* retten. (indem sie ihn...)
3. Als ich meinen Schlüssel verloren hatte, half mir ein junger Mann, *durch die Verwendung eines gebogenen Drahts* die Wohnungstür zu öffnen.
4. Manche Wissenschaftler werden *durch die Veröffentlichung falscher oder ungenauer Forschungsergebnisse* berühmt.
5. Der Chef einer Rauschgiftbande konnte *durch die rechtzeitige Information aller Zollstellen* an der Grenze verhaftet werden.
6. *Durch die Weitergabe wichtiger Informationen an das feindliche Ausland* hat der Spion seinem Land sehr geschadet. (Indem der Spion...)
7. Als die Räuber mit Masken und Waffen in die Bank eindrangen, konnte der Kassierer *durch den Druck auf den Alarmknopf* die Polizei alarmieren.
8. Kopernikus hat *durch die Beobachtung der Sterne* erkannt, dass die Erde eine Kugel ist, die sich um die Sonne dreht.

9. Es hat sich gezeigt, dass man *durch das Verbot der Werbung für Zigaretten im Fernsehen* den Tabakkonsum tatsächlich verringern kann.

10. Viele Menschen können *durch den Verzicht auf Bier und fette Speisen* sehr schnell abnehmen.

11. Die Menschen in den Industrieländern schaden der Umwelt *durch den Kauf von modischen, aber unbrauchbaren Dingen,* die bald wieder weggeworfen werden.

§ 32   Subordonnées finales (subordonnées de but)

damit; um ... zu (voir § 33)

Damit der Arzt nichts merkte, versteckte *der Kranke* die Zigaretten.

La subordonnée introduite par *damit* indique le but ou la finalité d'une action. On emploie une phrase avec *damit* si les sujets de la principale et de la subordonnée sont différents.
On ne peut pas employer les verbes de modalité *sollen* et *wollen* dans une phrase avec *damit* puisque cette conjonction exprime elle-même une intention, un souhait ou une volonté.

Er nahm eine Schlaftablette, *damit er* leichter einschlafen kann.
Er nahm eine Schlaftablette, *um* leichter einschlafen *zu* können.
Er nahm eine Schlaftablette, *um* leichter einzuschlafen.

Si le sujet est le même dans la principale et dans la subordonnée, on emploie de préférence la proposition infinitive avec *um ... zu*. L'emploi du verbe de modalité *können* est possible mais il n'est généralement pas nécessaire.

1 Reliez les deux phrases – quand c'est possible – avec «um ... zu», sinon avec «damit». Veillez à faire disparaître le verbe de modalité en position II.

Ich habe sofort telefoniert. Ich wollte die Wohnung bekommen.
Ich habe sofort telefoniert, um die Wohnung zu bekommen.

Ich habe sofort telefoniert. Mein Bruder soll die Wohnung bekommen.
Ich habe sofort telefoniert, damit mein Bruder die Wohnung bekommt.

1. Ich habe die Anzeigen in der Zeitung studiert. Ich wollte eine schöne Wohnung finden.
2. Ich bin in die Stadt gefahren. Ich wollte eine Adresse erfragen.
3. Ich beeilte mich. Niemand sollte mir zuvorkommen.

4. Viele Vermieter geben aber eine Anzeige unter Chiffre auf. Die Leute sollen ihnen nicht das Haus einrennen.
5. Wir haben die Wohnung genau vermessen. Die Möbel sollen später auch hineinpassen.

6. Ich habe viele kleine Sachen mit dem eigenen Wagen transportiert. Ich wollte Umzugskosten sparen.
7. Wir haben das Geschirr von der Transportfirma packen lassen. Die Versicherung bezahlt dann auch, wenn ein Bruchschaden entsteht.
8. Wir haben den Umzug an den Anfang des Urlaubs gelegt. Wir wollen die neue Wohnung in aller Ruhe einrichten (… zu können).
9. Schließlich haben wir noch eine Woche Urlaub gemacht. Wir wollten uns ein bisschen erholen.

2 Transformez les phrases en italique – quand c'est possible – en phrases introduites par «um … zu» ou bien, si ce n'est pas possible, en phrases commençant par «damit». Veillez à faire disparaître le verbe de modalité en position II.

1. Franz Häuser war von Wien nach Steyr gezogen. *Er sollte dort eine Stelle in einer Papierfabrik annehmen.*
2. Eines Tages beschloss Franz, im alten Fabrikschornstein hochzusteigen. *Er wollte sich seine neue Heimat einmal von oben anschauen.* Natürlich war der Schornstein schon lange außer Betrieb.
3. Franz nahm eine Leiter. *Er wollte den Einstieg im Schornstein erreichen.* Dann kroch er hindurch und stieg langsam hinauf.
4. Das war nicht schwer, denn innen hatte man eiserne Bügel angebracht; *die Schornsteinfeger sollten daran hochklettern können.*
5. Fast oben angekommen, brach ein Bügel aus der Mauer. Schnell ergriff er den nächsten Bügel. *Er wollte nicht in die Tiefe stürzen.*
6. Aber auch dieser brach aus und Franz fiel plötzlich mit dem Eisen in seiner Hand 35 Meter tief hinunter. Dennoch geschah ihm nichts weiter, nur der Ruß, der sich unten im Schornstein etwa einen Meter hoch angesammelt hatte, drang ihm in Mund, Nase und Augen. Er schrie und brüllte, so laut er konnte. *Seine Kameraden sollten ihn hören.*
7. Aber es war erfolglos, er musste einen anderen Ausweg finden. *Er wollte nicht verhungern.*
8. Er begann, mit der Spitze des Eisenbügels, den er immer noch in der Hand hielt, den Zement aus den Fugen zwischen den Backsteinen herauszukratzen. *Er wollte die Steine herauslösen.*
9. In der Zwischenzeit hatten seine Kameraden sich aufgemacht. *Sie wollten ihn suchen.*
10. Aber sie fanden ihn nicht. Nach ein paar Stunden hatte Franz eine Öffnung geschaffen, die groß genug war. *Er konnte hindurchkriechen.*
11. Man brachte ihn in ein Krankenhaus. *Er sollte sich von dem Schock und den Anstrengungen erholen.*
12. Dort steckte man ihn zuerst in eine Badewanne. *Man wollte ihn dort vom Ruß befreien.*

der Bügel = u-förmig gebogenes Eisen
die Fuge = schmaler Raum, z.B. zwischen zwei Backsteinen
der Ruß = schwarzes Zeug, das sich bei der Verbrennung niederschlägt

3 Répondez – quand c'est possible – avec une phrase introduite par «um … zu», sinon avec une phrase commençant par «damit».

Wozu braucht der Bauer einen Traktor? – Zur Bearbeitung der Felder.
Der Bauer braucht einen Traktor um die Felder bearbeiten zu können.

1. Wozu düngt er im Frühjahr die Felder? – Zum besseren Wachstum der Pflanzen.
2. Wozu hält er Kühe? – Zur Gewinnung von Milch.
3. Wozu braucht er eine Leiter? – Zum Ernten der Äpfel und Birnen.
4. Wozu nimmt er einen Kredit von der Bank auf? – Zur Einrichtung einer Hühnerfarm.
5. Wozu annonciert er in der Zeitung? – Zur Vermietung der Fremdenzimmer in seinem Haus.
6. Wozu kauft er eine Kutsche und zwei Pferde? – Zur Freude der Gäste. (sich daran freuen)
7. Wozu richtet er unter dem Dach noch Zimmer ein? – Zur Unterbringung der Gäste. (dort unterbringen)
8. Wozu baut er ein kleines Schwimmbecken? – Zur Erfrischung der Gäste und zu ihrem Wohlbefinden. (sich erfrischen, sich wohl fühlen)

§ 33 Les propositions infinitives avec «um ... zu», «ohne ... zu», «anstatt ... zu»

Au contraire des propositions infinitives qui dépendent de certains verbes, les propositions avec *um ... zu, ohne ... zu, anstatt (statt) ... zu* sont indépendantes et ont leur sens propre (voir § 16):

a) *um ... zu* permet d'exprimer un souhait ou une intention (voir § 32):
   Ich gehe zum Meldeamt, *um* meinen Pass ab*zu*holen.

b) *ohne ... zu* indique que quelque chose à quoi l'on s'attendait n'est pas arrivé:
   Er ging einfach weg, *ohne* meine Frage *zu* beantworten.

c) *anstatt ... zu* indique que quelqu'un se comporte différemment de ce que l'on attendrait normalement:
   Die Gastgeberin unterhielt sich weiter mit ihrer Freundin, *anstatt* die Gäste *zu* begrüßen.

Er ging ins Ausland, *um* dort *zu* studieren.
                       ohne lange *zu* überlegen.
                       anstatt das Geschäft des Vaters weiter*zu*führen.

Les constructions infinitives avec *um ... zu, ohne ... zu, anstatt ... zu* n'ont pas de sujet propre. Elles se rapportent à une personne ou une chose, citée comme sujet dans la principale. Les propositions avec *um ... zu, ohne ... zu, anstatt ... zu* peuvent être placées avant ou après la principale.
Um im Ausland zu studieren verließ er seine Heimat.
Ohne lange zu überlegen begann er sein Studium.
Anstatt das Geschäft seines Vaters weiterzuführen ging er ins Ausland.

Si le sujet de la principale et celui de la subordonnée désignent des personnes ou des choses différentes, on emploie la subordonnée complète avec *damit, ohne dass* ou *anstatt dass*.

Remarque

Après *nichts/etwas anderes* ou *alles andere*, on trouve souvent une proposition infinitive comparative avec *als*:
Der Junge hatte *nichts anderes* im Kopf *als* mit dem Motorrad *herumzufahren*.
Er tut alles andere als sich auf die Prüfung vorzubereiten.

1 Construisez avec la phrase en italique une proposition infinitive. Vous emploierez «um ... zu», «ohne ... zu» ou «(an)statt ... zu»

    Sie haben den Wagen heimlich geöffnet. *Sie wollten ihn stehlen.*
    Sie haben den Wagen heimlich geöffnet, um ihn zu stehlen.

    Er hat den Wagen gefahren. *Er besaß keinen Führerschein.*
    Er hat den Wagen gefahren, ohne einen Führerschein zu besitzen.

    Sie hat den Unfall nicht gemeldet. Sie ist einfach weitergefahren.
    Anstatt den Unfall zu melden ist sie einfach weitergefahren.

1. Drei Bankräuber überfielen eine Bank. *Sie wollten schnell reich werden.*
2. *Sie zählten das Geld nicht.* Sie packten es in zwei Aktentaschen.
3. Die Bankräuber wechselten zweimal das Auto. *Sie wollten schnell unerkannt verschwinden.*
4. *Sie nahmen nicht die beiden Taschen mit.* Sie ließen eine Tasche im ersten Wagen liegen.
5. *Sie kamen nicht noch einmal zurück.* Die vergesslichen Gangster rasten mit dem zweiten Auto davon.
6. Sie fuhren zum Flughafen. *Sie wollten nach Amerika entkommen.*
7. *Sie zahlten nicht mit einem Scheck.* Sie kauften die Flugtickets mit dem gestohlenen Geld.
8. *Sie wollten in der Großstadt untertauchen.* Sie verließen in Buenos Aires das Flugzeug, wurden aber sofort verhaftet.
9. Sie ließen sich festnehmen. *Sie leisteten keinen Widerstand.*
10. Sie wurden nach Deutschland zurückgeflogen. *Sie sollten vor Gericht gestellt werden.*
11. Sie nahmen das Urteil entgegen. *Sie zeigten keinerlei Gemütsbewegung.* (ohne irgendeine...)

2 Construisez – quand c'est possible – une proposition infinitive avec la phrase en italique. Vous emploierez «um ... zu», «ohne ... zu» ou «anstatt ... zu». Sinon employez «damit», «ohne dass» ou «anstatt dass».

1. Herr Huber hatte in einem Versandhaus ein Armband bestellt. *Er wollte es seiner Frau zum Geburtstag schenken.*
2. Er schickte die Bestellung ab. *Er schrieb aber den Absender nicht darauf.*

3. Er wartete vier Wochen. *Das Armband kam nicht.*
4. *Er rief nicht an.* Er schimpfte auf die langsame Firma.
5. Dann feierte Frau Huber Geburtstag. *Ihr Mann konnte ihr das Armband nicht schenken.*
6. Schließlich schrieb er an das Versandhaus. *Sie sollten ihm das Armband endlich zuschicken.*
7. Herr Huber erhielt das erwartete Päckchen wenige Tage später. *Das Versandhaus gab keine Erklärung für die Verspätung ab.*
8. *Frau Huber wusste nichts von dem Geschenk ihres Mannes.* Am Tag der Zustellung des Päckchens kam Frau Huber aus der Stadt zurück: Sie hatte sich das gleiche Armband gekauft! (Ohne etwas … kam Frau Huber …)

3 Reliez la proposition principale avec la phrase a), puis avec la phrase b). Construisez une proposition infinitive ou une proposition avec «dass» ou «damit».

1. Der Schriftsteller schrieb seinen Roman, ohne …
a) Er gönnte sich keine Pause.
b) Kein Verlag hatte ihm die Abnahme garantiert.
2. An der Grenze zeigte der Reisende seinen Pass, ohne …
a) Der Beamte warf keinen Blick hinein.
b) Er war gar nicht darum gebeten worden.
3. Er machte die Taschenlampe an, *(damit oder um … zu) …*
a) Sein Freund konnte ihn sehen.
b) Er konnte von seinem Freund gesehen werden.
4. Er trug das gesamte Gepäck fünf Stockwerke hoch, statt …
a) Seine Kinder halfen ihm nicht dabei.
b) Er benutzte den Aufzug nicht.
5. Die beiden hatten sich etliche Bücher mit auf die Reise genommen, *(damit oder um … zu) …*
a) Die Bahnfahrt sollte nicht zu langweilig werden. (langweilig würde)
b) Sie wollten sich damit die Langeweile vertreiben.
6. Die Arbeiter forderten mehr Lohn, *(damit oder um … zu) …*
a) Sie wollten bei sinkender Kaufkraft des Euro wenigstens keinen Einkommensverlust haben.

b) Ihr Einkommen sollte wenigstens die alte Kaufkraft behalten.
7. Eine Gruppe Arbeiter streikte, ohne …
a) Sie hatte sich nicht mit der Gewerkschaftsleitung abgesprochen.
b) Die Gewerkschaftsleitung war davon nicht informiert worden.
8. Die Unternehmensleitung erlaubte sich teure private Ausgaben, anstatt …
a) Sie dachte nicht an das Wohl der Firma.
b) Wichtige Investitionen wurden nicht gemacht. (worden wären)
9. Die Eigentümer verkauften die Firma, ohne …
a) Der Betriebsrat wurde nicht informiert.
b) Sie informierten den Betriebsrat nicht davon.
10. Die Arbeiter besetzten ihre bankrotte Firma, *(damit oder um … zu) …*
a) Die Maschinen sollten nicht heimlich verkauft werden können.
b) Sie wollten vom Verkauf der Maschinen den Arbeitslohn finanzieren, den sie noch zu bekommen hatten.

§ 34   L'interrogation indirecte

Quand une phrase interrogative est employée comme subordonnée, elle est introduite par une conjonction.

Niemand weiß, *ob* wir sie jemals wiedersehen.

A une interrogation directe portant sur la phrase entière, sans mot interrogatif, correspond une subordonnée interrogative introduite par la conjonction *ob*.

	Niemand weiß,
temporal	… , *wann* sie weggegangen ist.
kausal	… , *warum* sie sich verstecken muss.
	… , *weswegen* sie uns verlassen hat.
modal	… , *wie* es ihr geht.
	… , *wie* einsam sie jetzt ist.
lokal	… , *wo* sie jetzt ist.
	… , *wohin* sie geflohen ist.

… , *wer* ihr bei der Flucht geholfen hat.
… , *was* sie denkt und macht.
… , *wessen Befehle* sie ausführt.
… , *wem* sie gehorcht.
… , *wen* sie kennt.

… , *an wen* sie sich gewendet hat.
… , *vor wem* sie sich fürchtet.

… , *worauf* sie wartet.
… , *womit* sie sich beschäftigt.
… , *worunter* sie leidet.

A une interrogation directe commençant par un mot interrogatif correspond une subordonnée interrogative introduite par ce même mot interrogatif, seul ou combiné avec une préposition.

1   Avec les questions de l'exercice § 17 no. 3 formez des subordonnées en commençant la phrase par: «Wissen Sie vielleicht, …?» «Können Sie mir sagen, …?» «Ist Ihnen vielleicht bekannt, …?» etc.

Backt dieser Bäcker auch Kuchen?
Haben Sie eine Ahnung, ob dieser Bäcker auch Kuchen backt?

2   Reprenez l'exercice § 17 no. 9 et formez des phrases interrogatives directes d'après le modèle suivant:

A: *Sag mir bitte, an wen du geschrieben hast!*
B: An wen…? Ich habe an meine Schwester geschrieben.

Vous pouvez faire l'exercice à deux. A s'adresse à B; il commence par exemple ainsi: *Verrat mir doch, …; Erzähl mir mal, …; Ich möchte wirklich gern wissen, …* etc. B répond.

3 Faites l'exercice d'après le modèle ci-dessous. Employez pour cela des expressions telles que: «Ich weiß leider auch nicht, ...»; «Ich kann Ihnen auch nicht sagen, ...;» «Mir ist leider auch nicht bekannt, ...»

> Wo kann ich hier eine Auskunft bekommen?
> *Ich kann Ihnen auch nicht sagen, wo Sie hier eine Auskunft bekommen können.*

1. Wo kann ich hier ein Flugticket bekommen?
2. Warum können die Flugzeuge heute von hier nicht starten?
3. Wann soll das Flugzeug aus Kairo ankommen?
4. Um wie viel Uhr muss ich wieder hier sein?
5. Wo kann ich mein Gepäck abgeben?
6. Wie viel türkische Pfund darf ich in die Türkei mitnehmen?

4 Formez une interrogation indirecte en plaçant la question directe dans la deuxième phrase après le substantif suivi de ❥.

> Mietest du ein Zimmer oder eine Wohnung?
> Die Frage ❥ ist noch nicht geklärt.
> *Die Frage, ob ich ein Zimmer oder eine Wohnung miete, ist noch nicht geklärt.*

1. Ist der Fahrer unaufmerksam gewesen und deshalb gegen einen Baum gefahren? – Das Rätsel ❥ ist noch nicht aufgeklärt.
2. Ist er zu schnell gefahren? – Die Frage ❥ wollte er nicht beantworten.
3. Hat der Verletzte etwas gebrochen? – Von der Feststellung ❥ hängt seine weitere Behandlung ab.
4. Hat der Fahrer Alkohol im Blut gehabt? – Die Frage ❥ wird die Blutuntersuchung beantworten.
5. Verliert der Autofahrer seinen Führerschein? – Die Entscheidung ❥ muss der Richter treffen.
6. Bekommt der Fahrer eine Gefängnisstrafe? – Die Ungewissheit ❥ macht ihn ganz krank.
7. Hat der Angeklagte sich verfolgt gefühlt? – Von der Feststellung des Richters ❥ hängt sehr viel ab.
8. Wird der Mann seine Stelle als Fernfahrer behalten? – Die Entscheidung ❥ hängt ganz vom Ergebnis der Blutuntersuchung ab.

5 Faites l'exercice d'après le modèle suivant:

> Kommt er mit uns? – Er hat sich noch nicht geäußert.
> *Er hat sich noch nicht geäußert, ob er mitkommt.*

> Wohin fahren wir? – Ich erzähle (es) dir nachher.
> *Ich erzähle dir nachher, wohin wir fahren.*

1. Wer fährt sonst noch mit? – Wir werden (es) sehen.
2. Wann kommen wir zurück? – Ich weiß (es) selbst nicht.
3. Müssen wir einen Pass mitnehmen? – Kannst du mir (das) sagen?
4. Was kostet die Fahrt? – Ich möchte (es) gern wissen.
5. Kann ich vorne beim Fahrer sitzen? – Sag mir (das) bitte.
6. Fahren die Frauen auch mit? – Hans möchte (es) gern wissen.

7. Gehen wir zum Mittagessen in ein Restaurant oder müssen wir das Essen mitnehmen? – Es muss uns doch gesagt werden. (... oder ob)
8. Soll ich mein Fernglas mitnehmen? – Ich weiß (es) nicht.
9. Warum soll er seine Kamera nicht mitnehmen? – Hans will (es) wissen.
10. Hat der Bus eine Klimaanlage? – Kannst du mal nachfragen?

§ 35   Propositions relatives

Remarques préliminaires

1. Les propositions relatives sont des subordonnées dépendant d'un substantif auquel elles apportent une explication. Sans cette explication, la phrase est souvent incompréhensible:
Jugendliche, *die einen guten Schulabschluss haben,* finden leichter eine Lehrstelle.

2. Les propositions relatives sont en général placées directement après le substantif auquel elles se rapportent, c.-à-d. qu'elles sont insérées dans une phrase sans que l'ordre de celle-ci se trouve changé.
Les propositions relatives peuvent être insérées dans des principales, des subordonnées, des propositions infinitives ou d'autres relatives:
   a) Principale: Der Polizist fragt den Passanten, *der den Unfall gesehen hat,* nach seiner Meinung.
   b) Subordonnée: Der Polizist vermutet, dass der Passant, *der den Unfall gesehen hat,* vor Gericht nicht aussagen will.
   c) Proposition infinitive: Der Polizist hofft den Passanten, *der den Unfall gesehen hat,* wiederzuerkennen.
   d) Relative: Der Polizist verfolgt den Mann, *der* den Unfall, *bei dem ein Kind verletzt worden ist, gesehen hat.*
   Ou plus simplement: Der Polizist verfolgt den Mann, *der* den Unfall *gesehen hat, bei dem* ein Kind *verletzt worden ist.*

Remarques

1. Verbes, adverbes etc. peuvent aussi être placés entre le substantif et la proposition relative:
Wir müssen noch den Artikel *durchlesen,* der heute gedruckt werden soll.
Sie rannte dem Kind *hinterher,* das auf die Straße laufen wollte.

2. Le pronom relatif *welcher, welche, welches* est vieilli et n'est plus que rarement utilisé.

I Propositions relatives avec le pronom relatif au nominatif, à l'accusatif et au datif

Nom.	Sg.	m	Der Mann,	*der* dort steht,	kennt den Weg nicht.
		f	Die Frau,	*die* dort steht,	
		n	Das Kind,	*das* dort steht,	
	Pl.		Die Leute,	*die* dort stehen,	kennen den Weg nicht.
Akk.	Sg.	m	Der Mann,	*den* ich gefragt habe,	ist nicht von hier.
		f	Die Frau,	*die* ich gefragt habe,	
		n	Das Kind,	*das* ich gefragt habe,	
	Pl.		Die Leute,	*die* ich gefragt habe,	sind nicht von hier.
Dat.	Sg.	m	Der Mann,	*dem* ich geantwortet habe,	versteht mich nicht.
		f	Die Frau,	*der* ich geantwortet habe,	
		n	Das Kind,	*dem* ich geantwortet habe,	
	Pl.		Die Leute,	*denen* ich geantwortet habe,	verstehen mich nicht.

1. Le pronom relatif s'accorde en genre et en nombre avec le substantif que détermine la proposition relative, c.à.d. l'antécédent.

2. Le cas du pronom relatif dépend de la fonction qu'il a dans la proposition relative.

	Akk. Sg. m.	*Nom.* Sg. m

Die Anwohner können *den Verkehrslärm, der* ihren Schlaf stört,
kaum noch aushalten.

	Nom. Sg. f	*Akk.* Sg. f

Heute hat *die alte Hausmeisterin, die* alle sehr schätzen, gekündigt.

Nom. Sg. m	*Dat.* Sg. m

Der Verteidiger, dem das Urteil ungerecht schien, protestierte heftig.

Nom. Pl.	*Dat.* Pl.

Die Zuschauer, denen die Aufführung nicht gefiel, verließen das Theater.

1 Kunden im Warenhaus – Mettez le pronom relatif au nominatif et à l'accusatif.

1. Ist das der Taschenrechner, ... Sie in der Zeitung annonciert haben?
2. Was kosten die Hosen, ... hier hängen?
3. Haben Sie auch Wanduhren, ... mit einer Batterie betrieben werden?
4. Kann ich das Kleid, ... im Schaufenster ausgestellt ist, mal anprobieren?

5. Ich suche einen Elektrokocher, ... man auf verschiedene Temperaturen einstellen kann.

6. Haben Sie Bürolampen, ... man am Schreibtisch anschrauben kann?

7. Wo haben Sie die Kaffeemaschine, ... kürzlich im Test so gut beurteilt wurde?

8. Was kostet der Lautsprecher, ... hier in der Ecke steht?

9. Ich suche ein Kofferradio, ... man sowohl mit Batterie als auch mit Netzstrom betreiben kann.

10. Haben Sie auch Armbanduhren, ... sich automatisch durch die Armbewegung aufziehen?

11. Das ist das Kästchen mit Spieluhr, ... ein Lied spielt, wenn man den Deckel öffnet.

12. Hier sind die Kerzen, ... nicht nur leuchten, sondern auch Insekten vertreiben.

13. Haben Sie auch einen Kühlschrank, ... man im Campingwagen mitnehmen kann?

14. Haben Sie Batterien, ... wieder aufgeladen werden können?

---

2 Expliquez les mots en employant une proposition relative.

ein Segelflugzeug (ohne Motor durch die Luft fliegen)
Ein Segelflugzeug ist ein Flugzeug, das ohne Motor durch die Luft fliegt.

1. ein Flussschiff (auf Flüssen verkehren)
2. ein Holzhaus (aus Holz gebaut sein)
3. eine Wochenzeitung (jede Woche einmal erscheinen)
4. eine Monatszeitschrift (?)
5. ein Elektromotor (von elektrischem Strom getrieben werden)
6. ein Motorboot (?)
7. eine Mehlspeise (aus Mehl zubereitet werden)
8. ein Kartoffelsalat (?)
9. eine Orgelmusik (mit einer Orgel ausgeführt werden)
10. eine Blasmusik (mit Blasinstrumenten...)
11. ein Holzwurm (im Holz leben)
12. ein Süßwasserfisch (?)

---

3 Pronom relatif au nominatif ou à l'accusatif – Posez une question sur le substantif en italique et commencez toujours par: «Was machst du mit ...?»

Mein Onkel hat mir ein *Haus* vererbt.
Was machst du mit dem Haus, das dir dein Onkel vererbt hat?

1. Ich habe *500 Euro* im Lotto gewonnen.
2. Mein *Hund* bellt von morgens bis abends.
3. Meine Freundin hat das *Bügeleisen* kaputtgemacht.
4. Meine Eltern haben mir eine *Kiste Wein* zum Examen geschickt.
5. Meine Freunde haben mir eine *Palme* gekauft.
6. Mein *Papagei* (m) ruft immer „Faulpelz".
7. Meine Verwandten haben mir ein *Klavier* geschenkt.
8. Meine *Katze* stiehlt mir das Fleisch aus der Küche.

---

4 Même exercice. Commencez toujours par «Was hat er / sie denn mit ... gemacht?»

Er hat sich *Nägel* gekauft.
Was hat er denn mit den Nägeln gemacht, die er sich gekauft hat?

1. Er hat sich *Farbe* (f) gekauft.
2. Sie hat sich *Topfpflanzen* besorgt.
3. Der Schriftsteller hat einen *Roman* geschrieben.
4. Die Kinder haben *Kreide* (f) aus der Schule mitgenommen.
5. Die Katze hat eine *Maus* gefangen.
6. Der junge Mann hat das *Auto* kaputtgefahren.
7. Die Nachbarin hat sich *Kleiderstoffe* (Pl.) gekauft.
8. Fritz hat eine *Brieftasche* gefunden.

5 Construisez d'autres phrases énonciatives ou des questions d'après le modèle des exercices 3 et 4. Répondez également aux questions, p. ex.: «Das Haus, das mir mein Onkel vererbt hat, werde ich wahrscheinlich verkaufen.»

6 Complétez avec le pronom relatif au nominatif, au datif ou à l'accusatif.

1. Wer ist die Frau, ... ?
   a) ... immer so laut lacht
   b) ... du eben begrüßt hast
   c) ... du gestern angerufen hast
2. Kennst du die Leute, ... ?
   a) ... diese Autos gehören
   b) ... da vor der Tür stehen
   c) ... der Bürgermeister so freundlich begrüßt
3. Frau Huber, ... , ist unsere Nachbarin.
   a) ... du ja kennst
   b) ... auch dieses Haus gehört
   c) ... schon fünfzehn Jahre Witwe ist
4. Ich fahre morgen zu meinem Bruder,... .
   a) ... schon seit zehn Jahren in Stuttgart wohnt
   b) ... ich beim Hausbau helfen will
   c) ... ich schon lange nicht mehr gesehen habe
5. Die Fußballspieler, ... , gaben ihr Letztes.
   a) ... ein Tor nicht genügte
   b) ... von der Menge angefeuert wurden
   c) ... aus Belgien kamen

II Propositions relatives avec le pronom relatif au génitif

Sg.	m	Der Turm, *dessen* Fundamente morsch sind, soll abgerissen werden.
	f	Die Bibliothek, *deren* Räume renoviert werden, ist zur Zeit geschlossen.
	n	Das Gebäude, *dessen* Dach schadhaft ist, soll renoviert werden.
Pl.		Die Busse, *deren* Motoren zu alt sind, müssen verkauft werden.

1. Le pronom relatif au génitif remplace le génitif attribut:
   Die Fundamente des Turmes = dessen Fundamente
   die Räume der Bibliothek = deren Räume
   die Motoren der Busse = deren Motoren

2. Le substantif est employé sans article après le pronom relatif au génitif; l'adjectif épithète qui suit sera donc décliné sans article:
   Der Turm, dessen feucht*es* Fundament ...
   Die Busse, deren alt*e* Motoren ...

3. Le pronom relatif au génitif s'accorde en genre et en nombre avec le substantif auquel il se rapporte. Le substantif qui le suit est sans article. Son cas dépend de la fonction que le relatif a dans la proposition relative.

Nom. Sg. n   Akk. Sg. m

Das Gebäude, dessen Keller man renovieren will, …
(= Man will *den Keller des Gebäudes* renovieren.)

                  Akk. Sg. n   Dat. Pl.

Wir lieben *das alte Haus, dessen* Bewohnern eine Räumungsklage droht.
(= *Den Bewohnern des alten Hauses* droht eine Räumungsklage.)

7 Complétez avec le pronom relatif au génitif.

1. a) Der Baum b) Die Pflanze c) Die Sträucher (Pl.)
   … , … Wurzeln krank waren, musste(n) ersetzt werden.
2. a) Der Reisende b) Die Touristin c) Das Kind
   … , … Ausweis nicht zu finden war, konnte die Grenze nicht passieren.
3. a) Der Student b) Die Studentin c) Die Studenten
   … , … Doktorarbeit in der Fachwelt großes Interesse fand, wurde(n) von der Universität ausgezeichnet.
4. a) Der Architekt b) Die Architektin c) Das Architektenteam
   … , … Brückenkonstruktion plötzlich zusammengebrochen war, wurde vor Gericht gestellt.
5. a) Der Junge b) Das Mädchen c) Die Kinder
   … , … Mutter im Krankenhaus lag, wurde(n) von einer Verwandten versorgt.
6. a) Der Arbeiter b) Die Arbeiterin c) Die Arbeiter
   … , … Betrieb schließen musste, war(en) plötzlich arbeitslos.
7. a) Die jungen Leute b) Die Dame c) Der Herr
   … , … Auto in einen Graben geraten war, bat(en) den Automobilclub telefonisch um Hilfe.
8. a) Der Sportverein b) Die Kleingärtner (Pl.) c) Der Tennisclub
   … , … Gemeinschaftsräume zu klein geworden waren, beschloss(en) den Bau eines neuen Hauses.

8 Reliez les phrases. Le pronom relatif est toujours au génitif.

Wir beruhigten die Ausländerin. Ihr Sohn war bei einem Unfall leicht verletzt worden.
Wir beruhigten die Ausländerin, deren Sohn bei einem Unfall leicht verletzt worden war.

1. Der Geiger musste das Konzert absagen. Sein Instrument war gestohlen worden.
2. Der Dichter lebt jetzt in der Schweiz. Seine Romane waren immer große Erfolge.
3. Man hat das Rathaus abreißen wollen. Seine Räume sind dunkel und schlecht zu heizen.
4. Die Bürger jubelten. Ihre Proteste hatten schließlich zum Erfolg geführt.

5. Der Chirurg wurde von Patienten aus aller Welt angeschrieben. Seine Herzoperationen waren fast immer erfolgreich verlaufen.

6. Der Pilot hatte sich mit dem Fallschirm gerettet. Sein Flugzeug hatte zu brennen begonnen.

7. Der Autofahrer hatte sich verfahren. Seine Straßenkarten waren zu ungenau.

8. Die Reisenden wollten mit dem Bus nicht weiterfahren. Sein Fahrer war betrunken.

9. Wir konnten das Auto nicht selbst reparieren. Sein Motor war defekt.

10. Sie versuchten die arme Frau zu beruhigen. Ihr Sohn war mit dem Motorrad verunglückt.

11. Kurz nach 17 Uhr kam ich zur Post. Ihre Schalter waren aber inzwischen geschlossen.

12. Der Richter ließ sich von den Zeugen nicht täuschen. Ihre Aussagen waren widersprüchlich.

13. Die Angeklagte wurde zu zwei Jahren Gefängnis verurteilt. Ihre Schuld war erwiesen.

14. Verärgert stand er vor den verschlossenen Türen der Bank. Ihre Öffnungszeiten hatten sich geändert.

15. Für den Deutschen war es schwer, sich in dem fremden Land zurechtzufinden. Seine Fremdsprachenkenntnisse waren sehr gering.

III Propositions relatives avec prépositions

Einige Häuser, *für die* die Nachbarn gekämpft haben, sollen erhalten bleiben.
(Die Nachbarn haben für die Häuser gekämpft.)

Man will das Schloss, *in dessen* Park jetzt Festspiele stattfinden, renovieren.
(In dem Park des Schlosses finden jetzt Festspiele statt.)

Si le pronom relatif est accompagné d'une préposition, celle-ci est placée avant le pronom relatif.

IV Propositions relatives avec «wo(-)»

Man hat das Haus, *in dem* wir zwanzig Jahre gewohnt haben, jetzt abgerissen.
Man hat das Haus, *wo* wir zwanzig Jahre gewohnt haben, jetzt abgerissen.
Die Kleinstadt, *in die* ich umgezogen bin, gefällt mir sehr gut.
Die Kleinstadt, *wohin* ich umgezogen bin, gefällt mir sehr gut.

La préposition *in* + pronom relatif peut être remplacée, pour des compléments de lieu, par *wo* (= *in* + datif) ou *wohin* (= *in* + accusatif).

In der Innenstadt von Hamburg, *wo* der Lärm unerträglich ist, möchte ich nicht wohnen.

On emploie le pronom relatif *wo* ou *wohin* après des noms de villes ou de pays.

Man hat den alten Marktplatz umgebaut, *worüber* sich die Bürger sehr aufgeregt haben.
In der Stadt bleibt nur noch wenig übrig, *woran* sich die Bürger erinnern.

Si le pronom relatif est précédé d'une préposition et que la relative se rapporte à toute la proposition principale, on emploie *wo(r)-* + préposition.

Remarques

1. Après les noms de villes ou de pays sans article (voir § 3 III) le pronom relatif est au nominatif, à l'accusatif ou au datif neutre:
   Hamburg, *das* 100 Kilometer entfernt liegt, ist meine Heimatstadt.
   Russland, *das* er über 50 Jahre nicht mehr gesehen hatte, blieb ihm unvergesslich.

2. Le pronom relatif *wo* peut se rapporter aussi à des compléments de temps:
   In den letzten Jahren, *wo* es der Wirtschaft gut ging, hat man die Renten weiter erhöht. (mieux du point de vue stylistique: … , *als* es der Wirtschaft gut ging, …)

V Propositions relatives avec «wer, wen, wem, wessen»

Wer die Ehrlichkeit des Kaufmanns kennt, (der) wird ihm auch glauben.
Wen die Götter verderben wollen, (den) schlagen sie mit Blindheit.
Wessen Herz für die Freiheit schlägt, den nenne ich einen edlen Mann.
Wem die Bergwanderung zu anstrengend wird, der soll jetzt zurückbleiben.

1. Les formes abrégées des relatives avec w*er, wessen, wem, wen* sont formées à partir de relatives se rapportant à des personnes indéterminées:
   Jeder, der die Ehrlichkeit des Kaufmanns kennt, wird ihm auch glauben.
   Denjenigen, den die Götter verderben wollen, schlagen sie mit Blindheit.
   Alle, denen die Bergwanderung zu anstrengend ist, sollen jetzt zurückbleiben.

2. La principale commence souvent par un pronom démonstratif: *der, den, die* etc. …, le plus souvent lorsque le cas de la relative est différent de celui de la principale (*wessen …, den…, wem …, der …*).

VI Propositions relatives avec «was»

Alles, was du mir erzählt hast, habe ich schon gehört.
Nichts, was du mir mitgeteilt hast, ist mir neu.
Das, was mich ärgert, ist der Inhalt deines letzten Briefes.
Das Schönste, was du geschrieben hast, ist die Nachricht von deiner Verlobung.

Le pronom démonstratif *das* de même que *alles, nichts, etwas einiges, weniges* etc. et le superlatif neutre *das Schönste, das Letzte* etc. sont suivis d'une relative introduite par *was*.

Er rief gestern plötzlich an, *was* wir nicht erwartet hatten.
Er sagt, dass er Geldschwierigkeiten habe, *was* ich nicht glauben kann.

Une relative qui se rapporte à tout l'énoncé de la principale est introduite par *was*.

Er hat niemals *davon* gesprochen, *was* bei dem Unfall geschehen ist.
Er kann sich nicht mehr *daran* erinnern, *was* er alles erlebt hat.

Quand une relative introduite par *was* se rapporte à une phrase comportant un complément prépositionnel (p. ex. *von etwas sprechen / sich an etwas erinnern),* la préposition dans la principale doit être précédée de *da(r)-* (voir § 15 II, § 16 II 2).

Pour donner plus de force à l'énoncé, on peut placer le pronom démonstratif *das* au début de la proposition principale; *da(r)-* + préposition doit être par contre toujours placé en position I de la proposition principale si la subordonnée introduite par *was* se rapporte à un complément prépositionnel.

Was sich damals ereignet hat, (das) bleibt unerklärlich.
Was wir an diesem Tag erlebt haben, (das) können wir nie vergessen.
Was die Ursache des Unglücks war, *darüber* wollen wir schweigen.

La relative introduite par *was* et placée en début de phrase remplace par exemple un sujet, un complément d'objet à l'accusatif ou un complément prépositionnel:

Das damalige Ereignis bleibt unerklärlich. (sujet)
Das Erlebnis an diesem Tag können wir nie vergessen. (complément d'objet direct)
Über die Ursache des Unglücks wollen wir schweigen. (complément prépositionnel)

Le pronom relatif *was* étant toujours au singulier, il faut savoir reconnaître par le contexte si la phrase introduite par *was* est au singulier ou au pluriel. Il est également possible pour les exemples mentionnés plus haut d'avoir:

Die damaligen Ereignisse bleiben unerklärlich. – *Unsere Erlebnisse* können wir nie vergessen.

9   Einige Fragen über die deutschsprachigen Länder – Pronoms relatifs avec préposition ou «wo». Vous trouverez le corrigé à la fin du paragraphe.

In welcher Stadt ist Wolfgang Amadeus Mozart geboren?
Salzburg ist die Stadt, in der Wolfgang Amadeus Mozart geboren ist. (… , wo …)

1. In welcher Gegend gibt es die meisten Industrieanlagen?
2. An welchem Fluss steht der Lorelei-Felsen?
3. In welchem Wald steht das Hermanns-Denkmal?
4. In welchem Gebirge gibt es die höchsten Berge?
5. Auf welchem Berg wurde der Segelflug zum ersten Mal erprobt?
6. In welcher Stadt ist Ludwig van Beethoven geboren und in welcher Stadt ist er gestorben?
7. In welchem Staat gibt es drei Amtssprachen, aber vier Landessprachen?
8. An welchem See haben drei Staaten einen Anteil?
9. Über welche Leute werden die meisten Witze erzählt?
10. In welcher Stadt standen früher die schönsten Barockbauten Europas?
11. Vor den Mündungen welcher großen Flüsse liegt die Insel Helgoland? (Es sind die Mündungen der … und der …)
12. In welchen zwei Städten am Rhein liegen viele deutsche Kaiser und Könige begraben?
13. In der Nähe welcher Stadt wurden die olympischen Winterspiele 1976 ausgetragen? (… ist die Stadt, in + Genitiv)

14. Durch welchen Berg führt die Straße von Basel nach Mailand?

15. Nach welchem Berg ist die Hochalpenstraße in Österreich benannt?

10 Construisez des phrases d'après le modèle suivant. Le pronom relatif est précédé d'une préposition.

> Was ist ein Pass? (Ausweis (m) / mit / in andere Staaten reisen können)
> *Ein Pass ist ein Ausweis, mit dem man in andere Staaten reisen kann.*

1. Was ist ein Holzfass? (Behälter (m) / in / z.B. Wein lagern können)
2. Was ist ein Fahrrad? (Verkehrsmittel (n) / mit / sich mit eigener Kraft fortbewegen können)
3. Was ist eine Dachrinne? (Rohr (n) / durch / das Regenwasser vom Dach leiten)
4. Was ist ein Staubsauger? (Maschine (f) / mit / Teppiche säubern)
5. Was ist ein Videorecorder? (Gerät (n) / mit / Fernsehsendungen aufnehmen und wiedergeben können)
6. Was ist eine Lupe? (Glas (n) / mit / kleine Dinge groß sehen können)
7. Was ist ein Tresor? (Schrank (m) aus Stahl / in / das Geld vor Dieben oder Feuer schützen können)
8. Was ist ein Herd? (Kücheneinrichtung (f) / auf / warme Speisen zubereiten können)

11 Construisez des phrases d'après le modèle suivant. La subordonnée est introduite par «wer», «wessen», «wem» ou «wen».

> Hat noch jemand etwas zu diesem Thema zu sagen? – Melden Sie sich bitte!
> *Wer noch etwas zu diesem Thema zu sagen hat, (der) soll sich bitte melden!*

1. Gefällt jemandem die Lösung nicht? – Sagen Sie es bitte!
2. Steht jemandem noch Geld zu? – Stellen Sie schnell einen Antrag!
3. Ist jemandes Antrag noch nicht abgegeben? – Geben Sie ihn jetzt gleich im Sekretariat ab! (Wessen Antrag …)
4. Interessiert das jemanden nicht? – Gehen Sie ruhig schon weg!
5. Ist jemand an der Bildung einer Fußballmannschaft interessiert? – Kommen Sie bitte um 17 Uhr hierher!
6. Hat jemand noch Fragen? – Bringen Sie sie jetzt vor!
7. Versteht jemand die Aufgabe nicht? – Kommen Sie bitte zu mir!
8. Ist jemandem noch etwas Wichtiges eingefallen? – Schreiben Sie es auf einen Zettel und geben Sie ihn mir!
9. Ist jemandes Arbeit noch nicht fertig? – Geben Sie sie nächste Woche ab!
10. Braucht jemand noch Hilfe? – Wenden Sie sich bitte an den Assistenten!

12 Complétez. A l'exception de «was» et «wo», chaque mot ne peut être employé qu'une seule fois: was, wo, wobei, wodurch, wofür, wogegen, womit, woraus, worüber, worunter, wovon, wovor, wozu.

1. Tu das, … der Arzt gesagt hat! Schlafen ist das Beste, … du jetzt machen kannst.
2. Der Schlosser öffnete die Tür mit einem Dietrich, … man einen hakenförmig gebogenen Draht versteht. Die Frau gab dem Schlosser zehn Euro, … dieser sich sehr freute.
3. Die Jungen gingen auf eine zweiwöchige Wanderung, … sie sich ein Zelt ausgeliehen hatten. Sie kamen in schlechtes Wetter, … sie schon gewarnt worden waren. So saßen sie mit ihrem Zelt eine Woche im Regen, … natürlich nicht so angenehm war.
4. Frau Krüger sammelte Erdbeeren, … ihr Mann einen sehr guten Wein bereitete. Aber im letzten Jahr hatte er etwas falsch gemacht, … der Wein zu Essig geworden war.
5. Die Regierung hatte die BAFöG-Gelder heruntergesetzt, … Studenten und Schüler protestierten. Sie veranstalteten einen Demonstrationsmarsch, … sie große Protestschilder vor sich hertrugen.
6. Er bastelte ein Bücherregal, … er Holz im Wert von 250 Euro kaufte. Es war eine Menge Material, … aber zum Schluss nichts übrig blieb.
7. Herr Spätle hatte eine Alarmanlage gekauft, … er sein Haus gegen Einbrecher schützen wollte.
8. Bei den Erdbeben verloren die Menschen fast alles, … sie besaßen. Sie zogen mit dem, … sie noch retten konnten, zu Verwandten.
9. Rothenburg ob der Tauber, das war das Schönste, … ich an alten Städten je gesehen habe!
10. … wir als Kinder Fußball gespielt haben, da steht jetzt ein Hochhaus.

13 Zum Thema Umweltschutz – Construisez des phrases en utilisant les mots entre parenthèses.

Die Autoabgase enthalten Giftstoffe. Das ist schon lange bekannt. (was)
Die Autoabgase enthalten Giftstoffe, was schon lange bekannt ist.

1. Tanker (= Ölschiffe) lassen jährlich mehrere Millionen Liter Ölreste ins Meer ab. Dort bilden sich riesige Ölfelder. (wo)
2. Auch mit den Flüssen wird sehr viel Öl ins Meer transportiert. Darauf machen Umweltschützer immer wieder warnend aufmerksam. (worauf)
3. Die Umweltverschmutzung verursacht immer größere Schäden. Darüber machen sich Fachleute große Sorgen. (worüber)
4. Es müssen strenge Gesetze zum Schutz der Umwelt aufgestellt werden. Darüber müssen die Fachleute aller Länder beraten. (worüber)
5. Das Plankton (= Kleinstlebewesen im Meer) wird mit Krebs erregenden Stoffen angereichert. Dies bedeutet indirekt eine Gefahr für die Ernährung der Menschen. (was)
6. Jährlich verschwindet ein gewisser Prozentsatz Wälder des tropischen Urwaldgürtels. Dadurch wird möglicherweise der Sauerstoffgehalt unserer Luft abnehmen. (wodurch)
7. Immer wieder werden schöne alte Häuser in den Zentren unserer Städte abgerissen. Dagegen protestieren die Bürger der Städte oft heftig. Das hat aber leider nicht immer den gewünschten Erfolg. (wogegen / was)
8. Naturschützer versuchen auch Wale und Robben vor der Ausrottung (= Vernichtung der Art) zu retten. Dabei setzen sie oft ihr Leben aufs Spiel. (wobei)

14 Ein Brief – Construisez des phrases avec «was» d'après le modèle suivant.

Ich muss dir etwas Wichtiges mitteilen. – Das ist eine schlimme Nachricht für dich.
Was ich dir jetzt mitteilen muss, ist eine schlimme Nachricht für dich.

Vorgestern ist etwas passiert. – Und zwar Folgendes: Unser Vater hat einen Schlaganfall gehabt.
Was vorgestern passiert ist, ist, dass unser Vater einen Schlaganfall gehabt hat.

1. Etwas macht mir Hoffnung. – Und zwar Folgendes: Er steht auf und läuft schon wieder normal.
2. Nach dem Schlaganfall ist leider etwas zurückgeblieben. – Das ist ein leichtes Zittern seiner linken Hand.
3. Sein Arzt hat ihm etwas geraten. – Und zwar Folgendes: Er soll das Rauchen aufgeben.
4. Etwas beunruhigt mich. – Das sind seine kleinen Gedächtnislücken.
5. Während seiner Krankheit muss er etwas vergessen haben. – Und zwar, dass er einige Jahre in Berlin gelebt hat.
6. Mir fiel etwas auf. – Und zwar Folgendes: Er konnte auf alten Fotos seine ehemaligen Nachbarn nicht wiedererkennen.
7. Etwas tröstet mich. – Und zwar, dass er diesen Gedächtnisverlust gar nicht bemerkt.
8. Trotz seiner 89 Jahre hat er etwas behalten. – Das ist seine positive Lebenseinstellung.

Relatives: révision générale

15 a Construisez des phrases d'après les exemples suivants:

Ist das der Herr, … ? (*Er* wollte mich sprechen.)
Ist das der Herr, der mich sprechen wollte?

1. Du hast gestern *mit ihm* gesprochen.
2. Du hast *ihn* eben gegrüßt.
3. *Seine* Tochter ist eine Freundin von dir.
4. *Er* ist Journalist bei der Norddeutschen Zeitung.
5. *Seine* Bücher habe ich auf deinem Schreibtisch liegen sehen.
6. Du hast mir neulich schon mal *von ihm* erzählt.

b Hier ist die Uhr, … !

1. Ich habe *sie* so lange gesucht.
2. Du hast *sie* mir geschenkt.
3. Ich bin *damit* versehentlich ins Wasser gegangen.
4. Ich habe das Glas *der Uhr* verloren.
5. Du hast so *davon* geschwärmt.
6. Ich bin *damit* beim Uhrmacher gewesen.

c Das Buch, … , gehört mir!

1. *Es* hat einen blauen Einband.
2. Du liest *darin*.
3. Du hast *davon* gesprochen.
4. Du hast *es* in deine Mappe gesteckt.

5. Ich habe *es* dir vor einem Jahr geliehen.
6. Du kannst die betreffenden Seiten
daraus fotokopieren.

d Das Stipendium, … , ist nicht leicht zu bekommen.

1. Man muss *es* bis Ende dieses Monats beantragen.
2. Man muss bestimmte Vorausset-
zungen *dafür* mitbringen.
3. Ich habe mich *darum* beworben.

4. *Um seinen* Erwerb bemühen sich
viele Studenten.
5. *Es* wird von einer privaten Gesellschaft vergeben.
6. Du hast *davon* gehört.

e Den Test, … , habe ich sicher ganz gut bestanden.

1. *Dabei* können auch mehrere
Lösungen richtig sein.
2. Einige Assistenten haben *ihn* zu-
sammengestellt.
3. *Er* prüft ein sehr weites Wissens-
gebiet.

4. Ich habe *ihn* gestern machen müssen.
5. Ich war *von seinem* Schwierigkeits-
grad überrascht.
6. *Von seinem* Ergebnis hängt für mich
eine ganze Menge ab.

Articulation logique des phrases: révision générale

16 Assemblage de phrases: révision générale – Formez des phrases logiques en reliant
les propositions indépendantes jusqu'au trait. Vous emploierez des propositions
causales, concessives et des relatives.

Ein alter Mann konnte nicht einschlafen. Sein Haus lag in der Nähe einer Eisenbahnstrecke. Das Geräusch des vor-
beifahrenden Zuges klang anders als
5 gewöhnlich. / Er stand auf und zog seinen Wintermantel über seinen Schlaf-
anzug. Er wollte nachsehen. Was hatte
dieses seltsame Geräusch hervorgerufen? / Er nahm einen Stock. Sein rechtes
10 Bein war im Krieg verletzt worden und
es war Winter. / Der Schnee lag hoch
und sein Bein begann schon nach wenigen Schritten zu schmerzen. Er kehrte
nicht um, sondern kletterte mit vielen
15 Mühen auf den Eisenbahndamm. / Seine kleine Taschenlampe war gut zu gebrauchen. Er hatte sie vorsichtshalber
mitgenommen. Das Licht der Laternen
reichte nicht weit. / Nach längerem Su-
20 chen fand er endlich die Stelle. Dort war
die Schiene gerissen. / Es war spät in der
Nacht und der Wind pfiff. Er gab nicht
auf und lief den langen Weg bis zur
nächsten Bahnstation. Er wollte unbedingt die Menschen retten. Sie saßen   25
ahnungslos im nächsten Schnellzug.
Der Schnellzug kam aus München. / Der
Bahnhofsvorsteher hielt den alten
Mann zunächst für verrückt. Der alte
Mann brachte ihm die Nachricht von   30
einer zerrissenen Schiene. Der Beamte
kam endlich mit um den Schaden selbst
anzusehen. / Der Schnellzug näherte
sich mit großer Geschwindigkeit der gefährlichen Stelle. Es gelang dem Beam-   35
ten im letzten Augenblick dem Zugfüh-
rer ein Zeichen zu geben. Der Beamte
schwenkte eine weithin sichtbare rote
Lampe.

17 Même exercice.

Ein junger Mann stand vor Gericht. Er hatte einige Zeit in einer Druckerei gearbeitet. Dort hatte er sich seine Kenntnisse angeeignet. Er hatte falsche Fünfzigeuroscheine hergestellt. / Er war sehr vorsichtig gewesen und hatte nur nachts gearbeitet. Man hatte ihn erwischt. / Der Hausmeister war aufmerksam geworden und hatte ihn bei der Polizei angezeigt. Er hatte ihn einige Male nachts in den Keller schleichen sehen. / Der Richter war dem Angeklagten freundlich gesinnt. Der junge Mann war arbeitslos und hatte sofort alles gestanden. Eine Gefängnisstrafe von zwei bis drei Jahren war ihm sicher. Geldfälschen muss hart bestraft werden. / Zu Beginn der Verhandlung las der Richter die Anklageschrift vor. Darin waren alle Beweisstücke aufgezählt: Der nachgemachte Kellerschlüssel, die Druckplatten und die falschen Fünfzigeuroscheine. / Der Gerichtsdiener war gebeten worden diese Sachen auf den Richtertisch zu legen. Der Gerichtsdiener war ein ordentlicher Mensch. Man musste den Geschworenen* die Sachen einzeln zeigen. Zum großen Erstaunen des Richters fehlte das Falschgeld. / Man konnte das fehlende Beweisstück nicht finden. Es wurde bei der Polizei angerufen. Die Polizei hatte den Fall bearbeitet und das Beweismaterial gesammelt. / Die Antwort war kurz: „Die Fünfzigeuroscheine haben wir Ihnen am 3. dieses Monats durch die Post überweisen lassen."

* der Geschworene = Hilfsrichter, Laienrichter

Corrigé de l'exercice 9:

1. das Ruhrgebiet	6. Bonn, Wien	12. Worms und Speyer
2. der Rhein	7. die Schweiz	13. Innsbruck
3. der Teutoburger Wald	8. der Bodensee	14. der St. Gotthard
4. die Alpen (Pl.)	9. die Ostfriesen	15. der Großglockner
5. die Wasserkuppe	10. Dresden	
	11. die Elbe, die Weser	

Partie III

§ 36   Les démonstratifs

Remarque préliminaire

L'adjectif démonstratif se distingue de l'article en cela qu'il désigne de manière très précise une personne ou une chose et qu'il est fortement accentué dans la langue parlée. Il remplace l'article défini.

I   Déclinaison «dieser, -e, -es»; «jener, -e, -es»; «solcher, -e, -es»

	Singular maskulin	feminin	neutral	Plural m + f + n
Nom.	dieser Mann	diese Frau	dieses Kind	diese Männer/ Frauen /Kinder
Akk.	diesen Mann	diese Frau	dieses Kind	diese Männer / Frauen/Kinder
Dat.	diesem Mann	dieser Frau	diesem Kind	diesen Männern / Frauen /Kindern
Gen.	dieses Mannes	dieser Frau	dieses Kindes	dieser Männer / Frauen /Kinder

1. Les terminaisons de l'adjectif possessif sont les mêmes que celles de l'article défini.

2. *dieser, -e, -es* désigne une personne ou une chose déterminée, déjà connue; *jener, -e, -es* indique une différence ou une opposition:
   Ich habe *diesen* Roman noch nicht gelesen.
   Wir haben von *diesem und jenem* Problem gesprochen.
   Diesen Herrn kenne ich nicht, aber *jenem* (Herrn) bin ich schon oft begegnet.

3. Si la nuance démonstrative porte sur la qualité d'une personne ou d'une chose, on emploie *solcher, -e, -es*:
   Er hatte *solchen* Hunger, dass ihm fast schlecht wurde.

Remarques

1. On trouve *solch* (non décliné) généralement devant l'article indéfini. Dans ce cas, *solch* peut être remplacé par *so*:
   solch ein Mann (= so ein Mann)   solch eine Frau (= so eine Frau)

2. *solch* suit la déclinaison de l'adjectif s'il est employé comme adjectif épithète après l'article indéfini (voir § 39 II):
   ein solch*er* Mann   eine solch*e* Frau

II Déclinaison «derselbe, dieselbe, dasselbe»; «derjenige, diejenige, dasjenige»

	Singular maskulin	feminin	neutral	Plural m + f + n
Nom.	derselbe Mann	dieselbe Frau	dasselbe Kind	dieselben Männer...
Akk.	denselben Mann	dieselbe Frau	dasselbe Kind	dieselben Männer...
Dat.	demselben Mann	derselben Frau	demselben Kind	denselben Männern...
Gen.	desselben Mannes	derselben Frau	desselben Kindes	derselben Männer...

1. La première partie du mot, pour les adjectifs démonstratifs cités, se décline comme l'article défini (*der-, die-, das-*). La terminaison est celle de la déclinaison de l'adjectif (voir § 39 I).

2. *derselbe, dieselbe, dasselbe* désigne une personne ou une chose identique à une autre précédemment citée.
   Heute hast du schon wieder *dasselbe* Kleid an wie gestern und vorgestern.

3. *derjenige, diejenige, dasjenige* désigne une personne ou une chose dont on va dire quelque chose de précis dans la relative qui suit. L'adjectif démonstratif peut être utilisé sans substantif si l'information apportée par la relative est suffisante:
   Man hatte *denjenigen* Bewerber ausgewählt, der ausreichend Fremdsprachen-kenntnisse besaß. – *Diejenigen, die* zuviel rauchen und trinken, schaden sich selbst.

Remarque

der gleiche, die gleiche, das gleiche (écrit en deux mots) indique que deux personnes ou deux choses sont identiques:
Meine Freundin hat sich zufällig *das gleiche* Kleid gekauft wie ich.

III Déclinaison «der, die, das» (en tant que pronoms démonstratifs)

	Singular maskulin	feminin	neutral	Plural m + f + n
Nom.	der	die	das	die
Akk.	den	die	das	die
Dat.	dem	der	dem	denen
Gen.	dessen	deren	dessen	deren (derer)

1. Les pronoms démonstratifs *der, die, das* sont employés au nominatif, au datif et à l'accusatif avec une valeur de sujet ou de complément d'objet. Ils se rapportent à une partie de la phrase les précédant ou à la relative qui les suit:
   Sind Ihre Fenster bei der Explosion kaputtgegangen?
   Ja, *die* müssen erneuert werden.
   Haben Ihre Nachbarn wieder so viel Krach gemacht?

Ja, *denen* werde ich bald mal meine Meinung sagen.
Den, der mich gerade so beschimpft hat, kenne ich gar nicht.
Mit *denen*, die Physik studieren wollen, muss ich noch sprechen.

2. Les formes des pronoms démonstratifs *der, die, das* sont les mêmes que celles des pronoms relatifs. Il faut faire attention à ne pas les confondre:
Kennst du den Film? – Nein, *den kenne* ich nicht.
Über einen Film, *den* ich nicht *kenne*, kann ich nichts sagen.

3. *der, die, das* sont employés pour éviter la répétition du substantif puisque seul le substantif attribut change dans la phrase suivante:
Die Sprechweise des jungen Schauspielers ähnelt *der* seines Lehrers.
Die Treppe in eurem Haus erinnert mich an *die* in Goethes Geburtshaus.

4. a) *das*, renforcé par *alles* ou *all*, peut se rapporter à une phrase précédente ou au contexte:
Habt ihr von seinem Erfolg gehört? – Ja, *das* hat uns sehr erstaunt.
Er hat zwei Stunden lang geredet, aber *all das* wissen wir doch längst.
Sieh dir das dicke Buch an. Als Pharmaziestudent muss ich *das alles*
(ou: *alles das*) auswendig lernen.

   b) Dans les phrases avec *sein* et *werden*, on emploie le pronom démonstratif *das* même si celui-ci est suivi d'un substantif masculin ou féminin ou même pluriel car *das* se rapporte à la phrase précédente. (On appelle le substantif au nominatif qui suit *sein* et *werden* l'attribut du sujet; si celui-ci est au pluriel, le verbe sera également au pluriel.)
Da geht eine Dame in einem blauen Pelzmantel. *Das* ist meine Chefin.
Öffentliche Telefonzellen werden häufig demoliert. *Das* ist eine Schande.
Hier darf man nicht nach links abbiegen, dort nicht nach rechts.
Das sind unnötige Vorschriften.
Es regnet schon seit drei Wochen. *Das* wird ein nasser Urlaub.

   c) Notez la différence entre *das* et *es*:
das se rapporte à une phrase qui le précède; *es* se rapporte à une explication ou à une phrase qui suit.
Kannst du diese acht Kisten allein in den 5. Stock hochtragen? – Nein, *das*
   ist unmöglich.
Es ist unmöglich, dass ich diese acht Kisten allein in den 5. Stock hochtrage.

5. a) On emploie rarement les pronoms démonstratifs au génitif *dessen* et *deren*; ils peuvent souvent être remplacés par un adjectif possessif.
Hast du mit dem Professor selbst gesprochen? –
Nein, nur mit *dessen (seinem)* Assistenten.
Kommen Herr und Frau Sommer heute Abend auch? –
Ja, und *deren (ihre)* älteste Tochter.

   b) Il faut employer les démonstratifs *dessen* et *deren* lorsque le même pronom possessif n'indique pas assez clairement de qui il est question et qu'ainsi des confusions sont possibles.
Heute besuchte uns der Direktor mit seinem Sohn und *dessen* Freund.
(= der Freund des Sohnes; „... und *seinem* Freund" könnte heißen: der Freund des Direktors)

c) Au génitif pluriel, on emploie la forme irrégulière *derer* comme antécédent d'une relative. *Derer* correspond au pronom démonstratif *derjenigen* (= génitif pluriel):
Die Kenntnisse *derer (derjenigen)*, die Physik studieren wollen, sind ausreichend.

Remarques

1. *selbst* se rapporte à un membre de phrase qui le précède; il sert à confirmer l'identité. *Selbst* est indéclinable.

2. *selbst* (ou dans la langue familière *selber*) est placé:
   a) immédiatement après le mot auquel il se rapporte en vue de le souligner:
   Ich selbst habe keine weiteren Fragen.
   Die Sache selbst interessiert mich.
   In der Stadt selbst hat sich wenig verändert.

   b) à un autre endroit dans la phrase:
   Die Arbeiter können *selbst* entscheiden.
   Er kam dann endlich *selbst* um nachzusehen.

3. Quand *selbst* précède une partie de phrase, il signifie *sogar* (voir § 51):
   Selbst der Dümmste muss das doch einsehen.
   Er war *selbst* dann vergnügt, wenn es ihm schlecht ging.
   Sie hat immer gearbeitet, *selbst* wenn sie sich krank fühlte.

1 Citez les formes correspondantes au féminin et la forme du pluriel des substantifs.

  dieser Student: *diese Studentin, diese Studenten, diese Studentinnen*

1. derjenige Schüler
2. mit diesem Schweizer
3. von jenem Österreicher
4. wegen jenes Zollbeamten
5. durch denjenigen Polen
6. ein solcher Student
7. trotz dieses Richters
8. solch ein Schauspieler
   (Pl.: solche Schauspieler)

2a Im Warenhaus

  Kühlschrank (m) / klein
  Was halten Sie von diesem Kühlschrank hier?
  Also diesen Kühlschrank nehme ich nicht, der ist mir zu klein.

1. Waschmaschine (f) / teuer
2. Küchenmöbel (Pl.) / bunt
3. Nähmaschine (f) / unpraktisch
4. Elektroherd (m) / unmodern
5. Dampfbügeleisen (n) / kompliziert
6. Spülbecken (Pl.) / empfindlich

b Schrank (m) / neben / Bett (n) / Bruder
  Wie gefällt Ihnen der Schrank neben diesem Bett?
  Der gefällt mir recht gut; denselben hat mein Bruder.

1. Einrichtung (f) / in / Küche (f) / Schwester
2. Sessel (m) / an / Kamin (m) / Eltern

3. Bücherregal (n) / in / Flur (m) / Freundin
4. Stehlampe (f) / neben / Sitzecke (f) / Freund
5. Stuhl (m) / vor / Schreibtisch (m) / Nachbar
6. Rauchtischchen (n) / in / Ecke (f) / Untermieter

c Fernseher (m) / sehr zuverlässig
Welchen Fernseher können Sie mir empfehlen?
Ich empfehle Ihnen diesen Fernseher, der ist sehr zuverlässig.

1. Kofferradio (n) / angenehm leicht
2. Cassettenrecorder (m) / sehr gut
3. Lautsprecher (Pl.) / sehr preiswert
4. Videorecorder (m) / wirklich sehr zuverlässig
5. Taschenrechner (m) / unglaublich preiswert
6. Schreibmaschine (f) / zur Zeit im Sonderangebot

3 Complétez – seulement là où c'est nécessaire.

1. Kauf dir doch auch solch_ ein_ Schal (m)! Dann haben wir beide d_ gleich_ Schals.
2. Bist du auch mit dies_ Zug (m) gekommen? Dann haben wir ja in d_selb_ Zug gesessen!
3. Was machst du eigentlich zurzeit? – D_ möchtest du wohl gern wissen? Ich treibe mal dies_, mal jen_, mal lebe ich in dies_ Stadt, mal in jen_.
4. Sie sprachen von dies_ und jen_, aber d_ hat mich alles nicht interessiert.
5. Wird Ladendiebstahl schwer bestraft? – D_ weiß ich nicht; frag doch mal Gisela, d_ Mutter (Giselas Mutter!) ist doch Rechtsanwältin, d_ muss es wissen.
6. Niemand kennt die Namen d_ (Gen.), die hier begraben liegen.
7. Die Angst d_jenig_ (Gen.), die auf dem brennenden Schiff waren, war unbeschreiblich.
8. Von dies_ Bekannten habe ich noch d_ 100 Euro zurückzubekommen, die ich ihm Ostern geliehen habe.
9. Ich spreche von d_jenig_, die immer das letzte Wort haben. Dies_ Leute sind mir nicht sympathisch.
10. D_jenig_, der meine Brieftasche findet, wird gebeten, dies_ gegen Belohnung bei mir abzugeben.
11. Wir sind beide in d_selb_ Ort (m) geboren und auf d_selb_ Schule gegangen.
12. Solch_ ein_ Teppich (m) möchte ich haben! Ein_ solch_ Stück (n) besitzt meine Schwiegermutter; d_ ist ganz stolz darauf.
13. Ich wundere mich, dass er von solch_ ein_ Hungerlohn (m) leben kann und dass er dann ein_ solch_ Wagen fährt.
14. Dies_ Zug fährt abends wieder zurück; wir treffen uns dann wieder in d_selb_ Abteil (n).
15. Es herrscht wieder dies_ Novemberstimmung (f); d_ macht mich ganz krank. An ein_ solch_ Tag möchte ich am liebsten im Bett liegen bleiben.

4 Complétez en employant «das» ou «es».

1. Ein betrunkener Autofahrer ist direkt auf mich zugefahren. ... ist der Grund, weswegen ich jetzt im Krankenhaus liege.
2. Wenn Kinder krank sind, soll man ihnen spannende Geschichten erzählen, ... hilft oft mehr als die beste Medizin.
3. Natürlich war ... traurig, dass der begabte Künstler nie Erfolg gehabt hatte.
4. Ich war gestern im Moskauer Staatszirkus. ... war erstaunlich zu sehen, wie exakt die Artisten arbeiten.
5. Glaubt ihr, dass ihr in München so einfach eine Wohnung bekommen könnt? ... müsste schon ein Glücksfall sein.
6. Du musst endlich deine Steuererklärung machen. ... ist unverantwortlich, dass du die Sache noch weiter hinausschiebst.
7. Dass ein 18-jähriger Schüler den Nobelpreis bekommen hat, kann ich nicht glauben. ... ist doch unmöglich.
8. Ich habe viermal angerufen, aber die alte Dame hat sich nicht gemeldet. ... hat mich misstrauisch gemacht und ich bin zur Polizei gegangen.
9. Bitte schreib mir öfters. ... macht mich froh, wenn ich von dir höre.
10. Aber ein Glas Rotwein wirst du doch trinken dürfen. ... macht doch nichts. Du fährst doch erst in zwei Stunden nach Hause.
11. Er war bereits morgens betrunken, wenn er zur Arbeit kam. Deshalb war ... nicht verwunderlich, dass er entlassen wurde.

§ 37 Les indéfinis

Remarque préliminaire

Les pronoms indéfinis s'emploient pour désigner des personnes ou des choses indéterminées ou inconnues. Ils s'écrivent avec une minuscule.

I Pronoms indéfinis employés avec une valeur de sujet ou de complément d'objet

Nom.	man	jemand	einer, -e, -(e)s	irgendwer	etwas / nichts
Akk.	einen	jemand(en)	einen, -e, -(e)s	irgendwen	etwas / nichts
Dat.	einem	jemand(em)	einem, -er, -em	irgendwem	–
Gen.	–	jemandes	–	–	–

1. *man* (acc.: *einen* / dat.: *einem*) sert de sujet à un verbe lorsque le sujet est indéfini et personnel. Il est indéclinable et toujours au singulier:
   In der Tagesschau kann *man* sich über die Ereignisse des Tages informieren.
   Die Tagesschau gibt *einem* nicht genügend Informationen.
   Das Fernsehprogramm kann *einen* schon manchmal ärgern!

2. *jemand* et *niemand* désignent, à la forme affirmative comme à la forme négative, une ou plusieurs personnes non connues. Ces deux pronoms sont toujours au singulier. Les terminaisons du datif et de l'accusatif sont facultatives:
   Zum Glück hat mir *jemand* beim Einsteigen geholfen.
   Ich wollte, ich wäre auf *niemandes* Hilfe angewiesen.
   Während der Fahrt habe ich mit *niemand(em)* gesprochen.
   Beim Aussteigen habe ich *jemand(en)* um Hilfe gebeten.

3. *einer, eine, eines* sont employés pour désigner une personne ou une chose parmi de nombreuses autres (pl. *welche*): forme négative: *keiner, keine, keines* (pl. *keine*):
   Zehn Leute haben am Seminar teilgenommen, *einer* hat Protokoll geführt.
   Hier soll es günstige Anzüge geben, aber ich habe noch *keinen* gesehen. Hast du *welche* entdeckt?

   La forme *einander* s'emploie pour le datif et l'accusatif:
   Zu Neujahr wünscht man *einander* viel Glück. (= einer *dem* anderen)
   Sie kannten *einander* gut. (= einer *den* anderen)

   einander peut-être associé à une préposition et ne forme alors qu'un mot avec cette préposition.
   Wir haben *beieinander* gesessen, *miteinander* gesprochen und *voneinander* gelernt.

4. *irgendwer* et *irgend jemand* servent a désigner une ou plusieurs personnes quelconques:
   Hast du noch *irgendwen* in der Firma erreichen können?
   Das hat *irgendjemand* erzählt, ich weiß nicht mehr, wer.

5. On emploie *etwas* et *nichts* pour désigner des choses, des idées (voir § 33 Remarque; § 35 VI; § 39 IV 3, 4).
   Ich habe dich *etwas* gefragt!
   Er hat bei dem Geschäft *nichts* verdient.

---

1 Complétez avec «jemand» ou «niemand» suivant le sens. Employez la forme déclinée.

1. Er war enttäuscht, denn seine Arbeit wurde von ... anerkannt.
2. Ich kenne ..., der die Reparatur ausführen kann; aber er ist ziemlich teuer!
3. Wenn du ...(Gen.) Rat annehmen willst, ist dir nicht zu helfen.
4. Er langweilte sich auf der Party, denn er kannte ...
5. Wenn ich ... wirklich gern helfen würde, dann bist du es.
6. Ich musste alles allein machen; ... hat mir geholfen.
7. Alte Leute sind oft allein stehend und haben ..., der sich um sie kümmert.

2 Faites l'exercice en utilisant «einer» – «keiner» d'après le modèle suivant:

Hat jemand ein Taschenmesser?   *Ja, ich habe eins.*
                                     Nein, ich habe keins.

1. Möchte jemand ein Butterbrot?
2. Möchte jemand einen Aperitif?
3. Hat jemand ein Lexikon?
4. Hat jemand vielleicht einen Fünf-euroschein?
5. Backt jemand wieder einen Kuchen?
6. Braucht jemand einen Kalender?
7. Hat jemand einen Fahrplan?

II Indéfinis avec ou sans substantif

Déclinaison «jeder, -e, -es», pl. «alle»; «sämtliche» – «mancher, -e, -es», pl. «manche»

	Singular maskulin	feminin	neutral	Plural m + f + n
Nom.	jeder Mann	jede Frau	jedes Kind	alle Männer…
Akk.	jeden Mann	jede Frau	jedes Kind	alle Männer…
Dat.	jedem Mann	jeder Frau	jedem Kind	allen Männern…
Gen.	jedes Mannes	jeder Frau	jedes Kindes	aller Männer …

Les indéfinis ont les mêmes terminaisons que l'article défini et peuvent être utilisés à sa place. Ils peuvent figurer également en tant que pronom indépendant.

1. Là où le français a le choix entre deux indéfinis (tout/chaque), l'allemand en emploie un seul, *jeder, -e, -es. jeder, -e, -es* s'emploie seulement au singulier; le pluriel correspondant est *alle* ou *sämtliche* pour marquer l'insistance:
   Zu dem Gartenfest soll *jeder Hausbewohner* etwas mitbringen.
   Jeder muss helfen.
   Alle Hausbewohner feierten bis zum späten Abend. *Alle* waren sehr vergnügt.
   Ich habe bei dieser Gelegenheit *sämtliche Hausbewohner* kennen gelernt.

2. *mancher, -e, -es*, pl.: *manche* s'emploie pour désigner une ou plusieurs personnes ou choses de manière indéfinie:
   Die Sozialhelferin hat schon *manchem einsamen Menschen* geholfen.
   Manche (Menschen) wollen sich nicht helfen lassen.
   Wir haben schon so *manches* erlebt.

3. a) Les formes neutres du singulier *alles* (nom., acc.), *allem* (dat.) sont employées quand le contexte leur confère un sens:
   Jetzt war *alles* wieder genauso wie vorher.
   Man kann mit *allem* fertig werden, wenn man Mut hat.

b) Le singulier *all-* est employé devant des adjectifs substantivés (majuscule!) et des substantifs sans article (voir Rem. § 39). Il se décline comme l'article défini:
Ich wünsche Ihnen *alles Gute.* (acc. sg. n)
Zu *allem Unglück* ist er auch noch krank geworden. (dat. sg. f)
Sie trennten sich in *aller Freundschaft.* (dat. sg. f)
Sie hat sich *alle Mühe* gegeben. (acc. sg. f)

c) La forme abrégée du pluriel *all* s'emploie devant l'article défini, devant un adjectif démonstratif ou possessif.
Die Kinder freuten sich über *all die vielen Geschenke.*
Wer kann sich schon *all diese Sachen* leisten?
Er hat *all seine Kinder und Enkelkinder* um sich versammelt.

3 Complétez «jed-» ou «all-» à la forme qui convient.

… Gäste waren pünktlich eingetroffen. Fast … Gast hatte einen Blumenstrauß mitgebracht. … einzelne wurde gebeten sich in das Gästebuch einzutragen, aber nicht … taten es. Das Büfett war schon vorbereitet und … nahm sich, was er wollte. … mussten sich selbst bedienen, aber bei … den guten Sachen wusste mancher nicht, was er zuerst nehmen sollte. Natürlich gab es für … Geschmack etwas zu trinken: Sekt, Wein, Bier, aber auch verschiedene Säfte, denn nicht … mochte oder durfte Alkohol trinken. Die Hausfrau hatte sich wirklich … Mühe gegeben. … schmeckte es offenbar großartig, denn nach zwei Stunden war so gut wie … aufgegessen.

5

10

15

Déklinaison «andere», «einige», «einzelne», «mehrere», «viele», «wenige»

	Plural
Nom.	viele Leute
Akk.	viele Leute
Dat.	vielen Leuten
Gen.	vieler Leute

1. Les terminaisons des adjectifs et pronoms indéfinis sont les mêmes que celles de l'adjectif sans article au pluriel (voir § 39 II). On les emploie pour la plupart au pluriel:
Es gibt *viele Probleme* in der Landwirtschaft.
Vor *einigen chemischen Substanzen* muss gewarnt werden.
Andere Mittel können ohne Schaden für die menschliche Gesundheit verwendet werden.
Nach dem Streit verließen *einige* den Raum, *andere* diskutierten weiter.
Einzelne teilten die Ansicht des Redners, *mehrere* waren dagegen.
Das Urteil *einiger* wiegt oft schwerer als die Einwände *vieler.*

2. a) *ander-, einzeln-* et *folgend-* adjectifs peuvent aussi être employés au singulier.
    Ich habe einen *anderen* Film gesehen.
    Er erzählte den *folgenden* Witz
    Wir müssen jeden *einzelnen* Fall diskutieren.

    b) On emploie les formes neutres du singulier *anderes* (nom., acc.), *anderem* (dat.), *einiges, einigem, vieles, vielem, weniges, wenigem* quand le contexte leur confère un sens:
    Vieles war noch zu besprechen.
    Sie war nur mit *wenigem* einverstanden.

3. Les formes non déclinées *mehr, viel, wenig* sont employées au singulier avec des substantifs sans article (voir § 3 III et § 39 IV):
    Er hatte nur sehr *wenig Geld.*
    Kinder sollten *mehr Obst* essen.

4. La forme non déclinée *mehr* est placée devant un substantif au pluriel. Il s'agit le plus souvent d'une comparaison (voir § 31 II et § 40 III):
    Es werden *mehr Ärzte* ausgebildet, als gebraucht werden.

Remarques

1. La forme *anders* (adverbe) répond à la question *wie?*:
    Sie kleidet sich jetzt *anders* als früher.

2. Ne confondez pas *anders* et *anderes*.
    Was meinst du eigentlich? Neulich hast du die Sache *anders* erklärt. (= Wie?)
    Tatsächlich ist aber etwas *anderes* geschehen. (= Was?)

4 Mettez la terminaison qui convient aux pronoms donnés entre parenthèses.

1. a) Er hatte sich mit … … zusammengetan und Lotto gespielt. (einige andere)   b) Die Gruppe hat gewonnen; was machen sie jetzt mit dem … Geld? (viel)
2. a) Er hat eine Briefmarkensammlung mit sehr … Marken. (viel)
    b) … Stücke sind … als 500 Euro wert. (einige / mehr)
3. a) Sie hat … exotische Pflanzen in ihren Garten eingepflanzt. (viel)
    b) Mit … hat sie Glück gehabt, sie sind gut angewachsen; mit … … hat sie weniger Glück, sie wollen nicht recht wachsen. (einige / einige andere)

4. a) Die Zollbeamten untersuchten jeden … Koffer der Schauspielerin. (einzeln) b) Bei … Leuten waren sie wieder nicht so genau. (andere)
5. a) Die Einwohnerzahlen … Bundesländer in Deutschland sind in letzter Zeit gestiegen. (viel) b) Die Einwohnerzahlen … … Länder sind jedoch gefallen. (einige wenige)

§ 38   Les numéraux

I   Les nombres cardinaux

1. L'article indéfini *ein, -e, ein* peut être employé comme nombre. Il est accentué dans la langue parlée:
   Hinter dem Sportplatz steht nur noch *ein* Haus.
   Ich habe *einen* Zentner Kartoffeln gekauft, nicht zwei.

2. Le nombre cardinal *eins* suit la même déclinaison que l'article défini:
   Nur *einer* von zehn Schülern war anwesend.
   Mit nur *einem* allein kann man keinen Unterricht machen.

3. Si le nombre *eins* est employé avec l'article défini, la terminaison est la même que celle de l'adjectif précédé de l'article défini:
   Nach dem Streit sprach *der eine* nicht mehr mit *dem anderen.*
   Im Gegensatz zu *dem einen* wird oft *der andere* genannt. (lower case!)

4. a) Les nombres cardinaux *zwei* et *drei* ne sont déclinés qu'au génitif et au datif:
   Wir begrüßen die Anwesenheit *zweier / dreier* Präsidenten.
   Sie hatte viele Enkel: mit *zweien / dreien* hatte sie ständig Kontakt.

   b) Les nombres cardinaux suivants jusqu'à 999 999 ne sont pas déclinés.

5. Les nombres cardinaux peuvent être employés comme substantifs. On les écrit alors avec une majuscule:
   Eine Null hinter einer Ziffer bedeutet einen Zehnerabstand.
   Der Schüler bekam *eine Eins* für seine Arbeit.
   Die Zehn hält da hinten. (Straßenbahn)

6. On écrit également avec une majuscule *eine Million, zwei Millionen; eine Milliarde, -n; eine Billion, -en:*
   Bei dem Geschäft hat er *eine Million* verdient.

Remarques

1. *beide, beides* correspond au nombre *zwei.* Il permet de se référer à des personnes ou des choses *(beide)* ou à un contexte *(beides)* déjà mentionnés. Les terminaisons sont les mêmes que celles de l'article défini:
   Ich habe mit dem Personalchef und dem Abteilungsleiter gesprochen; *beide* haben mir die Stellung zugesagt.
   Die Politik unserer Partei war schwankend, das Wahlergebnis war schlecht; *beides* enttäuschte mich sehr.

2. *ein Paar* (majuscule) s'emploie pour *deux* personnes ou *deux* choses formant un couple ou une paire:
Die beiden heiraten heute; sie sind *ein hübsches Paar.*

ein paar (minuscule) s'emploie pour des personnes ou des choses avec le sens de *einige:*
Ich habe für den Balkon *ein paar* Blumen gekauft.

3. *Douze* personnes ou choses de même nature forment *ein Dutzend:*
Ein Dutzend Eier sind zwölf Eier.

4. *Hunderte, Tausende* etc. (= multiple du chiffre 100 ou 1000) peuvent être employés comme substantifs et déclinés:
Seit dem Erdbeben leben noch *Hunderte* in Baracken.
Zum Oktoberfest kommen *Tausende* nach München.
Bei der nächsten Demonstration rechnet die Polizei mit *Zehntausenden.*

5. Les nombres se terminant par *-er* sont déclinables:
Für den Automaten fehlt mir *ein Zehner.* (= 10 Cent oder 10 Euro)
Man spricht oft von dem raschen Wirtschaftswachstum *in den Fünfzigern.*
in den fünfziger / 50er Jahren / Fünfzigerjahren)
Bewundernswert war die sportliche Leistung eines *Achtzigers.* (= eines Mannes zwischen 80 und 90 Jahren)

6. On peut également, pour indiquer le nombre de personnes, utiliser la construction *zu -t:*
Gestern waren wir *zu viert* im Kino.
Meiers fahren dieses Jahr nicht mit der ganzen Familie, sondern nur *zu zweit* in Urlaub.

Exemples pour l'emploi oral des nombres cardinaux

1. l'heure

9.00	se dit:	neun Uhr
8.45		acht Uhr fünfundvierzig
		ou: Viertel vor neun
13.30		dreizehn Uhr dreißig
		ou: halb zwei (= nachmittags)
14.50		vierzehn Uhr fünfzig
		ou: zehn (Minuten) vor drei (= nachmittags)

2. la monnaie

der Euro (€)	17,11 € = siebzehn Euro elf
der Cent, -s	
der Schweizer Franken (SF)	6,10 SF = sechs Franken zehn
der Rappen	

		Autres exemples:
200,— €	se dit:	zweihundert Euro
2,98 €		zwei Euro achtundneunzig
—,55 €		fünfundfünfzig Cent(s)

3. les températures

14°C	se dit:	vierzehn Grad Celsius
0°		null Grad
2°–		zwei Grad minus
2°+		zwei Grad plus
29,9°C		neunundzwanzig Komma neun Grad Celsius

4. les opérations

2 + 2 = 4	se dit:	zwei plus / und zwei ist / gleich vier
3 – 2 = 1		drei minus / weniger zwei ist / gleich eins
3 x 3 = 9		drei mal drei ist / gleich neun
21 : 7 = 3		einundzwanzig dividiert / geteilt durch sieben ist / gleich drei

5. les années

im Jahr(e) 33 v. Chr.	se dit:	dreiunddreißig vor Christus
im Jahr 1024 n. Chr.		(ein)tausendvierundzwanzig nach Christus
1492		vierzehnhundertzweiundneunzig
1800		achtzehnhundert
1984		neunzehnhundertvierundachtzig
2000		zweitausend

Remarque

Pour indiquer les années, on emploie en allemand ou bien le nombre seul ou on le fait précéder de *im Jahr(e)*. La terminaison *-e* est une ancienne forme de datif qui est facultative (voir § 60 IV, Remarque).

II Les nombres ordinaux

1. On peut écrire les nombres ordinaux ou en chiffres + point (*der 2.*) ou en lettres (*der zweite*). On les lit et on les prononce toujours avec la terminaison correspondante de l'adjectif (voir § 39 I).

2. *der wievielte?* sert à poser une question sur un nombre ordinal.

3. Les nombres ordinaux de 2 à 19 sont formés avec *-t* (également de 102 à 119 et de 1002 à 1019 etc.); tous les autres formés avec *-st*. *Der, die, das erste, der, die, das dritte* et *der, die, das achte* sont des irrégularités.

der, die, das	*erste*	der, die, das	zwanzigste
	zweite		einundzwanzigste
	dritte		…
	vierte		hundertste
	…		hundert*erste*
	siebente (oder: siebte)		hundert*zweite*
	achte (nur ein *t*)		…
	…		hundertdreißigste
	neunzehnte		tausendste
			tausend*erste*
			…
			tausenddreißigste

4. Les nombres ordinaux suivent la déclinaison de l'adjectif (voir § 39).

   a) avec un substantif:
   Ich habe heute *mein zweites Examen* bestanden.
   Sie arbeitet mit *ihrem dritten Chef* genauso gut zusammen wie mit
   ihrem ersten und *zweiten* (Chef).

   b) sans article ni substantif:
   Beim Pferderennen wurde er *Erster*.
   Sein Konkurrent kam erst als *Dritter* durchs Ziel.

   c) dates:
   Der 2. Mai (= der zweite Mai) ist kein Feiertag.
   Er kommt *am Freitag, dem 13.* (= dem Dreizehnten)
   Wir haben heute *den 7. Juli* (= den siebten Juli)
   en-tête de lettre: Frankfurt am Main, den 20.8.1984
   (= den Zwanzigsten Achten...)
   Heute habe ich Ihren Brief vom 28.8. (= vom Achtundzwanzigsten Achten)
   dankend erhalten.

   d) chiffres romains
   Karl I. (= Karl der Erste) wurde im Jahr 800 zum Kaiser gekrönt.
   Unter Kaiser *Karl V.* (= Karl dem Fünften) waren Deutschland und
   Spanien vereint.

5. les nombres ordinaux sans terminaison après *zu* servant à indiquer un nombre de personnes:
   Zu meinem Geburtstag waren wir nur *zu dritt*.
   Er brachte seine gesamte Familie mit; sie waren *zu sechst*.

6. les nombres ordinaux sans terminaison avec un superlatif:
   Der *zweitschnellste* Läufer kam aus Argentinien.
   Die besten Skiläufer kamen aus Österreich, die *drittbesten* aus Schweden.

Remarques

1. On emploie *der erste* au début d'une liste, *der letzte* à la fin:
   Die ersten Besucher bekamen gute Plätze, *die letzten* mussten stehen.

2. Afin de différencier deux personnes ou deux choses du même genre citées dans la phrase précédente, on emploie *der Erstere* et *der Letztere* (aussi au pluriel):
   Der Geselle und der Meister stritten sich. *Der Erstere* fühlte sich unterdrückt,
   der Letztere (fühlte sich) ausgenutzt.

III Autres numéraux

1. **Les fractions** indiquent une partie d'un tout.

   a) La moitié d'un tout est *ein halb*:
   $\frac{1}{2} \cdot \frac{1}{2} = \frac{1}{4}$ (ein halb mal ein halb ist ein viertel)
   adjectif: Ein *halbes* Kilo Kirschen, bitte.
   nombre + fraction: Wir müssen noch ca. *viereinhalb* Kilometer laufen.

Er war *anderthalb* Jahre in Persien.
(= *ein und ein halbes Jahr*)

b) Les autres fractions sont formées avec le nombre ordinal suivi de *-el*. Elles ne sont pas déclinées:

substantif: Ich gebe *ein Drittel* meines Gehalts für Miete aus.
Ein Fünftel der Einwohner sind Bauern.

nombre + substantif: Sie bearbeitet ein Maschinenteil in einer *achtel* Minute.
Die letzte *viertel* Stunde (oder: Viertelstunde) war quälend.

nombre + fraction: Er lernte die Sprache in einem *dreiviertel* Jahr.
Er siegte mit einem Vorsprung von *fünf achtel* Sekunden.

2. Pour **désigner l'ordre** d'une liste on emploie des adverbes formés du nombre ordinal suivi de *-ens*. Ils ne sont pas déclinables.

énumération en chiffres: Bei uns herrscht Chaos:
1. Die Waschmaschine ist ausgelaufen.
2. Ich habe meinen Autoschlüssel verloren.
3. Morgen kommt Tante Emma!

dans un texte: Bei uns herrscht Chaos. Erstens ist die Waschmaschine ausgelaufen, zweitens habe ich meine Autoschlüssel verloren und zu allem Unglück kommt drittens morgen Tante Emma!

Ordre des mots: 1., 2., 3., etc écrits en chiffres se placent d'ordinaire avant la phrase. En mots, *erstens, zweitens* ... font partie intégrante de la phrase. Ils occupent généralement la première position.

3. Pour **répondre** à la question *wie oft? wievielmal?* on emploie un adverbe non déclinable formé du nombre cardinal + *-mal* ou bien d'un adjectif formé du nombre cardinal + *-malig* + terminaison de l'adjectif:

adverbe: Ich bin ihm nur *einmal* begegnet.
Wir haben bei euch schon *fünfmal* angerufen.

adjectif: Das war eine *einmalige* Gelegenheit.
Nach *viermaliger* Behandlung war der Patient geheilt.

Remarques

a) Après *einmal* on continue souvent à compter avec un nombre ordinal suivi de *-mal* ou *Mal*:
Wir klingelten einmal, dann zum zweiten Mal, aber erst beim dritten Mal machte jemand die Tür auf.

b) Pour exprimer la répétition, on emploie des numéraux indéterminés: *vielmals, mehrmals, oftmals*:
Ich bitte *vielmals* um Entschuldigung.
Im Kaufhof ist schon *mehrmals* eingebrochen worden.

4. Pour exprimer la multiplicité se présentant toujours sous une même forme, on emploie les nombres cardinaux + -fach. On peut les employer comme adverbe (non déclinable) ou comme adjectif (décliné):

adverbe: Die Tür ist *dreifach* gesichert.
adjectif: Man muss den Antrag in *fünffacher* Ausfertigung vorlegen.

Remarques

a) Double s'exprime par *doppelt*:
   Wir müssen *doppelt* so viel arbeiten wie die anderen.
   Das nützt nichts, das bringt nur *doppelten* Ärger.

b) Pour exprimer une multiplicité indéterminée, on emploie *mehrfach, vielfach*:
   Man kann Kohlepapier *mehrfach* benutzen.

c) *vielfältig* permet de mettre en relief la manière:
   Er erhielt eine *vielfältige* Ausbildung.

5. Les nombres cardinaux + -erlei permettent de désigner deux espèces ou deux possibilités. Ils ne sont pas déclinables:
   Der Schrank ist aus *zweierlei* Holz gebaut.
   Es gibt *hunderterlei* Möglichkeiten eine Lösung zu finden.

Remarque

einerlei a deux sens:
Das ist mir *einerlei*. (= égal, indifférent)
Hier gilt *einerlei* Recht. (= le même, un seul)

1   Comparez les chiffres

D signifie Allemagne, A Autriche et CH Suisse. Tous les chiffres ont été arrondis vers le haut. (km² = Quadratkilometer = kilomètre carré)

	D	A	CH
Fläche in 1000 km²	357	84	41,3
Einwohner in Mill.	82	8	7,2
Einwohner pro km²	230	95	174
Ausländer in Mill.	7,3	0,7	1,4
Ausländer im Verhältnis zur Gesamtbevölkerung	8,9 %	9,3 %	19,8 %

Lisez le tableau ci-dessus à voix haute de la manière suivante:
Deutschland hat eine Fläche von dreihundertsiebenundfünfzigtausend Quadratkilometern und ... Millionen Einwohner, das sind ... pro ...; es leben sieben Komma drei Millionen Ausländer in Deutschland, d.h. auf hundert Einwohner kommen mehr als acht Ausländer.

2 Flächen

> (D) ist fast (9) ... wie die Schweiz.
> *Deutschland ist fast neunmal so groß wie die Schweiz.*

1. (CH) ist rund (1/9) ... (D).
2. (A) ist rund (1/4) ... (D).
3. (A) ist mehr als (2) ... (CH).
4. (CH) ist weniger als (1/2) ... (A).
5. (D) ist etwa (4) wie (A).

3 Einwohnerzahlen

> Verglichen mit (CH) hat (D) fast die (12) ... Einwohnerzahl.
> *Verglichen mit der Schweiz hat Deutschland fast die zwölffache Einwohnerzahl.*

1. ... (A) ... (D) ... (10). 2. ... (A) ... (CH) ... (1) (fast die gleiche).

4 Bevölkerungsdichte

> Die Bevölkerungsdichte in (D) ist etwa (2,5) ... (A).
> *Die Bevölkerungsdichte in Deutschland ist etwa zwei Komma fünf mal so groß wie in Österreich.*

1. ... (CH) ... (1,8) ... (A). 2. ... (D) ... (über 1,3) ... (CH).

5 Zahl der Ausländer im Verhältnis zur Gesamteinwohnerzahl

> In (D) ist jeder (11) ein Ausländer.
> *In Deutschland ist jeder Elfte ein Ausländer.*

1. (A) (11)   2. (CH) (5)

6 Zahl der Ausländer im Vergleich

> Wie viel mehr Ausländer gibt es in Deutschland,
> a) verglichen mit Österreich, b) verglichen mit der Schweiz?

7 Große Städte im deutschsprachigen Raum (in Tausend)

Bundesrepublik Deutschland		Schweiz	
Berlin	3475	Zürich	343
Hamburg	1702	Basel	175
München	1255	(Genf*)	173
Köln	962	Bern	128
Frankfurt am Main	660		
Essen	622		
Dortmund	602		
Stuttgart	594	*Österreich*	
Düsseldorf	575	Wien	1539
Bremen	552	Graz	238
Duisburg	537	Linz	203

Hannover	525	Salzburg	144
Nürnberg	499	Innsbruck	118
Leipzig	491		
Dresden	479		

(* im französischen Sprachgebiet)

Lisez le tableau ci-dessus à voix haute. Citez les chiffres avec les centaines. P. ex.:

Zürich hat dreihundertdreiundvierzigtausend Einwohner.

8 Wie heißen die drei größten Städte der angeführten drei Staaten?

Die größte Stadt Österreichs ist Wien, die zweitgrößte ist ...,

9 An wievielter Stelle der Städte des Landes stehen:

München und Köln?
München und Köln stehen an der dritten und vierten Stelle der Städte in der Bundesrepublik.

1. Dortmund und Düsseldorf?
2. Bern?
3. Salzburg und Innsbruck?
4. Wien und Graz?
5. Leipzig und Dresden?

10 Basel ist die zweitgrößte Stadt der Schweiz.

Und Bern? Stuttgart? Leipzig? Salzburg? Innsbruck? Dresden? Essen? Graz?

11 Vergleichen Sie die Größe der angebenen Städte.

Hamburg – Stuttgart
Hamburg ist ungefähr dreimal so groß wie Stuttgart.

1. Zürich – Basel
2. Köln – Nürnberg
3. Frankfurt – Zürich
4. Berlin – Dortmund
5. Köln – Graz
6. Wien – Innsbruck

12 Complétez.

Die Einwohnerzahlen (2) ... Städte in der Bundesrepublik sind ungefähr gleich groß: Frankfurt und Essen. Erst_ hat ..., Letzt_ ... Einwohner.
Nennen Sie die Einwohnerzahlen (3) ... Städte in Österreich. Stuttgart und München sind Großstädte in Süddeutschland; Erst_ ist die Hauptstadt des Landes Baden-Württemberg, Letzt_ ist die Hauptstadt des Landes Bayern.

13 Faites l'exercice d'après l'exemple suivant. N'employez pas les mots en italique.

eine Briefmarke *für* 80 *Cent*   eine achtziger Briefmarke
eine *Frau von* neunzig *Jahren*   eine Neunzigerin

1. eine 40-*Watt*-Birne
2. eine 100-*Watt*-Birne
3. ein Wein *aus dem Jahr* 82
4. ein rüstiger *Mann von 80 Jahren*
5. eine freundliche *Dame von 70 Jahren*
6. eine Buskarte, *mit der man* sechs*mal fahren kann*
7. ein Fünf-*Cent-Stück*
8. ein Zwanzig-*Euro-Schein*
9. die Jahre *von 70 bis 79*
10. ein *Tennisspiel zu* viert
11. ein *Kanu für* zwei *Personen*

14 Complétez suivant le sens; -erlei (z. B. dreierlei), -fach (z. B. sechsfach), -mal (z. B. zigmal).

1. Bei Ihrer Reise gibt es (viel) … zu bedenken: Sie benötigen einen Impfschein in (3) … Ausfertigung. (3) … müssen Sie bedenken: 1. Die Reise birgt (1000) … Gefahren. 2. Das Benzin ist dort (1 ½) … so teuer wie bei uns. 3. Sie bekommen (kein) … Ersatzteile.
2. In diesem vornehmen Hotel zahlst du bestimmt das (3) … für die Übernachtung. (10) … Menüs stehen auf der Speisekarte.
3. Wenn du mich besuchen willst, musst du (2) … an der Haustür klingeln. Das erzähle ich dir jetzt schon zum (3) … .
4. Der Trapezkünstler im Zirkus machte einen (3) … Salto. Nach (all-) … Kunststücken ließ er sich ins Netz fallen.
5. Auf (viel) … Wunsch wiederholen wir heute das Konzert vom Sonntag.
6. Ich habe nun schon (zig) … versucht dich zu erreichen; wo warst du bloß so lange?
7. Wenn du so umständlich arbeitest, brauchst du die (3) … Zeit.
8. Die Bluse gibt es in (2) … Ausführung: mit kurzem und mit langem Arm.

15 Lisez l'exercice suivant à voix haute et complétez avec les terminaisons manquantes.

1. Bitte schicken Sie mir die Unterlagen bis spätestens Donnerstag, d_ 8.4.
2. Ostern ist ein beweglicher Feiertag. 1983 fiel Ostern auf d_ 11./12.4.
3. Weihnachten hingegen ist immer a_ 25./26.12.
4. Hamburg, d_ 28.2.1996
5. Vielen Dank für Ihren Brief v_ 28.2.!
6. Heute ist d_ 1. Mai!
7. Auf d_ 1. Mai haben wir uns schon gefreut.
8. In der Zeit v_ 27.12. bis 2.1. bleibt unser Geschäft geschlossen.

16 Lisez à voix haute.

1. Karl V., ein Enkel Maximilians I., wurde 1520 in Aachen zum Kaiser gekrönt.
2. Ludwig XIV. ließ das Schloss von Versailles bauen. Viele deutsche Fürsten richteten sich in ihrem verschwenderischen Lebensstil nach Ludwig XIV.
3. Der Preußenkönig Friedrich II., ein Sohn Friedrich Wilhelms I. und Enkel Friedrichs I., erhielt später den Beinamen „der Große".
4. Mit 361 gegen 360 Stimmen des Konvents verurteilte man Ludwig XVI. 1793 zum Tode.

17 Lisez les heures indiquées ci-dessous, de deux manières différentes:

17.30   12.20   9.15   11.50   23.57   19.45   14.40
0.03   0.45

18 Lisez les sommes en Euro à voix haute:

17,20   9,75   376,88   1 022,07   536 307,–   1 054 940,–

19 Faites les calculs suivants en lisant les opérations à voix haute:

$4 + 7 = ...$ $17 – 8 = ...$ $9 \times 17 = ...$ $67 \times 44 = ...$
$9 – 5 = ...$ $86 + 14 = ...$ $84 : 12 = ...$ $99 : 11 = ...$

20 Lisez le texte suivant à voix haute. Aidez-vous de l'exemple III/2 pour énumérer dans la phrase:

... entzogen, weil er erstens zu ..., (er) zweitens ...

Ihm wurde der Führerschein entzogen. Gründe:
1. Er war zu schnell gefahren.
2. Er hatte 0,4 Promille Alkohol im Blut.
3. Er hatte die Kreuzung bei Rot überfahren.
4. Er hatte sechs andere Fahrzeuge beschädigt.

§ 39   Déclinaison de l'adjectif

Comme en français, l'adjectif qualificatif en allemand peut être employé soit comme épithète (*die dunkle Straße*) soit comme attribut (*Die Straße ist dunkel*). Employé comme attribut, il est toujours invariable. Employé comme épithète, il se décline. En français, l'adjectif épithète peut se placer avant ou après le nom. En allemand, il se place toujours avant le substantif.

I Déclinaison avec l'article défini

	maskulin	*feminin*	*neutral*
Sg. Nom.	der *junge* Mann	die *junge* Frau	das *kleine* Kind
Akk.	den jungen Mann	die *junge* Frau	das *kleine* Kind
Dat.	dem jungen Mann	der jungen Frau	dem kleinen Kind
Gen.	des jungen Mannes	der jungen Frau	des kleinen Kindes
Pl. Nom.	die jungen Männer	die jungen Frauen	die kleinen Kinder
Akk.	die jungen Männer	die jungen Frauen	die kleinen Kinder
Dat.	den jungen Männern	den jungen Frauen	den kleinen Kindern
Gen.	der jungen Männer	der jungen Frauen	der kleinen Kinder

1. Les cinq formes en caractères gras de l'adjectif au singulier ont la terminaison *-e*, toutes les autres se terminent par *-en*. Au pluriel, toutes les formes se terminent par *-en*.

2. On peut trouver à la place de l'article (voir § 36 et § 37):
   dieser, diese, dieses; plural: diese
   Dies*es* schön*e* Haus wurde um 1900 gebaut.

   jener, jene, jenes; pluriel: jene
   Jen*e* wirtschaftlich*en* Probleme, die wir diskutiert haben, sind noch ungelöst.

   jeder, jede, jedes; pluriel: alle
   Jed*er* dritt*e* Teilnehmer musste wegen Grippe zu Hause bleiben.
   All*e* abwesend*en* Teilnehmer erhalten das Protokoll per Post.

   mancher, manche, manches; pluriel: manche
   Manch*er* alt*e* Rentner bekommt zu wenig Geld.

   solcher, solche, solches; pluriel: solche
   Mit solch*em* alt*en* Werkzeug kann man nicht arbeiten.

   welcher, welche, welches; pluriel: welche
   Welch*es* englisch*e* Wörterbuch möchtest du dir kaufen?

   derjenige, diejenige, dasjenige; pluriel: diejenigen
   Diejenig*en* ausländisch*en* Studenten, die eingeschrieben sind, möchten sich bitte im Zimmer 6 melden.

   derselbe, dieselbe, dasselbe; pluriel: dieselben
   Jeden Morgen steht derselb*e* rothaarig*e* Polizist an der Ecke.

   beide peut remplacer l'article défini ou bien être employé comme adjectif avec l'article défini:
   Beid*e* alt*en* Leute sind am gleichen Tag gestorben.
   Die beid*en* alt*en* Leute waren fünfzig Jahre verheiratet.

   sämtliche (= *alle*), *irgendwelche* sont généralement employés au pluriel:
   Wir haben sämtlich*e* undicht*en* Fenster erneuert.
   Hast du noch irgendwelch*e* alt*en* Sachen für das Rote Kreuz?

Remarques

1. *All-, sämtlich-, irgendwelch-* peuvent remplacer l'article défini devant un adjectif substantivé ou un substantif sans article (voir § 37 II 3):
   all*es* Gut*e*, all*er* grau*e* Beton, mit sämtlich*em* schwer*en* Gepäck, irgendwelch*es* unbrauchbar*e* Zeug

2. *einig-* peut aussi être employé de cette manière mais seulement au singulier (pluriel, voir § 37 II):
   einiges Wesentliche, nach einiger großen Anstrengung

3. Quelques particularités avec l'emploi de l'adjectif:

   a) adjectifs se terminant par *-el* (voir § 40 III 2. Remarque 4):
      dunkel   mais: die dun*k*le Straße
      edel   ein e*dl*er Wein

| eitel | ein ei*tles* Mädchen |
| nobel | ein no*bles* Geschäft |

b) adjectifs se terminant par -er (voir § 40 II 2. Remarque 4):

sauer	mais:	der sau*re* Apfel
teuer		ein teu*res* Auto
par contre:		
bitter		ein bitt*erer* Geschmack
finster		ein finst*erer* Tunnel

c) hoch   mais: ein ho*hes* Gebäude

d) Les adjectifs se terminant par -a ne sont pas déclinés:
eine ros*a* Blume, ein lil*a* Kleid
eine prim*a* Idee

e) Les adjectifs dérivés de noms de ville se terminent par -er. Ils ne sont pas déclinés
et prennent toujours une majuscule:
der Hamburg*er* Hafen, in der Berlin*er* S-Bahn, zum New York*er* Flughafen
Voir aussi: der Schweiz*er* Käse, die Schweiz*er* Banken

1 Complétez en ajoutant les terminaisons.

1. der freundlich_ Herr; die alt_ Dame; das klein_ Mädchen
2. wegen des freundlich_ Herrn; wegen der alt_ Dame; wegen des
klein_ Mädchens
3. mit dem freundlich_ Herrn; mit
der alt_ Dame; mit dem klein_
Mädchen
4. ohne den freundlich_ Herrn; ohne
die alt_ Dame; ohne das klein_
Mädchen

5. dieser alt_ Esel; jene klein_ Hexe;
manches groß_ Kamel; wegen ...;
von ...; für ...
6. dieser dunkl_ Wald; jene nass_
Wiese; das tief_ Tal; oberhalb ...;
gegenüber ...; durch ...
7. der teur_ Mantel; die golden_ Hals-
kette; das wertvoll_ Schmuckstück;
statt ...; mit ...; ohne ...
8. derselbe frech_ Junge; dieselbe mu-
tig_ Frau; dasselbe vergesslich_
Mädchen; wegen ...; bei ...; für ...

2 Complétez en ajoutant les terminaisons.

1. die link_ Politiker; trotz der ...; von
den ...; über die ...
2. die recht_ Parteien; wegen der ...;
mit den ...; ohne die ...
3. die schwer_ Lastwagen; infolge der
...; zwischen den ...; durch die ...

4. die zu eng_ Schuhe; trotz der ...;
mit den ...; ohne die ...
5. sämtliche jung_ Männer; trotz ...;
von ...; gegen ...
6. beide alt_ Freunde; von ...; mit ...;
für ...

3 Mettez l'exercice 1 au pluriel et l'exercice 2 au singulier, à tous les cas.

II Déclinaison avec l'article indéfini

	maskulin	feminin	neutral
Sg. Nom.	ein **junger** Mann	eine **junge** Frau	ein **kleines** Kind
Akk.	einen jungen Mann	eine **junge** Frau	ein **kleines** Kind
Dat.	einem jungen Mann	einer jungen Frau	einem kleinen Kind
Gen.	eines jungen Mannes	einer jungen Frau	eines kleinen Kindes
Pl. Nom.	junge Männer	junge Frauen	kleine Kinder
Akk.	junge Männer	junge Frauen	kleine Kinder
Dat.	jungen Männern	jungen Frauen	kleinen Kindern
Gen.	junger Männer	junger Frauen	kleiner Kinder

1. Il suffit de retenir les cinq formes de l'adjectif en caractères gras, toutes les autres se terminent par -en.
   Le pluriel s'emploie sans article mais l'adjectif prend la déclinaison de l'article défini:

   nom.: -e (die)   acc.: -e (die)   dat.: -en (den)   gén.: -er (der)

2. Après les nombres cardinaux on emploie la déclinaison de l'adjectif sans article au pluriel:
   Zwei kleine Kinder spielen im Hof.
   Ich habe dir *drei* neue Zeitschriften mitgebracht.

3. Les numéraux suivants suivent également la déclinaison de l'adjectif sans article au pluriel: *andere, einige, etliche, folgende, mehrere, verschiedene, viele, wenige*:

   singulier:
   mit *einem* netten Freund
   das Ergebnis *einer* langen Besprechung
   ein alter Baum

   pluriel:
   mit *anderen* netten Freunden
   das Ergebnis *einiger* langer Besprechungen
   viele alte Bäume

4 Utilisez les prépositions suivantes et complétez alors avec la désinence du cas qui convient.

   wegen (+ Gen.) ...; außer (+ Dat.) ...; durch (+ Akk.) ...
   1. ein treu_ Hund;
   2. ein tief_ Tal (n);
   3. ein falsch_ Pass;
   4. eine gefährlich_ Kurve (f);
   5. ein zerbrochen_ Glas;
   6. eine gut_ Freundin;
   7. ein wichtig_ Brief

5 Faites l'exercice d'après le modèle suivant:

   A: *Ein zerbrochener Spiegel!*
   B: *Was soll ich denn mit einem zerbrochenen Spiegel?*
   Einen zerbrochenen Spiegel kann ich doch nicht gebrauchen!

   1. ein zerrissen_ Tischtuch
   2. ein kaputt_ Auto
   3. ein defekt_ Fernseher
   4. ein wacklig_ Stuhl

5. ein abgetreten_ Teppich (m)
6. eine durchgebrannt_ Birne (f)
7. eine ungenau gehend_ Uhr
8. ein verbogen_ Fahrrad

9. ein uralt_ Kinderwagen
10. ein stumpf_ Messer (n)
11. ein alt_ Wecker (m)
12. ein veraltet_ Lexikon (n)

6 Complétez en ajoutant les terminaisons qui conviennent.

1. mit ein_ interessant_ Bericht (m)
2. für ein schön_ Erlebnis
3. ohne ein_ freundlich_ Gruß (m)
4. außer ein_ klein_ Kind
5. während ein_ gefährlich_ Fahrt
6. mit ein_ tüchtig_ Angestellten (f)
7. gegen ein_ stärker_ Gegner
8. durch ein_ älter_ Arbeiter
9. mit ein_ zuverlässig_ Freund
10. außer ein_ alt_ Regenschirm (m)
11. statt ein_ freundlich_ Wortes

12. ein höflich_ Mensch
13. wegen ein_ schwer_ Unfalls
14. infolge ein_ leicht_ Verletzung
15. mit ein_ hilfsbereit_ Schüler
16. ohne ein_ schwer_ Fehler
17. mit ein_ klein_ Pause (f)
18. durch ein_ stark_ Schlag (m)
19. für ein_ gut_ Zweck (m)
20. infolge ein_ stark_ Sturms (m)
21. ein intelligent_ Junge
22. ein klug_ Mädchen

7 Mettez les exemples des exercices 5 et 6 au pluriel.

8 Singulier et pluriel – Faites l'exercice à deux d'après le modèle suivant: A lit la première phrase; B donne une réponse possible, p. ex.: *in der Campingabteilung / im 3. Stock, etc. ...*

elektrisch / Kaffeemaschine (f)
A: *Ich möchte bitte eine elektrische Kaffeemaschine.*
B: *Elektrische Kaffeemaschinen gibt es in der Haushaltsabteilung.*

1. tragbar / Fernseher (m)
2. vollautomatisch / Waschmaschine (f)
3. unzerbrechlich / Milchflasche (f)
4. waschbar / Schaffell (n)
5. einbändig / Wörterbuch (n)
6. rund / Tischtuch (n)

7. wasserdicht / Taschenlampe (f)
8. lila (!) / Möbelstoff (m)
9. rosa (!) / Handtuch (n)
10. bunt / Kopftuch (n)
11. echt / Perlenkette (f)
12. dreiflammig / Gasherd (m)

III Déclinaison avec l'adjectif possessif

	maskulin		feminin		neutral	
Sg. Nom.	mein	*alter* Freund	meine	*alte* Freundin	mein	*altes* Auto
Akk.	meinen	alten Freund	meine	*alte* Freundin	mein	*altes* Auto
Dat.	meinem	alten Freund	meiner	alten Freundin	meinem	alten Auto
Gen.	meines	alten Freundes	meiner	alten Freundin	meines	alten Autos
Pl. Nom.	meine	alten Freunde	meine	alten Freundinnen	meine	alten Autos
Akk.	meine	alten Freunde	meine	alten Freundinnen	meine	alten Autos
Dat.	meinen	alten Freunden	meinen	alten Freundinnen	meinen	alten Autos
Gen.	meiner	alten Freunde	meiner	alten Freundinnen	meiner	alten Autos

1. Les formes de l'adjectif au pluriel sont les mêmes que celles de l'article indéfini. Au pluriel, toutes les formes se terminent par -en.

2. *kein, keine, kein*; pluriel: *keine* suit la même déclinaison que celle de l'adjectif possessif.

Das ist keine besondere Neuigkeit.   Das sind keine besonderen Neuig-
                                             keiten.

Wir brauchen kein neues Fahrrad.   Wir brauchen keine neuen Fahrräder.

9 Formez des questions. Complétez, si nécessaire, en ajoutant les terminaisons qui conviennent et donnez une réponse.

Wo ist denn dein_ alt_ Fernseher?
A: Wo ist denn dein alter Fernseher?
B: Meinen alten Fernseher habe ich verschenkt.

La question a un caractère moins direct si vous la posez ainsi:
Wo ist eigentlich dein alter Fernseher geblieben?

Wo ist... / Wo sind...

1. mein_ alt_ Fahrrad?
2. dein_ gestreift_ Kleid?
3. euer_ wertvoll_ Teppich?
4. eur_ chinesisch_ Vase (f)?
5. Ihr krank_ Hund?

6. eur_ gestrig_ Zeitung?
7. Ihr_ herrlich_ Bilder?
8. dein zweit_ Auto?
9. Ihr_ antik_ Tischlampe?

10 A l'aide du schéma suivant formez des questions et trouvez une réponse possible.

Was hast du		mein_	elegant_ Wagen (m)	
		dein_	schnell_ Motorrad (n)	
Was habt ihr	mit	sein_	alt_ Wohnung (f)	
		ihr_	viel_ Geld (n)	
			früher_ Vertrag (m)	gemacht?
Was haben sie		unser_	schwarz_ Katze (f)	
	ohne	euer_	alt_ Möbel (Pl.)	
Was haben Sie		Ihr_	selten_ Briefmarken (Pl.)	
			hübsch_ Garten (m)	
			zweit_ Garage (f)	

11 Complétez, si nécessaire, avec les terminaisons au génitif singulier et pluriel.

1. wegen ihr_ frech_ Bemerkung_
2. trotz unser_ wiederholt_ Anfrag_
3. wegen sein_ interessant_ Bericht_
4. trotz sein_ unfreundlich_ Brief_

5. wegen ihr_ krank_ Kind_
6. während unser_ lang_ Reise_
7. wegen sein_ ungenau_ Aussage_ (f)
8. trotz ihr_ hoh_ Rechnung_

IV Déclinaison sans article au singulier

	maskulin	feminin	neutral
Nom.	guter Wein	klare Luft	reines Wasser
Akk.	guten Wein	klare Luft	reines Wasser
Dat.	gutem Wein	klarer Luft	reinem Wasser
Gen.	gut**en** Weines	klarer Luft	rein**en** Wassers

1. L'adjectif sans article suit au singulier la même déclinaison que l'article défini, à l'exception du génitif masculin et neutre (terminaison -en).

2. Les quantités non définies sont souvent employées sans article. On ne peut pas les dénombrer, par conséquent elles n'ont pas de pluriel. En font partie:

   a) les matériaux et les liquides comme *Holz, Eisen, Beton, Wasser, Öl, Benzin* etc. ... (voir § 3 III 2):
   Der Teller ist aus rein*em* Gold.
   Auf dem Bauernhof gibt's frisch*e* Milch.
   Schon der Geruch stark*en* Kaffees belebt mich.

   b) les qualités et sentiments (souvent avec préposition), comme *Mut, Ehrgeiz, Angst* etc., (voir § 3 III 2):
   Alt*e* Liebe rostet nicht.
   Er kämpfte mit groß*em* Mut und zäh*er* Ausdauer für seine Überzeugung.
   Rastlos*er* Ehrgeiz trieb ihn vorwärts.

3. Après les numéraux indéfinis indéclinables *allerlei, etwas, genug, mancherlei, mehr, viel, wenig,* on trouve souvent des quantités indéfinies:
   Im Keller liegt *allerlei* unbrauchbar*es* Zeug.
   Heute trinkt man *mehr* schwarz*en* Tee als früher.
   Ich habe nur noch *etwas* trocken*es* Brot.

4. Après *nichts* et les numéraux cités ci-dessus, *allerlei* etc., on trouve souvent un adjectif substantivé. Celui-ci est décliné et s'écrit avec une majuscule:
   Bei meiner Ankunft habe ich *etwas* Unangenehm*es* erlebt.
   Dabei hatte ich mit *nichts* Bös*em* gerechnet.

Remarque

Certaines quantités indéfinies ont au pluriel le sens de «plusieurs, différentes sortes de», par exemple:
Fette = verschiedene von Tieren oder Pflanzen stammende Fettarten,
       z. B. Butter, Schmalz
Hölzer = verschiedene Holzarten
Weine = Weinsorten

D'autres quantités ont au pluriel un sens très précis, par exemple:
Papiere = Dokumente (Führerschein, Pass etc.)
Gelder = öffentliche Geldzahlungen
Abwässer = schmutziges, verbrauchtes Wasser
Abgase = Rauch oder schädliches Gas

12 Commencez la phrase avec «Hier steht bzw. liegt …»

> *Hier steht kühles Bier.*

1. kühl_ Saft
2. rot_ Wein
3. kalt_ Sekt (m)
4. eisgekühlt_ Wasser
5. echt_ Obstsaft (m)

6. warm_ Milch
7. erfrischend_ Limonade
8. schwarz_ Tee
9. stark_ Kaffee
10. frisch_ Brot

11. lecker_ Kuchen
12. gesalzen_ Butter
13. geräuchert_ Speck (m)
14. kalt_ Braten (m)
15. heiß_ Suppe

13 Reprenez l'exercice 12. Dites ce que vous voudrez offrir ou pas à vos invités, p. ex.: «Ich will sie mit … bewirten …»

> *… mit kühl_ Bier, nicht mit warm_ Milch.*

14 Fordern Sie jetzt Ihre Gäste auf: Bitte, nehmen Sie noch ein Glas (eine Tasse / einen Teller / ein Stück / eine Scheibe) … z. B.

> *… ein Glas kühles Bier!*

La question posée ainsi est plus polie: *Möchten Sie nicht noch ein Glas kühles Bier?*

V Déclinaison sans article au singulier et au pluriel

	maskulin			*feminin*			*neutral*		
Sg. Nom.	Evas	alter	Lehrer	Evas	alte	Lehrerin	Evas	altes	Heft
Akk.	Evas	alten	Lehrer	Evas	alte	Lehrerin	Evas	altes	Heft
Dat.	Evas	altem	Lehrer	Evas	alter	Lehrerin	Evas	altem	Heft
Gen.	–			–			–		
Pl. Nom.	Evas	alte	Lehrer	Evas	alte	Lehrerinnen	Evas	alte	Hefte
Akk.	Evas	alte	Lehrer	Evas	alte	Lehrerinnen	Evas	alte	Hefte
Dat.	Evas	alten	Lehrern	Evas	alten	Lehrerinnen	Evas	alten	Heften
Gen.	–			–			–		

La déclinaison de l'adjectif sans article au singulier et au pluriel n'est employée qu'exceptionnellement. La déclinaison de l'adjectif au pluriel suit celle de l'article indéfini au pluriel. On trouve la déclinaison sans article

a) après un génitif:

Ich habe mir Roberts neues Haus angesehen.
In unserer Bibliothek stehen Goethes gesammelte Werke.

b) après le pronom interrogatif *wessen*:

Mit *wessen altem Auto* wollt ihr diesmal nach Spanien fahren?
Wessen klugen Ratschlägen bist du gefolgt?

c) après le pronom relatif au génitif *dessen, deren, dessen*; pluriel *deren* (voir § 35 II 2):
Die Freundin, *in deren gemütlicher Wohnung* ich in den Ferien gewohnt habe, ...
Der Nachbar, *dessen reicher Onkel* aus Amerika gekommen ist, ...

d) après les pronoms indéfinis indéclinables, rarement employés, *manch, solch, welch*:
manch gut*er* Freund   manch gut*e* Freunde
auf solch fruchtbar*em* Feld   auf solch fruchtbar*en* Feldern

e) en apposition à un pronom personnel. Au singulier, la terminaison de l'adjectif est celle de la déclinaison sans article:
Du arm*es* Kind!
Mir ehrlich*em* Steuerzahler bleibt nichts erspart.

Au pluriel par contre, la terminaison de l'adjectif est toujours *-en:*
wir klein*en* Rentner; mit uns schlecht bezahlt*en* Hilfsarbeitern

15 An der Garderobe ist einiges hängen bzw. liegen geblieben.

rot_ Halstuch (n) ... Ulla
A: Wessen rotes Halstuch ist das?
B: Das ist Ullas rotes Halstuch.

1. hübsch_ Tasche ... Ilse
2. alt_ Hut ... Albert
3. warm_ Mantel ... Uta
4. gelb_ Mütze (f) ... Ruth
5. hölzern_ Armband (n) ... Gisela

6. wollen_ Schal ... Richard
7. weiß_ Handschuhe (Pl.) ... Ingeborg
8. blau_ Jacke ... Hans
9. braun_ Kamm (m) ... Inge
10. klein_ Kalender (m) ... Michael

16a Reprenez l'exercice 15 et faites l'exercice d'après le modèle suivant:

Gib mir Ullas rotes Halstuch! Ich bring' es ihr.

b   *A: Was machst du denn mit Ullas rotem Halstuch?*
          B: Ich will es ihr bringen.

Déclinaison de l'adjectif: révision générale

17 Complétez en ajoutant les terminaisons. Trouvez pour chaque expression dans la colonne de gauche les explications correspondantes à droite.

1. ein salomonisch_ Urteil (n)

2. in den saur_ Apfel beißen

3. jdn. mit offen_ Armen empfangen

a) ein bestimmt_ Geschehen (n) überall weitererzählen

b) jdm. einen freundlich_ Empfang bereiten

c) die wichtigst_ Person in einer Gruppe sein

4. mit einem blau_ Auge davonkommen
5. jdm. golden_ Berge versprechen

6. wie ein Blitz aus heiter_ Himmel
7. jdm. golden_ Brücken bauen
8. etw. geht nicht mit recht_ Dingen zu

9. dunk_ Geschäfte machen

10. jdn. wie ein roh_ Ei behandeln
11. die erst_ Geige spielen

12. jdm. mit gleich_ Münze (f) heim-
zahlen

13. etwas an die groß_ Glocke hängen

14. sich keine grau_ Haare wachsen
lassen
15. auf keinen grün_ Zweig kommen

d) unrechtmäßig_, betrügerisch_ Han-
del (m) treiben
e) jdm. groß_ Versprechungen
machen, aber das gegeben_ Wort
nicht halten
f) jdm. großzüg_ Hilfe anbieten
g) eine klug_ Entscheidung
h) sich keine unnötig_ Sorgen
machen
i) nur leicht_ Schaden (m) erleiden,
obwohl beinah etwas Schlimm_
passiert wäre
j) ein ganz unerwartet_ Ereignis (n)
k) zu einer unangenehm_ Handlung
gezwungen sein
l) im Leben keinen recht_ Erfolg
haben
m) Gleich_ mit Gleich_ vergelten oder:
jdm. etw. mit der gleich_ Härte
zurückgeben
n) ein unerklärlich_ Geschehen / eine
ungesetzlich_ Handlung
o) mit jdm. mit groß_ Vorsicht (f)
umgehen

18 Complétez en ajoutant les terminaisons et essayez de donner une explication aux
expressions suivantes:

1. Er wirkt wie ein rot_ Tuch auf mich.
2. vor sein_ eigen_ Tür kehren
3. Er ist ein Schuft reinst_ Wassers.
(Schuft = böser Mensch)
4. etw. ist für den hohl_ Zahn
5. sauer verdient_ Geld
6. alles in rosig_ Licht sehen
7. am gleich_ Strang (m) ziehen
(Strang = dickes Seil)
8. leer_ Stroh (n) dreschen
9. taub_ Ohren predigen (Dat.)
10. rein_ Tisch machen
11. hinter schwedisch_ Gardinen sitzen

12. mit offen_ Augen ins Unglück
rennen
13. etw. beim richtig_ Namen nennen
14. auf dem letzt_ Loch pfeifen
15. Er ist mit dem link_ Bein zuerst
aufgestanden.
16. wie auf glühend_ Kohlen sitzen
17. jdm. klar_ Wein einschenken
18. Er ist ein schwer_ Junge.
19. im siebent_ Himmel sein
20. frei_ Hand haben
21. nur mit halb_ Ohr zuhören
22. nur ein halb_ Mensch sein

19a Complétez en ajoutant les terminaisons.

Eine kalifornisch_ Filmgesellschaft wollte einen spannend_ Goldgräberfilm drehen, der zum groß_ Teil in den Wäldern
des nördlich_ Kanada spielen sollte.
5 Man hätte natürlich das winterlich_
Goldgräberdorf in den Filmstudios
nachbauen können und die nachge-
macht_ Holzhäuser, die krumm_
Straßen mit weiß_, glitzernd_ Salz bestreuen können, aber der Regisseur 10

wünschte echt_ Schnee, wirklich_ Kälte und natürlich_ Licht; deshalb brachte man alles Notwendig_ in mehrer_ schwer_ Lastwagen in ein einsam_ Dorf
15 an der kanadisch_ Grenze. Etwas Besser_ hätten sich die Schauspieler nicht vorstellen können, denn es bedeutete für sie einige herrlich_ Tage in den ruhig_ Wäldern Kanadas. Dort war noch kein
20 richtig_ Schnee gefallen und die Schauspieler faulenzten in der warm_ Oktobersonne, angelten in den nah_ Seen und genossen ihre frei_ Zeit. Nach drei lang_ Wochen verlor die Filmgesell-
25 schaft endlich die Geduld, denn jeder

nutzlos_ Tag kostete eine Menge hart_ Dollars (Gen.); so ließ sie zwanzig groß_ Lastwagen voll von teur_ Salz nach Kanada kommen, was wieder einiges gut_ Geld kostete. Das Salz wurde von 30 kanadisch_ Sportfliegern über das ganz_ Dorf verstreut und es war, als es fertig war, eine wunderschön_ Winterlandschaft. In der nächst_ Nacht begann es zu schneien, am früh_ Morgen lag in 35 den schwarz_ Wäldern ringsum dick_ Schnee, nur in dem Goldgräberdorf war nichts ander_ zu sehen als hässlich_ braun_ Matsch (m).

---

b Urlaub machen – aber richtig!

Drei lang_ Wochen richtig faul sein, lange schlafen und gut_ Essen genießen, an ein_ schön_ Strand in d_ warm_ Sonne liegen und gelegentlich ein erfri-
5 schend_ Bad in sauber_ Meerwasser nehmen, das ist d_ ersehnt_ Urlaubstraum viel beschäftigt_ Menschen (Gen.), die d_ ganz_ Jahr nie Zeit für sich haben.
10 Doch gerade dies_ viel geplagt_ Menschen will das plötzlich_ Faulenzen nicht bekommen. Mit d_ gut_ Schlaf ist es nichts. Man fühlt sich zerschlagen und müde. Für solch_ Urlaub suchend_
15 Menschen, die ein ganz_ Jahr lang unter stark_ Stress standen, ist das „süß_ Nichtstun" nicht erholsam. Und für d_jenig_, die ohnehin ein geruhsam_

Leben führen, ist das Faulenzen in d_ dreiwöchig_ Ferien in der Regel langweilig. Kein Wunder, dass sich der Hobby- 20 urlaub immer größer_ Beliebtheit erfreut; Ferien mit interessant_, abwechslungsreich_ Programm.
Im Aktiv-Urlaub bleibt der Erholung suchend_ Mensch tätig. Aktiv-Urlaub, das 25 kann mit ein_ vormittäglich_ Sprachkurs, tätig_ Mithilfe bei archäologisch_ Ausgrabungen, sportlich_ Segeln, anstrengend_ Bergtouren, konzentriert_ 30 Schachspielen usw. verbunden sein. Körperlich_ und geistig_ Tätigkeit mildert die ungewohnt_ Belastung durch die plötzlich_ Umstellung im Urlaub. – Maßvoll_ Stress, das ist wichtig! 35

---

c Wer hat Schuld?

In den südamerikanisch_ und afrikanisch_ Urwäldern hat in den letzt_ Jahren eine ökologisch_ Tragödie begonnen. Die Zerstörung des brasilianisch_
5 Urwalds soll hier als warnend_ Beispiel stehen: Brasilien, ein Land mit stark zunehmend_ Bevölkerung, braucht für viel_ Millionen unterernährt_ Menschen neu_ Landwirtschaftsgebiete. Nun
10 gibt es am Amazonas riesig_ Urwälder

und es ist verständlich, dass man diese unbewohnt_ Gebiete nutzbar machen wollte.
Auf einer Fläche von mehrer_ 10 000 Quadratkilometern wurden sämtliche 15 uralt_ Bäume abgeholzt oder abgebrannt und die neu_ Siedler, arm_ Leute aus den unter_ Schichten der Bevölkerung, begannen mit ihrer schwer_ Arbeit. Im erst_ Jahr bekamen sie reich_ 20

Ernten, das zweit_ Jahr brachte schon geringer_ Erträge und im darauf folgend_ Jahr zeigte sich eine schrecklich_ Katastrophe. Auf dem Boden, der mit so
25 groß_ Mühe bearbeitet worden war, wuchs nichts mehr. Alle jung_ Pflanzen verwelkten, die neugesät_ Saat vertrocknete im unfruchtbar_ Boden. Etwas Unerwartet_ war geschehen? Nein! Der
30 schön_ Plan der brasilianisch_ Regierung war ein schwer_ Irrtum! Erst jetzt begann man mit geologisch_ Untersuchungen des Urwaldbodens und musste feststellen, es ist Sand, locker_, trocken_ Sand!
35 Die Frage ist nun, wie solche riesig_ Bäume auf diesem sandig_ Boden überhaupt wachsen konnten. Nach unseren neuest_ Erkenntnissen geschieht das so: In dem feucht_ und heiß_ Klima ver-
40 modern (= verwesen, verfaulen) herabfallend_ Blätter und Äste sehr schnell und bilden ausreichend_ Dünger für die Bäume, deren weit ausgebreitet_ Wurzeln flach unter dem Sandboden liegen. 45
Nun hatte man aber alle jahrhundertalt_ Bäume abgeholzt; im weit_ Umkreis von viel_ Kilometern war kein einzig_ Baum stehen geblieben, so dass die täglich_ Sonnenhitze und schwer_ Regen- 50 fälle den schutzlos_ Boden zerstörten. Nachdem die Siedler nach Ablauf des dritt_ Jahres ihr unfruchtbar_ Land wieder verlassen hatten, blieb nichts zurück als eine tot_ Wüste. 55
Etwas ander_ wäre es gewesen, wenn die Experten einig_ Jahre früher genauer_ Bodenuntersuchungen gemacht hätten. Dann hätten sie rechtzeitig festgestellt, dass im Urwaldgebiet groß_ Flächen un- 60 brauchbar sind, dass man aber auf kleiner_ Plätzen, die vom schützend_ Wald umgeben sind, viel_ Menschen ein sinnvoll_ Leben ermöglichen kann.

§ 40   Les comparatifs

Remarques préliminaires

1. L'adjectif attribut ainsi que les adverbes de manière comportent des degrés dans la qualité. Le degré de comparaison peut être marqué par la forme du comparatif et du superlatif.

2. L'adjectif épithète est placé devant le substantif auquel il se rapporte:
   der sonnige Tag; ein regnerischer Sonntag.

3. Les adverbes de manière se rapportent au verbe de la phrase. Ils répondent à la ques-tion wie?:
   Der letzte Sommer war heiß.

I   Généralités

	Adjektivattribut	Adverb
Komparativ	das **kalte** Wetter im Oktober das **kältere** Wetter im November	Im Oktober ist es oft schon **kalt**. Im November ist es meistens **kälter**.
Superlativ	der **kälteste** Januar seit zehn Jahren	Im Durchschnitt ist es im Januar **am kältesten**.

1. Le *comparatif* est une forme de comparaison qui met en relief une différence. Le comparatif est suivi de *als* (jamais *wie!*). On forme le comparatif en ajoutant *-er* à l'adjectif ou à l'adverbe.

   a) Le comparatif de l'adjectif épithète est formé avec *-er* suivi de la terminaison de l'adjectif:
      der *stärkere* Wind; ein *leichteres* Gewitter

   b) Le comparatif de l'adverbe est formé seulement avec *-er*:
      In Hamburg regnete es *stärker* als in Hannover.

2. Le *superlatif* indique le degré le plus élevé; il est donc toujours employé avec l'article défini. On forme le superlatif en ajoutant *-st-* à l'adjectif ou à l'adverbe.

   a) Le superlatif de l'adjectif épithète est formé avec *-st-* suivi de la terminaison de l'adjectif:
      der *längste* Tag des Jahres

   b) Le superlatif de l'adverbe est toujours formé avec *am ... -sten*:
      Am 22. Juli war die Sicht auf die Alpen *am klarsten*.

II Emploi du superlatif

1. Le superlatif est le degré de comparaison le plus élevé:
   Der Äquator ist der *längste* Breitengrad.

2. Il est généralement nécessaire de préciser la phrase par une indication de lieu ou de temps:
   Der Mount Everest ist der *höchste* Berg *der Erde.*
   Das war der *wärmste* Maitag *seit zehn Jahren.*
   Wir wohnen in der *hässlichsten* Stadt, *die ich kenne.*

3. On peut préciser le superlatif en le faisant se rapporter à *un* élément d'une catégorie (voir § 37 I 3). Après *einer, eine, eines* on emploie le génitif pluriel (plus rarement *von* + datif).
   Der Rhein ist *einer der verkehrsreichsten Ströme* (m).
   Die Heuschrecke ist *eines der schädlichsten Insekten* (n).
   Die Königin lebt in *einem der schönsten Schlösser* (n) von England.
   Zum Glück ist meine Wohnung *eine der billigsten* (Wohnungen) in Frankfurt.

III Formes irrégulières

1. Quelques adjectifs ne comportant qu'une syllabe forment le comparatif et le superlatif en ajoutant l'inflexion:
   arm, ärmer, am ärmsten
   Egalement: alt, dumm, grob, hart, jung, kalt, klug, krank, kurz, lang, rot, scharf, stark, schwach, warm; aussi: gesund.

2. a) Adjectifs avec comparatif et superlatif irréguliers:

hoch	*attributiv*	das hohe Haus	das höhere Haus	das höchste Haus
	adverbial	es ist hoch	es ist höher	es ist am höchsten
nah	*attributiv*	das nahe Ziel	das nähere Ziel	das nächste Ziel
	adverbial	es ist nah	es ist näher	es ist am nächsten
gut	*attributiv*	die gute Art	die *bessere* Art	die *beste* Art
	adverbial	es ist gut	es ist *besser*	es ist am *besten*
viel	*attributiv*	viele Angebote	*mehr* (undekli-nierbar) Angebote	die *meisten* Ange-bote
	adverbial	es gibt viel	es gibt *mehr*	es gibt am *meisten*
gern	*adverbial*	das tue ich gern	das tue ich *lieber*	das tue ich am *liebsten*

Remarques

1. *mehr* (ne se décline pas) désigne une quantité indéfinie ; il précède des substantifs sans article au singulier et au pluriel (voir les § 37, II, 4 et 39, IV, 3)

2. *mehrere* (se décline) désigne un nombre indéfini (= quelques ; plus de deux):
   Ich musste mehrere Stunden beim Zahnarzt warten.

b) Formes irrégulières en *-stens*, employées uniquement avec une valeur d'adverbe
et avec un sens légèrement détourné:

höchstens	Kleine Kinder sollten *höchstens* drei Wochen von ihren Eltern getrennt sein.
nächstens	Wir werden Sie *nächstens* genauer informieren.
bestens	Er war *bestens* auf sein Examen vorbereitet.
meistens	Für seine Verspätung hatte er *meistens* eine Ausrede.
wenigstens	Schick ihm *wenigstens* fünfzig Euro.
mindestens	Das Schwein wiegt *mindestens* vier Zentner.
zumindest	Du hättest *zumindest* anrufen können.

3. a) On forme le superlatif des adjectifs qui se terminent par *-d, -t, -tz, -z,* et *-sch, -ß*
en intercalant un *-e*:

wild	wilder	am wildesten
breit	breiter	am breitesten
stolz	stolzer	am stolzesten
spitz	spitzer	am spitzesten
heiß	heißer	am heißesten
krass	krasser	am krassesten
hübsch	hübscher	am hübschesten

b) Même chose pour les adjectifs formés sur le participe passé d'un verbe faible:

vertraut	vertrauter	am vertrautesten
beliebt	beliebter	am beliebtesten

Exception: sont employés sans l'aide d'un *-e* intercalé:

a) groß, größer, am größten

b) les adjectifs en *-isch:* am neidischsten, am heimischsten

c) les adjectifs dérivés d'un participe présent:
bedeutend, bedeutender, am bedeutendsten
zutreffend, zutreffender, am zutreffendsten

d) les adjectifs formés sur le participe passé d'un verbe faible et se terminant
par -ert, -elt ou -tet:
begeistert, begeisterter, am begeistertsten
bekümmert, bekümmerter, am bekümmertsten
verzweifelt, verzweifelter, am verzweifeltsten
gefürchtet, gefürchteter, am gefürchtetsten

4. Les adjectifs se terminant par -el ou -er ont une forme irrégulière (voir § 39 I Remarque 4):

dunkel	der dunkle Keller	es wird dunkler	es ist am dunkelsten
edel	der edle Wein	er ist edler	er ist am edelsten
teuer	der teure Mantel	er ist teurer	er ist am teuersten

1a Formez le comparatif d'après le modèle ci-dessous.

Sprich bitte laut!
Gut, ich werde jetzt lauter sprechen als bisher.

On peut exprimer son consentement en employant «(ja) gern» au lieu
de «gut». On peut montrer une légère impatience en disant: *Also schön,
ich werde ...,* surtout en accentuant *schön.*

1. Schreib bitte schnell!
2. Sprich bitte deutlich!
3. Rechne bitte genau!
4. Hör bitte gut zu!
5. Sei bitte leise!
6. Lauf bitte langsam!
7. Bediene bitte freundlich!
8. Arbeite bitte sorgfältig!
9. Fahr bitte vorsichtig!
10. Sei bitte ordentlich!
11. Üb bitte viel!

b Der Bus fährt aber nicht sehr schnell!
Das stimmt, er könnte schneller fahren.

Autres possibilités pour indiquer qu'on est d'accord: *Da haben Sie Recht, ... ;
Ja, wirklich, ... ; Da bin ich ganz Ihrer Meinung, ...* (accentuation sur «wirklich»
ou «ganz»)

1. Der Radfahrer fährt aber nicht sehr vorsichtig!
2. Der Motorradfahrer ist aber nicht sehr rücksichtsvoll!
3. Die Fußgänger gehen aber nicht sehr schnell über die Straße!
4. Der Autofahrer ist aber nicht sehr höflich!
5. Die Straßenlaternen sind aber nicht sehr hell!
6. Die Straße ist aber nicht sehr gut!
7. Der Bus ist aber nicht sehr billig!
8. Die Haltestelle ist aber nicht sehr nah!

c Essen (n) / billig. Dieses Essen ist aber nicht billig!
Stimmt, es könnte billiger sein.

1. Kellner (m) / höflich
2. Kaffee (m) / stark
3. Brötchen (Pl.) / frisch
4. Suppe (f) / warm

5. Kartoffeln (Pl.) / weich
6. Bier (n) / kalt
7. Pudding (m) / süß
8. Äpfel (Pl.) / saftig

d Schuhe (Pl.) / bequem. Sind die Schuhe nicht bequem?
Sie könnten bequemer sein.

Dans la langue familière, on emploie volontiers «na ja» au début de la réponse
Na ja, sie könnten. . .

1. Jacke (f) / warm
2. Einkaufstasche (f) / fest
3. Mantel (m) / leicht
4. Kleid (n) / modern
5. Anzug (m) / billig

6. Socken (Pl.) / lang
7. Wolle (f) / grob
8. Fell (n) / dick
9. Leder (n) / gut
10. Gürtel (m) / breit

2 Complétez les phrases suivantes en employant le comparatif et le superlatif d'après le modèle suivant.

Fritz springt ... als Emil. (hoch / Hans)
Fritz springt höher als Emil.
Aber Hans springt am höchsten.

1. Stella spricht ... Deutsch als Michaela. (gut / Angela)
2. Müller arbeitet ... als Maier. (zuverlässig / Schulze)
3. Wein trinkt er ... als Bier. (gern / Sekt)
4. Seine Kusinen stehen ihm ... als seine Tante. (nah / Geschwister)
5. Das Radio war ... als der Plattenspieler. (teuer / der Fernseher)
6. Ein Skorpionstich ist ... als ein Wespenstich. (gefährlich / ein Schlangenbiss)
7. Mein Schäferhund ist ... als euer Dackel. (wild / der Jagdhund des Nachbarn)
8. Sie isst Rindfleisch ... als Schweinefleisch. (gern / Hammelfleisch)
9. Im Einzelhandelsgeschäft ist die Bedienung ... als im Warenhaus. (freundlich / im Tante-Emma-Laden)
10. Im Zug reist man ... als im Bus. (schnell / im Flugzeug)
11. In der Sahara ist es ... als in Israel. (heiß / am Äquator)
12. In Grönland ist es ... als in Schweden. (kalt / im Nordosten von Russland)
13. Der Amazonas ist ... als der Mississippi. (lang / der Nil)
14. In Asien sind Dialekte ... als in Südamerika. (verbreitet / in Afrika)
15. In Europa ist die Zahl der Deutschsprechenden ... als die Zahl der Menschen, die Englisch als Muttersprache sprechen. (hoch / die Zahl der Russischsprechenden)

3 Complétez avec un comparatif et un superlatif d'après le modèle suivant.

> Ich möchte ein Paar warme Handschuhe.
> *Haben Sie keine wärmeren? – Nein, das sind die wärmsten, die wir haben.*

> La réponse est plus polie si vous employez: *Nein, leider … ; Nein, es tut mir Leid,
> … ; ou: Ich bedaure, aber das …*

> Ich möchte …

1. … einen guten Tennisschläger.
2. … eine große Einkaufstasche.
3. … einen kleinen Fotoapparat.
4. … festes Packpapier.
5. … ein Paar schwere Wanderschuhe.
6. … ein Paar leichte Sommerschuhe.
7. … einen warmen Wintermantel.
8. … einen billigen Wecker.
9. … einen bequemen Sessel.
10. … einen preiswerten Kalender.

4 Herr Neureich ist mit nichts zufrieden.

> Die Wohnung ist nicht groß genug.
> *Er möchte eine größere Wohnung.*

1. Die Lampen sind nicht hell genug.
2. Die Möbel sind nicht elegant genug.
3. Das Porzellan ist nicht wertvoll genug.
4. Der Schrank ist nicht breit genug.
5. Der Orientteppich ist nicht alt genug.
6. Das Fernsehbild ist nicht groß genug.

5 Im Antiquitätenladen findet man …

> interessante Dinge.
> *die interessantesten Dinge.*

1. elegante Vasen
2. merkwürdige Bilder
3. alte Spielsachen
4. wertvolle Gläser
5. verrückte Bierkrüge
6. teure Möbel
7. hübsche Bilderrahmen
8. altmodische Stehlampen

6 Complétez les questions en mettant le mot entre parenthèses à la forme superlative et faites un jeu de questions – réponses (Solutions p. 303)

1. Wie heißt das (groß) Säugetier der Erde?
2. Wie heißt das (klein) Säugetier der Erde?
3. Wie heißt das Tier mit dem (hoch) Wuchs?
4. Welches Tier kann am (schnell) laufen?
5. Welche Schlange ist am (giftig)?
6. Wie heißt der (groß) Ozean?
7. Wie tief ist die (tief) Stelle des Meeres?
8. Welches ist der (klein) Erdteil?
9. Wo ist es am (kalt)?
10. Wo regnet es am (viel)?
11. In welcher Gegend der Erde ist es am (stürmisch)?
12. Wann ist auf der Nordhalbkugel der (kurz) Tag?
13. Wann ist auf der Nordhalbkugel der (lang) Tag?
14. Wie heißt das (leicht) Gas?
15. Wann sind wir von der Sonne am (weit) entfernt?
16. Wann ist die Sonne der Erde am (nah)?

7 Exercez-vous d'après le modèle suivant:

> A: (behauptet) Der alte Turm ist *das schönste Gebäude* dieser Stadt.
> B: *(protestiert) Es gibt aber noch andere schöne Gebäude in dieser Stadt.*
> A: *(muss zugeben) Der alte Turm ist eines der schönsten Gebäude in dieser Stadt.*

1. Das Herz ist das empfindlichste Organ in unserem Körper.
2. Homer war der größte Dichter im Altertum.
3. Diese chinesische Vase ist das kostbarste Gefäß in diesem Museum.
4. Das Fahrrad ist die nützlichste Erfindung seit 200 Jahren.
5. Das Grippevirus ist wahrscheinlich das gefährlichste (Virus). (Pl.: *Viren*)
6. Der Zug von Paris nach Marseille ist der schnellste (Zug) in Frankreich.
7. Als wir den Professor kennen lernten, wussten wir nicht, dass er der bekannteste (Professor) für afrikanische Literaturgeschichte ist.
8. Der französische Regisseur hat den besten Film in dieser Saison gedreht.
9. Wir haben an der tollsten Party in diesem Winter teilgenommen.
10. In Köln wurde das hässlichste Museum (Pl. Museen) gebaut.
11. Seit der Renovierung gilt unser Haus als das schönste (Haus) im Viertel.
12. Wissen Sie, dass Sie mit dem einflussreichsten Mann in dieser Stadt gesprochen haben?

§ 41   Adjectifs et participes substantivés

a) In unserem Abteil saßen einige *Jugendliche*.
b) Die jungen Leute diskutierten mit den *Reisenden*.
c) Ein alter *Beamter* wollte die Argumente der *Jugendlichen* nicht anerkennen.

Les adjectifs et les participes employés avec une valeur de substantif se déclinent comme l'adjectif épithète.

à a)   Les substantifs suivants, d'emploi courant, sont formés sur des adjectifs:

der Adlige, ein -er	der Jugendliche, ein - er
der Arbeitslose, ein - er	der Kranke, ein - er
der Bekannte, ein - er	der Lahme, ein - er
der Blinde, ein - er	der Rothaarige, ein - er
der Blonde, ein - er	der Schuldige, ein - er
der Deutsche, ein - er	der Staatenlose, ein - er
der Farbige, ein - er	der Taubstumme, ein - er
der Fremde, ein - er	der Tote, ein - er
der Geizige, ein - er	der Verwandte, ein - er
der Gesunde, ein - er	der Weise, ein - er
der Heilige, ein - er	der Weiße, ein - er

à b)   Les substantifs suivants, d'emploi courant, sont formés sur le participe présent (le participe présent se forme avec l'infinitif + -d: fragen*d*, laufen*d*; voir § 46, I):

der Abwesende, ein - er	der Leidtragende, ein - er
der Anwesende, ein - er	der Reisende, ein - er

der Auszubildende, ein - er   der Überlebende, ein - er
der Heranwachsende, ein - er   der Vorsitzende, ein - er

c)   Les substantifs suivants, d'emploi courant, sont formés sur le participe passé
(voir § 6 I 5, § 7, § 8, § 46):

der Angeklagte, ein - er   der Gelehrte, ein - er
der Angestellte, ein - er   der Geschiedene, ein - er
der Beamte, ein - er   der Verheiratete, ein - er
mais: die / eine Beamtin   der Verletzte, ein - er
der Behinderte, ein - er   der Verliebte, ein - er
der Betrogene, ein - er   der Verlobte, ein - er
der Betrunkene, ein - er   der Verstorbene, ein - er
der Gefangene, ein - er   der Vorgesetzte, ein - er

1   Donnez des définitions d'après le modèle suivant.

der Geizige / möglichst nichts von seinem Besitz abgeben wollen
Ein Geiziger ist ein Mensch, der möglichst nichts von seinem Besitz abgeben will.

1. der Betrunkene / zu viel Alkohol trinken (Perf.)
2. der Geschiedene / seine Ehe gesetzlich auflösen lassen (Perf.)
3. der Staatenlose / keine Staatszugehörigkeit besitzen
4. der Taubstumme / nicht hören und nicht sprechen können
5. der Weise / klug, vernünftig und lebenserfahren sein
6. der Überlebende / bei einer Katastrophe mit dem Leben davonkommen (Perf.)
7. der Vorsitzende / eine Partei, einen Verein o.Ä. leiten
8. der Lahme / sich nicht bewegen können
9. der Auszubildende / eine Lehre machen
10. der Vorgesetzte / anderen in seiner beruflichen Stellung übergeordnet sein

2   Définissez les mots suivants sur le modèle de l'exercice ci-dessus:

1. der Weiße
2. der Farbige
3. der Verstorbene
4. der Gefangene
5. der Reisende
6. der Abwesende
7. der Anwesende
8. der Arbeitslose
9. der Einäugige
10. der Schuldige

3   Mettez les définitions au pluriel.

der Weiße
Weiße sind Menschen mit heller Hautfarbe.

4   Complétez les phrases en ajoutant les terminaisons des substantifs.

5   Ein Betrunken_ fuhr gestern auf der Autobahn als sogenannter Geisterfahrer in der falschen Richtung. Dabei rammte er einen Bus. Trotzdem fuhr der Betrunken_ weiter. Die Leidtragend_ waren die Reisend_ in dem Bus, meist Jugendlich_, die zu einem Fußballspiel fahren wollten. Der Bus kam von der Fahrbahn ab und überschlug sich. Das Ergebnis: ein Tot_ und 15 Verletzt_. Ein Schwerverletzt_ wurde mit dem Hubschrauber ins Krankenhaus gebracht. Der Busfahrer, 10

ein Angestellt_ der hiesigen Stadtverwaltung, blieb unverletzt; der Tot_ jedoch
15 ist ein naher Verwandt_ des Fahrers.
Dem Schuldig_, den man kurz nach
dem Unfall stoppen konnte, wurde eine

Blutprobe entnommen. Der Führerschein des Betrunken_ wurde sicherge-
stellt.

20

§ 42   Adverbes

I Généralités

a) Ich sehe ihn *bald*.
    Er arbeitet *sorgfältig*.
    Dein Auto steht *da hinten*.

b) Das Wetter war *ungewöhnlich* gut.
    Sie ist *ziemlich* ungeschickt.

c) Er hat ein *bewundernswert* gutes
    Gedächtnis.

Les adverbes sont invariables. Ils qualifient le verbe et ont leur place déterminée dans la phrase (voir § 22 VII–IX).

à a) Ils donnent une indication de temps, de manière, de lieu, sur un état ou une action: *wann, wie, wo?*

à b) Les adverbes peuvent qualifier d'autres adverbes. Question: *Wie ungeschickt war sie? –* Réponse: *Ziemlich ungeschickt.*

à c) Les adverbes peuvent qualifier également un adjectif épithète. Question: *Was für ein Gedächtnis? –* Réponse: *Ein bewundernswert gutes Gedächtnis.*

II Adverbes de temps

Les adverbes de temps répondent à la question *wann, bis wann, seit wann, wie lange, wie oft?*

Les adverbes de temps qui suivent sont classés d'après leur sens et non d'après l'emploi des temps dans la phrase:

1. Présent: heute, jetzt, nun, gerade; sofort, augenblicklich; gegenwärtig, heutzutage

2. Passé: gestern, vorgestern; bereits, eben, soeben, vorhin, früher, sonst, neulich, kürzlich; inzwischen, unterdessen; einst, einmal, ehemals, jemals; seither, vorher, damals, anfangs

3. Futur: morgen, übermorgen; bald, demnächst, nächstens, künftig; nachher, danach, später

4. Général: wieder, oft, oftmals, häufig, mehrmals, stets, immer, immerzu, ewig; erst, zuerst, zuletzt, endlich; nie, niemals, morgens, mittags, abends, nachts, vormittags etc. ...

Remarque

On emploie aussi dans ce sens l'accusatif pour donner une indication de temps, p. ex.:
alle Tage, nächste Woche, jeden Monat, voriges Jahr etc.

III Adverbes de manière

Les adverbes de manière répondent à la question *wie, auf welche Art, mit welcher Intensität?*

1. Les adjectifs peuvent être employés comme adverbes de manière:
   Er fragte mich *freundlich.*
   Es geht mir *schlecht.*
   Dans cette fonction ils ne se déclinent pas mais ils peuvent se mettre au comparatif ou au superlatif.

2. Les adverbes de manière suivants donnent à la phrase un sens particulier. La plupart qualifient un autre adverbe et servent à

renforcer:	sehr, besonders, außerordentlich, ungewöhnlich
affaiblir:	fast, kaum, beinahe; ganz, recht, einigermaßen, ziemlich
mettre en question:	wohl, vielleicht, versehentlich, vermutlich, möglicherweise, wahrscheinlich
accentuer:	sicher, bestimmt, allerdings, natürlich, gewiss, folgendermaßen, tatsächlich, absichtlich, unbedingt
nier:	gar nicht, überhaupt nicht, keineswegs, keinesfalls; vergebens, umsonst

3. Adverbes de manière au comparatif formés avec *-weise*:
   Er steht *normalerweise* um 7 Uhr auf.
   Er hat *dummerweise* den Vertrag schon unterschrieben.
   Sie haben *glücklicherweise* die Prüfung bestanden.
   Er hat ihm *verständlicherweise* nicht mehr als fünfzig Euro geliehen.

4. Adverbes de manière formés avec le suffixe *-halber* ou *-falls*, et indiquant une raison ou une condition:
   Wir haben *vorsichtshalber* einen Rechtsanwalt genommen. (= weil wir vorsichtig sein wollten)
   Das Haus ist *umständehalber* zu verkaufen. (= weil die Umstände so sind)
   Er wird *schlimmstenfalls* eine Geldstrafe zahlen müssen. (= wenn es schlimm kommt)
   Bestenfalls wird er freigesprochen. (= wenn der beste Fall eintritt)

V Adverbes de lieu

Les adverbes de lieu indiquent le lieu, la destination ou la provenance. Ils répondent à la question *wo, wohin* ou *woher?*
wo? da, dort, hier; außen, draußen, drinnen, drüben, innen; oben, unten, mitten, vorn, hinten, links, rechts

wohin?   dahin, dorthin, hierhin; hinaus, hinein, hinauf, herauf, hinunter, herunter, hinüber, herüber; aufwärts, abwärts, vorwärts, rückwärts, seitwärts – oder
mit Präposition: nach unten / oben usw.

woher?   heraus, herein; daher, dorther – oder mit Präposition: von unten /
draußen usw.

Remarques

1. On peut former, à partir de l'adverbe, des adjectifs épithètes à l'aide du suffixe *-ig*:
   der *heutige* Tag, im *vorigen* Monat:
   heutig-, gestrig-, morgig-, hiesig-, dortig-, obig-, vorig-

2. On peut de même former des adjectifs épithètes à partir des adverbes *außen, innen,
   oben, unten, vorn, hinten* etc.:
   äußere Probleme, innere Krankheiten, das untere oder unterste Stockwerk, die
   hintere oder hinterste Reihe, die vorderen oder vordersten Stühle

1 Formez un adjectif épithète à partir de l'adverbe.

die Zeitung von gestern   *die gestrige Zeitung*

1. die Nachricht von gestern   5. die Jugend von heute
2. das Wetter von morgen   6. die Zeilen von oben
3. die Stadtverwaltung von hier   7. das Wissen von jetzt
4. die Beamten von dort   8. die Versuche bisher

2 Complétez, d'après le sens, les phrases suivantes avec un des adverbes ci-dessous:

a) bestenfalls b) dummerweise c) folgendermaßen d) normalerweise e) oftmals
f) verständlicherweise g) vorsichtshalber

Wir sind diesen Weg ... gegangen. Dennoch habe ich ... die Wanderkarte
mitgenommen. Ich denke, wir laufen am besten ... : von hier über den Blocks-
berg nach Ixdorf. ... kann man den Weg in einer Stunde zurücklegen.
Wegen des Schnees braucht man heute ... etwas länger. Jetzt habe ich doch ...
meine Brieftasche zu Hause gelassen! In meinem Portmonee habe ich
nur noch fünf Euro; das reicht ... für ein Bier für jeden.

3 Faites des phrases selon l'exemple suivant en utilisant les adverbes indiqués.

Wie ist die Wohnung eingerichtet? / schön
Es handelt sich um eine schön eingerichtete Wohnung.

1. Wie groß sind die Hochhäuser? / erstaunlich
2. Wie hoch ist die Miete für die Büroräume? / unglaublich
3. Wie bekannt ist der Schauspieler? / allgemein
4. Wie ist mein neues Auto lackiert? / rot
5. Wie ist das Kind erzogen worden? / gut
6. Wie ist das Haus renoviert worden? / unvollständig und nicht sachgerecht
7. Wie ist die Einigung zwischen den Partnern entstanden? / mühsam
8. Wie wurde die Maschine konstruiert? / fehlerhaft

9. Wie wurden die Vorschriften zum Umweltschutz in der Chemiefabrik behandelt? / allzu oberflächlich
10. Wie zahlen die Mieter (Aktiv) / im Allgemeinen regelmäßig
11. Wie wachsen einige Bäume? / schnell
12. Wie wurde das Spiel unserer Fußballmannschaft verloren? / haushoch
13. Wie hat die Fußballmannschaft verloren? / haushoch
14. Wie argumentiert die Zigarettenindustrie im Streit mit dem Fernsehen? / ungeschickt
15. Wie wurde der Angeklagte verurteilt? / von dem Richter ungerecht
16. Wie hat man das Unfallopfer ins Krankenhaus gebracht? / schwer verletzt
17. Wie ist diese Suppe zu kochen? / besonders leicht
18. Wie sind diese Probleme zu lösen? / überhaupt nicht oder nur schwer

§ 43   Adverbes de manière suivis du datif ou de l'accusatif

I Adverbes les plus courants suivis du datif

abträglich	Das Rauchen ist *seiner Gesundheit* abträglich.
ähnlich	Das Kind ist *der Mutter* ähnlich.
angeboren	Der Herzfehler ist *ihm* angeboren.
angemessen	Ein Studium an einer Fachhochschule ist *ihm* angemessen.
behilflich	Der Gepäckträger war *der Dame* behilflich.
beschwerlich	Lange Zugreisen sind *mir* zu beschwerlich.
bekannt	Seine Aussage ist *mir* seit langem bekannt.
bewusst	Das ist *mir* noch niemals bewusst geworden.
böse	Er ist *seiner Freundin* böse.
entsprechend	Unser Verhalten war *dem seinen* entsprechend.
fremd	Er ist *mir* immer fremd geblieben.
gegenwärtig	Der Name war *dem Professor* im Augenblick nicht gegenwärtig.
geläufig	Das Wort ist *dem Ausländer* nicht geläufig.
gelegen	Die Nachzahlung kommt *mir* sehr gelegen.
gewachsen	Er ist *den Problemen* nicht gewachsen.
gleichgültig	Die Politik ist *mir* im Allgemeinen nicht gleichgültig.
nahe	Wir waren *dem Ziel* schon nahe.
peinlich	Sein Lob war *mir* peinlich.

recht	Sein Aufenthalt war *den Verwandten* nicht recht.
sympathisch	Die Zeugin war *dem Richter* sympathisch.
treu	Er ist *ihr* treu geblieben.
überlegen	Die bayerische Fußballmannschaft war *den Hamburgern* überlegen.
unterlegen	Er war *seinen Konkurrenten* unterlegen.
vergleichbar	Dein Lebensweg ist *meinem* vergleichbar.
verhasst	Dieser Mensch ist *mir* verhasst.
zugetan	Er ist *den Kindern* sehr zugetan.
zuwider	Deine Lügen sind *mir* zuwider.

II Adverbes de manière – indication du temps et de la mesure – à l'accusatif

alt	Der Säugling ist erst *einen Monat* alt.
breit	Das Regal ist *einen Meter* breit.
dick	Das Brett ist *20 mm* dick.
hoch	Der Mont Blanc ist fast *5000 m* hoch.
tief	Die Baugrube ist etwa *zehn Meter* tief.
lang	Moderne Betten sind *2,30 m* lang.
schwer	Das kaiserlicher Silberbesteck war *einen Zentner* schwer.
weit	Vögel können über *10 000 Kilometer* weit fliegen.
wert	Die Aktien sind nur noch *die Hälfte* wert.

1 Complétez en employant un pronom ou un article.

1. Ich habe sie offenbar verärgert; nun ist sie … böse.
2. Der Arzt sagte zu mir: Möglichst keine Aufregung! Das ist … Gesundheit abträglich.
3. Er hat sich nicht mal bedankt. Das sieht … ähnlich!
4. Sie ist unglaublich gelenkig; das ist … angeboren.
5. Ich verstehe mich nicht gut mit ihnen; sie sind … fremd.
6. Du musst … Gesundheitszustand entsprechend leben!
7. Der ältere Herr mag die jungen Leute von nebenan. Sie sind … sympathisch und er ist … sehr zugetan; umgekehrt sind sie … beim Einkaufen und Tragen der Sachen gefällig.
8. Es ist … Menschen (Pl.) nicht gleichgültig, ob ihr Lebensgefährt … treu ist oder nicht.
9. Es ist … nicht bewusst, wann ich die Leute verärgert habe; aber ich weiß, ich bin … verhasst.

10. Sie ist ... in Mathematik, aber ich bin ... dafür in Sprachen überlegen. ... Anforderungen in den anderen Fächern sind wir beide gewachsen.

11. Das kommt ... gerade gelegen, dass du vorbeikommst! Kannst du ... beim Umräumen mal behilflich sein?

§ 44   Adverbes avec prépositions

Worauf seid ihr stolz?
Wir sind stolz *auf* sein ausgezeichnetes Examen.
Wir sind stolz *darauf*, dass er ein ausgezeichnetes Examen gemacht hat.

Adverbes les plus courants suivis d'une préposition

arm an + D	Phantasie
angesehen bei + D	seinen Kollegen
ärgerlich über + A	die Verspätung
aufmerksam auf + A	die Verkehrsregeln
begeistert von + D	dem neuen Backrezept
bekannt mit + D	seinen Nachbarn
bei + D	seinem Vorgesetzten
für + A	seine Unpünktlichkeit
bekümmert über + A	seinen Misserfolg
beliebt bei + D	seinen Kommilitonen
blass vor + D	Neid
böse auf + A	seinen Hund
betroffen von + D	der Gehaltskürzung
über + A	den plötzlichen Tod seines Vetters
besessen von + D	den neuen Ideen
beunruhigt über + A	die Wirtschaftslage
eifersüchtig auf + A	seine Schwester
entsetzt über + A	den Mord im Nachbarhaus
erfreut über + A	die rasche Genesung
erkrankt an + D	Kinderlähmung
fähig zu + D	dieser Tat
fertig mit + D	dem Kofferpacken
zu(r) + D	Abfahrt
frei von + D	Gewissensbissen
freundlich zu + D	allen Menschen
froh über + A	die neue Stellung
glücklich über + A	die billige Wohnung

interessiert an + D	den Forschungsergebnissen
nachlässig in + D	seiner Kleidung
neidisch auf + A	den Erfolg seines Kollegen
nützlich für + A	den Haushalt
rot vor + D	Wut
reich an + D	Talenten
stolz auf + A	sein gutes Ergebnis
schädlich für + A	die Bäume
überzeugt von + D	der Richtigkeit seiner Theorie
verbittert über + A	den langen Verwaltungsweg
verliebt in + A	die Frau seines Freundes
voll von + D	Begeisterung
verrückt nach + D	einem schnellen Sportwagen
verschieden von + D	seinen Geschwistern
verständnisvoll gegenüber + D	der Jugend
verwandt mit + D	der Frau des Ministers
verwundert über + A	seine Geschicklichkeit
voreingenommen gegenüber + D	berufstätigen Frauen
zufrieden mit + D	der guten Ernte
zurückhaltend gegenüber + D	seinen Mitmenschen

1 Complétez en employant les prépositions qui conviennent.

1. Der Bauer ist ... seiner Ernte sehr zufrieden; aber er ist verbittert dar_, dass durch die reiche Getreideernte die Preise fallen.

2. Der gute Junge ist ganz verrückt ... meiner Schwester, aber die ist ... ihm überhaupt nicht interessiert. Sie hat einen anderen Freund. Er ist nun ... ihre Gleichgültigkeit recht bekümmert und ... den Freund natürlich furchtbar eifersüchtig.

3. Der Stadtverordnete ist ... seinen Kollegen sehr angesehen, denn er ist bekannt ... seine gerade, mutige Haltung. Er ist freundlich ... jedermann und verständnisvoll ... den Anliegen der Bürger.

4. Viele Menschen sind beunruhigt ... die politische Entwicklung. Sie sind entsetzt ... die furchtbaren modernen Waffen und überzeugt ... der Notwendigkeit, den Frieden zu bewahren.

5. Schon lange war mein Bruder ... deine Schwester verliebt. Ich bin sehr froh und glücklich dar_, dass die beiden heiraten wollen und stolz ... eine so hübsche und kluge Schwägerin. Die Eltern sind ihr ... noch etwas voreingenommen; aber sie wird schon fertig ... ihnen, da_ bin ich überzeugt.

6. Mein Bruder ist ... Tuberkulose erkrankt. Als er es erfuhr, wurde er blass ... Schreck. Nun ist er in einer Klinik, die bekannt ... ihre Heilerfolge ist. Er ist ganz begeistert ... der freundlichen Atmosphäre dort. Der Chefarzt ist beliebt ... Personal und Patienten.

7. Ständig hat der Junge den Kopf voll ... dummen Gedanken! Er ist besessen ... schweren Motorrädern, aber nachlässig ... seiner Arbeit, begeistert ... Motorradrennen und fähig ... den verrücktesten Wettfahrten!

8. Jetzt ist er beleidigt, weil du ihm mal die Meinung gesagt hast. Er wurde ganz rot ... Zorn und nun ist er böse ... dich. Aber es war notwendig, dass du es ihm mal gesagt hast, du kannst ganz frei ... Schuldgefühlen sein.

§ 45   Le «Zustandspassiv»

forme active	Kurz vor 8 Uhr *hat* der Kaufmann seinen Laden *geöffnet*.
forme passive	Kurz vor 8 Uhr *ist* der Laden *geöffnet worden*.

La forme active comme la forme passive indiquent que quelqu'un fait quelque chose. Même si à la forme passive l'actant n'est plus nommé, la forme participiale *worden* renvoie à un actant possible.

Zustandspassiv Präsens	Jetzt ist es 10 Uhr; seit zwei Stunden *ist* der Laden *geöffnet*.
Zustandspassiv Vergangenheit	Als ich kam, *war* der Laden schon *geöffnet*.

On forme le «Zustandspassiv» avec *sein* et le participe passé du verbe conjugué.

1. Au «Zustandspassiv», le participe passé a une fonction d'épithète ou d'adverbe. Il exprime le résultat d'une action antérieure. Il n'y a plus d'actant. On s'interroge sur l'état: *Wie* ist der Zustand?

adverbe	épithète
Der Teller ist zerbrochen.	der zerbrochene Teller
Das Tor war verschlossen.	das verschlossene Tor

2. On ne peut employer que deux temps au «Zustandspassiv»: le présent et le prétérit de *sein*:
   Heute *sind* die Kriegsschäden in Frankfurt fast völlig *beseitigt*.
   1945 *war* die Altstadt Frankfurts gänzlich *zerstört*.

1 Frau Luther kommt spät nach Hause; ihr Mann war schon früher da.

Wäsche waschen
Ich wollte die Wäsche waschen, aber sie war schon gewaschen.

1. Teller (Pl.) spülen
2. Geschirr (n) wegräumen
3. die Schuhe putzen
4. die Betten machen
5. die Hemden bügeln
6. die Kleider zur Reinigung bringen
7. den Teppich saugen
8. die Blumen gießen
9. die Treppe wischen
10. das Abendessen zubereiten

2 Vor der Reise

Fenster schließen
Vergiss nicht die Fenster zu schließen!
Sie sind schon geschlossen.

Vous voulez exprimer que ce rappel n'est pas nécessaire, que c'est fait depuis longtemps: *Die sind schon längst geschlossen!*

1. die Fahrkarten kaufen
2. die Zeitung abbestellen
3. die Turnschuhe einpacken
4. die Wasserleitung abstellen
5. die Sicherungen abschalten
6. den Nachbarn informieren
7. die Tür verschließen
8. die Schlüssel beim Hausverwalter abgeben
9. ein Taxi rufen

3 Beim Arzt

Frau Kapp den Verband anlegen
Arzt: Haben Sie Frau Kapp schon den Verband angelegt?
Sprechstundenhilfe: Ja, er ist schon angelegt.

Dans la langue familière, la réponse est rassurante si l'assistante dit: *Ja, ja, der ist schon angelegt.* (Mais pour des personnes «er» ou «sie»!)

1. Herrn Müller den Arm röntgen
2. dem Jungen einen Krankenschein schreiben
3. diesem Herrn den Blutdruck messen
4. Frau Neumann wiegen
5. Frau Kübler Blut abnehmen
6. dem Verletzten die Wunde reinigen
7. den Krankenwagen benachrichtigen
8. das Rezept für Frau Klein ausschreiben

§ 46   La proposition qualificative

Remarques préliminaires

1. Le participe présent (participe I) et le participe passé (participe II) peuvent être employés comme adjectifs épithètes.

2. On forme le participe présent avec l'infinitif + *-d*, p. ex.: *liebend, reißend,* etc. Employé comme adjectif épithète, on lui ajoute la terminaison qui convient, p. ex.: die *liebende* Mutter, der *reißende* Strom.

3. On forme le participe passé d'après les règles citées (voir § 6 I 5, § 7, § 8). Employé comme adjectif épithète, on lui ajoute la terminaison qui convient, p. ex.: die *gekauften* Sachen, die *unterlassene* Hilfe.

4. Pour les verbes réfléchis, le participe présent à valeur d'adjectif épithète est employé avec le pronom réfléchi (*sich nähern* – das sich *nähernde* Schiff) mais le participe passé à valeur d'adjectif épithète est employé sans (*sich beschäftigen* – der *beschäftigte* Rentner).

I Généralités

a)	Das	*schreiende*	Kind konnte rasch gerettet werden.
Erweiterung:	Das	*laut schreiende*	Kind konnte rasch gerettet werden.
Erweiterung:	Das	*laut um Hilfe schreiende*	Kind konnte rasch gerettet werden.
b)	Die	*zerstörte*	Stadt war ein schrecklicher Anblick.
Erweiterung:	Die	*durch Bomben zerstörte*	Stadt war ein schrecklicher Anblick.
Erweiterung:	Die	*im Krieg durch Bomben zerstörte*	Stadt war ein schrecklicher Anblick.

1. Le participe ayant la terminaison de l'adjectif est généralement placé directement avant le substantif auquel il se rapporte.

2. Le participe peut être accompagné de tous les compléments qu'aurait le verbe correspondant. Dans l'ordre normal de la phrase, ces compléments sont placés avant le participe et forment avec lui une proposition qualificative.

3. La proposition qualificative est généralement placée entre l'article et le substantif, c.-à-d. directement devant le substantif s'il n'y a pas d'article:
    Am Arbeitsplatz verletzte Personen sind voll versichert.

4. On peut trouver un autre adjectif épithète placé avant ou après la proposition qualificative:
    Unser *altes,* schon ein wenig *verfallenes* Fachwerkhaus muss renoviert werden.

II La proposition qualificative avec les verbes transitifs (= verbes qui peuvent être suivis d'un complément d'objet direct)

| a)
P. Präs.
(Aktiv) | gl.*
gl. | Der *meinen Antrag bearbeitende* Beamte | *nimmt* sich viel Zeit.
nahm sich viel Zeit.
hat sich viel Zeit *ge-nommen.* |
| Rel.-S.
(Aktiv) | gl.
gl.
gl. | Der Beamte, der *meinen Antrag* | *bearbeitet, nimmt* sich viel Zeit.
bearbeitete, nahm sich viel Zeit.
bearbeitet hat, hat sich viel Zeit *genommen.* |

*gl. = gleichzeitig

b)

P. Perf.	gl.*	**Nicht mehr beachtete** Vorschriften **müssen** geändert werden.
(Passiv)	gl.	Vorschriften, die nicht mehr **beachtet werden, müssen** geändert werden.

P. Perf.	v.*	Der **gut versteckte** Schatz	**wird**	gefunden.
(Passiv)	v.		**wurde**	gefunden.
			ist	gefunden **worden**.
Rel.-S.	v.	Der Schatz, der **gut versteckt worden ist,**	**wird**	gefunden.
(Passiv)	v.	**worden war,**	**wurde**	gefunden.
	v.	**worden war,**	**ist**	gefunden **worden**.

* gl. = gleichzeitig   v. = vorzeitig

à a)   La proposition qualificative formée avec le participe présent est une forme active. Elle sert à désigner des actions, des états, des événements qui se déroulent parallèlement à l'action principale. Elle correspond à une relative à la forme active. Le temps employé dans la relative dépend du temps de la principale.

à b)   La proposition qualificative formée avec le participe passé est une forme passive. Elle sert à désigner des actions, des états, des événements passifs et correspond à une relative à la forme passive. Le temps employé dans la relative est le même que celui de la principale s'il s'agit de règles ou de lois. Dans la plupart des cas, l'action de la proposition qualificative est antérieure à celle de la relative. Il y a par conséquent changement de temps (parfait ou plus que parfait).

III   La proposition qualificative avec les verbes intransitifs (= verbes qui ne peuvent pas être suivis d'un complément d'objet direct) formant le parfait avec «sein»

Gegenwärtiger Vorgang	Beendeter Vorgang
a) Verben der Bewegung mit *sein*:	
der **ankommende** Zug	der **angekommene** Zug
= der Zug, der gerade **ankommt**	= der Zug, der gerade **angekommen ist**
die **an die Unfallstelle eilenden** Passanten	die **an die Unfallstelle geeilten** Passanten
= die Passanten, die gerade an die Unfallstelle **eilen**	= die Passanten, die schon an die Unfallstelle **geeilt sind**
b) Verben der Zustandsänderung mit *sein*:	
die rasch **vergehende** Zeit	die **vergangene** Zeit
= die Zeit, die rasch **vergeht**	= die Zeit, die schon **vergangen ist**

1. La proposition qualificative formée avec le participe présent désigne une action présente. Elle correspond à une relative à la forme active.
Der *verspätet ankommende* französische Außenminister begrüßt die Journalisten.
Der französische Außenminister, *der verspätet ankommt* begrüßt die Journalisten.

2. La proposition qualificative formée avec le participe passé désigne une action qui est déjà terminée. La proposition relative correspondante est formée avec le participe passé + *sein.*

Der *verspätet angekommene* französische Außenminister wird / wurde besonders herzlich begrüßt.

Der französische Außenminister, *der verspätet angekommen ist / war*, wird / wurde besonders herzlich begrüßt.

Remarque

Les verbes intransitifs formant le parfait avec *haben* (voir § 12 I 4, § 13 I) ne peuvent former que les constructions participales avec le participe présent:

Ein *tief schlafendes* Kind sollte man nicht wecken.

Nach 30 Jahren fuhr der *in Paris lebende* Maler wieder nach Spanien.

IV La proposition qualificative avec le «Zustandspassiv»

Der *seit Jahren verschlossene* Schrank wird (wurde) endlich geöffnet.
= Der Schrank, der *seit Jahren verschlossen ist (war)*, wird (wurde) endlich geöffnet.
Erst nach Jahren holen (holten) die Bankräuber ihre *gut versteckte* Beute.
= Erst nach Jahren holen (holten) die Bankräuber ihre Beute, die *gut versteckt ist (war)*.

1. Les verbes transitifs peuvent avoir un «Zustandspassiv». On s'interroge sur l'état résultant d'une action antérieure (voir § 45).

2. La proposition relative correspondant à cette proposition qualificative ne peut être formée qu'avec le participe passé + *sein.*

Remarque

Les adjectifs aussi peuvent, selon les règles de la proposition qualificative, être accompagnés de compléments. On emploie alors les formes verbales de *sein* dans la relative:
der beim Publikum *beliebte* Schauspieler
= der Schauspieler, der beim Publikum *beliebt ist*
die seit 40 Jahren *notwendige* Änderung des Gesetzes
= die Änderung des Gesetzes, die seit 40 Jahren *notwendig ist*

1 Transformez la proposition relative en une proposition qualificative en employant le participe présent.

die Banditen, die auf die Polizei schießen
die auf die Polizei schießenden Banditen

Was es in diesem Film alles zu sehen gibt! Da sind:

1. die Gangster, die eine Bank ausräumen
2. die Polizisten, die die Banditen jagen
3. die Häftlinge, die durch ein Kellerfenster aus der Haftanstalt ausbrechen
4. die Wächter, die überall nach den Entflohenen suchen

5. die Gefangenen, die über die Dächer der Häuser fliehen
6. die Hubschrauber, die das Gangsterauto verfolgen
7. die Verfolgten, die rücksichtslos über die Kreuzungen fahren
8. die Entflohenen, die unter einer Brücke übernachten
9. die Spürhunde, die die Spuren der Gangster verfolgen
10. die Gangster, die mit einem Flugzeug nach Südamerika entfliehen

2 Transformez la proposition relative en une proposition qualificative en employant le participe passé.

die • alte Vase, die in einem Keller gefunden worden ist
die in einem Keller gefundene alte Vase

Was da in einem Heimatmuseum alles zu finden ist:

1. eine • drei Meter hohe Figur, die aus einem einzigen Stein herausgearbeitet worden ist
2. ein • 5000 Jahre altes Skelett, das in einem Moor gefunden worden ist
3. eine • zehn Zentner schwere Glocke, die bei einem Brand aus dem Kirchturm der Stadt gestürzt ist
4. ein Bild der • Stadt, die 1944 durch einen Bombenangriff zu 80 % zerstört worden ist
5. eine • Bibel, die von dem Begründer der Stadt vor 1200 Jahren mitgebracht worden ist
6. eine • wertvolle Porzellansammlung, die der Stadt von einem rei-

chen Kunstfreund geschenkt worden ist
7. • Geräte und Maschinen, die im vorigen Jahrhundert zur Herstellung von Textilien verwendet worden sind
8. ein • Telegraphenapparat, der von einem Bürger der Stadt 1909 erfunden worden ist
9. eine • genaue Nachbildung des alten Rathauses, die aus 100 000 Streichhölzern zusammengebastelt worden ist
10. ein großes • Mosaik, das von einem Künstler der Stadt aus farbigen Glasstückchen zusammengesetzt worden ist

3 Transformez les propositions relatives en propositions qualificatives.

1. Die Ergebnisse, die in langjährigen Wetterbeobachtungsreihen festgestellt worden sind, reichen nicht aus, sichere Prognosen zu stellen.
2. Im Gegensatz zu dem sonnigen und trockenen Klima, das südlich der Alpen vorherrscht, ist es bei uns relativ niederschlagsreich.
3. In den Vorhersagen, die vom Wetterdienst in Offenbach ausgegeben werden, hieß es in diesem Sommer meistens: unbeständig und für die Jahreszeit zu kühl.
4. Ein Tiefdruckgebiet, das von den Küsten Südenglands nach Südosten zieht, wird morgen Norddeutschland erreichen.
5. Die Niederschlagsmenge, die am 8. August in Berlin registriert wurde, betrug 51 Liter auf den Quadratmeter.
6. Das ist ein einsamer Rekord, der seit 100 Jahren nicht mehr erreicht worden ist.

7. Dagegen gab es in Spanien eine Schönwetterperiode, die über fünf Wochen mit Höchsttemperaturen von 30 bis 40 Grad anhielt.

8. Die allgemeine Wetterlage dieses Sommers zeigte Temperaturen, die von Süden nach Norden um 25 Grad voneinander abwichen.

4 Transformez les propositions qualificatives en propositions relatives.

1. Über die Kosten des durch die Beschädigung einer Gasleitung entstandenen Schadens können noch keine genaueren Angaben gemacht werden.
2. Der bei seiner Firma wegen seiner Sorgfalt und Vorsicht bekannte Baggerführer Anton F. streifte bei Ausgrabungsarbeiten eine in den offiziellen Plänen nicht eingezeichnete Gasleitung.
3. Das sofort ausströmende Gas entzündete sich an einem von einem Fußgänger weggeworfenen und noch brennenden Zigarettenstummel.
4. Bei der Explosion wurden drei in der Nähe spielende Kinder von herumfliegenden Steinen und Erdbrocken getroffen.
5. Der telefonisch herbeigerufene Krankenwagen musste aber nicht die Kinder, sondern eine zufällig vorübergehende alte Dame ins Krankenhaus bringen, wo sie wegen eines Nervenschocks behandelt werden musste.

5 Formez des propositions qualificatives.

1. Im Zoo von San Francisco lebte ein Löwe, der mit beiden Augen in jeweils verschiedene Richtungen schielte.
2. Er bot einen Anblick, der derart zum Lachen reizte, dass es nicht lange dauerte, bis er entdeckt und zu einem Star gemacht wurde, der beim Fernsehpublikum von ganz Amerika beliebt war.
3. Der Löwe, der von Dompteuren und Tierpflegern für seine Auftritte vorbereitet wurde, stellte sich allerdings so dämlich an, dass man ihm nur leichtere Aufgaben, die sein Fassungsvermögen nicht überschritten, zumuten konnte,
4. was aber dem Publikum, das wie närrisch in den unmäßig blöden Ausdruck des Löwen verliebt war, nichts auszumachen schien.
5. Damit die Sendung nicht langweilig wurde, engagierte man kleinere Zirkusunternehmen, die um ihre Existenz kämpften.
6. Sie nahmen natürlich die Gelegenheit, die sich ihnen bot, mit Freuden an,
7. aber alle ihre Darbietungen, die sorgfältig eingeübt worden waren, wurden von dem Publikum, das allein auf den schielenden Löwen konzentriert war, glatt übersehen.
8. Auch die Kritiken, die regelmäßig am Morgen nach der Sendung erschienen, erwähnten nur beiläufig die Akrobaten und Clowns, die bis heute unbekannt geblieben sind.

§ 47 Les propositions participiales

		II	
a)	*Sich auf seine Verantwortung besinnend,**	übernahm	*der Politiker* das schwere Amt.
	Der Politiker	übernahm,*	*sich auf seine Verantwortung besinnend*,* das schwere Amt.
b)	*Napoleon, auf die Insel St. Helena verbannt,*	schrieb	seine Memoiren.
c)	*Den Verfolgern entkommen,**	versteckte	sich *der Einbrecher* in einer Scheune.
	Der Einbrecher	versteckte	sich, *den Verfolgern entkommen,* in einer Scheune.

* Selon la nouvelle orthographe les virgules ne sont plus obligatoires, mais elles peuvent être utilisées pour éviter des confusions. Les virgules restent obligatoires lorsque la construction de la phrase est interrompue comme sous b) et dans les seconds exemples de a) et de c).

1. La proposition participiale accompagne le sujet de la phrase.

2. La proposition participiale est formée d'un participe indéclinable accompagné de compléments se rapportant à celui-ci.

3. Dans la proposition principale, la proposition participiale est placée en position I ou III (IV).

4. Dans la proposition subordonnée, la proposition participiale est placée après le sujet:
Der Kranke war tief beunruhigt, nachdem *die Ärzte, laut über seinen Fall diskutierend,* das Krankenzimmer verlassen hatten.

5. Le participe présent correspond à une forme active, le participe passé à une forme passive:
à a) Der Politiker, der sich auf seine Verantwortung *besann,* übernahm das schwere Amt. (Partizip Präsens = Aktiv)
à b) Napoleon, der auf die Insel St. Helena *verbannt worden war,* schrieb seine Memoiren. (Partizip Perfekt, vorzeitig = Passiv)
à c) Der Einbrecher, der den Verfolgern *entkommen war,* versteckte sich in einer Scheune. (Zustandspassiv = Partizip Perfekt, vorzeitig)

Remarque

On n'emploie jamais le participe présent de *sein* et *haben* (*seiend, habend*) dans une proposition participiale. Il est omis, ce qui donne:
Der Besucher, *den Hut in der Hand,* plauderte noch eine Weile mit der Hausfrau.
Die Geschwister, *ein Herz und eine Seele,* besuchten dieselbe Universität.

1 Formez des propositions participiales.

Der Sprecher forderte schärfere Kontrollen zum Schutz der Natur.
(Er kam auf den Ausgangspunkt seines Vortrags zurück.)
Auf den Ausgangspunkt seines Vortrags zurückkommend forderte der Sprecher schärfere Kontrollen zum Schutz der Natur.

1. Der Politiker bahnte sich den Weg zum Rednerpult. (Er wurde von Fotografen umringt.)
2. Der Redner begann zu sprechen. (Er war von den Blitzlichtern der Kameraleute unbeeindruckt.)
3. Der Redner begründete die Notwendigkeit härterer Gesetze. (Er wies auf eine Statistik der zunehmenden Luftverschmutzung hin.)
4. Der Politiker sprach zwei Stunden lang. (Er wurde immer wieder von Beifall unterbrochen.)
5. Die Besucher verließen den Saal. (Sie diskutierten lebhaft.)
6. Der Redner gab noch weitere Auskünfte. (Er wurde von zahlreichen Zuhörern umlagert.)

2 Reprenez les phrases de l'exercice 1 et placez la proposition participiale en position III (IV).

Der Sprecher forderte, auf den Ausgangspunkt seines Vortrags zurückkommend, schärfere Kontrollen zum Schutz der Natur.

3 Formez des propositions participiales d'après le modèle des exercices 1 et 2.

1. Lawinen entstehen vorwiegend um die Mittagszeit. (Sie werden meist durch Erwärmung hervorgerufen.)
2. Lawinen begraben Jahr für Jahr zahlreiche Menschen unter dem Schnee. (Sie stürzen von den Bergen herunter.)
3. Suchhunde haben schon manchen unter dem Schnee Verschütteten gefunden. (Sie wurden für diese Aufgabe speziell ausgebildet.)
4. Die Bora fegt Dächer von den Häusern, Autos von den Straßen und bringt Schiffe in Seenot. (Sie weht eiskalt von den Bergen des Balkans zur Adria herab.)
5. Der Föhn fällt als warmer, trockener Wind in die nördlichen Alpentäler. (Er kommt von Süden.)
6. Ärzte vermeiden bei Föhnwetter schwierigere Operationen. (Sie wurden durch negative Erfahrungen gewarnt.)

4 Remplacez les propositions participiales par une subordonnée et complétez à chaque fois la phrase avec, par exemple, les parties de phrases données de a) à e).

Nach seiner Meinung gefragt … (als)
Als man den Politiker nach seiner Meinung fragte, antwortete er nicht.

1. Seinem Prokuristen das Papier über den Schreibtisch reichend … (indem)
2. Im Gras liegend und mit den Augen den Wolken folgend … (während)
3. Mit seinen Fäusten laut auf das Rednerpult trommelnd … (indem)
4. Sich in dem eleganten, teuren Mantel vor dem Spiegel drehend … (während)
5. Nach ihrer Meinung befragt … (als)

a) erklärte der Gewerkschaftsführer erregt, so könne es keinesfalls weitergehen.
b) dachte sie besorgt an ihr Konto.
c) dachte er über den Sinn des Lebens nach.
d) erklärte die bekannte Journalistin, auch das gegenwärtige Wirtschaftssystem werde einmal seinem Ende entgegengehen.
e) meinte der Chef: „Wir rationalisieren oder wir müssen zumachen!"

§ 48   «haben» et «sein» avec «zu»

1. eine Notwendigkeit, ein Zwang, ein Gesetz
    forme   Die Reisenden müssen (sollen) an der Grenze ihre Pässe vorzeigen.
    active   Die Reisenden *haben* an der Grenze ihre Pässe vorzuzeigen.
    forme   An der Grenze müssen die Pässe vorgezeigt werden.
    passive   An der Grenze *sind* die Pässe vorzuzeigen.

    Les phrases actives exprimant une contrainte ou une nécessité (avec les verbes de modalité *müssen, sollen, nicht dürfen*), peuvent se construire avec *haben + zu.* Les phrases passives de même nature peuvent être construites avec *sein + zu.* Les deux énoncés ont le même sens. Ils expriment une injonction et paraissent généralement impolis. Avec les verbes à particule séparable, *zu* est placé entre la particule et le radical du verbe.

    Après les verbes exprimant généralement l'idée d'ordre et de règlement, les phrases introduisant *haben + zu* peuvent être construites également avec un infinitif passé.
    An der Grenze *haben* die Pässe *vorgezeigt zu werden*

2. eine Möglichkeit oder Unmöglichkeit
    forme   Die alte Maschine kann nicht mehr repariert werden.
    passive   Die alte Maschine *ist* nicht mehr *zu* reparieren.

    Les phrases exprimant une possibilité ou une impossibilité (avec les verbes de modalité *müssen* ou *können*) sont généralement construites à la forme passive avec *sein + zu.*

Remarque

1. On peut employer à la place du passif (voir Rem. § 19 III):
    1. *sein + zu:* Das *ist* weder *zu* verstehen noch *zu* beweisen.
    2. des adverbes se terminant par *-bar, -lich:* Das ist weder verständ*lich* noch beweis*bar.*
    3. *lassen* + pronom réfléchi: Das *lässt sich* weder *verstehen* noch *beweisen.*

2. Les phrases dans lesquelles le passif est remplacé par les tournures ci-dessus sont, de par leur sens, des phrases passives. Par conséquent, selon les règles qui régissent les phrases passives (§ 19, II, phrases passives sans sujet), *es* ne peut y occuper que la première position; sinon il disparaît.
    Es lässt sich nicht erklären, warum er nicht gekommen ist.
    mais: Warum er nicht gekommen ist, lässt sich nicht erklären.

3. S'il s'agit d'un pronom indépendant ou s'il réfère à une autre proposition de la phrase, il est nécessaire de la conserver dans la phrase.
    Sein Verhalten ist nicht zu erklären. – Natürlich ist *es / das* nicht zu erklären.

1 Formez des phrases avec «haben» ou «sein» + «zu» + Infinitif.

   Der Autofahrer muss regelmäßig die Beleuchtung seines Wagens prüfen.
   Der Autofahrer hat regelmäßig die Beleuchtung seines Wagens zu prüfen.

   Vorschriften:
   1. Der Sportler muss auf sein Gewicht achten. Er muss viel trainieren. Er muss gesund leben und auf manchen Genuss verzichten.

2. Der Nachtwächter muss in der Nacht seinen Bezirk abgehen. Er muss die Türen kontrollieren. Unverschlossene Türen müssen zugeschlossen werden. Besondere Vorkommnisse müssen sofort gemeldet werden.
3. Der Zollbeamte muss unter bestimmten Umständen das Gepäck der Reisenden untersuchen. Das Gepäck verdächtiger Personen muss ggf. auf Rauschgift untersucht werden. Dabei können u.U. Spürhunde zu Hilfe genommen werden.
4. Der Autofahrer muss die Verkehrsregeln kennen und beachten. Er muss in den Ortschaften die vorgeschriebene Geschwindigkeit einhalten. Er muss Rücksicht auf die anderen Verkehrsteilnehmer nehmen. Der Polizei, der Feuerwehr und dem Krankenwagen muss auf jeden Fall Vorfahrt gewährt werden. Er muss seinen Führerschein immer mitführen. Das Motoröl muss nach einer bestimmten Anzahl von Kilometern erneuert werden.

2 Faites l'exercice d'après le modèle suivant:

A: Ist dieser Schrank verschließbar?
B: Wie bitte?
A: Ich meine: Kann man diesen Schrank verschließen?
B: Ja (Nein), dieser Schrank ist (nicht) zu verschließen.

A la place de *wie bitte*, B peut également dire: *Was meinten Sie, bitte? Was sagten Sie, bitte?*

1. Ist die Helligkeit der Birnen verstellbar?
2. Ist diese Handtasche verschließbar?
3. Ist dieses Puppentheater zerlegbar?
4. Ist diese Uhr noch reparierbar? (nicht mehr)
5. Sind die Teile des Motors austauschbar?
6. Sind diese Batterien wiederaufladbar?
7. Ist dieser Videorecorder programmierbar?
8. Ist dieser Ball aufblasbar?

3 Faites l'exercice d'après le modèle suivant:

A: Wussten Sie, dass man Altpapier leicht wiederverwerten kann?
B: Natürlich, Altpapier ist leicht wiederzuverwerten.
C: Ja, dass sich Altpapier leicht wiederverwerten lässt, ist mir bekannt.

Wussten Sie, . . .
1. dass man viel mehr Energie aus Wind erzeugen kann?
2. dass man Textilreste zu hochwertigem Papier verarbeiten kann?
3. dass es Motoren gibt, die man mit Pflanzenöl betreiben kann?
4. dass es bei uns Häuser gibt, die man fast ausschließlich mit Sonnenwärme beheizen kann?
5. dass man große Mengen von Kupfer (Cu) und Blei (Pb) aus Schrott gewinnt? (*der Schrott* = Metallabfall)
6. dass man Autoabgase durch einen Katalysator entgiften kann?
7. dass man aus Müll Heizgas gewinnen kann?
8. dass man nicht einmal in der Schweiz mit Hilfe des Wassers den Strombedarf decken kann?
9. dass man, wenn man ein Haus bauen will, in einigen Bundesländern Zuschüsse für eine Solaranlage bekommen kann?

10. dass man den Spritverbrauch der Autos durch langsameres Fahren

stark herabsetzen kann? (*der Sprit = Kraftstoff, z.B. Benzin*)

4 Formez des petites discussions d'après le modèle suivant. N'employez pas les mots entre parenthèses pour B et C.

A: Man kann die Wahrheit seiner Aussage bestreiten.
B: Du irrst! Die Wahrheit seiner Aussage kann nicht bestritten werden.
C: So ist es! Die Wahrheit seiner Aussage ist nicht zu bestreiten.

1. Man kann Lebensmittel nach dem Ablauf des Verfallsdatums [noch] verkaufen.
2. Man kann dein altes Fahrrad [doch nicht mehr] verwenden. (mein / noch gut)
3. Man kann die genaue Zahl der Weltbevölkerung [leicht] feststellen.
4. Man konnte den Fehler in der Kühltechnik des Raumfahrzeugs finden.
5. Man kann Lebensmittel [auch] in Kühlhäusern nicht über längere Zeit frisch halten. (auch über längere Zeit)
6. Man kann Salz nicht in Wasser lösen. (problemlos)

7. [Auch] wenn wir unsere Einstellung ändern, können wir die finanziellen Probleme nicht lösen. (mit Sicherheit)
8. Mit dem Öl von Pflanzen kann man [auch] besonders konstruierte Motoren nicht betreiben. (ohne weiteres)
9. Ob die Nachrichten im Fernsehen oder in den Zeitungen wirklich zutreffen, kann der einfache Bürger [ohne weiteres] nachprüfen. (von dem einfachen … nicht)
10. Man kann die Anlage einer Mülldeponie in einem wasserreichen Gebiet [ohne weiteres] verantworten.

5 Zwei «Oberschlaue» müssen natürlich auch ihre Meinung abgeben. Utilisez les phrases de l'exercice 4 selon le modèle suivant.

D: Also, das steht fest: Die Wahrheit seiner Aussage lässt sich nicht bestreiten!
E: Ja, ja, ganz recht! Die Wahrheit seiner Aussage ist unbestreitbar!

Aides pour «E» pour les phrases:

1. nicht mehr verkäuflich
2. verwendbar
3. nicht feststellbar
4. nicht auffindbar
5. haltbar (ohne „frisch")

6. löslich
7. lösbar
8. betreibbar
9. nicht nachprüfbar
10. unverantwortlich

§ 49   Le gérondif

Aktiv		eine Aufgabe, die man nicht lösen kann.
Passiv	Die Quadratur	eine Aufgabe, die nicht gelöst werden kann.
sein + zu	des Kreises ist	eine Aufgabe, die nicht zu lösen ist.
Gerundivum		eine nicht zu lösende Aufgabe.

1. Le gérondif est une construction participiale avec *zu*, dérivée d'une relative avec *sein* + *zu* (voir § 48). Le gérondif exprime une possibilité ou une impossibilité; il exprime p. ex. que quelque chose *peut* ou *doit* être comme il est.

2. Le gérondif a en fait un sens passif: die *zu lösende* Aufgabe = die Aufgabe, die *gelöst werden kann* oder *muss*; il est cependant toujours formé avec le participe présent (I): die *zu lösende* Aufgabe = die Aufgabe, die *zu lösen* ist (= infinitif actif)

3. *zu* est placé devant le participe présent; avec les verbes à particule séparable, il est intercalé entre la particule et le verbe (voir § 16 I): die einzusetzenden Beträge

1 Faites l'exercice d'après le modèle suivant.

> *Ein Fehler in der Planung, den man nicht wiedergutmachen kann, ist ein nicht wiedergutzumachender Fehler in der Planung.*

1. Ein Gerät, das man nicht mehr reparieren kann, ist …
2. Eine Krankheit, die man nicht heilen kann, ist …
3. Ein Auftrag, der sofort erledigt werden muss, ist …
4. Seine Bemühungen, die man anerkennen muss, sind …
5. Die negative Entwicklung, die man befürchten muss, ist …
6. Die Besserung der wirtschaftlichen Lage, die man erwarten kann, ist …
7. Die Invasion von Insekten, die man nicht aufhalten kann, ist …
8. Der Schaden, den man nicht beseitigen kann, ist …
9. Eine Entscheidung, die nicht verantwortet werden kann, ist …
10. Das Komitee, das sofort gebildet werden muss, ist …

2 Reprenez les expressions de l'exercice 1 et construisez des phrases complètes.

> *Ein nicht wiedergutzumachender Fehler in der Planung führte zum Zusammenbruch der Firma.*

3 Transformez les propositions relatives en: a) une phrase au passif, b) une phrase avec «sein» + «zu», c) une phrase avec un gérondif = construction participiale avec «zu».

> Die Zahl Pi, die man nie vollständig berechnen kann, beweist die Unmöglichkeit der Quadratur des Kreises.

a) *Die Zahl Pi, die nie vollständig berechnet werden kann, beweist die Unmöglichkeit der Quadratur des Kreises.*
b) *Die Zahl Pi, die nie vollständig zu berechnen ist, beweist die Unmöglichkeit der Quadratur des Kreises.*
c) *Die nie vollständig zu berechnende Zahl Pi beweist die Unmöglichkeit der Quadratur des Kreises.*

1. Infolge der Erhöhung des Meeresspiegels, die man in den nächsten Jahrzehnten erwarten muss, werden viele Inseln im Meer versinken.
2. Immer wieder werden die gleichen ökologischen Fehler gemacht, die man nach den neuesten Erkenntnissen leicht vermeiden kann.
3. Die Mediziner müssen sich ständig mit neuen Grippeviren beschäftigen, die sie mit den vorhandenen Mitteln nicht identifizieren können.
4. Bei so genannten Preisrätseln zu Werbezwecken werden oft Aufgaben gestellt, die man allzu schnell erraten kann,
5. denn meistens handelt es sich nur um den Firmennamen, den man an einer bestimmten Stelle ankreuzen muss.
6. Unkomplizierte Steuererklärungen, die man leicht bearbeiten kann, werden von den Finanzbeamten bevorzugt.
7. Die Verantwortlichen haben sich um die Akten, die man vernichten musste, persönlich gekümmert.
8. Für die einzige vom Orkan in Honduras verschonte kleine Stadt M. war der Strom der Flüchtlinge aus anderen Landesteilen ein Problem, das sie beim besten Willen nicht bewältigen konnte.
9. Der wissenschaftliche Wert von Erkenntnissen, die man nur im Labor erreichen kann, ist gering.
10. Bei einem Überschuss von Agrarprodukten werden zum Beispiel viele Tonnen von Tomaten und Gurken, die man weder verkaufen noch exportieren kann, vernichtet.
11. Das Gemüse, das man in kürzester Zeit vernichten muss, wird auf eine Deponie gebracht und verbrannt.
12. Diese Verschwendung von Lebensmitteln, die man nicht leugnen kann, ist eine aus der Agrarpreispolitik der Europäischen Wirtschaftsgemeinschaft resultierende Tatsache.

4 Transformez la construction participiale avec «zu» (gérondif) en une proposition relative: a) au passif avec un verbe de modalité, b) avec «sein» + «zu». Faire attention aux temps des verbes.

1. Wenn die Ölquellen in Brand geraten, können *kaum jemals wiedergutzumachende* ökologische Schäden entstehen.
2. Die meisten als „Krebs" angesehenen Tumore sind zum Glück nur *ohne Schwierigkeiten operativ zu entfernende* Verdickungen des Zellgewebes.
3. Nach der Explosion in dem Chemiewerk hat man an einigen *besonders zu kennzeichnenden* Stellen auf dem Fabrikgelände rote Warnlichter aufgestellt.
4. *Von unparteiischen Kollegen nicht zu wiederholende* chemische oder medizinische Experimente haben keinen wissenschaftlichen Wert.
5. Um einige Schäden am Dach des alten Rathauses zu beheben schlug eine Firma vor, ein 25 Meter hohes, *an der Rückwand des Gebäudes aufzustellendes* Gerüst zu liefern.

6. Wegen eines *nicht restlos aufzu-klärenden* Fehlers eines Chirurgen litt der Patient jahrelang an Rückenschmerzen.

7. Die einfachen, *leicht zu beweisenden* Ergebnisse des Chemikers

überzeugten auch seine Kollegen.

8. Aufgrund von *nicht zu widerlegenden* Tatsachen bewies der Verteidiger die Unschuld des Angeklagten.

§ 50 Appositions

Nominativ	Nominativ	
Friedrich Ebert,	*der erste Präsident der Weimarer Republik,* war ein überzeugter Sozialdemokrat.	
	Genitiv	Genitiv
Der erste Präsident	der Weimarer Republik,	*des ersten demokratisch regierten Staates in der deutschen Geschichte,* war Friedrich Ebert.
Dativ	Dativ	
In der Bundesrepublik Deutschland,	*dem zweiten demokratisch regierten Staat in der deutschen Geschichte,* gelten die im Grundgesetz festgelegten Rechte der Bürger.	
Akkusativ	Akkusativ	
Für den Bundestag, *die gesetzgebende Versammlung der Bundesrepublik,* sind die Artikel des Grundgesetzes bindend.		

1. L'apposition sert à apporter une explication à un substantif. Elle est généralement placée, entre virgules, après le substantif.

2. L'apposition est un membre de phrase toujours au même cas que le substantif auquel elle se rapporte. Il est possible d'avoir une succession d'appositions:
Karl V., deutscher Kaiser, König von Spanien, Herrscher über die amerikanischen Kolonien, teilte vor seiner Abdankung sein Weltreich.

3. L'apposition est introduite par *als* (pour désigner une profession, un grade, une religion ou une nationalité) ou *wie* (pour donner une explication à l'aide d'un exemple). L'apposition introduite par *als* n'est pas précédée d'une virgule. Par contre on en trouve généralement une devant *wie*:
Der Papst *als Oberhaupt der katholischen Kirche* wandte sich mahnend an alle Regierenden.
In der Steuergesetzgebung werden Abhängige, *wie zum Beispiel Kinder, Alte und Behinderte,* besonders berücksichtigt.

4. Dates:
Heute ist Freitag, *der* 13. Oktober.
Wir haben heute Freitag, *den* 13. Oktober.
Ich komme *am* Freitag, *dem* 13. Oktober.

1 Faites l'exercice ci-dessous d'après le modèle suivant.

Das Geburtshaus Goethes • steht in Frankfurt. (der größte deutsche Dichter)
Das Geburtshaus Goethes, des größten deutschen Dichters, steht in Frankfurt.

1. Mit Eckermann • führte der Dichter zahlreiche lange Gespräche. (sein bewährter Mitarbeiter)
2. Goethe schrieb „Die Leiden des jungen Werthers" • nach einem bitter enttäuschenden Liebeserlebnis. (ein Roman in Briefen)
3. Die ersten Alphabete • kamen vor ungefähr 3500 Jahren auf. (vielleicht die größten Erfindungen der Menschheit)
4. Deutsch • wird in der Welt von etwa 110 Millionen Menschen gesprochen. (eine der germanischen Sprachgruppe zugehörige Sprache)
5. Innerhalb der germanischen Sprachen • finden sich große Ähnlichkeiten. (eine Sprachgruppe in der Familie der indogermanischen Sprachen)
6. „Alles Leben ist Leiden" ist ein Wort Arthur Schopenhauers •. (ein bekannter deutscher Philosoph des vorigen Jahrhunderts)
7. Von Ortega y Gasset • stammt das Wort: „Verliebtheit ist ein Zustand geistiger Verengung." (ein spanischer Philosoph)
8. Robert Koch • wurde 1905 der Nobelpreis verliehen. (der Begründer der bakteriologischen Forschung)
9. Der Dieselmotor • setzte sich erst nach dem Tod des Erfinders in aller Welt durch. (eine nach seinem Erfinder Rudolf Diesel benannte Verbrennungskraftmaschine)
10. Am 28. Februar 1925 begrub man den erst 54-jährigen Friedrich Ebert • (der erste Präsident der Weimarer Republik)
11. Die Tier- und Pflanzenbilder Albrecht Dürers • zeichnen sich durch sehr genaue Detailarbeit aus. (der berühmte Nürnberger Maler und Graphiker)
12. Am Samstag • jährte sich zum zwanzigsten Mal der Tag, an dem Großbritannien, Dänemark und Irland der EG beigetreten sind. (der 1. Januar 1983)

§ 51   Adverbes d'insistance

Ich muss deine Aussagen berichtigen: ...
Nicht im November, sondern im Oktober ist das Haus nebenan abgebrannt.
Schon mein erster Anruf hat die Feuerwehr alarmiert.
Auch die anderen Bewohner unseres Hauses haben geholfen.
Selbst die alte Dame aus dem dritten Stock hat einige Sachen gerettet.
Gerade du solltest die Nachbarschaftshilfe anerkennen.
Nur die ausgebildeten Männer von der Feuerwehr konnten wirksam eingreifen.
Allein dem Mut der Feuerwehrleute ist es zu verdanken, dass niemand
    verletzt wurde.
Besonders der Arzt im Parterre hat Glück gehabt.
Sogar seine wertvollen Apparate konnten gerettet werden.
Erst dieser Unglücksfall hat uns gezeigt, wie wichtig es ist, gute Nachbarn
    zu haben.

1. Les adverbes d'insistance se rapportent directement à une partie de la phrase et
   occupent avec elle une certaine position dans la phrase. Ils sont accentués dans la
   langue parlée:
   Auch seinem eigenen Bruder hat er nicht mehr trauen können.
   Er hat *auch seinem eigenen Bruder* nicht mehr trauen können.

2. Les adverbes d'insistance sont généralement placés devant la partie de phrase dont
   ils dépendent.

Remarque

Faites attention aux différences de sens:
1. Er kam *auch* zu spät, genauso wie ich.
   Auch er kam zu spät, obwohl er sonst immer pünktlich ist.
2. Er hat seinen Wagen *selbst* repariert, denn er ist sehr geschickt.
   Selbst er (= Sogar er) hat seinen Wagen repariert, obwohl er doch so
   ungeschickt ist. (Voir § 36, III)
3. Ich saß eine halbe Stunde *allein* im Wartezimmer, später kamen
   noch andere Patienten.
   Bei dem Sturm in Norddeutschland stürzten *allein in Hamburg*
   mehr als zwanzig Bäume um. (= auch anderswo sind Bäume umgestürzt,
   hier wird aber nur von denen in Hamburg berichtet)

1 Complétez avec l'un des adverbes entre parenthèses

1. Nun brechen die Gangster ... am
   helllichten Tag in Banken und Pri-
   vatwohnungen ein! (erst / schon /
   nicht)
2. ... die kleinsten Filialen auf dem
   Land verschonen sie nicht. (nicht /
   gerade / sogar)
3. Im Gegenteil, ... die kleinen Banken sind oft das Ziel von Raubüber-
   fällen. (erst / überhaupt / besonders)
4. ... einen unterirdischen Gang zu
   einer Bank haben einige Gangster
   vor kurzem gegraben. (besonders /
   nur / sogar)

5. ... das Graben des zehn Meter langen Ganges hat wahrscheinlich ein paar Wochen gedauert. (allein / auch / gerade)

6. Bei so einer Arbeit muss man vorsichtig sein. ... Bankräuber sollten das wissen. (nur / schon / gerade)

7. ... sehr geschickte Gangster können so einen Plan durchführen. (selbst / nur / nicht)

8. ... die erbeutete Riesensumme mag die gestressten Bankräuber wieder glücklich gemacht haben. (erst / selbst / schon)

9. ... die Kriminalbeamten staunten, als sie die „exakte Arbeit" besichtigten. (allein / gerade / auch)

10. Am Ende aber waren ... die Gangster, sondern die Polizei erfolgreich. (sogar / nicht / erst)

Partie IV

§ 52   Le subjonctif

Remarques préliminaires

1. Le mode de l'indicatif – p. ex. *er geht, er lernte, er hat gesagt* – a été traité au § 6. L'indicatif donne à l'énoncé une valeur de réalité, de crédibilité.

2. Il existe un autre mode: le subjonctif – p. ex. *er gehe / er ginge, er lerne, er habe / hätte gesagt.* On distingue
   a) le subjonctif I, appelé aussi «subjonctif du style indirect» ou bien «subjonctif du discours rapporté»:
      a)   indicatif   Der Richter sagte: „Das glaube ich nicht."
      b)   subjonctif I   Der Richter sagte, *er glaube das nicht.*

      Dans l'exemple a) les paroles sont rapportées (ou citées) mot pour mot, telles qu'elles ont été dites. Elles sont alors placées entre guillemets (« …»).

      Dans l'exemple b), les paroles sont rapportées de manière indirecte, c'est-à-dire par l'intermédiaire d'une autre personne. Quelqu'un rapporte ce que le juge a dit. On rapporte les paroles de quelqu'un d'autre.

   b) Le subjonctif II, appelé aussi ou «subjonctif de non réalité»:
      a)   indicatif   Er ist krank, er kann dir nicht helfen.
      b)   subjonctif II   *Wenn er gesund wäre, könnte er dir helfen.*

      Dans l'exemple a), il s'agit d'un fait; dans b) il s'agit d'un souhait, de quelque chose de non réalisé.

3. Les formes du subjonctif I étant souvent remplacées par celles du subjonctif II, on traitera le subjonctif II en premier.

§ 53   Le subjonctif II

Formation

Indikativ	Konjunktiv II
a) er fährt	er *führe*
b) er fuhr	
er ist (war) gefahren }	er *wäre gefahren*
er las	
er hat (hatte) gelesen }	er *hätte gelesen*

Le subjonctif II a deux temps: a) le présent, b) le passé. Aux trois formes du passé de l'indicatif ne correspond qu'une seule forme de passé pour le subjonctif II.

I Formation du présent

1. Verbes forts

On ajoute au radical du prétérit les terminaisons suivantes:

	Singular	Plural
1. Person	**-e**	**-en**
2. Person	**-est**	**-et**
3. Person	**-e**	**-en**

Les voyelles *a, o, u* du radical prennent l'inflexion: *ä, ö, ü*:

Infinitiv	Indikativ Präteritum	Konjunktiv II Gegenwartsform
sein	war	ich wäre, du wär(e)st, er wäre …
bleiben	blieb	ich bliebe, du bliebest, er bliebe …
fahren	fuhr	ich führe, du führest, er führe …
kommen	kam	ich käme, du kämest, er käme …
ziehen	zog	ich zöge, du zögest, er zöge …

2. Verbes faibles

Les formes du présent du subjonctif II correspondent aux formes du prétérit de l'indicatif. Elles ne prennent pas l'inflexion:

Infinitiv	Indikativ Präteritum	Konjunktiv II Gegenwartsform
fragen	fragte	ich fragte, du fragtest, er fragte …
sagen	sagte	ich sagte, du sagtest, er sagte …

3. Exceptions

a) Les verbes de modalité *dürfen, können, mögen, müssen*, les verbes mixtes *denken, bringen, wissen* et les auxiliaires *haben* et *werden* prennent l'inflexion au subjonctif II:

Infinitiv	Indikativ Präteritum	Konjunktiv II Gegenwartsform
bringen	brachte	ich brächte, du brächtest, er brächte …
haben	hatte	ich hätte, du hättest, er hätte …
können	konnte	ich könnte, du könntest, er könnte …
werden	wurde	ich würde, du würdest, er würde …

b) Pour certains verbes forts et mixtes, la voyelle du subjonctif II ne correspond pas à celle du prétérit du subjonctif. Ces formes ne sont plus employées que rarement. On leur préfère l'emploi de *würde* + infinitif (voir § 54 III):

Infinitiv	Indikativ Präteritum	Konjunktiv II Gegenwartsform
helfen	half	hülfe
werfen	warf	würfe
verderben	verdarb	verdürbe
stehen	stand	stünde
sterben	starb	stürbe
nennen	nannte	nennte u. a.

Remarque

On emploie toujours au subjonctif II la forme faible des verbes *senden – sandte / sendete* et *wenden – wandte / wendete*.

Dans la langue parlée (et en partie aussi dans la langue écrite), on utilise aujourd'hui la périphrase *würde* + infinitif. On n'utilise plus les formes de subjonctif II que pour les verbes de modalité et les auxiliaires (voir § 54, III).

II Formation du passé

1. Le passé est formé avec le subjonctif II des auxiliaires *haben* ou *sein* (*wäre, hätte*)
   suivi du participe passé:

Infinitiv	Vergangenheit im Konjunktiv II
haben	ich hätte gehabt, du hättest gehabt ...
sein	ich wäre gewesen, du wär(e)st gewesen ...
arbeiten	ich hätte gearbeitet, du hättest gearbeitet ...
bleiben	ich wäre geblieben, du wär(e)st geblieben ...
kommen	ich wäre gekommen, du wär(e)st gekommen ...
ziehen	ich hätte gezogen, du hättest gezogen ...

2. Aux trois formes du passé de l'indicatif ne correspond qu'une seule forme du passé
   pour le subjonctif II:

Indikativ	Konjunktiv II
Hans kam.	Hans *wäre gekommen.*
Hans ist gekommen.	
Hans war gekommen.	

III Le passif du subjonctif II

	Indikativ	Konjunktiv II
Gegenwart	ihm wird geholfen	ihm *würde geholfen*
Vergangenheit	ihm wurde geholfen	
	ihm ist geholfen worden	ihm *wäre geholfen worden*
	ihm war geholfen worden	

1 Conjuguez les verbes suivants au présent et au passé du subjonctif II:

1. rechnen   3. abreisen   5. ausschalten   7. lernen
2. arbeiten   4. sollen   6. telefonieren   8. klettern

2 Même exercice.

1. nehmen   3. schlagen   5. fliegen   7. frieren   9. rufen
2. essen   4. schließen   6. abfahren   8. erfahren   10. weggehen

3 Même exercice.

1. dürfen   2. denken   3. wissen   4. umbringen   5. absenden

4 Mettez les verbes suivants aux formes correspondantes du subjonctif II.

1. du stehst
   du hast gestanden
2. es verdirbt
   es verdarb
3. sie widerstehen
   sie widerstanden
4. wir grüßten
   wir hatten gegrüßt
5. sie wird verhaftet
   sie wurde verhaftet
6. du erwiderst
   du hattest erwidert

7. sie redeten
   sie hatten geredet
8. er freute sich
   er hat sich gefreut
9. sie wollen reden
   sie wollten reden
10. ich will
    ich habe gewollt
11. er schneidet
    er hat geschnitten
12. sie klingeln
    sie klingelten

13. er handelt
    er handelte
14. ihr wandert
    ihr seid gewandert
15. ich fasse zusammen
    ich fasste zusammen
16. du reist ab
    du bist abgereist
17. ich musste abreisen
    ich habe abreisen müssen
18. sie wurden geschlagen
    sie sind geschlagen worden

§ 54 Emploi du subjonctif II

I Expression du souhait non réalisé

a) Er ist nicht gesund. Er wünscht sich:
   Wenn ich doch gesund *wäre!*
   Wäre ich doch gesund!
b) Die Freunde sind nicht mitgefahren. Wir wünschen:
   Wenn sie nur (oder: doch nur) *mitgefahren wären!*
   Wären sie nur (oder: doch nur) *mitgefahren!*
c) Hans belügt mich immer. Ich wünsche mir:
   Wenn er mir doch die Wahrheit *sagte* (oder: *sagen würde*)!
d) Ich habe Evas Adresse vergessen und wünsche mir:
   Wüsste ich doch (oder: bloß) ihre Adresse!

1. La phrase exprimant un souhait non réalisé peut être introduite par *wenn*. Le verbe est alors placé à la fin de la phrase. Si la phrase est formée sans *wenn*, le verbe est placé au début de la phrase.

2. La phrase exprimant un souhait non réalisé peut être complétée par *doch, bloß, nur* ou *doch nur*.

3. Il y a un point d'exclamation à la fin d'une phrase exprimant un souhait (!).

1 Formez des phrases exprimant un souhait non réalisé, au présent.

Sie kommt nicht zurück. *Wenn sie doch zurückkäme!*
Es ist so heiß. *Wenn es doch nicht so heiß wäre!*

1. Der Bus kommt nicht.
2. Es ist hier so dunkel.
3. Ich habe Angst. (nicht solche Angst)
4. Ich muss lange warten. (so lange)
5. Ich habe nicht viel Zeit. (etwas mehr)
6. Der Zug fährt noch nicht ab. (doch schon)

2 Formez des phrases exprimant un souhait non réalisé au passé.

> Du hast mir nicht geschrieben, wann du kommst.
> *Wenn du mir doch nur geschrieben hättest, wann du kommst!*

1. Du hast mir nicht gesagt, dass du Urlaub bekommst.
2. Ich habe nicht gewusst, dass du nach Spanien fahren willst.
3. Ich habe keine Zeit gehabt Spanisch zu lernen.
4. Du hast mir nicht geschrieben, was du vorhast.
5. Ich habe nicht genug Geld gespart, um mitzufahren.

3 Construisez, avec les phrases de l'exercice 1 et 2, des phrases sans «wenn», exprimant un souhait.

4 Formez des phrases, avec ou sans «wenn», exprimant un souhait. Faites attention aux temps!

1. Ich kann nicht zu der Ausstellung fahren.
2. Du hast mich nicht besucht, als du hier warst.
3. Er ist bei diesem schlechten Wetter auf eine Bergtour gegangen.
4. Er ist nicht hier geblieben.
5. Ich bin nicht informiert worden.
6. Ich darf nicht schneller fahren.
7. Ich werde von der Polizei angehalten.
8. Wir müssen noch weit fahren. (nicht mehr so weit)
9. Wir sind noch lange nicht da. (bald da)
10. Er schenkte der Stadt sein ganzes Vermögen.
11. Mein Bruder war nicht auf der Party.
12. Er hatte keine Zeit zu kommen.

5 Formez des phrases exprimant un souhait.

> Er arbeitet langsam. (schneller)
> *a) Wenn er doch schneller arbeitete!*
> *b) Wenn er doch nicht so langsam arbeitete!*

1. Sie spricht undeutlich. (deutlicher)
2. Die Fernsehsendung kommt spät. (früher)
3. Der Busfahrer fährt schnell. (langsamer)
4. Ich verdiene wenig Geld. (mehr)
5. Er stellt das Radio laut. (leiser)
6. Das Zimmer ist teuer. (billiger)

II Expression de la condition irréelle

A la différence du français, l'allemand emploie le conditionnel dans la principale et dans la subordonnée.

1. Wenn ich genug Geld habe, baue ich mir ein Haus.

Il s'agit ici d'une condition réelle, c'est-à-dire donnée comme réalisable: *j'économise et un jour je construirai une maison*. Il s'agit d'un projet réel.

Wenn ich genug Geld hätte, baute ich mir ein Haus (ou bien: würde … bauen).

Ceci est une condition irréelle, donnée comme non réalisée: *je n'ai pas assez d'argent, je ne peux pas construire, mais si* - c'est un projet non réalisé, un rêve. Dans ce cas on utilise le subjonctif II dans la principale et dans la subordonnée.

2. Wenn ich Zeit hätte, käme ich zu dir.
    Ich käme zu dir, wenn ich Zeit hätte.
    Wenn ich gestern Zeit gehabt hätte, wäre ich zu dir gekommen.

La subordonnée introduite par *wenn* peut être placée avant ou après la principale.

Hätte ich Zeit, (so) käme ich zu dir.

La phrase conditionnelle peut être aussi construite sans *wenn*. Le verbe conjugé est alors placé en tête de phrase. La proposition principale peut être introduite par *so* ou *dann*. Dans ce cas elle est toujours placée après la subordonnée.

Was machtet ihr, wenn jetzt ein Feuer ausbräche?
Hättest du mich gestern besucht, wenn du Zeit gehabt hättest?

Si la phrase conditionnelle est une phrase interrogative, la phrase introduite par *wenn* est placée en dernier.

Er musste ein Taxi nehmen, sonst wäre er zu spät gekommen.
Man musste ihn ins Krankenhaus bringen, andernfalls wäre er verblutet.

sonst ou *andernfalls* sont généralement suivis du subjonctif II. La phrase est une proposition indépendante qui admet aussi l'inversion (voir § 24 I).

Er musste ein Taxi nehmen, *er* wäre *sonst* zu spät gekommen.

Es wäre mir angenehmer, er käme schon am Freitag.
Es wäre besser gewesen, wir hätten vorher mit ihm gesprochen.

Après des énoncés impersonnels et subjectifs au subjonctif II, le plus souvent employés avec un comparatif, on peut trouver aussi une proposition principale.

III Remplacement du subjonctif II par «würde» + infinitif

(Wenn ich Karin *fragte, berichtete* sie mir von ihrer Tätigkeit.)

Une telle phrase avec deux verbes faibles prête à équivoque. Elle peut signifier:
1. *Jedesmal, wenn ich sie fragte* . . . (= prétérit de l'indicatif) ou
2. *Im Fall, dass ich sie fragen sollte* . . . (présent du subjonctif II).
Dans de tels cas on emploie la forme *würde + infinitif*. Il faut cependant éviter le double emploi de cette forme dans la principale et dans la subordonnée.

Wenn ich Karin *fragen würde, berichtete* sie mir von ihrer Tätigkeit.
Wenn ich Karin *fragte, würde* sie mir von ihrer Tätigkeit *berichten.*

(Wenn sie mich zur Teilnahme *zwängen, träte* ich aus dem Verein *aus.*)
Wenn sie mich zur Teilnahme zu zwingen *versuchten, würde* ich aus dem Verein *austreten.*

Pour beaucoup de verbes forts, la forme du subjonctif II est considérée comme vieillie (p. ex. *träte, böte, grübe*); on la remplace par *würde + infinitif*.

6 Sagen Sie, was besser wäre.

Er kümmert sich nicht um sein Examen.
Es wäre besser, wenn er sich um sein Examen kümmerte.
Ou: … , wenn er sich um sein Examen kümmern würde.

1. Der Angestellte kommt nicht pünktlich zum Dienst.
2. Der Angeklagte sagt nicht die volle Wahrheit.
3. Die Stadt baut keine Radfahrwege.
4. Der Hausbesitzer lässt das Dach nicht reparieren.
5. Du kaufst keine neuen Reifen für dein Auto.
6. Sie geht nicht zum Arzt und lässt sich nicht untersuchen.
7. Er kauft sich keine neue Brille.
8. Der Motorradfahrer trägt keinen Schutzhelm.

7 Reprenez les phrases de l'exercice 6 et mettez-les au passé.

Es wäre besser gewesen, wenn er sich um sein Examen gekümmert hätte.

8 Transformez les phrases des exercices 6 et 7 d'après le modèle suivant:

(1) Es wäre besser, er kümmerte sich um sein Examen.
Ou: . . ., er würde sich um sein Examen kümmern.
(2) Es wäre besser gewesen, er hätte sich um sein Examen gekümmert.

9 Reliez des phrases pour former une phrase conditionnelle exprimant une condition non réalisée, avec ou sans «wenn». Faites attention aux temps!

Er findet meine Brille nicht. Er schickt sie mir nicht.
Wenn er meine Brille fände, schickte er sie mir.
Ou: . . ., würde er sie mir schicken.

Ich habe von seinem Plan nichts gewusst. Ich habe ihn nicht gewarnt.
Hätte ich von seinem Plan gewusst, hätte ich ihn gewarnt.

1. Der Fahrgast hat keinen Fahrschein gehabt. Er hat dreißig Euro Strafe zahlen müssen.
2. Der Ausländer hat den Beamten falsch verstanden. Er ist in den falschen Zug gestiegen.
3. Die beiden Drähte berühren sich nicht. Es gibt keinen Kurzschluss.
4. Es gibt nicht genügend Laborplätze. Nicht alle Bewerber können Chemie studieren.
5. Ich bin nicht für die Ziele der De- monstranten. Ich gehe nicht zu der Demonstration.
6. Du hast das verdorbene Fleisch gegessen. Dir ist schlecht geworden.
7. Der Apotheker hatte keine Alarmanlage installiert. Die Diebe konnten unbemerkt eindringen und bestimmte Medikamente mitnehmen.
8. Die Feuerwehr hat den Brand nicht sofort gelöscht. Viele Häuser sind von den Flammen zerstört worden. (nicht so viele)

10 Complétez les phrases conditionnelles en employant le subjonctif II.

1. Wäre sie nicht so schnell gefahren, so …
2. Hätte er nicht so viel durcheinander getrunken, so …
3. Hätte er dem Finanzamt nicht einen Teil seines Einkommens verschwiegen, …
4. Hätten wir nicht im Lotto gespielt, …
5. Wäre er nicht auf die Party seines Freundes gegangen, …
6. Hätten die Politiker rechtzeitig verhandelt, …
7. Wäre der Bus pünktlich gekommen, so …
8. Gäbe es keine Schreibmaschine, dann …
9. Würde er aus dem Gefängnis fliehen, …
10. Ginge ich in der Nacht durch den Stadtpark, …

11 Répondez aux questions en employant une phrase conditionnelle exprimant une condition non réalisée.

Was würden (voir § 54, III) Sie machen, wenn …

1. Sie Ihre Tasche (Brieftasche) mit allen Papieren verloren hätten?
2. Ihr Zimmer (Ihre Wohnung) plötzlich gekündigt würde?
3. Sie eine Million Euro im Lotto gewonnen hätten?
4. in Ihrer Nähe plötzlich jemand um Hilfe riefe?
5. Sie von einer giftigen Schlange gebissen worden wären?
6. Sie im Kaufhaus ein kleines Kind nach seiner Mutter schreien hörten?
7. Sie bei einem Versandhaus einen Anzug bestellt und ein Fahrrad erhalten hätten?
8. Sie zufällig auf der Straße ein Flugticket nach New York und zurück fänden?

12 Formez des phrases avec «sonst» ou «andernfalls». La phrase que ces mots introduisent est, dans cet exercice, toujours au passé du subjonctif II.

Er musste ein Taxi nehmen. (er / zu spät zum Bahnhof / kommen)
Er musste ein Taxi nehmen, sonst wäre er zu spät zum Bahnhof gekommen.

1. Er musste das Dach neu decken lassen. (ihm / das Regenwasser / in die Wohnung / laufen)
2. Gut, dass du endlich zurückkommst! (ich / dich / durch die Polizei / suchen lassen)
3. Die Forscher mussten den Versuch abbrechen. (es / eine Explosion / geben / und / die teure Apparatur / zerstört werden)
4. Sie nahm ihren Studentenausweis mit. (sie / den normalen Fahrpreis / bezahlen müssen)
5. Mein Nachbar hat mich in ein langes Gespräch verwickelt. (ich /
nicht so spät / zu dir kommen)
6. In diesem Winter musste man die Tiere des Waldes füttern. (sie / alle / verhungern)
7. Es war schon spät. (wir / bei dir / vorbeikommen)
8. Er musste aufhören zu rauchen. (ihn / der Arzt / nicht mehr behandeln)
9. Man musste den Patienten an eine Herz-Lungen-Maschine anschließen. (er / nicht mehr / zu retten sein)
10. Der Arzt entschloss sich zu einem Luftröhrenschnitt. (das Kind / ersticken)

13 Formez des phrases conditionnelles exprimant une condition non réalisée. Employez pour la phrase entre parenthèses la forme du subjonctif avec «würde».

> (Du erreichst einen günstigeren Preis.) Du handelst mit ihm.
> *Du würdest einen günstigeren Preis erreichen, wenn du mit ihm handeltest.*

> (Die alte Regelung gilt noch.) Dann ist alles viel leichter.
> *Wenn die alte Regelung noch gelten würde, wäre alles viel leichter.*

1. (Du fragst mir die Vokabeln ab.) Du tust mir einen großen Gefallen.
2. (Du holst mich von der Bahn ab.) Ich brauche kein Taxi zu nehmen.
3. (Er spart viel Geld.) Er heizt etwas sparsamer.
4. Wir besuchen ihn. (Wir kennen seine Adresse.)
5. (Sie richten ihn hin.) Das Volk empört sich gegen die Regierung.
6. (Du liest das Buch.) Du weißt Bescheid.
7. Man pflanzt in der Stadt Bäume. (Man verbessert die Luft und verschönert die Stadt.)
8. (Ich kenne sein Geburtstagsdatum.) Ich gratuliere ihm jedes Jahr.

IV Comparaison avec «als ob» ou «als» suivis d'une phrase conditionnelle (expression de l'irréel)

1. Sie schaut mich an, *als ob* sie mich nicht *verstünde.*
   Sie schaut mich an, *als ob* sie mich nicht *verstanden hätte.*

   La comparative avec *als ob* ou *als* (plus rarement *als wenn* ou *wie wenn*) exprime une comparaison où la condition n'est pas réalisée: elle me regarde ainsi mais en réalité elle me comprend ou bien elle m'a probablement comprise.

   Er hat solchen Hunger, *als hätte* er seit Tagen nichts *gegessen.*

   Lorsque la subordonnée est introduite par *als*, *als* est immédiatement suivi du verbe.

2. Dans la première partie de la phrase on exprime une constatation objective, réelle, le verbe est donc à l'indicatif.

14 Formez des phrases comparatives (subjonctif de l'irréel) avec «als ob» ou «als wenn».

> Der Junge tat so, (er / nicht laufen können)
> *Der Junge tat so, als ob (als wenn) er nicht laufen könnte.*

1. Der Angler tat so, (er / einen großen Fisch an der Leine haben)
2. Der Lehrer sprach so laut, (seine Schüler / alle schwerhörig sein)
3. Unser Nachbar tut so, (Haus und Garten / ihm gehören)
4. Der Junge hat die Fensterscheibe eingeschlagen, aber er tut so, (er / ganz unschuldig sein)
5. Gisela sprang von ihrem Stuhl auf, (sie / von einer Tarantel gestochen worden sein) (die Tarantel = giftige Spinne)
6. Der Rennfahrer saß so ruhig hinter dem Steuer seines Rennwagens, (er / eine Spazierfahrt machen)
7. Der Hund kam auf mich zugerannt, (er / mich in Stücke reißen wollen)
8. Das Mädchen fuhr auf ihren Skiern so geschickt den Berg hinunter, (sie / das schon tausendmal geübt haben)

15 Reprenez les phrases de l'exercice 1 et formez des phrases comparatives (subjonctif de l'irréel) avec «als».

Der Junge tat so, als könnte er nicht laufen.

16 Complétez les phrases comparatives en employant le subjonctif II.

1. Der Politiker sprach so laut, als ob
   ...
2. Der Busfahrer fuhr so schnell, als wenn ...
3. Der Hotelgast gab so hohe Trinkgelder, als ...
4. Der Arzt machte ein Gesicht, als ...
5. Der Schriftsteller wurde gefeiert, als ...

6. Die Musik kam so laut und klar im Radio, als ...
7. Der Koch briet so viel Fleisch, als ...
8. Der Zug fuhr so langsam, als ...
9. Das Kind schrie so entsetzlich, als ...
10. Die Kiste war so schwer, als ...

17 Formez des phrases comparatives (subjonctif de l'irréel).

Ich fühle mich bei meinen Wirtsleuten so wohl wie zu Hause.
Ich fühle mich bei meinen Wirtsleuten so wohl, als ob ich zu Hause wäre.

1. Er hatte sich in den Finger gestochen und schrie wie ein kleines Kind.
2. Die Wirtin behandelte ihren Untermieter wie einen nahen Verwandten.
3. Er sieht aus wie ein Bettler.
4. Er gibt das Geld aus wie ein Millionär.
5. Er bestaunte das Auto wie einer, der noch nie ein Automobil

gesehen hat. (... Auto, als ob er ...)
6. Er schaute mich verständnislos an. (nicht verstanden haben)
7. Der Automechaniker stellte sich an wie einer, der noch nie einen Motor auseinander genommen hat. (... sich an, als ob er ...)
8. Der Chef sprach mit dem Angestellten wie mit einem dummen Jungen.

V   Propositions consécutives (expression de l'irréel)

Es ist *zu* spät, *als dass* wir noch bei ihm anrufen könnten.
Ich hab' das Tier *viel zu* gern, *als dass* ich es weggeben könnte.

La proposition consécutive dépend généralement d'un adverbe employé avec *zu* ou *allzu* (= insistance). *Zu* indique que quelque chose dépasse les limites du possible ou du supportable de sorte que la conséquence attendue dans la subordonnée introduite par *als* ne peut pas être réalisée. La proposition introduite par *als dass* est donc au subjonctif II.

Er hat *so* viel Zeit, *dass* er das ganze Jahr verreisen könnte.

La conséquence indiquée dans la subordonnée introduite par *so ...*, *dass* ne sera pas réalisée. On emploie par conséquent le subjonctif II dans la subordonnée.

Er ging weg, *ohne dass* er sich verabschiedet hätte.

La conséquence attendue dans la proposition introduite par *ohne dass*, n'est pas réalisée. La subordonnée est par conséquent le plus souvent au subjonctif II.

18 Construisez des phrases consécutives (expression de l'irréel) avec «zu …, als dass».

> Die Versuche sind zu teuer. Man kann sie nicht unbegrenzt fortsetzen.
> *Die Versuche sind zu teuer, als dass man sie unbegrenzt fortsetzen könnte.*

1. Der Schwimmer ist mit 32 Jahren schon zu alt. Er kann keine Spitzenleistungen mehr erbringen. (noch)
2. Diese Bergwanderung ist zu gefährlich. Ihr könnt sie nur mit einem Seil machen. (ohne Seil)
3. Die Tour ist zu weit. Sie können die Strecke nicht an einem Tag schaffen.
4. Die Wanderer sind viel zu müde. Sie wollen nicht mehr tanzen. (noch)
5. Das Hotel ist zu teuer. Wir können dort nicht wohnen.
6. Der Wind ist zu kalt. Das Laufen macht keinen Spaß mehr. (noch … würde)
7. Die Mathematikaufgabe ist zu schwierig. Die Schüler können sie nicht lösen.
8. Das Bild ist zu groß. Ich will es mir nicht ins Zimmer hängen.
9. Die Reise ist zu anstrengend. Ich werde sie nicht mehr machen. (noch einmal … würde)
10. Das Fernsehprogramm ist viel zu langweilig. Ich sehe es mir nicht an.

19 Mettez les phrases 1 à 5 de l'exercice 1 au prétérit ou au parfait et construisez des phrases consécutives.

> Die Versuche waren zu teuer. Man konnte sie nicht unbegrenzt fortsetzen.
> *Die Versuche waren zu teuer, als dass man sie unbegrenzt hätte fortsetzen können.*

20 Construisez des phrases consécutives (expression de l'irréel) avec «so … dass». Faites attention aux temps!

> Die Straßenbahn fuhr (fährt) so langsam, (man / ebensogut laufen können)
> *Die Straßenbahn fuhr (fährt) so langsam, dass man ebensogut hätte laufen können (laufen könnte).*

1. Die Sonne schien so warm, (man / im Badeanzug auf der Terrasse liegen können)
2. Sein Geschäft geht so gut, (er / es ganz groß ausbauen können)
3. Die Terroristen hatten so viele Waffen, (man / eine ganze Kompanie Soldaten damit ausrüsten können)
4. Der Sportwagen ist so teuer, (man / zwei Mittelklassewagen / sich dafür kaufen können)
5. Die Höhle hat so viele Gänge, (man / sich darin verlaufen können)
6. Das Haus, in dem er wohnt, ist so groß, (drei Familien / darin Platz finden)
7. Das Gift wirkt so stark, (man / mit einem Fläschchen / eine ganze Stadt vergiften können)
8. Der Mond schien so hell, (man / Zeitung lesen können)

21 Reliez les deux phrases avec «ohne ... dass». Faites attention aux temps!

> Sie waren oft hier in Wien. Sie haben uns nicht ein einziges Mal besucht.
> *Sie waren oft hier in Wien, ohne dass sie uns ein einziges Mal besucht hätten.*

1. Der Arzt überwies den Patienten ins Krankenhaus. Er hat ihn nicht untersucht.
2. Ein Onkel sorgte für die verwaisten Kinder. Er hat kein Wort darüber verloren.
3. Ein ausländischer Konzern kaufte die Fabrik. Es wurde nicht lange über den Preis verhandelt. (*es fällt weg!*)
4. Die Tochter verließ das Elternhaus. Sie schaute nicht noch einmal zurück.
5. Er wanderte nach Amerika aus. Er hat nie wieder ein Lebenszeichen von sich gegeben. (ohne dass er jemals wieder)
6. Luft und Wasser werden von gewissen Industriebetrieben verschmutzt. Diese werden dafür nicht zur Verantwortung gezogen.
7. Sie hat uns geholfen. Wir haben sie nicht darum gebeten.
8. Er verschenkte seine wertvolle Münzsammlung. Es hat ihm keinen Augenblick Leid getan.

VI Autres emplois du subjonctif II

Beinah(e) wäre das ganze Haus abgebrannt!
Fast hätte ich den Bus nicht mehr erreicht.

Les phrases avec *beinah(e)* ou *fast* expriment que quelque chose a failli arriver. On emploie le passé du subjonctif II.

Ich hätte dich besucht, aber ich hatte deine Adresse nicht.
Der Bus ist noch nicht da; dabei hätte er schon vor zehn Minuten kommen müssen.

Permet de distinguer entre la réalité et l'irréel.

Sollte es wirklich schon so spät sein?
Würdest du mir tatsächlich Geld leihen?

Sert à poser des questions exprimant une forte incertitude.

Wären Sie so freundlich mir zu helfen?
Könnten Sie mir vielleicht sagen, wie ich zum Bahnhof komme?

Exprime une demande polie ou une prière sous forme de question.

Würden Sie mir bitte einen Gefallen tun?
Würden Sie vielleicht gegen zehn Uhr noch mal anrufen?

On emploie souvent pour demander poliment la forme *würde* + infinitif.

Zum Einkaufen dürfte es jetzt zu spät sein.
(Wie alt schätzt du Gisela?) Sie dürfte etwa zwanzig sein.

Permet d'exprimer une supposition de manière prudente: on emploie *dürfen* au subjonctif II.

So, das wär's für heute! (Morgen geht's weiter.)
Das hätten wir geschafft!

Permet d'exprimer qu'une partie d'un tout (ici un travail) est terminée.

Ich glaube, dass ich ihm in dieser Lage auch nicht helfen könnte.
Ich meine, dass er sich endlich ändern müsste.

Pour exprimer son incertitude à propos de quelque chose, on peut employer aussi le subjonctif II. On trouve dans la principale les verbes *annehmen, glauben, denken, meinen*.

Ich kenne keinen anderen Arzt, der dir besser helfen könnte.
Ich wüsste kein Material, das härter wäre als ein Diamant.

Le subjonctif II est quelquefois employé dans des propositions relatives avec un comparatif, dépendant d'une principale à la forme négative.

22 Faites l'exercice suivant en employant le subjonctif II au passé après «beinah(e)» ou «fast».

> Hast du das Haus gekauft?
> *Nein, aber beinah (fast) hätte ich es gekauft.*
> Ou: *Nein, aber ich hätte es beinah (fast) gekauft.*

1. Hast du dein Geld verloren?
2. Bist du betrogen worden?
3. Bist du verhaftet worden?
4. Ist das Flugzeug abgestürzt?
5. Hast du dein Geschäft verkaufen müssen?
6. Ist das Schiff untergegangen?
7. Seid ihr zu spät gekommen?

23 Posez la question en exprimant le doute.

> Ist sie wirklich erst 17? – Ja, das stimmt.
> *Sollte sie wirklich erst 17 sein? – Ja, das dürfte stimmen.*

1. Ist dieses Haus wirklich für 100 000 Euro zu haben? – Ja, das stimmt.
2. Hat er wirklich die Wahrheit gesagt? – Nein, das war nicht die Wahrheit.
3. Ist er wirklich in schlechten finanziellen Verhältnissen? – Ja, das trifft leider zu.
4. Habe ich für diesen Pelzmantel wirklich 100 Euro zu viel bezahlt? – Ja, das stimmt annähernd.
5. Hatte der Sultan wirklich 90 Kinder? – Nein, es waren nur etwa 50.
6. Hat er mich mit Absicht falsch informiert? – Nein, er hat nur wieder mal nicht aufgepasst.
7. Ist der Zug wirklich schon abgefahren? – Ja, der ist schon weg.
8. Hat der Zeuge sich wirklich nicht geirrt? – Nein, seine Aussage entspricht so ziemlich den Tatsachen.
9. Hat er seine Steuererklärung wirklich ungenau ausgefüllt? – Ja, die Angaben waren unzutreffend.

24 Formulez des questions polies.

Nehmen Sie das Paket mit?
Würden Sie bitte das Paket mitnehmen?
Könnten Sie bitte das Paket mitnehmen?
Würden Sie so freundlich sein und das Paket mitnehmen?
(... das Paket mitzunehmen?)
Dürfte ich Sie bitten das Paket mitnehmen?
Würden Sie mir den Gefallen tun und das Paket mitnehmen?
(... das Paket mitzunehmen?)

1. Schicken Sie mir die Waren ins Haus?
2. Wo ist die Stadtverwaltung?
3. Wie komme ich zum Krankenhaus?
4. Reichen Sie mir das Salz?
5. Geben Sie mir noch eine Scheibe Brot?
6. Bringen Sie mir noch ein Glas Bier?
7. Helfen Sie mir den Wagen anzuschieben?
8. Wird der Eilbrief heute noch zugestellt? (... mir sagen, ob ...)
9. Kommen Sie gegen 5 Uhr noch mal vorbei?
10. Nimmst du dieses Päckchen mit zur Post?

25 Dites ce qui serait possible dans d'autres conditions.

Zu Fuß kannst du den Zug nicht mehr erreichen; (mit dem Taxi / noch rechtzeitig zur Bahn kommen)
Zu Fuß kannst du den Zug nicht mehr erreichen; mit dem Taxi könntest du noch rechtzeitig zur Bahn kommen.

1. Ohne Antenne kannst du das Programm von Bayern III nicht empfangen; (mit Antenne / du / es gut hereinbekommen)
2. Hier müssen alle Kraftfahrzeuge langsam fahren; (ohne diese Vorschrift / es / viele Unfälle geben)
3. Leider ist unser Auto kaputt; (sonst / wir / heute ins Grüne fahren)
4. Ohne Licht darfst du abends nicht Rad fahren; (sonst / dir / ein Unglück passieren)
5. Du brauchst unbedingt eine Waschmaschine; (damit / du / viel Zeit sparen)
6. Du machst dir keine genaue Zeiteinteilung; (sonst / du / viel mehr schaffen)
7. Diesen Ofen benutzen wir nur in der Übergangszeit; (im Winter / wir / das Haus damit nicht warm bekommen)
8. Die Arbeiter müssen zur Zeit Überstunden machen; (die Firma / andernfalls / die Liefertermine nicht einhalten)
9. Hier darfst du nicht fotografieren; (du / wegen Spionage verhaftet werden)

§ 55   Le subjonctif I

Formation

Indikativ	Konjunktiv I
a) er fährt	er *fahre*
b) er wird fahren	er *werde fahren*
c) er fuhr	
er ist / war gefahren	er *sei gefahren*
er sah	
er hat / hatte gesehen	er *habe gesehen*

Le subjonctif I a trois formes: a) présent, b) futur (également supposition) et c) passé.

I Formation du présent

1. Le subjonctif I est formé sur le radical de l'infinitif auquel on ajoute les mêmes terminaisons que celles du subjonctif II (voir § 53 I).

2. On obtient les formes suivantes:

Starkes Verb	Schwaches Verb	Verb mit Hilfs-e	Modalverb	Hilfsverb	
kommen	**planen**	**schneiden**	**dürfen**	**haben**	**werden**
(ich	(ich	(ich	ich	(ich	(ich
komme)	plane)	schneide)	dürfe	habe)	werde)
du	du	(du	du	du	du
kommest	planest	schneidest)	dürfest	habest	werdest
er	er	er	er	er	er
komme	plane	schneide	dürfe	habe	werde
(wir	(wir	(wir	(wir	(wir	(wir
kommen)	planen)	schneiden)	dürfen)	haben)	werden)
ihr	ihr	(ihr	ihr	ihr	(ihr
kommet	planet	schneidet)	dürfet	habet	werdet)
(sie	(sie	(sie	(sie	(sie	(sie
kommen)	planen)	schneiden)	dürfen)	haben)	werden)

Les formes entre parenthèses sont les mêmes que celles de l'indicatif. Afin d'éviter toute confusion avec l'indicatif, on les remplace par les formes du présent du subjonctif II. Lorsque les formes du subjonctif II sont identiques à celles du prétérit, elles sont, la plupart du temps, remplacées par la périphrase *würde* + infinitif. On obtient le tableau suivant:

Starkes Verb	Schwaches Verb	Verb mit Hilfs-e	Modalverb	Hilfsverb	
ich	ich	ich	ich	ich	ich
käme	plante	schnitte	dürfe	hätte	würde
du	du	du	du	du	du
kommest	planest	schnittest	dürfest	habest	werdest
er	er	er	er	er	er
komme	plane	schneide	dürfe	habe	werde
wir	wir	wir	wir	wir	wir
kämen	planten	schnitten	dürften	hätten	würden
ihr	ihr	ihr	ihr	ihr	ihr
kommet	planet	schnittet	dürfet	habet	würdet
sie	sie	sie	sie	sie	sie
kämen	planten	schnitten	dürften	hätten	würden

Dans la langue parlée, ces règles ne sont pas observées de façon stricte. On emploie souvent par exemple le subjonctif II à la deuxième personne du singulier et du pluriel: *du kämest, ihr kämet.*

Remarque

On ne tient pas compte des irrégularités de la 2ème et 3ème personne du singulier du présent des verbes forts pour la formation du subjonctif I: indicatif: *du gibst, er gibt* – subjonctif I: *du gebest, er gebe.*

3. Les formes de *sein* constituent une exception:

ich sei	wir seien
du sei(e)st	ihr seiet
er sei	sie seien

II Formation du futur (également supposition)

1. On forme le futur I avec les formes citées plus haut de *werden* + l'infinitif:

ich würde kommen	wir würden kommen
du werdest kommen	ihr würdet kommen
er werde kommen	sie würden kommen

2. On forme le futur II de la même manière avec l'infinitif passé:

ich würde gekommen sein	ich würde geplant haben
du werdest gekommen sein	du werdest geplant haben

III Formation du passé

On forme le passé avec les formes citées plus haut de *haben* ou *sein* suivies du participe passé:

ich sei gekommen	ich hätte geplant
du sei(e)st gekommen	du habest geplant

IV Le subjonctif I au passif

Pour former le passif, on emploie les formes citées plus haut de *werden*:

Gegenwart	ich würde informiert, du werdest informiert …
Zukunft	ich würde informiert werden, du werdest informiert werden …
Vergangenheit	ich sei informiert worden, du sei(e)st informiert worden …

1 Conjuguez les verbes ci-dessous au présent et au passé du subjonctif I.

1. reisen	4. fliegen	7. abschneiden	10. fahren
2. ordnen	5. fallen	8. sich ärgern	11. frieren
3. schicken	6. geben	9. beabsichtigen	12. benachrichtigt werden

2 Mettez les verbes ci-dessous aux formes correspondantes du subjonctif I.

1. ich stelle er stellt er stellte	7. ich gehe du gehst er ist gegangen	13. du fährst ihr fahrt sie fuhren
2. du bittest er bittet wir baten	8. sie betet sie beten er betete	14. ich rufe an du rufst an sie riefen an
3. wir telefonieren ihr telefoniert sie telefonierten	9. sie schneidet wir schneiden wir haben geschnitten	15. du streitest sie streitet ihr habt gestritten
4. sie grüßt sie grüßen sie grüßten	10. ich antworte er antwortet ihr antwortet	16. er stirbt sie sterben sie starben
5. ich werde eingeladen du wirst eingeladen du wurdest eingeladen	11. er wird gewogen wir werden gewogen ihr wart gewogen worden	17. du wirst bestraft er wird bestraft sie wurde bestraft
6. du wirst dich erkälten sie wird sich erkälten sie werden sich erkälten	12. sie wird sich erholt haben ihr werdet euch erholt haben sie werden sich erholt haben	

§ 56   Emploi du subjonctif I

I Le discours indirect

Direkte Rede	Indirekte Rede
In der Wahlnacht spricht der Partei-vorsitzende. Er sagt unter anderem:	Ein Journalist berichtet. Der Parteivorsitzende sagte,
a) „Wir können stolz sein auf unseren Erfolg."	*dass sie* stolz auf *ihren* Erfolg sein könnten. *sie* könnten stolz sein auf *ihren* Erfolg.
b) *„Ihnen, liebe Parteifreunde,* danke ich herzlich."	er danke *seinen Parteifreunden* herzlich.
„Jetzt heißt es für uns alle: *Vorwärts, an die Arbeit!"*	jetzt heiße es für sie, *sofort mit der Arbeit zu beginnen.*
c) „*Für morgen* ist ein Gespräch mit dem Bundespräsidenten geplant."	*für heute, Montag,* sei ein Gespräch mit dem Bundespräsidenten geplant.
„*Hier* wird es einige Verände-rungen geben."	*dort, im Bundestag,* werde es einige Ver-änderungen geben.
d) „Ich, als Demokrat, akzeptiere das Wahlergebnis, *auch wenn es anders ausgefallen wäre."*	er, als Demokrat, akzeptiere das Wahler-gebnis, *auch wenn es anders ausgefallen wäre.*

Dans le discours indirect on rapporte les paroles d'une autre personne de manière ob-jective et souvent abrégée. Quand il s'agit de discours, de documents, de publications, etc. on ne rapporte généralement que l'essentiel. L'emploi du subjonctif I crée une certaine distance par rapport aux paroles prononcées. Il n'existe pas en allemand de concordance des temps comme en français. Le choix du temps du subjonctif I varie selon qu'il y a simultanéité, antériorité ou postériorité du contenu de la subordonnée par rapport à celui de la principale.

à a) 1. Le discours indirect peut être introduit par une proposition commençant par *dass*. Si l'information rapportée est longue, la proposition introduite par *dass* est en règle générale toujours placée au début.

2. Dans le discours indirect les pronoms changent selon le sens. – Il faut faire par-ticulièrement attention à: a) qui parle, b) à qui ou de qui l'on parle, c) éventuelle-ment qui rapporte les paroles.

à b) 1. Apostrophes, exclamations, expressions spontanées ne sont généralement pas rendues dans le discours indirect.

2. On peut, en vue de faciliter la compréhension, répéter des noms, ajouter des adverbes ou employer, suivant le sens, des phrases ou des verbes comme *bejahen, verneinen, ablehnen.*

à c) Les compléments circonstanciels de lieu ou de temps doivent être changés selon le sens.

à d) Le subjonctif II est maintenu dans le discours indirect.

II La question dans le discours indirect

Direkte Frage	Indirekte Frage
Er fragt:	Er fragt,
a) „*Gehst* du morgen zur Wahl?"	*ob* ich morgen zur Wahl ginge.
b) „*Wann* gehst du zum Wahllokal?"	*wann* ich zum Wahllokal ginge.
„*Welche Partei* willst du wählen?"	*welche Partei* ich wählen wolle.

La question devient dans le discours indirect une proposition subordonnée.

à a) Si la question ne comporte pas de mot interrogatif, la subordonnée est introduite par *ob*.

à b) Si la question commence par un mot interrogatif, la subordonnée est introduite par ce même mot interrogatif, employé comme conjonction.

III L'impératif dans le discours indirect

Direkter Imperativ	Indirekter Imperativ
a) „Reg dich doch bitte nicht so auf!"	Er bat mich (freundlich), ich *möge* mich nicht so aufregen.
b) „Hört jetzt endlich auf, über das Wahlergebnis zu diskutieren!"	Er befahl uns (scharf), wir *sollten* aufhören über das Wahlergebnis zu diskutieren.

A l'impératif du discours indirect correspondent des verbes de modalité.

à a) *mögen* + infinitif pour exprimer une prière (= ordre atténué).

à b) *sollen* + infinitif pour exprimer un ordre.

Remarque

L'impératif à la 3 ème personne du singulier ou à la 1ère personne du pluriel peut être exprimé par le subjonctif I:
Es *lebe* die Freiheit!
Damit *sei* die Sache vergessen!
Seien wir froh, dass alles vorbei ist!
Man *nehme* 15–20 Tropfen bei Bedarf und *behalte* die Flüssigkeit einige
Zeit im Mund.
Man *nehme* ein Pfund Mehl, drei Eier und etwas Milch und *verrühre*
das Ganze zu einem Teig.
Die Strecke b *sei* 7 cm. Man *schlage* von D aus einen Halbkreis über b.

Remarques concernant la ponctuation dans le discours indirect

1. Les deux-points (:) et les guillemets («...») du discours direct disparaissent. Une virgule (,) précède la proposition subordonnée du discours indirect.

2. Le point d'exclamation (!) et le point d'interrogation (?) disparaissent également puisqu'on ne fait que rapporter un ordre, une prière ou une question.

1   Mettez le texte suivant au discours indirect. Commencez ainsi: Fachleute weisen darauf
    hin, dass …

„Große Teile der Wälder in der Bundesrepublik sind durch schwefelsäurehaltigen Regen von einem allmählichen Absterben bedroht. Nicht nur die Nadelhölzer, sondern auch die Laubbäume werden geschädigt. Sie reagieren zum Teil sogar noch empfindlicher als Nadelbäume. Als gefährlichste Verursacher des Waldsterbens sieht man die großen Kohlekraftwerke an, die die Schadstoffe durch hohe Schornsteine ableiten. Das entlastet zwar die nächste Umgebung, doch wird die Schädigung weiträumig in Gebiete getragen, die bisher noch ökologisch gesund waren; denn hohe Schornsteine bringen die Schadstoffe in höhere Schichten der Atmosphäre und so können sie vom Wind ziemlich weit getragen werden. Gefordert werden neue Gesetze, die das Übel an der Wurzel packen. Es müssen Anlagen vorgeschrieben werden, die die Schadstoffe herausfiltern, so dass sie nicht mehr in die Luft gelangen können."

2   Mettez l'article de journal suivant au discours indirect. Commencez ainsi: Die
    Zeitung berichtet, dass Teile Australiens …

Teile Australiens erleben eine katastrophale Trockenheit. Infolge des Regenmangels droht in fünf von sechs australischen Bundesländern eine Dürrekatastrophe. Neben den Farmern, die bereits ihre Ernten und Tierherden verloren haben, spüren jetzt auch die Bewohner der Städte den Wassermangel besonders stark. Für sie gilt eine strenge Beschränkung des Wasserverbrauchs. Sie dürfen ihre Gärten nicht mehr so intensiv bewässern. Das Gießen ist ihnen tagsüber nur noch mit Kannen und Eimern erlaubt. Schläuche dürfen nur zwischen 19 und 21 Uhr benutzt werden. Die Geldstrafe, die auf Nichteinhaltung der Beschränkungen steht, ist von 100 auf 1000 Dollar erhöht worden. Zwanzig Funkwagen machen Jagd auf Wasserverschwender. In einigen Gemeinden des Staates Victoria ist die Not schon so groß, dass das Wasser auf 60 Liter pro Kopf und Tag rationiert wurde. Perioden großer Trockenheit hat es in Australien schon oft gegeben. Eine solche Katastrophe ist aber in der Geschichte des weißen Mannes noch nie da gewesen.

3   Même exercice. Commencez ainsi: Der Verteidiger sagte, man …

Der Verteidiger sagte: „Man muss, wenn man ein gerechtes Urteil fällen will, die Kindheit und Jugendzeit des Angeklagten kennen. Als dieser drei Jahre alt war, starb seine Mutter. Sein Vater war ein stadtbekannter Trinker. Der Angeklagte hat noch drei Jahre mit seinem Vater zusammengelebt. Eine Tante, die den Haushalt führte, mochte ihn nicht und hat ihn oft geschlagen. Als der Angeklagte sechs Jahre alt war, nahm man den ganz verwahrlosten Jungen aus dem Haushalt seines Vaters und steckte ihn in ein Waisenhaus, wo er bis zu seinem 14. Lebensjahr blieb. Nach seiner Entlassung kehrte der Junge zu seinem Vater zurück. Dieser veranlasste den Jungen immer wieder zu Diebstählen in Warenhäusern und Lebensmittelgeschäften. Mit sechzehn Jahren wurde der Jugendliche zum ersten Mal wegen Diebstahls vor Gericht gestellt und von diesem in eine Jugendstrafanstalt eingewiesen. So hat der Angeklagte nie ein normales, ge-

25 regeltes Leben kennen gelernt; er hat nie den Schutz und die Nestwärme erfahren, die eine Familie einem Heranwachsenden im Allgemeinen bietet. Das muss bei einer Verurteilung des Angeklagten berücksichtigt werden." 30

4 Transformez le discours direct en discours indirect et vice versa.

Der Arzt fragte den Patienten: „Wie lange haben Sie die Kopfschmerzen schon? Sind die Schmerzen ständig da oder treten sie nur manchmal auf? Liegen die Schmerzen hinter den Augen? Haben Sie auch nachts Kopfschmerzen? Nehmen Sie Tabletten? Was für Tabletten haben Sie bis jetzt genommen? Ist der Schmerz so stark, dass Sie es ohne Tabletten nicht aushalten? Was für eine Arbeit verrichten Sie im Büro? Wie lange müssen Sie täglich vor dem Bildschirm sitzen? Haben Sie die Möglichkeit Ihre Tätigkeit zu wechseln?"
Der Patient fragte den Arzt, wie oft er die Tabletten nehmen solle, ob er im Bett liegen bleiben müsse, oder ob er wenigstens zeitweise aufstehen dürfe, wie lange die Krankheit denn wohl dauere und ob er überhaupt wieder ganz gesund werde.

5 Transformez le discours direct en discours indirect et vice versa.

Der Turnlehrer sagte zu den Schülern: „Stellt euch gerade hin und streckt die Arme nach vorn! Bringt jetzt die Arme in weitem Bogen nach hinten, lasst den Kopf zurückfallen und biegt den ganzen Körper nach hinten durch! Jetzt kommt langsam zurück, bis ihr wieder gerade steht! Lasst nun den Oberkörper nach vorn herunterfallen, bis der Kopf die Knie berührt."
Der Lehrer sagt zu der Schülerin, dass sie den Mund schließen und durch die Nase atmen solle. Sie solle die Übungen ruhig mitmachen, aber darauf achten, dass nichts weh tue. Wenn es ihr zu anstrengend werde, solle sie aufhören.
Uta sagte zum Lehrer, er möge sie entschuldigen, sie fühle sich nicht wohl und wolle nach Hause gehen.

6 Cette anecdote est au discours indirect. Mettez-la au discours direct. Quelle forme vous semble la plus vivante?

Der berühmte Pianist Anton Rubinstein unterhielt sich auf einer Konzerttour in England mit einem Briten über seine Auslandserfahrungen. Dabei sprachen sie auch über die Konzertreise des Künstlers in Spanien. Ob er denn Spanisch könne, fragte der Engländer. Rubinstein verneinte. Ob er dann wohl Französisch gesprochen habe. Das habe er auch nicht, entgegnete der Künstler schon etwas verärgert. Womit er sich denn in Spanien durchgeholfen habe, wollte der neugierige Herr wissen. „Mit Klavier!", erwiderte Rubinstein und ließ den lästigen Frager stehen.

7 Mettez le texte suivant au discours indirect.

Der Hahn und der Fuchs

Auf einem Baum saß ein alter Hahn. Ein Fuchs, der gerade vorbeikam, sah den Hahn und da er gerade Hunger hatte, sagte er: „Komm doch herunter! Allgemeiner Friede ist unter den Tieren geschlossen worden. Komm herab und küsse mich, denn von heute ab sind wir Brüder!" „Lieber Freund", entgegnete der Hahn, „das ist eine wunderbare Nachricht! Dort sehe ich auch zwei Hunde herbeieilen. Sie wollen uns sicher auch die Friedensnachricht bringen. Dann können wir uns alle vier küssen." „Entschuldige!", rief der Fuchs eilig, „ich habe noch einen weiten Weg. Das Friedensfest werden wir später feiern!" Traurig, dass er seinen Hunger nicht stillen konnte, lief er davon.
Der Hahn aber saß auf seinem Ast und lachte: „Es macht doch Spaß einen Betrüger zu betrügen!"

(Nach La Fontaine)

8 Transformez le discours direct en discours indirect et vice versa.

Totgefragt

Auf einem Dampfer, der von Hamburg nach Helgoland fuhr, wendete sich eine Dame an den Kapitän und fragte: „Sind Sie der Kapitän?" Der Kapitän bejahte.
„Ist es eigentlich gefährlich auf See?"
Der Kapitän verneinte, zur Zeit nicht, es sei ja beinah windstill. Da werde wohl keiner seekrank.
„Ach, das meine ich auch nicht", entgegnete die Dame, „ich meine nur wegen der Seeminen." (= Explosivkörper zur Vernichtung von Schiffen im Krieg) Da sei nichts zu befürchten, die seien alle längst weggeräumt.
„Aber wenn sich nun mal eine versteckt hat?"
Das könne sie nicht. Die Minen blieben immer an der Wasseroberfläche und auch die allerletzten seien längst entdeckt und vernichtet worden. Da könne sie ganz beruhigt sein.
„Sie sind ja ein Fachmann. Sicher fahren Sie schon lange auf dieser Strecke?"
Er fahre schon vier Jahre.
„So lange fahren Sie schon? Wie hieß doch der Kapitän, der früher auf diesem Schiff fuhr? Es war so ein Großer, Blonder."
„Sein Name war Albers."
„Ja, an den kann ich mich noch gut erinnern. Lebt er noch?"
„Nein", bedauerte der Kapitän, Albers sei schon lange tot.
„Ach, das ist schade! Woran ist er denn gestorben?"
Die Reisenden hätten ihn totgefragt, entgegnete der Kapitän und ließ die erstaunte Dame stehen.

9 Mettez le rapport suivant au discours indirect.

Eine junge Ärztin erzählt ein Erlebnis von einer Expedition. Sie berichtet, dass vor einiger Zeit ...

„Vor einiger Zeit kam eine Mutter mit einem schwerkranken Säugling zu mir. Das Kind war schon blau im Gesicht und atmete schwer. Nach einer kurzen Untersuchung konnte ich feststellen, dass eine leichte Form von Diphtherie vorlag. Nachdem ich, weil mir andere Instrumente fehlten, das altmodische, aber scharfe Rasiermesser unseres Kochs desinfiziert hatte, wagte ich einen Schnitt in den Kehlkopf des Kindes. Das herausspritzende Blut versetzte die Mut-

ter in helle Aufregung. Sie schrie verzweifelt: „Sie tötet mein Kind! Sie
15 schlachtet es wie ein Schaf!" Viele Einwohner des Dorfes liefen mit drohen-
den Gebärden herbei, so dass ich das
Schlimmste für mein Leben und das des
Kindes fürchten musste. Zum Glück war
20 der Weg vom Dorf bis zu unserer Station

steil und steinig und als die erregten
Leute an meinem Zelt ankamen, atmete
das Kind schon wieder ruhig und hatte 15
seine natürliche Gesichtsfarbe zurückge-
wonnen. Seitdem behandeln die Dorfbewohner mich wie eine Heilige und es
ist schwierig, sie davon zu überzeugen,
dass ich keine Toten erwecken kann." 20

10 Même exercice.

Ein Pilot berichtet über seine Erlebnisse bei einer versuchten Flugzeugentführung.

„Genau um 23.37 Uhr, als sich unsere
Maschine in etwa 2500 Meter Höhe
über den letzten Ausläufern des Taunus
befand, teilte mir unsere Stewardess,
5 Frau Schröder, aufgeregt mit: ‚Einem
Passagier ist schlecht geworden; er ist
ganz bleich und sein Kopf liegt auf der
Seitenlehne seines Sessels.' Ich schickte
meinen Kollegen, Flugkapitän Berger, in
10 den Passagierraum. Nach kurzer Zeit
kam Berger zurück und berichtete: ‚Der
Mann ist erschossen worden. Wahrscheinlich ist eine Pistole mit Schall-
dämpfer benutzt worden, denn nie-
15 mand hat etwas gehört.'
Diese Nachricht habe ich sofort an die
Bodenstationen in München, Wien und
Mailand weitergegeben. Die Antworten
lauteten allerdings nur etwa so: ‚Fliegen
20 Sie ruhig weiter und lassen Sie alles genau beobachten. Im Augenblick können
wir Ihnen nichts Genaues sagen. Die Polizei ist informiert worden.'
In den nächsten eineinhalb Stunden er-
25 eignete sich nichts, aber kurz vor der

Landung in Wien erschienen zwei mas-
kierte Männer in der Tür zur Pilotenkan-
zel, richteten ihre Pistolen auf mich und
Kapitän Berger und befahlen: ‚Bewegen
Sie sich nicht! Sie können wählen: Ent- 30
weder halten Sie sich an unsere Befehle
oder Sie werden erschossen! Das Ziel der
Reise ist Tripolis. Die Maschine wird augenblicklich gesprengt, wenn Sie nicht
alle unsere Befehle befolgen!' 35
Ich war ganz ruhig, weil ich mir vorher
schon alles überlegt hatte. Ironisch fragte ich: ‚Was machen Sie denn mit der
Leiche, wenn wir landen?' Diese Frage
machte die Leute stutzig. Der eine be- 40
fahl dem anderen, in den Passagierraum
zu gehen und nachzusehen. Es gelang
mir, den hinter mir stehenden Luftpira-
ten zu Fall zu bringen, indem ich die
Maschine auf die Seite legte. Kapitän 45
Berger konnte den Augenblick nützen,
den Mann zu entwaffnen. Der zweite
leistete keinen Widerstand mehr, nachdem er gesehen hatte, dass sein Kompli-
ze bereits gefesselt war." 50

11 Même exercice.

Ein ärztliches Gutachten

Professor B. über den Angeklagten F.:
„Es handelt sich bei dem Angeklagten
um einen überaus einfältigen Menschen. Seine Antworten auf Fragen nach
5 seiner Kindheit lassen auf schwere
Störungen im häuslichen Bereich
schließen. So antwortete er auf die Frage: ‚Haben Ihre Eltern Sie oft geschla-

gen?' mit der Gegenfrage: ‚Welche Eltern meinen Sie? Den mit den grauen 10
Haaren hasse ich, aber die beiden Frau-
en mit den Ohrringen besuchen mich
manchmal im Gefängnis und bringen
mir Kaugummi mit.' Offensichtlich
wuchs der Angeklagte in derart unge- 15
ordneten Familienverhältnissen auf,

dass nur äußere Anhaltspunkte wie graues Haar oder Ohrringe in ihm einige Erinnerungen wachrufen. In einem so
20 gestörten Hirn wie dem des Angeklagten gleiten Erinnerungen und Vorstellungen ineinander, Fakten verlieren an Realität und unwichtige Eindrücke nehmen plötzlich einen bedeutenden Platz ein."
25 An die Geschworenen gewandt erklärte Professor B.: „Beachten Sie, dass ein Mensch, der nicht angeben kann, wer seine Eltern sind, für ein Verbrechen, das er unter Alkoholeinfluss begangen hat, nach dem Grundsatz ‚im Zweifel 30 für den Angeklagten' nicht oder nur unter der Bedingung strafmildernder Umstände verantwortlich gemacht werden darf."

Partie V

§ 57   Prépositions

Les prépositions en allemand présentent quelques difficultés pour l'étudiant francophone, tout d'abord par le choix de la préposition elle-même et ensuite par le choix
du cas demandé par la préposition.

Remarques préliminaires

On distingue

1. les prépositions gouvernant toujours un même cas:

   a) l'accusatif: bis, durch, entlang, für, gegen, ohne, um, wider

   b) le datif: ab, aus, außer, bei, dank, entgegen, entsprechend, gegenüber, gemäß,
      mit, nach, nebst, samt, seit, von, zu, zufolge.

2. les prépositions gouvernant le datif ou l'accusatif: an, auf, hinter, in, neben, über,
   unter, vor, zwischen.

   C'est le complément circonstanciel de lieu qui détermine pour ces prépositions
   l'emploi de l'un ou l'autre cas:

   a) Si le verbe indique un changement de lieu ou un changement de place
      (= direction, question *wohin?*), on met l'accusatif après ces prépositions.

   b) Si le verbe indique un séjour dans un lieu (= position, localisation, question *wo?*),
      on met le datif après ces prépositions. (La réponse à la question *woher?* est tou-
      jours au datif.)

3. les prépositions gouvernant le génitif, voir § 61.

4. Les verbes à particule séparable perdent souvent leur préfixe si celui-ci correspond à
   la préposition introduisant le complément circonstanciel:
   Jetzt müssen wir *aussteigen.* – Jetzt müssen wir *aus dem Zug steigen.*
   Als der Redner *vortrat,* lächelte er. – Als der Redner *vor das Publikum trat,*
   lächelte er.

Remarques

Ne sont pas traitées dans les paragraphes suivants

1. les prépositions régies par un verbe (voir § 15 III) et les formes nominales correspondantes, p. ex.:
   sich fürchten vor   Furcht vor
   kämpfen für / gegen / um   Kampf für / gegen / um

2. les prépositions régies par un adverbe (voir § 44) et les formes nominales correspondantes, p. ex.:
   neidisch sein auf   Neid auf
   reich sein an   Reichtum an

3. Les prépositions allemandes ont des emplois très variés. Seuls les emplois les plus
   courants sont décrits dans les pages suivantes.

§ 58   Prépositions avec l'accusatif

I   bis

1. sans article

   a) pour indiquer le lieu ou le temps:
      Bis Hamburg sind es noch etwa 250 Kilometer.
      Bis nächsten Montag muss die Arbeit fertig sein.
      Er will noch *bis September* warten.

   b) devant des chiffres (souvent avec *zu*):
      Von 13 *bis 15 Uhr* geschlossen!
      Ich zahle *bis zu 50 Euro,* nicht mehr.

   c) devant des adverbes:
      Bis dahin ist noch ein weiter Weg.
      Auf Wiedersehen, *bis bald (bis nachher, bis später).*

2. associé à une autre préposition. C'est la deuxième préposition qui détermine le cas employé.

   a) *bis* + préposition suivie de l'accusatif:
      Wir gingen *bis an den Rand* des Abgrunds.
      Der Zirkus war *bis auf den letzten Platz* ausverkauft.
      Er schlief *bis in den Tag* hinein.
      Bis auf den Kapitän wurden alle gerettet (= alle außer dem Kapitän).

   b) *bis* + préposition suivie du datif:
      Kannst du nicht *bis nach dem Essen* warten?
      Bis vor einem Jahr war noch alles in Ordnung.
      Bis zum Bahnhof will ich dich gern begleiten.

II   durch

1. introduit un complément de lieu:
   Wir gingen *durch den Wald.*
   Er schaute *durchs Fenster.*

2. sert à désigner une cause, un moyen ou un intermédiaire (souvent dans les phrases au passif:
   Er hatte *durch einen Unfall* seinen rechten Arm verloren.
   Der kranke Hund wurde *durch eine Spritze* eingeschläfert.
   Diese Nachricht habe ich *durch den Rundfunk* erfahren.

3. sert à indiquer le déroulement d'une action (subordonnée introduite par *indem*, voir § 31 IV):
   Durch die Benutzung eines Notausgangs konnten sich die Bewohner retten.
   Durch jahrelanges Training stärkte der Behinderte seine Beinmuskeln.

4. introduit un complément de temps (*hindurch* est le plus souvent placé après le substantif):
   Den September hindurch hat es nur geregnet.
   Das ganze Jahr hindurch hat sie nichts von sich hören lassen.

III entlang

1. indique l'espace parcouru dans le sens de la longueur (placé après le substantif):
   Er fuhr die Straße entlang.
   Das Schiff fuhr den Fluss entlang.
   Sie gingen den Bahnsteig entlang.

2. indique l'espace parcouru dans le sens de la longueur le long d'une bordure
   (*an* + datif ... *entlang*):
   Wir gingen an dem Haus entlang und erreichten den Garten.
   An der Mauer entlang werden Leitungen gelegt.

3. *entlang* peut être quelquefois employé avec le génitif. Il précède alors le substantif
   (voir aussi *längs* § 61):
   Entlang des Weges standen Tausende von Menschen.

Remarque

Les verbes de mouvement formés avec *entlang* sont employés comme des verbes à particule séparable:
Sie gingen den Bahnsteig entlang. (entlanggehen)
Er rannte an der Mauer entlang. (entlangrennen)

IV für

1. dans l'intérêt de quelqu'un, à son intention ou pour lui venir en aide:
   Ich tue alles *für dich.*
   Der Blumenstrauß ist *für die Gastgeberin.*
   Er gab eine Spende *für das Rote Kreuz.*

2. à la place d'une autre personne:
   Bitte geh *für mich* aufs Finanzamt.
   Er hat schon *für alle* bezahlt.

3. pour indiquer une certaine période de temps:
   Ich komme nur *für zwei Tage.*
   Hier bleiben wir *für immer.*

4. pour comparer:
   Für sein Alter ist er noch sehr rüstig.
   Für einen Architekten ist das eine leichte Aufgabe.
   Für seine schwere Arbeit erhielt er zu wenig Geld.

5. pour indiquer la valeur ou le prix de quelque chose:
   Wie viel hast du *für das Haus* bezahlt?
   Ich habe es *für 200 000 Euro* bekommen.

6. pour énumérer, dans le but d'insister, des substantifs de même nature:
Dasselbe geschieht *Tag für Tag, Jahr für Jahr.*
Er schrieb das Protokoll *Wort für Wort, Satz für Satz* ab.

V gegen

1. indique un mouvement dans une direction jusqu'au point de contact:
Er schlug mit der Faust *gegen die Tür.*
Sie fuhr mit hoher Geschwindigkeit *gegen einen Baum.*

2. indique une heure ou un chiffre approximatif (un peu moins que prévu):
Wir kommen *gegen 23 Uhr* oder erst *gegen Mitternacht.*
Man erwartet *gegen 400 Besucher.*

3. sert à exprimer un refus ou une attidude hostile:
Ärzte sind *gegen das Rauchen.*
Wir müssen etwas *gegen die Fliegen* tun.

4. indique une comparaison ou un échange:
Gegen ihn bin ich ein Anfänger.
Ich habe die zehn Euro *gegen zwei Fünfeuroscheine* eingetauscht.

VI ohne

généralement sans article si aucune précision n'est nécessaire:
Ohne Auto können Sie diesen Ort nicht erreichen.
Ohne Sprachkenntnisse wirst du niemals Chefsekretärin.
Ohne ihren Mann war sie völlig hilflos.
Ohne die Hilfe meiner Schwester hätte ich den Umzug nicht geschafft.

VII um

1. introduit un complément circonstanciel de lieu *(= um … herum)*

   a) sans mouvement autour d'un point fixe:
   Um den Turm (herum) standen viele alte Bäume.
   Wir saßen *um den alten Tisch (herum)* und diskutierten.

   b) avec mouvement dans un certain périmètre (un peu plus ou un peu moins):
   Gehen Sie dort *um die Ecke,* da ist der Briefkasten.
   Die Insekten fliegen dauernd *um die Lampe herum.*

2. introduit un complément circonstanciel de temps ou un chiffre:

   a) indique l'heure:
   Um 20 Uhr beginnt die Tagesschau.

b) indique une période ou un chiffre approximatifs:
   Die Cheopspyramide wurde *um 3000 v. Chr.* erbaut.
   Um Weihnachten sind die Schaufenster hübsch dekoriert.
   Die Uhr hat *um die 150 Euro* gekostet.

c) indique un changement dans l'indication d'un chiffre:
   Die Temperatur ist *um 5 Grad* gestiegen.
   Die Preise wurden *um 10%* reduziert.
   Wir müssen die Abfahrt *um einen Tag* verschieben.

3. indique une perte:
   Er hat ihn *um seinen Erfolg* betrogen.
   Vier Menschen sind bei dem Unfall *ums Leben* gekommen.
   Er trauert *um einen guten Freund.*

VIII wider

(= *gegen,* voir sous V) Quelques expressions fixes:
Er hat *wider Willen* zugestimmt.
Wider Erwarten hat er die Stellung bekommen.
Wider besseres Wissen verurteilte er den Angeklagten.

1 Complétez avec les prépositions qui conviennent:
a) bis b) durch c) entlang d) für e) gegen f) ohne g) um h) wider.

… Vermittlung eines Freundes konnte ich meinen alten Wagen … 1000 Euro verkaufen. … das neue Auto brauche ich einen Bankkredit. … Erwarten besorgte mir mein Onkel einen Kredit von einem Geldinstitut. … zur völligen Zurückzahlung bleibt der Wagen natürlich Eigentum der Bank.

5   Tag … Tag erfinden die Kinder neue Spiele. Sie rennen … die Wette … den Sandkasten herum. Sie hüpfen auf einem Bein … zum Zaun und wieder zurück. Dann rennen sie in entgegengesetzten Richtungen am Zaun … . Wer zuerst wieder zurück ist, hat gewonnen.
Wenn wir Karten spielen, spielen wir … Zehntelcent. … hundert verlorene

10 Punkte zahlt man also zehn Cent. Ganz … Geld macht uns das Kartenspielen keinen Spaß. In die Karten des anderen zu schauen, ist … die Spielregel. Wir spielen meist … … Mitternacht. Spätestens … ein Uhr ist Schluss.

§ 59   Prépositions avec le datif

I   ab

1. introduit un complément circonstanciel de lieu ou de temps à partir d'un point fixe (souvent sans article; également: *von ... ab*):
   Ich habe die Reise *ab Frankfurt* gebucht.
   Ab kommender Woche gilt der neue Stundenplan.
   Jugendlichen *ab 16 Jahren* ist der Zutritt gestattet.
   Ab morgen werde ich ein neues Leben beginnen.

2. avec l'accusatif pour indiquer la date:
   Ab erstem Januar werden die Renten erhöht.
   Ab Fünfzehntem gehe ich in Urlaub.

II   aus

1. indique un déplacement *(= aus ... heraus):*
   Er trat *aus dem Haus*.
   Er nahm den Brief *aus der Schublade*.
   Sie kommen um 12 *aus der Schule*.

2. indique l'origine – lieu ou temps – de quelqu'un ou de quelque chose:
   Die Familie stammt *aus Dänemark*.
   Diese Kakaotassen sind *aus dem 18. Jahrhundert*.
   Er übersetzt den Roman *aus dem Spanischen* ins Deutsche.

3. indique la matière (sans article):
   Die Eheringe sind meistens *aus Gold*.

4. indique la cause (sans article):
   Er hat seinen Bruder *aus Eifersucht* erschlagen.
   Aus Furcht verhaftet zu werden, verließ er die Stadt.
   Aus Erfahrung mied der Bergführer den gefährlichen Abstieg.

5. Expressions fixes:
   aus folgendem Grund, aus gegebenem Anlass

III   außer

1. indique une restriction, une exception:
   Außer einem Hund war nichts Lebendiges zu sehen.
   Außer Milch und Honig nahm der Kranke nichts zu sich.

2. Expressions fixes (sans article):
avec *sein:* außer Atem, außer Betrieb, außer Dienst, außer Gefahr, außer Kurs etc.
etwas steht außer Frage, außer Zweifel
etwas außer Acht lassen; etwas außer Betracht lassen
jemand ist außer sich (= sehr aufgeregt sein), außer Haus
avec le génitif: außer Landes sein

IV bei

1. introduit un complément circonstanciel de lieu et indique la proximité
(= *in der Nähe von*):
Hanau liegt *bei Frankfurt.* – Sie müssen *beim Schwimmbad* rechts abbiegen.

2. indique le lieu d'un séjour:
Ich war *beim Arzt.*
Jetzt arbeitet er *bei einer Baufirma,* vorher war er *beim Militär.*
Sie wohnt jetzt *bei ihrer Tante,* nicht mehr *bei mir.*

3. indique des actions simultanées et introduit souvent un verbe substantivé
(subordonnée avec *wenn, als,* voir § 26 I):
Er hatte sich *beim Rasieren* geschnitten.
Beim Kochen hat sie sich verbrannt.
Bei der Arbeit solltest du keine Musik hören.

4. indique un comportement:
Bei deiner Gewissenhaftigkeit und Sorgfalt ist der Fehler kaum erklärlich.
Bei aller Vorsicht gerieten sie doch in eine Falle.
Bei seinem Temperament ist das sehr verständlich.

5. Expressions fixes (généralement sans article):
bei Nacht und Nebel, bei schönstem Wetter, bei Tagesanbruch etc.
jemanden *beim Wort* nehmen
bei offenem Fenster schlafen
jemanden *bei guter Laune* halten
etwas *bei Strafe* verbieten etc.

V dank

indique un résultat positif:
Dank dem Zureden seiner Mutter schaffte er doch noch das Abitur.
Dank seinem Lebenswillen überlebte der Gefangene.

VI entgegen

exprime quelque chose de contradictoire qui survient généralement de manière
inattendue (peut être placé avant ou après le complément):
Entgegen den allgemeinen Erwartungen siegte die Oppositionspartei.
Den Vorstellungen seiner Eltern entgegen hat er nicht studiert.

Remarque

Les verbes de mouvement formés avec *entgegen* sont employés comme des verbes à
particule séparable:
Das Kind *lief* seinem Vater *entgegen.* (entgegenlaufen)
Er *kam* meinen Wünschen *entgegen.* (entgegenkommen)

VII entsprechend

indique la conformité (peut être placé avant ou après):
Er hat *seiner Ansicht entsprechend* gehandelt.
Entsprechend ihrer Vorstellung von südlichen Ländern haben die Reisenden nur
leichte Kleidung mitgenommen.

VIII gegenüber

1. introduit un complément de temps (placé avant ou après le complément):
   Gegenüber der Post finden Sie verschiedene Reisebüros.
   Der Bushaltestelle gegenüber wird ein Hochhaus gebaut.

2. s'emploie pour prendre position par rapport à des personnes ou à des choses
   (placé après le complément):
   Dir gegenüber habe ich immer die Wahrheit gesagt.
   Den Bitten seines Sohnes gegenüber blieb er hart.
   Kranken gegenüber fühlen sich viele Menschen unsicher.
   Den indischen Tempeln gegenüber verhielt er sich gleichgültig.

3. Employés avec *gegenüber*, les verbes transitifs tels que p. ex. *sitzen, stehen,
   liegen, stellen* se comportent comme des verbes à particule séparable:
   Sie *saß* mir den ganzen Abend *gegenüber.* (gegenübersitzen)

IX gemäß

généralement employé dans un contexte juridique (= *entsprechend*; peut être placé
avant ou après le complément):
Gemäß der Straßenverkehrsordnung ist der Angeklagte schuldig.
Das Gesetz wurde *den Vorschlägen der Kommission gemäß* geändert.

X mit

1. indique un lien, un rapport:
   Jeden Sonntag bin ich *mit meinen Eltern* in die Kirche gegangen.
   Mit ihr habe ich mich immer gut verstanden.
   Wir möchten ein Zimmer *mit Bad.*

2. indique un moyen ou un instrument:
Wir heizen *mit Gas.*
Ich fahre immer *mit der Bahn.*
Er öffnete die Tür *mit einem Nachschlüssel.*

3. a) indique un sentiment, un comportement (souvent sans article):
Ich habe *mit Freude* festgestellt, dass …
Er hat das sicher nicht *mit Absicht* getan.
Mit Arbeit, Mühe und Sachkenntnis hat er seine Firma aufgebaut.

b) indique la manière ou le moyen (souvent sans article):
Er hat das Examen *mit Erfolg* abgeschlossen.
Die Maschinen laufen *mit hoher Geschwindigkeit.*
Mit Sicherheit wird er sein Examen bestehen.

4. indique le temps qui s'écoule:
Mit 40 (Jahren) beendete er seine sportliche Laufbahn.
Mit der Zeit wurde sie ungeduldig.

XI nach

1. introduit un complément de lieu sans article

a) villes, pays, continents et points cardinaux … (exceptions pour les pays avec article, voir § 3 III, et les points cardinaux):
Unsere Überfahrt *nach England* war sehr stürmisch.
mais: Wir fahren in die Türkei.
Die Kompassnadel zeigt immer *nach Norden.*
mais: Im Sommer reisen viele Deutsche in den Süden.

b) un adverbe:
Bitte kommen Sie *nach vorne.*
Fahren Sie *nach links* und dann geradeaus.

2. introduit un complément de temps

a) sans article avec les noms de fêtes religieuses, les jours de la semaine, les mois (de même qu'avec *Anfang, Ende* …)
Nach Ostern will er uns besuchen.
Ich bin erst *nach Anfang (Ende) September* wieder in Frankfurt.
Nach Dienstag nächster Woche sind alle Termine besetzt.
Es ist 5 Minuten *nach 12.*

b) avec article:
Nach dem 1. April wird nicht mehr geheizt.
Nach der Feier wurde ein Imbiss gereicht.
Der Dichter wurde erst *nach seinem Tode* anerkannt.

3. indique la conformité à un modèle ou à une idée (peut être placé avant ou après le complément) (subordonnée avec *so … wie,* voir § 31 I):
Dem Protokoll nach hat er Folgendes gesagt …
Nach dem Gesetz darf uns der Hauswirt nicht kündigen.
Meiner Meinung nach ist der Satz richtig.
Er spielt *nach Noten;* er zeichnet *nach der Natur.*

4. indique un ordre, une suite:
   Nach dir komme ich dran.
   Nach Medizin ist Jura das beliebteste Studienfach.

II nebst

(= *samt, zusammen mit*; généralement sans article):
Er verkaufte ihm das Haus *nebst Garage.*

III samt

(= *zusammen mit, auch noch zusätzlich*):
Er kam überraschend – *samt seinen acht Kindern.*
Expression fixe: Sein Besitz wurde *samt und sonders* versteigert.

IV seit

1. introduit un complément de temps

a) sans article avec les jours de fêtes religieuses, les jours de la semaine, les mois
   (de même qu'avec *Anfang, Mitte, Ende ...*):
   Seit Pfingsten habe ich euch nicht mehr gesehen.
   Er ist *seit Dienstag* krankgeschrieben.
   Seit Anfang August hat er wieder eine Stellung.

b) avec article:
   Seit der Geburt seiner Tochter interessiert er sich für Kinder.
   Seit einem Monat warte ich auf Nachricht von euch.
   Seit dem 28. Mai gilt der Sommerfahrplan.

V von

1. introduit un complément de lieu:
   Ich bin gerade *von Schottland* zurückgekommen.
   Der Wind weht *von Südwesten.*
   Vom Bahnhof geht er immer zu Fuß nach Hause.
   Das Regenwasser tropft *vom Dach.*

2. indique la date:
   Vom 14.7. bis 2.8. haben wir Betriebsferien.
   Ich danke Ihnen für Ihren Brief *vom 20.3.*

3. a) *von ... ab* introduit un complément de lieu indiquant une direction:
   Von der Brücke ab sind es noch zwei Kilometer bis zum nächsten Dorf;
   von dort ab können Sie den Weg zur Stadt selbst finden.

b) *von … aus* introduit un complément de lieu ayant pour origine un point fixe:
Vom Fernsehturm aus kann man die Berge sehen.
Von Amerika aus sieht man das ganz anders.

c) *von … an* introduit un complément de temps ayant pour point de départ un moment déterminé (également: *von … ab*):
Von 15 Uhr an ist das Büro geschlossen.
Er wusste *von Anfang an* Bescheid.

4. indique l'actant dans les phrases passives:
Er ist *von Unbekannten* überfallen worden.
Der Schaden wird *von der Versicherung* bezahlt.
Der Polizist wurde *von einer Kugel* getroffen.

5. a) remplace un complément de nom sans article:
Viele Briefe *von Kafka* sind noch nicht veröffentlicht.
Man hört den Lärm *von Motoren*.
Zur Herstellung *von Papier* braucht man viel Wasser.

b) remplace un adjectif épithète:
eine wichtige Frage – eine Frage *von Wichtigkeit*
ein zehnjähriges Kind – ein Kind *von zehn Jahren*
der Hamburger Senat – der Senat *von Hamburg*

6. combiné avec d'autres compléments prépositionnels (expressions fixes):
von heute auf morgen; in der Nacht von Dienstag auf Mittwoch (vom Dienstag zum Mittwoch); von Tag zu Tag; von Ort zu Ort

XVI zu

1. introduit un complément de lieu avec indication d'une destination, des compléments de lieu avec article et des personnes:
Er schwimmt *zu der Insel* hinüber.
Gehen Sie doch endlich *zu einem Arzt*.
Er bringt seine Steuererklärung *zum Finanzamt*.
Am Freitag komme ich *zu dir*.

2. introduit un complément de temps

a) sans article avec les noms de fêtes religieuses:
Zu Weihnachten bleiben wir zu Hause.

b) avec article pour indiquer un moment précis:
Zu dieser Zeit, d.h. im 18. Jahrhundert, reiste man mit Kutschen.
Zu deinem Geburtstag kann ich leider nicht kommen.

3. indique une intention (subordonnée: *damit …; um … zu*, voir § 32, § 33):
Zum Beweis möchte ich folgende Zahlen bekannt geben …
Man brachte ihn *zur Feststellung seiner Personalien* ins Polizeipräsidium.
Zum besseren Verständnis muss man Folgendes wissen …

4. indique un sentiment:
   Zu meinem Bedauern muss ich Ihnen mitteilen …
   Ich tue das nicht *zu meinem Vergnügen.*

5. indique une transformation:
   Unter Druck wurden die organischen Stoffe *zu Kohle.*
   Endlich kommen wir *zu einer Einigung.*

6. indique des rapports arithmétiques::
   Umfragen ergeben ein Verhältnis von *1 : 3 (eins zu drei)*
   gegen das geplante neue Rathaus.
   Wir haben jetzt schon *zum vierten Mal* mit ihm gesprochen.
   Liefern Sie mir 100 Kugelschreiber *zu je 1 Euro.*

7. Expressions fixes

   a) sans article:

zu Hause sein	*zu Boden* fallen
zu Besuch kommen	*zu Hilfe* kommen
zu Gast sein	*zu Gott* beten
zu Fuß gehen	*zu Ansehen / zu Ruhm* kommen
zu Mittag / zu Abend essen	*zu Ende* sein
zu Bett gehen	*zu Tisch* kommen / sitzen
zu Beginn eines Festes	

   b) avec article:
   zur Rechten / zur Linken eines anderen stehen / sitzen
   die Nacht *zum Tag* machen
   etwas *zum Frühstück* essen
   Zucker *zum Tee* nehmen

XVII zufolge

1. indique la conformité à une énonciation (placé après le complément):
   Der Diagnose des Arztes zufolge kann der Beinbruch in zwei
   Monaten geheilt werden.

2. Employé avec le génitif, *zufolge* est placé avant le complément:
   Zufolge des Berichts wurden einige Keller überflutet.

---

1 Complétez en choisissant parmi les prépositions ci-dessous celle qui convient pour chaque phrase: a) ab b) aus c) außer d) bei e) mit f) nach g) seit.

> … zwei Wochen ist die Gewerkschaft schon in Verhandlungen … der Betriebs-
> leitung. … den Angaben einiger Gewerkschaftsführer hat man sich bis jetzt
> nicht geeinigt. … Donnerstag wird deshalb gestreikt. … den Büroangestellten
> machen alle Betriebsangehörigen mit. Die Büroangestellten streiken … dem
> Grunde nicht, weil sie in einer anderen Gewerkschaft sind. Der Forderung der
> Streikenden … soll die Lohnerhöhung … 8 Prozent liegen.

2 Même exercice: a) dank b) entgegen c) gegenüber d) samt.

> Ein Feuer vernichtete den Hof des Bauern Obermüller … Stall und Scheune. … der Hilfe der Nachbarn konnte der Bauer wenigstens seine Möbel und die Haustiere retten. Einem Nachbarn … äußerte der Bauer den Verdacht der Brandstiftung. Aber … diesem Verdacht stellte man später fest, dass ein Kurzschluss die Ursache des Brandes war.

3 Même exercice: a) ab b) außer c) dank d) gemäß e) entgegen f) nebst.

> … den Satzungen des Vereins gehört der Tierschutz und die Tierpflege zu den wichtigsten Aufgaben der Mitglieder. … zahlreicher Spenden konnte der Verein ein neues Tierheim erbauen. … Katzen und Hunden werden auch alle anderen Haustiere aufgenommen. … einer anders lautenden Mitteilung in der Zeitung ist das Tierheim täglich … sonntags … 9 Uhr geöffnet.

§ 60   Prépositions avec l'accusatif ou le datif

I an

1. introduit un complément de lieu

    a) avec l'accusatif si le complément répond à la question *wohin?*:
        Er stellt die Leiter *an den Apfelbaum.*
        Sie schreibt das Wort *an die Tafel.*
        Wir gehen jetzt *an den See.*

    b) avec le datif si le complément répond à la question *wo?*:
        Frankfurt liegt *am Main.*
        Die Sonne steht schon hoch *am Himmel.*
        An dieser Stelle wuchsen früher seltene Kräuter.

2. suivi du datif introduit un complément de temps – moments de la journée, dates, jours de la semaine:
    Am Abend kannst du mich immer zu Hause erreichen.
    Sie ist *am 7. Juli 1981* geboren.
    Am Freitagnachmittag ist um 4 Uhr Dienstschluss.
    Am Anfang schuf Gott Himmel und Erde.
    Am Monatsende werden Gehälter gezahlt.

3. suivi de l'accusatif introduit un chiffre (= *ungefähr*, plutôt moins que le chiffre indiqué):
    Es waren *an (die) fünfzig Gäste* anwesend.
    Die Villa hat *an (die) 20 Zimmer.*

4. *an … vorbei* avec le datif (souvent employé comme un verbe à particule séparable):
    Er *ging an mir vorbei* ohne mich zu erkennen.
    Perfekt: Er *ist an mir vorbeigegangen* ohne mich zu erkennen.

5. Expression fixe (irréel):
    Ich *an deiner Stelle* hätte anders gehandelt.
    An meiner Stelle hättest du genauso gehandelt.

II auf

1. introduit un complément de lieu

    a) avec l'accusatif (question *wohin?*):
        Er stellte die Kiste *auf den Gepäckwagen*.
        Plötzlich lief das Kind *auf die Straße*.
        Er legte seine Hand *auf meine*.

    b) avec le datif (question *wo?*):
        Dort *auf dem Hügel* steht ein alter Bauernhof.
        Auf der Erde leben etwa 6 Milliarden Menschen.
        Auf der Autobahn dürfen nur Kraftfahrzeuge fahren.

2. introduit un complément de temps:
    Von Freitag *auf Sonnabend* haben wir Gäste.
    Dieses Gesetz gilt *auf Zeit*, nicht *auf Dauer*.
    Der erste Weihnachtstag fällt *auf einen Dienstag*.
    Kommen Sie doch *auf ein paar Minuten* herein.

3. a) *auf … zu* avec l'accusatif indique un déplacement dans une direction:
        Der Enkel lief *auf die Großmutter zu*.
        Der Enkel ist *auf die Großmutter zugelaufen*. (Perfekt)

    b) *auf … hin* avec l'accusatif indique une énonciation antérieure:
        Auf diesen Bericht hin müssen wir unsere Meinung korrigieren.

    c) *auf … hinaus* avec l'accusatif indique une période de temps future:
        Er hatte sich *auf Jahre hinaus* verschuldet.

4. Expressions fixes

    a) avec l'accusatif:
        Er warf einen Blick auf den Zeugen und erkannte ihn sofort.
        Das Schiff nimmt Kurs auf Neuseeland.
        Auf die Dauer kann das nicht gut gehen.
        Wir müssen uns endlich auf den Weg machen. (= aufbrechen / losgehen)
        Das Haus muss auf jeden Fall verkauft werden.
        Auf einen Facharbeiter kommen zehn Hilfsarbeiter.
        Sie fahren nur für zwei Wochen auf Urlaub.

    b) avec le datif:
        Ich habe ihn auf der Reise / auf der Fahrt / auf dem Weg hierher kennen
        gelernt.
        Auf der einen Seite (einerseits) habe ich viel Geld dabei verloren, auf der an-
        deren Seite (andererseits) habe ich eine wichtige Erfahrung gemacht.
        Wie sagt man das auf Deutsch? (oder: in der deutschen Sprache)

III hinter

1. introduit un complément de lieu

   a) avec l'accusatif (question *wohin?*):
   Stell das Fahrrad *hinter das Haus!*
   Das Buch ist *hinter das Bücherregal* gefallen.

   b) avec le datif (question *wo?*):
   Das Motorrad steht *hinter der Garage.*
   Er versteckte den Brief *hinter seinem Rücken.*

2. indique un soutien:
   avec l'accusatif: Die Gewerkschaft stellt sich *hinter ihre Mitglieder.*
   avec le datif: Die Angestellten stehen *hinter ihrem entlassenen Kollegen.*

3. *hinter ... zurück* avec le datif:
   Sie blieb hinter der Gruppe der Wanderer zurück.
   Sie ist hinter der Gruppe der Wanderer zurückgeblieben. (Perfekt)

4. Expressions fixes:
   jemanden *hinters Licht führen* (= jemanden betrügen)
   hinterm Mond sein (= uninformiert sein)

IV in

1. introduit un complément de lieu

   a) avec l'accusatif (question *wohin?*):
   Ich habe die Papiere *in die Schreibtischschublade* gelegt.
   Am Sonnabendvormittag fahren wir immer *in die Stadt.*
   Er hat sich *in den Finger* geschnitten.

   b) avec le datif (question *wo?*):
   Die Villa steht *in einem alten Park.*
   Der Schlüssel steckt immer noch *im Schloss.*
   Bei diesem Spiel bilden wir einen Kreis und einer steht *in der Mitte.*

2. avec le datif introduit un complément de temps

   a) soit une période de temps fixe et limitée: secondes, minutes, heures; semaines,
   mois, saisons; années, décennies, siècles, etc.
   Faites attention: *am Tag, am Abend,* mais: *in der Nacht.*
   In fünf Minuten (= innerhalb von) läuft er einen halben Kilometer.
   Im April beginnen die Vögel zu brüten.
   Im Jahr 1914 brach der Erste Weltkrieg aus.
   Im 18. Jahrhundert wurden die schönsten Schlösser gebaut.

Remarque:

On trouve les chiffres des années (*1914, 1914–1918*) ou bien employés seuls ou bien avec *im Jahr* (*im Jahr 1914, in den Jahren 1914 bis 1918*); «in» employé seul devant le chiffre d'année est, en allemand, incorrect.

b) soit un moment ultérieur à celui à partir duquel on calcule:
In fünf Minuten ist / beginnt die Pause.
In zwei Tagen komme ich zurück.
In einem halben Jahr sehen wir uns wieder.

3. avec le datif indique un renvoi à un document écrit ou à une déclaration orale:
In dem Drama „Hamlet" von Shakespeare steht folgendes Zitat: ...
Im Grundgesetz ist festgelegt, dass ...
In seiner Rede sagte der Kanzler: „ ... "
In dieser Hinsicht hat er Recht, aber ...

4. avec le datif indique un état intérieur ou des circonstances extérieures (souvent avec les adjectifs possessifs):
In seiner Verzweiflung machte er eine Dummheit.
In ihrer Angst sprangen einige Seeleute ins Wasser.
In seinen Familienverhältnissen ist nichts geregelt.
In diesem Zustand kann man den Kranken nicht transportieren.

5. Expressions fixes:
etwas ist *in Ordnung*
jemand fällt *in Ohnmacht*
etwas geschieht *im Geheimen / im Verborgenen*
jemand ist *in Gefahr*
ein Gesetz tritt *in Kraft*

V neben

1. introduit un complément de lieu

   a) avec l'accusatif (question *wohin?*):
   Der Kellner legt das Besteck *neben den Teller*.
   Er setzte sich *neben mich*.

   b) avec le datif (question *wo?*):
   Der Stall liegt rechts *neben dem Bauernhaus*.

2. avec le datif (= en supplément à quelque chose d'autre):
   Neben seinen physikalischen Forschungen schrieb er Gedichte.
   Sie betreut *neben ihrem Haushalt* auch noch eine Kindergruppe.

VI über

1. introduit un complément de lieu

   a) avec l'accusatif (question *wohin?*):
   Der Entenschwarm fliegt *über den Fluss*.

Der Sportler sprang *über die 2-Meter-Latte.*
Er zog die Mütze *über die Ohren.*

b) avec le datif (question *wo?*):
Der Wasserkessel hing *über dem Feuer.*
Das Kleid hing unordentlich *über dem Stuhl.*

2. avec l'accusatif (= traverser):
Die Kinder liefen *über die Straße* und dann *über die Brücke.*
Der Sportler schwamm *über den Kanal* nach England.

3. sans article, indique les étapes d'un voyage:
Wir fahren von Frankfurt *über München* nach Wien, dann *über Budapest* nach Rumänien.

4. avec l'accusatif introduit un complément de temps
indiquant la durée d'une période (généralement placé après le complément):
Den ganzen Tag über hat er wenig geschafft.
Den Winter über verreisen wir nicht. (mais: *übers Wochenende)*

5. avec l'accusatif indique une gradation (= *länger als, mehr als*):
Die Bauarbeiten haben *über einen Monat* gedauert.
Sie ist *über 90 Jahre* alt.
Das geht *über meine Kräfte.*
Sein Referat war *über alle Erwartungen* gut.

6. avec l'accusatif introduit un thème:
Sein Vortrag *über die Eiszeiten* war hochinteressant.
Über die Französische Revolution gibt es verschiedene Meinungen.

7. Expressions fixes:
Plötzlich, gleichsam *über Nacht,* hat sie sich völlig verändert.
Er sitzt *über seinen Büchern.*
Er ist *über seiner Lektüre* eingeschlafen.
Der Geldfälscher ist längst *über alle Berge.*

VII unter

1. introduit un complément de lieu

a) avec l'accusatif (question *wohin?*):
Die Schlange kroch *unter den Busch.*
Sie legte ihm ein Kissen *unter den Kopf.*

b) avec le datif (question *wo?*):
Die Katze sitzt *unter dem Schrank.*
Die Gasleitungen liegen einen halben Meter *unter dem Straßenpflaster.*

2. avec le datif introduit un chiffre (moins que les chiffres donnés):
Kinder *unter zehn Jahren* sollten täglich nicht mehr als eine Stunde fernsehen.
Sein Lohn liegt *unter dem Mindestsatz.*

3. avec le datif désigne des personnes ou des choses faisant partie d'un ensemble:
   Zum Glück war *unter den Reisenden* ein Arzt.
   Unter den Goldstücken waren zwei aus dem 3. Jahrhundert.
   Unter anderem sagte der Redner …

4. avec le datif indique une condition:
   Natürlich konntet ihr *unter diesen Umständen* nicht bremsen.
   Die Bergwanderer konnten nur *unter großen Schwierigkeiten* vorankommen.
   Der Angeklagte stand während der Tat *unter Alkoholeinfluss*.
   Es ist unmöglich, *unter solchen Verhältnissen* zu arbeiten.

5. Expressions fixes:
   ein Vergehen / ein Verbrechen fällt *unter den Paragraphen* …
   etwas *unter den Teppich* kehren (= nicht weiter verfolgen)
   etwas *unter Kontrolle* bringen / halten
   unter Wasser schwimmen / sinken
   etwas unter der Hand (= heimlich) kaufen / verkaufen

VIII vor

1. introduit un complément de lieu

   a) avec l'accusatif (question *wohin?*):
      Stell den Mülleimer *vor das Gartentor*!
      Beim Gähnen soll man die Hand *vor den Mund* halten.

   b) avec le datif (question *wo?*):
      Das Taxi hält *vor unserem Haus*.
      Auf der Autobahn *vor Nürnberg* war eine Baustelle.
      In der Schlange standen noch viele Leute *vor mir*.

2. avec le datif introduit un complément de temps:
   Vor drei Minuten hat er angerufen.
   Der Zug ist 10 Minuten *vor 8* abgefahren.
   Leider hat er kurz *vor der Prüfung* sein Studium abgebrochen.

3. avec le datif indique le motif d'une attitude:
   Vor Angst und Schrecken fiel er in Ohnmacht.
   Er konnte sich *vor Freude* kaum fassen.

4. Expressions fixes:
   Gnade vor Recht ergehen lassen
   ein Schiff liegt im Hafen vor Anker
   vor Gericht stehen
   vor Zeugen aussagen
   vor allen Dingen

IX zwischen

1. introduit un complément de lieu

   a) avec l'accusatif (question *wohin?*):
   Er hängte die Hängematte *zwischen zwei Bäume.*
   Sie nahm das Vögelchen *zwischen ihre Hände.*

   b) avec le datif (question *wo?*):
   Er öffnete die Tür *zwischen den beiden Zimmern.*
   Der Zug verkehrt stündlich *zwischen München und Augsburg.*

2. avec le datif introduit un complément de temps ou un chiffre:
   Zwischen dem 2. und 4. Mai will ich die Fahrprüfung machen.
   Zwischen Weihnachten und Neujahr wird in vielen Betrieben nicht gearbeitet.
   Auf der Insel gibt es *zwischen 60 und 80 Vogelarten.*

3. avec le datif indique une relation, un rapport:
   Der Botschafter vermittelt *zwischen den Regierungen.*
   Das Kind stand hilflos *zwischen den streitenden Eltern.*

4. Expressions fixes:
   zwischen Tür und Angel stehen
   sich zwischen zwei Stühle setzen
   zwischen den Zeilen lesen

---

1 «an (am)» ou bien «in (im)»? Complétez là où c'est nécessaire.

Meine Eltern sind ... 2000 nach Berlin gezogen. ... Frühjahr 2002 habe ich hier mein Studium begonnen. ... 2007 bin ich hoffentlich fertig. ... 20. Mai beginnen die Semesterferien. ... Juni fahre ich nach Frankreich. Meine Freunde in Paris erwarten mich ... 2. Juni. – ... kommenden Wochenende
5 besuchen wir unsere Verwandten in Kassel. Mit dem Auto sind wir ... fünf Stunden dort. ... Sonntag machen wir mit ihnen einen Ausflug in die Umgebung. ... der Nacht zum Montag kommen wir zurück. ... Montag braucht mein Vater nicht zu arbeiten.

---

2 Même exercice.

Noch nie hat sich die Welt so schnell verändert wie ... den letzten zweihundert Jahren. ... Jahr 1784 entwickelte James Watt die erste brauchbare Dampfmaschine. ... Juli 1783 ließen die Brüder Montgolfier den ersten Warmluftballon in die Luft steigen. Keine zweihundert Jahre später, ... 21.7.1969,
5 landeten die ersten Menschen auf dem Mond. ... 1807 fuhr zum ersten Mal ein Dampfschiff 240 Kilometer den Hudson-Fluss (USA) hinauf. ... unserem Jahrzehnt sind Dampfschiffe längst unmodern geworden. ... gleichen Jahr erstrahlten die Straßen in London im Licht der Gaslaternen. ... 20. Jahrhundert hat jedes Dorf seine elektrische Straßenbeleuchtung.
10 Die erste deutsche Dampfeisenbahn fuhr ... 7.12.1835 von Nürnberg nach Fürth. Hundert Jahre später gab es in Deutschland über 43 000 Kilometer Eisenbahnlinien.
(Fortsetzung Übung § 61 Nr. 17)

3 «an (am)» ou bien «in (im)»? Essayez de faire l'exercice très vite!

... einem Monat, ... drei Tagen, ... meinem Geburtstag, ... Morgen, ... 20 Sekunden, ... der Nacht, ... letzten Tag des Monats, ... Jahresanfang, ... der Neuzeit, ... Jahr 1945, ... Herbst, ... Samstag, ... Juli, ... zwei Jahren, ... Nachmittag, ... dritten Tag, ... wenigen Jahrzehnten, ... der Zeit vom 1. bis 10., ... der Mittagszeit, ... diesem Augenblick, ... Moment

4 Construisez des phrases d'après l'exemple suivant en employant le présent des verbes «stehen – stellen / sitzen – setzen / liegen – legen / hängen (stark) – hängen».

Zeitung / auf / Tisch / liegen
Wo liegt denn die Zeitung?
Auf dem Tisch! Du weißt doch, ich lege die Zeitung immer auf den Tisch.

1. Fotos (Pl.) / in / Schublade (f) / liegen
2. Jacke (f) / an / Garderobe (f) / hängen
3. Besen (m) / in / Ecke (f) / stehen
4. Puppe (f) / auf / Stuhl (m) / sitzen
5. Schlüssel (Pl.) / neben / Tür (f) / hängen
6. Wecker (m) / auf / Nachttisch (m) / stehen
7. Handtuch (n) / neben / Waschbecken (n) / hängen
8. Schallplatten (Pl.) / in / Schrank (m) / liegen
9. Vogel (m) / in / Käfig (m) / sitzen

5 Reprenez l'exercice 4 et mettez les verbes au parfait.

Ich habe die Zeitung doch auf den Tisch gelegt!
Ja, sie hat vorhin noch auf dem Tisch gelegen!

6 Construisez des phrases d'après le modèle ci-dessous:

auf / Küchentisch / legen
Wo hast du den Hundertmarkschein gelassen? Hast du ihn vielleicht auf den Küchentisch gelegt?
Nein, auf dem Küchentisch liegt er nicht.

1. in / Hosentasche (f) / stecken
2. in / Küchenschrank (m) / legen
3. in / Portmonee (n) / stecken
4. auf / Schreibtisch (m) / legen
5. in / Schreibtischschublade (f) / legen
6. hinter / Bücher (Pl.) / legen
7. zwischen / Seiten (Pl.) eines Buches / legen
8. unter / Radio (n) / legen
9. unter / Handtücher (Pl.) / im Wäscheschrank / legen
10. in / Aktentasche (f) / stecken

7 Familie Günzler zieht um und die Leute von der Spedition helfen. – «Wohin?»
Complétez avec les articles qui conviennent.

Zuerst hängen sie die Lampen in den Zimmern an ...   Decken (Pl.). Dann legen sie den großen Teppich in ...   Wohnzimmer, den runden Teppich in ...
Esszimmer und den Läufer (= langer, schmaler Teppich) in ...   Flur (m). Dann
kommen die Schränke: Sie stellen den Bücherschrank in ...   Wohnzimmer an
5   ...   Wand (f) neben ...   Fenster (n); den Kleider- und den Wäscheschrank stellen sie in ...   Schlafzimmer zwischen ...   Fenster und den Geschirrschrank in
...   Esszimmer neben ...   Tür (f). Die Garderobe stellen sie in ...   Flur. Sie tragen den Tisch in ...   Esszimmer und stellen die Stühle um ...   Tisch. Die Betten kommen natürlich in ...   Schlafzimmer und die Nachttischchen neben ...
10   Betten. Auf ...   Nachttischchen (Pl.) stellen sie die Nachttischlampen. Dann
packen sie die Bücher aus und stellen sie in ...   Bücherschrank. Tassen, Teller
und Gläser kommen in ...   Geschirrschrank und die Kleider hängen sie in ...
Kleiderschrank. Die Spüle stellen sie in ...   Küche (f) zwischen ...   Herd (m)
und ...   Küchenschrank. Nun hängen die Günzlers noch die Vorhänge an
15   ...   Fenster (Pl.) In der Zwischenzeit tragen die Leute von der Spedition noch
die Sitzmöbel in ...   Wohnzimmer. Dann setzen sich alle erst mal in ...
Sessel (Pl.) und auf ...   Couch (f) und ruhen sich aus. Gott sei Dank! Das
meiste ist geschafft!

8 «Wo?» Alles hängt, steht oder liegt an seinem Platz:

Die Lampen *hängen* an *den* Decken. Der große Teppich *liegt* im Wohnzimmer,
der runde Teppich ...

Continuez tout seul!

9 «Wo?» ou «Wohin?» – Complétez les phrases ci-dessous avec la préposition et
l'article qui conviennent.

Für Familie Günzler bleibt noch viel zu tun: Herr G. hängt z.B. die Blumenkä-
sten ...   ...   Balkongitter (n), dann kauft er Blumen und setzt sie ...   ...   Kä-
sten (Pl.). In der Küche dauert es lange, bis die drei Hängeschränke ...   ...
Wand hängen, und Frau G. braucht einen halben Tag, bis die Töpfe ...   ...
5   Schränken stehen und die vielen Küchensachen alle ...   ...   richtigen Platz
liegen. ...   ...   Arbeitszimmer stehen zwei Bücherregale ...   ...   Wand, ein
Schreibtisch steht ...   ...   Fenster, ein Schreibmaschinentisch steht ...   ...
Fenster und ...   Tür. Frau G. nimmt die Aktenordner aus den Kartons und
stellt sie ...   ...   Regale. Die Schreibmaschine stellt sie ...   ...   Schreibmaschi-
10   nentisch und das Schreibpapier legt sie ...   ...   Schubladen (Pl.). „Wo sind
denn die Schreibsachen?", fragt sie ihren Mann. „Die liegen schon ...   ...
Schreibtisch", sagt Herr G., „ich habe sie ...   ...   mittlere Schublade gelegt."

§ 61   Prépositions avec le génitif

1. temps (subordonnées avec *wenn, als, solange, während*, voir § 26 I, II):

   anlässlich   *Anlässlich des 100. Todestages des Dichters* wurden
                      seine Werke neu herausgegeben.

   außerhalb   Kommen Sie bitte *außerhalb der Sprechstunde*.

   binnen   Wir erwarten Ihre Antwort *binnen einer Woche*.
                      (aussi: innerhalb)

   während   *Während des Konzerts* waren die Fenster zum Park
                      weit geöffnet.

   zeit   Er hat *zeit seines Lebens* hart gearbeitet.

2. lieu:

   abseits   *Abseits der großen Eisenbahnstrecke* liegt das Dorf M.

   außerhalb   Spaziergänge *außerhalb der Anstaltsgärten* sind
                      nicht gestattet.
                      (aussi: temporal)

   beiderseits   *Beiderseits der Grenze* stauten sich die Autos.

   diesseits   *Diesseits der Landesgrenzen* gelten noch die alten Ausweise.

   inmitten   *Inmitten dieser Unordnung* kann man es nicht aushalten.

   innerhalb   *Innerhalb seiner vier Wände* kann man sich am besten
                      erholen.
                      (aussi: temporal)

   jenseits   *Jenseits der Alpen* ist das Klima viel milder.

   längs, längsseits *Längs der Autobahn* wurde ein Lärmschutzwall gebaut.

   oberhalb   Die alte Burg liegt *oberhalb der Stadt*.

   seitens, von   *Seitens seiner Familie* bekommt er keine finanzielle
   seiten   Unterstützung.

   unterhalb   *Unterhalb des Bergdorfs* soll eine Straße gebaut werden.

   unweit   *Unweit der Autobahnausfahrt* finden Sie ein Gasthaus.

3. cause (subordonnée avec *weil,* voir § 27):

   angesichts   *Angesichts des Elends der Obdachlosen* wurden größere
                      Summen gespendet.

   aufgrund   *Aufgrund der Zeugenaussagen* wurde er freigesprochen.

   halber (postposé) *Der Bequemlichkeit halber* fuhren wir mit dem Taxi.

   infolge   *Infolge eines Rechenfehlers* wurden ihm 150 Euro mehr
                      ausgezahlt.

   kraft   Er handelte *kraft seines Amtes*.

   laut (sans article *Laut Paragraph I der Straßenverkehrsordnung* war er an dem
     et terminaison   Unfall mitschuldig.
     du génitif)

   mangels   Er wurde *mangels ausreichender Beweise* freigesprochen.

   zufolge   (voir § 59, XVII)

   zugunsten   Er zog sich *zugunsten seines Schwiegersohnes* aus dem
                      Geschäft zurück.

   wegen (ou post-   *Wegen eines Herzfehlers* durfte er nicht Tennis spielen.
     posé)

wegen suivi d'un datif ne peut s'employer que dans la langue parlée; on emploie à l'écrit le génitif. L'emploi de *wegen* avec le datif n'est usuel qu'avec les pronoms personnels: Machen Sie sich *wegen mir* keine Sorgen. Il est préférable d'employer: *meinetwegen, deinetwegen, Ihretwegen …*

4. concession (subordonnée avec *obwohl,* voir § 30 I):
   trotz   *Trotz seines hohen Alters* kam der Abgeordnete zu
                      jeder Sitzung.
   mais avec pronom personnel: *mir zum Trotz, dir zum Trotz* etc.
   ungeachtet   *Ungeachtet der Zwischenrufe* sprach der Redner weiter.

5. alternative (subordonnée avec *anstatt dass* ou proposition infinitive, voir § 33):
   statt (ou: anstatt)   *Statt eines Vermögens* hinterließ er seiner Familie nur Schulden.
   anstelle   *Anstelle des wahren Täters* wurde ein Mann gleichen Namens
                      verurteilt.

6. instrument (subordonneé avec *indem,* voir § 31 IV):
   anhand   *Anhand eines Wörterbuchs* wies ich ihm seinen Fehler nach.
   mit Hilfe (aussi: So ein altes Bauernhaus kann nur *mit Hilfe eines Fachmanns*
     von + datif)   umgebaut werden.
   mittels, vermittels *Mittels eines gefälschten Dokuments* verschaffte er sich
                      Zugang zu den Akten.
   vermöge   *Vermöge seines ausgezeichneten Gedächtnisses* konnte er
                      alle Fragen beantworten.

7. finalité (subordonnée avec *damit* ou proposition infinitive avec *um … zu,* voir § 32):
   um … willen   *Um des lieben Friedens willen* gab er schließlich nach.
   zwecks (souvent   *Zwecks besserer Koordination* wurden die Ministerien
     sans article)   zusammengelegt.

1 Complétez les phrases ci-dessous en choisissant parmi les prépositions suivantes celle qui convient pour chaque phrase: a) abseits b) anlässlich c) außerhalb d) beiderseits e) binnen f) inmitten g) unweit (2x) h) zeit.

> … seines Lebens hatte Herr Sauer von einem eigenen Haus geträumt. Es sollte ruhig und … der großen Verkehrslinien liegen, also irgendwo draußen, … der Großstadt. Andererseits sollte es natürlich … einer Bus- oder Bahnlinie liegen, damit die Stadt leichter erreichbar ist.
> … der Festwoche einer Hilfsorganisation wurden Lose verkauft. Erster Preis: ein Einfamilienhaus. – Herr Sauer gewann es! Aber da es … eines Industriegebiets lag, war es sehr laut dort. … des Grundstücks (auf beiden Seiten) führten Straßen mit viel Verkehr entlang und … des Industriegebiets, nur 2,5 km entfernt, lag auch noch der Flugplatz. … eines Monats hatte Herr Sauer es verkauft.

2 Choisissez parmi les prépositions suivantes celle qui convient pour chaque phrase et complétez avec les terminaisons: a) wegen b) dank c) unweit d) halber e) binnen f) ungeachtet.

> 1. Ich muss leider … ein__ Monats   2. Geben Sie mir d__ Ordnung …
>   ausziehen.   Ihre Kündigung bitte schriftlich.

3. ... d__ Hilfe meines Freundes habe ich ein möbliertes Zimmer gefunden.
4. Es liegt ... d__ Universität.

5. ... d__ Nähe der Universität habe ich keine Ausgaben für Verkehrsmittel.
6. Deshalb nehme ich das Zimmer ... d__ hoh__ Miete.

3 Complétez en ajoutant les terminaisons et terminez les phrases d'après le sens.

1. Der Sportler konnte ein__ schwer__ Verletzung *wegen* ...
2. In den Alpen gibt es *oberhalb* ein__ gewiss__ Höhe ...
3. *Ungeachtet* d__ groß__ Gefahr ...
4. *Aufgrund* sein__ schwer__ Erkrankung ...
5. *Anstelle* mein__ alt__ Freundes ...
6. *Um* d__ lieb__ Friedens *willen* ...
7. *Unweit* mein__ alt__ Wohnung ...
8. *Abseits* d__ groß__ Städte ...
9. Wenn die Arbeitgeber bei der Lohnerhöhung *unterhalb* d__ 4-Prozent-Grenze bleiben, ...
10. Wenn ich nicht *innerhalb* d__ nächst__ vier Wochen eine Stelle finde, ...

4 Formez a) le nominatif, b) le génitif avec la préposition indiquée. c) Terminez vous-même la phrase suivant le sens.

sein__ intensiv__ Bemühungen / dank
seine intensiven Bemühungen – dank seiner intensiven Bemühungen
Dank seiner intensiven Bemühungen fand er endlich eine Anstellung.

1. sein__ technisch__ Kenntnisse / dank
2. unser__ schnell__ Hilfe / infolge
3. mein__ jüngst__ Schwester / anstelle
4. ihr__ jetzig__ Wohnung / unterhalb
5. ihr__ gut__ Fachkenntnisse / trotz
6. sein__ langweilig__ Vortrag__ / während
7. d__ erwartet__ gut__ Note / anstatt
8. d__ laut__ Bundesstraße / abseits
9. ihr__ siebzigst__ Geburtstag__ / anlässlich
10. sein__ wiederholt__ Wutanfälle / aufgrund
11. d__ umzäunt__ Gebiet__ / außerhalb
12. ein__ Meute bellend__ Hunde / inmitten
13. dies__ hoh__ Gebirgskette / jenseits
14. ein__ selbst gebastelt__ Radiosender__ / mittels
15. d__ zuständig__ Behörde / seitens
16. d__ geplant__ Reise / statt
17. d__ holländ__ Grenze / unweit
18. sein__ schwer wiegend__ Bedenken (Pl.) / ungeachtet
19. vorsätzlich__ Mord / wegen
20. ein__ schwer__ Unfall__ / infolge

5 Dans l'exercice suivant les prépositions sont mélangées. Remettez-les à la bonne place et complétez les phrases en ajoutant les terminaisons qui conviennent.

1. *Abseits* sein__ hundertjährig__ Bestehens veranstaltete der Wanderverein einen Volkslauf.
2. Die Wanderstrecke verlief *anlässlich* d__ groß__ Straßen.

3. *Wegen* d__ groß__ Kälte beteiligten sich viele Menschen an dem 35 Kilometer langen Lauf.
4. *Ungeachtet* d__ stark__ Regens suchten die Wanderer Schutz in einer Waldhütte.

5. *Dank* d__ ungeheur__ Anstrengung gab niemand vorzeitig auf.
6. *Trotz* d__ vorzüglich__ Organisation gab es keinerlei Beschwerden.

6 Même exercice.

1. *Mittels* ein__ grob__ Konstruktionsfehlers brach die fast neue Brücke plötzlich zusammen.
2. *Infolge* ein__ fröhlich__ Tanzparty brach plötzlich Feuer in der Wohnung aus.
3. *Während* ein__ raffiniert__ Tricks verschaffte der Spion sich Geheiminformationen aus dem Computer.

4. *Anstelle* sein__ siebzigsten Geburtstags erhielt der ehemalige Bürgermeister zahlreiche Gratulationsbriefe.
5. *Trotz* d__ erkrankt__ Bundespräsidenten wurde der ausländische Staatsmann vom Bundestagspräsidenten begrüßt.
6. *Anlässlich* d__ Bemühungen aller Beteiligten konnte keine Kompromisslösung gefunden werden.

Révision générale §§ 58–61

7 Tageslauf eines Junggesellen – Complétez avec l'article ou avec une terminaison, p. ex.: am, ins, einem.

Herr Müller steigt morgens um sieben Uhr aus ... Bett. Als Erstes stellt er sich unter ... Dusche (f); dann stellt er sich vor ... Spiegel (m) und rasiert sich. Er
5 geht zurück in__ Schlafzimmer, nimmt sich Unterwäsche aus ... Wäscheschrank, nimmt seinen Anzug vo__ Kleiderständer (m) und zieht sich an. Er geht in ... Küche, schüttet Wasser in
10 ... Kaffeemaschine, füllt drei Löffel Kaffee in ... Filter (m) und stellt die Maschine an. Dann geht er an ... Haustür und nimmt die Zeitung aus ... Briefkasten (m). Nun stellt er das Geschirr auf
15 ... Tisch in ... Wohnküche, setzt sich auf ein__ Stuhl, trinkt Kaffee und liest in ... Zeitung zuerst den Lokalteil. Dann steckt er die Zeitung in ... Aktentasche, nimmt die Tasche unter ... Arm und
20 geht zu sein__ Bank. Dort steht er den ganzen Vormittag hinter ... Schalter (m) und bedient die Kundschaft. Zu Mittag isst er in ... Kantine (f) der Bank. Am Nachmittag arbeitet er in ... Kreditabteilung (f) seiner Bank. Meist 25 geht er dann durch ... Park (m) nach Hause. Bei schönem Wetter geht er gern noch etwas i__ Park spazieren und wenn es warm ist, setzt er sich auf ein__ Bank, zieht seine Zeitung aus ... Tasche und 30 liest. Am Abend trifft er sich oft mit sein__ Freunden in ein__ Restaurant (n). Manchmal geht er auch in__ Theater (n), in ... Oper (f) oder zu ein__ anderen Veranstaltung (f). Wenn es einen 35 Krimi i__ Fernsehen (n) gibt, setzt er sich auch mal vor ... Fernseher. Manchmal schläft er vor ... Apparat ein. Gegen 12 Uhr spätestens geht er in__ Bett. 40

8 Complétez avec les prépositions et les articles, également avec: ins, zum etc.

Gestern Abend fuhr ein Betrunkener ... ... alten Volkswagen ... ... Main (m). Das Auto stürzte ... ... Kaimauer (f) ... Wasser und ging sofort unter. Einige Leute, die ... ... Brücke (f) standen, liefen sofort ... nächsten Telefon und ... fünf Minuten war die Feuerwehr schon da. Zwei Feuerwehrmänner ... Taucheranzügen und ... Schutzbrillen ... ... Gesicht (n) tauchten ... kalte Wasser. Sie befestigten ... Wasser Stricke ... ... beiden Stoßstangen des Wagens. Ein Kran zog das Auto so weit ... ... Wasser, dass man die Türen öffnen konnte. Der Fahrer saß ganz still ... ... Platz ... ... Steuer; sein Kopf lag ... ... Lenkrad. Er schien tot zu sein. Vorsichtig wurde das Auto ... ... trockene Land gehoben, dann holte man den Verunglückten ... ... Wagen. Als man ihn ... ... Boden (m) legte, ...

Terminez l'histoire vous-même.

9 Wohin sind Sie gereist? – Ich bin ... gereist.

I in die Türkei, die Schweiz, der Sudan, die Vereinigten Staaten, die Niederlande, der Bayerische Wald, das Hessenland, die Antarktis, die GUS, die Hauptstadt der Schweiz, der Nordteil von Kanada, die Alpen, das Engadin, das Burgenland, meine Heimatstadt.

II nach Kanada, Australien, Österreich, Ägypten, Israel, Kroatien, Russland, Bolivien, Nigeria, Hessen, Bayern, Bern, Klagenfurt, Sylt, Helgoland, Sri Lanka

III auf die Insel Sylt, die Seychellen und die Malediven (Pl.) (= Inselgruppe im Indischen Ozean), die Insel Helgoland, der Feldberg, die Zugspitze, das Matterhorn, der Mont Blanc

IV an der Rhein, die Elbe, die Ostseeküste, der Bodensee, die Donau, der Mississippi, der Amazonas, die Landesgrenze

Wie lange sind Sie dort geblieben?

I *Im / In* der / den ... bin ich ... Tage / Wochen geblieben.

II *In* Kanada / ... bin ich ... geblieben.

III *Auf* dem / der / den ... bin ich ... geblieben.

IV *Am* Rhein / *An* der ... bin ich ... geblieben.

10 Faites l'exercice ci-dessous d'après le modèle suivant – si possible en groupe.

	Wohin sind Sie gereist?	*Wie lange sind Sie dort geblieben?*
die Buchmesse	A: Zur Buchmesse.	Auf der Buchmesse bin ich einen Tag geblieben.
der Feldberg	B: Auf den Feldberg.	Auf dem Feldberg bin ich einen Vormittag geblieben.
Kanada	C: Nach Kanada.	In Kanada bin ich ...
mein Onkel	D: Zu meinem Onkel.	Bei meinem Onkel ...
der Neusiedler See	E: An den Neusiedler See.	Am Neusiedler See ...

1. Spanien
2. die Schweiz
3. die Vereinigten Staaten
4. Polen
5. der Bodensee
6. die Insel Helgoland

7. Australien
8. Hamburg
9. meine Heimat-
   stadt
10. New York

11. die Zugspitze
    (= Deutschlands
    höchster Berg)
12. der Vierwaldstät-
    ter See
13. die Atlantikküste

14. Großbritannien
15. der Urwald
16. der Äquator
17. mein Schul-
    freund

18. die Chirurgen-
    Tagung
19. Wien
20. die Automobil-
    ausstellung

11 Même exercice.

	Wohin gehst du?	*Was machst du da?*
das Postamt	*A: Zum Postamt.*	*Auf dem Postamt hole ich Brief-marken.*
mein Freund	*B: Zu meinem Freund.*	*Bei meinem Freund spielen wir Karten.* Oder: *Mit meinem Freund arbeite ich.*
die Gastwirtschaft	*C: Zur Gastwirtschaft.*	*In der Gastwirtschaft esse ich zu Mittag.*
die Donau	*D: Zur Donau.* Oder: *An die Donau.*	*An der Donau beobachte ich die Wasservögel.*

1. der Bahnhof
2. der Zug
3. der Fahrkarten-
   schalter
4. der Keller
5. der Dachboden
6. der Balkon
7. der Goetheplatz
8. die Straße
9. das Restaurant
10. das Reisebüro

11. meine Schwester
12. der Aussichtsturm
13. der Friedhof
14. die Kirche
15. der Supermarkt
16. der Zeitungskiosk
17. Tante Emma
18. das Theater
19. Hamburg
20. das Ausland

21. das Land (auf; = in
    eine ländliche
    Umgebung)
22. der Wald
23. die Wiese
24. die Quelle
25. der See
26. das Feld
27. der Rhein
28. das Fenster

12 Wohin gehst (fährst / steigst / fliegst) du?
(Il y a quelquefois plusieurs possibilités.)

| I
Ich gehe | an
(ans)
auf
(aufs)
in
(ins)
nach
zu
(zum/zur) | 1. mein Zimmer
2. meine Freundin
3. die Straße
4. der Balkon
5. das Kino
6. die Garage
7. der Keller
8. die Schlucht
9. der Arzt | 10. Herr Doktor Kra-
mer
11. Frau Atzert
12. Angelika
13. das Reisebüro
14. die Schule
15. der Unterricht
16. das Klassenzimmer
17. der Metzger
18. die Bäckerei | 19. das Café
20. die Fabrik
21. die Polizei
22. das Finanzamt
23. das Militär
24. die Kirche
25. der Friedhof
26. die Post
27. die Haltestelle
28. der Briefkasten |
| II
Ich steige | | 1. die Zugspitze (Berg)
2. der Zug
3. die U-Bahn | 4. das Dach
5. der Aussichtsturm
6. die Straßenbahn | |

III   1. Brasilien   7. der Urwald
Ich fahre   2. die Mongolei   8. der Tunnel
             3. Los Angeles   9. die Oper
             4. ein fernes Land   10. das Land (d.h. in ein Dorf)
             5. die Schwarzmeerküste   11. meine Freunde ... Berlin
             6. die Wüste

IV   1. meine Heimatstadt   6. der Nordpol
Ich fliege   2. der Schwarzwald   7. die Türkei
             3. das Gebirge   8. Südamerika
             4. Dänemark   9. Spanien
             5. Tschechien

13 Wo bist du? – Reprenez les compléments de lieu de l'exercice 12.

Ich bin in meinem Zimmer / bei meiner Freundin usw.

14 Jeder hat im Urlaub etwas anderes vor. – Complétez avec les terminaisons et les
prépositions (également: ins, zur, zum etc.).

A. fährt ... München.
B. fliegt ... d__ Insel Helgoland
C. fliegt ... Kanada.
D. geht ... Land (z.B. ... ein Dorf).
E. fährt ... Finnland.
F. fährt ... d__ Schweiz.
G. fährt ... ihr__ Onkel ... Wien.
H. reist ... ein__ Freundin ... Öster-
reich.
I. bleibt (!) ... d__ Bundesrepublik und
zwar ... ihr__ Eltern.
J. lernt Französisch ... Nancy.
K. geht angeln ... Irland.
L. fliegt ... Brasilien und geht ... d__
Urwald.
M. fliegt ... Ostasien.

N. fährt jeden Tag ... Schwimmbad.
O. spielt täglich zwei Stunden Fußball
... Stadion (n) oder ... d__ Fußball-
platz.
P. fährt ... Wandern ... d__ Berge.
Q. macht eine Klettertour ... d__ Al-
pen.
R. geht ... Krankenhaus und lässt sich
operieren.
S. geht ... ein Hotel ... d__ Feldberg
... Schwarzwald.
T. verbringt den Urlaub ... ein__ Bau-
ernhof ... Odenwald.
U. geht ... ein__ Pension ... Interla-
ken ... d__ Schweiz.

15 Complétez les phrases selon le sens avec les prépositions suivantes, mais seulement
là où c'est nécessaire: bei, gegen, nach, um, zu (zur/zum), vor, seit.

Er ist ... wenigen Minuten aus dem
Haus gegangen, aber er ist ... Punkt 12
Uhr wieder da. Gewöhnlich verlässt er
das Büro ... 17 Uhr.
... Anfang der Schiffsreise war ich dauernd seekrank, ... Schluss hat mir sogar
ein Sturm nichts mehr ausgemacht.
Wir sind heute ... Hochzeit eingeladen. ... dieser Gelegenheit treffen wir
einige alte Freunde. Wir sollen ... neun

Uhr zum Standesamt kommen. ... 13
Uhr (ungefähr) gibt es ein Festessen im
Hotel Krone. Am Abend ... der Hochzeit haben wir viel getanzt. Wir sind erst
... drei Uhr in der Nacht (später als 3)
nach Hause gekommen.
... zwei Tagen ist Markttag. ... Zeit
sind die Erdbeeren preiswert. Wenn
man ... die Mittagszeit (ungefähr), also
... Schluss der Verkaufszeit auf den

15

Markt kommt, kann man oft am günstigsten einkaufen.

... Ostern fahren wir meist zum Skifahren in die Alpen. ... Weihnachten blei-
25 ben wir zu Hause, aber ... Silvester sind wir gern bei Freunden und feiern.

Drei Wochen ... seinem Tod hatte er sein Testament geschrieben. ... seiner Beerdigung waren viele Freunde und Verwandte gekommen. ... seinem Tod 30 erbte sein Sohn ein großes Vermögen, aber ... wenigen Jahren war davon nichts mehr übrig.

16 Complétez avec: an (am), bei, gegen, in (im), nach, um, von, zu (zum).

Morgens stehe ich ... halb sieben Uhr auf. ... sieben Uhr (ungefähr) trinke ich Kaffee. ... 7.35 Uhr geht mein Bus. Kurz ... acht bin ich im Büro. Ich ar-
5 beite ... acht bis zwölf und ... halb eins bis halb fünf. Dann gehe ich zum Bus; er fährt ... 16.45 Uhr. ... 25 Minuten bin ich zu Hause.

... Samstag, dem 3. März, abends ...
10 acht Uhr findet in der Stadthalle ein Konzert statt. ... Beginn spielt das Orchester die dritte Sinfonie von Beethoven, dann folgt ... 150. Geburtstag des Komponisten die c-moll-Sinfonie von
15 Brahms. Das Konzert endet ... 22.30 Uhr (ungefähr).

... jedem ersten Sonntag ... Monat unternimmt der Wanderverein „Schwalbe" ... gutem Wetter eine Wanderung. Die nächste Fußtour ist ... Sonntag, dem 30 6. Juni. Die Mitglieder treffen sich ... 8.10 Uhr am Bahnhof. ... halb neun geht der Zug. ... etwa einer Stunde ist man in Laxdorf, dem Ausgangspunkt der Wanderung. ... 13 Uhr (ungefähr) 35 werden die Wanderer den Berggasthof „Lindenhof" erreichen. ... dem Essen wird die Wanderung fortgesetzt. ... 17.26 Uhr geht der Zug von Laxdorf zurück. Die Mitglieder können also ... 40 19 Uhr (ungefähr) wieder zu Hause sein.

17 Suite de l'exercice § 60 no. 2. Même exercice que ci-dessus.

... etwa 150 Jahren erfand Samuel Morse den Schreibtelegraphen. ... 1876 entwickelte N. Otto einen Benzinmotor und ... Jahr 1879 baute Werner von
5 Siemens seine erste elektrische Lokomotive. ... einem Herbsttag des Jahres 1886 fuhr ... ersten Mal ein Automobil durch Stuttgarts Straßen. Gottlieb Daimler, geboren ... 17.3.1834, hatte es ge-
10 baut. ... seiner ersten Fahrt in dem neuen Auto schrien die Leute: „Der Teufel kommt!" G. Daimler ist ... 6.3.1900,

also ... ... Jahren, gestorben. Aus den Werkstätten von Daimler und C.F. Benz entstand ... 1926 die Daimler-Benz-Aktiengesellschaft. ... 1893 bis 97, also 15 nur 17 Jahre ... Ottos Benzinmotor, entwickelte Diesel einen neuen Motor; er wurde ... späteren Jahren nach seinem Erfinder Dieselmotor genannt. ... Jahr 1982, also 82 Jahre ... Daimlers 20 Tod, gab es allein in der Bundesrepublik Deutschland mehr als 27 Millionen Automobile.

18 Et maintenant complétez très vite avec: am, bei, gegen, in (im), um, zu (zur).

... wenigen Sekunden, ... Mittwoch, ... acht Tagen, ... der Nacht, ... Nachmittag, ... 12 Uhr (ungefähr), ... Mitternacht, ... diesem Moment, ...
5 Weihnachten, ... meinem Geburtstag, ... Hochzeit meiner Schwester, ...

Morgen (ungefähr), heute ... 14 Tagen, ... Frühjahr, ... Anfang der Ferien, ... Sonnenaufgang, ... nächster Gelegenheit, ... wenigen Augenblicken, ... 10 August, ... zwei Jahren, ... 17 Uhr

§ 62   Verbes de fonction

I   Verbes qui forment avec un complément d'objet à l'accusatif une expression fixe

Ces verbes de fonction sont fréquemment utilisés en allemand. Les verbes eux-mêmes ont pratiquement perdu leur signification propre ; ils ne font que compléter l'objet à l'accusatif et forment alors, avec ce complément d'objet, une entité.

Bei Waldbränden *ergreifen* die meisten Tiere rechtzeitig *die Flucht.* (= sie fliehen)
Der Politiker *gab* im Fernsehen *eine Erklärung ab.* (= er erklärte öffentlich)
Wir *haben* endlich *eine Entscheidung getroffen.* (= wir haben uns entschieden)

En voici une sélection:

Verbes simples

1. *fällen*
   a) eine Entscheidung b) ein Urteil
2. *finden*
   a) ein Ende b) Anerkennung c) Ausdruck d) Beachtung/Interesse e) Beifall
   f) Ruhe g) Verwendung
3. *führen*
   a) den Beweis b) ein Gespräch/eine Unterhaltung c) Krieg
4. *geben*
   a) jdm. (eine) Antwort b) jdm. (eine) Auskunft c) jdm. (den) Befehl d) jdm. Bescheid e) jdm. seine Einwilligung f) jdm. die Erlaubnis g) jdm. die Freiheit h) jdm. die Garantie i) jdm. (die) Gelegenheit j) jdm. eine Ohrfeige k) jdm. einen Rat/einen Tip/einen Wink l) jdm. die Schuld m) jdm. einen Tritt/einen Stoß n) (jdm.) Unterricht o) jdm. das Versprechen/sein Wort p) jdm. seine Zustimmung q) jdm./einer Sache den Vorzug
5. *gewinnen*
   a) den Eindruck b) die Überzeugung c) einen Vorsprung
6. *halten*
   a) eine Rede/einen Vortrag/eine Vorlesung b) ein (sein) Versprechen/sein Wort
7. *holen*
   a) Atem b) sich eine Erkältung/eine Infektion/eine Krankheit c) sich den Tod
8. *leisten*
   a) eine Arbeit b) einen Beitrag c) Hilfe d) Zivildienst e) Ersatz f) Widerstand
9. *machen*
   a) den Anfang b) jdm. ein Angebot c) jdm. Angst d) mit jdm. eine Ausnahme e) ein Ende f) jdm. (eine) Freude g) sich die Mühe h) eine Pause i) Spaß j) einen Spaziergang k) einen Unterschied l) einen Versuch m) jdm. einen Vorwurf/Vorwürfe
10. *nehmen*
    a) Abschied b) Anteil (an jdm./etwas) c) Bezug (auf etwas) d) Einfluss (auf jdn./etwas) e) ein Ende f) Platz g) Rache h) Stellung

11. *schaffen*
    a) Abhilfe b) Klarheit c) Ordnung d) Ruhe e)Arbeitsplätze
12. *stiften*
    a) Frieden/Unfrieden b) Unruhe
13. *treffen*
    a) mit jdm. ein Abkommen/eine/die Vereinbarung b) eine Entscheidung
    c) Maßnahmen d) Vorsorge e) Vorbereitungen
14. *treiben*
    a) (zu viel) Aufwand b) Handel c) Missbrauch d) Sport e) Unfug
15. *wecken*
    a) Erinnerungen b) Gefühle c) Interesse d) die Neugier

Verbes à particules séparables et inséparables

16. *abgeben*
    a) eine Erklärung b) seine Stimme c) ein Urteil
17. *ablegen*
    a) einen Eid/einen Schwur b) ein Geständnis c) eine Prüfung
18. *abschließen*
    a) die Arbeit b) die Diskussion c) einen Vertrag
19. *annehmen*
    a) den Vorschlag b) die Bedingung c) die Einladung d) (die) Hilfe
    e) Vernunft f) die Wette
20. *anrichten*
    a) ein Blutbad b) Schaden c) Unheil d) Verwüstungen
21. *anstellen*
    a) Berechnungen b) Nachforschungen c) Überlegungen d) Versuche
    e) Unfug/Dummheiten
22. *antreten*
    a) den Dienst b) die Fahrt c) die Regierung
23. *aufgeben*
    a) die Arbeit b) seinen Beruf c) den Plan d) die Hoffnung e) das Spiel
    f) den Widerstand
24. *ausführen*
    a) eine Arbeit b) einen Auftrag c) einen Befehl d) einen Plan e) eine Reparatur/Reparaturen
25. *begehen*
    a) eine Dummheit b) (einen) Fehler c) einen Mord d) Selbstmord e) Verrat
26. *durchsetzen*
    a) seine Absicht b) seine Forderungen c) seine Idee(n) d) seine Meinung
    e) seinen Willen
27. *einlegen*
    a) Beschwerde/Protest b) Berufung c) ein gutes Wort (für jdn.)
28. *einreichen*
    a) einen Antrag/ein Gesuch b) Beschwerde c) die Examensarbeit
    d) einen Vorschlag
29. *einstellen*
    a) die Arbeit b) die Herstellung c) den Betrieb d) das Rauchen e) die Untersuchung f) den Versuch/das Experiment

30. *ergreifen*
    a) Besitz (von etwas) b) die Flucht c) die Gelegenheit d) Maßnahmen
    e) das Wort
31. *erstatten*
    a) Anzeige b) (einen) Bericht
32. *verüben*
    a) einen Mord b) eine (böse) Tat c) ein Verbrechen
33. *zufügen*
    a) jdm. Böses b) jdm. Kummer c) jdm. eine Niederlage d) jdm. Schaden
    e) jdm. Schmerzen
34. *zuziehen*
    a) sich eine Erkältung/eine Grippe b) sich Unannehmlichkeiten c) sich eine
    Verletzung/schwere Verletzungen

1a Répondez aux questions suivantes en utilisant le parfait. Servez-vous pour cela des
   verbes 1 à 15 de la liste.

   Wer macht einen Spaziergang? (die Eltern / mit ihren Kindern)
   Die Eltern haben mit ihren Kindern einen Spaziergang gemacht.

1. Wer findet Anerkennung? (der Politiker / bei den Wählern)
2. Wer gibt der Firmenleitung die
   Schuld? (der Gewerkschaftsvertre-
   ter / an den Verlusten)
3. Wer gewinnt einen Vorsprung von
   zwei Metern? (der polnische Läufer)
4. Wer hält eine Vorlesung? (ein Professor aus Rom / am 4.5. / über
   Goethe)
5. Wer leistet Hilfe? (das Rote Kreuz /
   bei der Rettung der Flüchtlinge)
6. Wer macht mir ein Angebot? (der
   Makler / für ein Ferienhaus)
7. Wer macht dem Neffen Vorwürfe?
   (die Tante / wegen seiner Unhöflich-
   keit)
8. Wer trifft eine Entscheidung? (der
   Chef / am Ende der Verhandlungen)
9. Wer schafft 150 neue Arbeitsplätze?
   (eine Textilfabrik / in der kleinen
   Stadt)
10. Was weckt das Interesse des Wissen-
    schaftlers? (die Arbeit eines Kollegen)

b Même exercice, mais servez-vous maintenant des verbes 16 à 34 de la liste.

1. Wer nimmt die Wette an? (Peter)
2. Wer richtet großen Schaden an?
   (die Fußballfans / beim Spiel ihrer
   Mannschaft)
3. Wer tritt seinen Dienst an? (der
   neue Pförtner / am 2. Mai)
4. Wer gibt seinen Beruf auf? (der
   Schauspieler / nach drei Jahren)
5. Wer setzt seine Forderungen durch?
   (der Arbeitslose / beim Sozialamt)
6. Wer legt Berufung ein? (der Rechtsanwalt / gegen das Urteil)
7. Wer reicht die Examensarbeit endlich ein? (die Studentin / bei ihrem
   Professor)
8. Wer ergreift das Wort? (der Bürgermeister / nach einer langen Diskussion im Stadtparlament)
9. Wer erstattet Anzeige? (der Mieter /
   gegen den Hausbesitzer)
10. Wer zieht sich schwere Verletzun-
    gen zu? (der Lastwagenfahrer / bei
    einem Unfall)

11. Wer stellt das Rauchen ein? (die Fluggäste / während des einstündigen Fluges)

12. Wer hat der Firma großen Schaden zugefügt? / (ein Mitarbeiter / durch Unterschlagungen)

c Répondez aux questions suivantes. Cherchez au numéro indiqué la solution qui convient le mieux. Justifiez votre réponse lorsque plusieurs réponses sont possibles.

Ein junger Familienvater geht zum Wohnungsamt. Was will er? (Nr. 28)
Er reicht einen Antrag ein.

1. Der Junge ist ohne Jacke und Mütze aufs Eis gegangen. – Was war die Folge? (7)
2. Die Kinder machten das Fenster auf, damit der Vogel wegfliegen konnte. – Was haben sie getan? (4)
3. Ich hatte vergessen die Blumen meiner Nachbarin zu gießen. – Wie reagierte sie, als sie zurückkam? (9)
4. Die Not in vielen Teilen der Welt ist groß. – Was müssen die reicheren Länder tun? (8)
5. Wir wollen diese schöne Wohnung mieten. – Was müssen wir tun? (18) (… mit dem Hausbesitzer einen Miet-…)

6. Der Hund meiner Tante ist weggelaufen. – Was tut sie? (21)
7. Der Künstler hatte keinen Erfolg. – Wie reagierte er? (23)
8. Der Wasserhahn tropft, deshalb habe ich einen Handwerker gerufen. – Was hat er gemacht? (24)
9. Die Elektronik-Firma hat ein nicht konkurrenzfähiges Produkt auf den Markt gebracht. – Was hat sie daraufhin getan? (29)
10. Die Kollegen streiten dauernd miteinander. – Was muss der Chef tun? (12)

2a Transformez les phrases suivantes en vous servant des expressions données entre parenthèses (N° 1 à 15). Attention aux temps!

1. Das Gericht *hat* noch nicht *entschieden,* ob der Angeklagte freigesprochen werden kann. (1a)
2. Der Vortrag des Atomwissenschaftlers *interessierte* die anwesenden Forscher sehr. (2d – bei den … Forschern großes Interesse)
3. Leere Flaschen müssen abgegeben werden, damit sie *wieder verwendet* werden können. (2g)
4. Viele Länder, die *sich* früher *bekriegten,* sind heute miteinander befreundet. (3c – Krieg gegeneinander …)
5. Wenn die Eltern *nicht einverstanden sind,* kann der Fünfzehnjährige das teure Lexikon nicht bestellen. (4e – ihre Einwilligung)

6. Wie viele Stunden *unterrichten* Sie pro Woche? (4n)
7. Glauben Sie, dass er hält, was er *verspricht*? (6b)
8. Von Zeit zu Zeit müssen die Meeressäugetiere an die Wasseroberfläche schwimmen *um zu atmen.* (7a)
9. Wer einen Gegenstand stark beschädigt, muss *ihn ersetzen.* (8e – muss dafür …)
10. Man muss *unterscheiden* zwischen denen, die in der Diktatur die Anführer waren, und denen, die nur Mitläufer waren. (9k)
11. Noch im Hotel *verabschiedeten sich* die Teilnehmer der Veranstaltung. (10a) (voneinander)

12. Die Gäste wurden gebeten *sich zu setzen.* (10f)
13. Die Geschwister *vereinbarten,* jedes Jahr in ihrer Heimatstadt zusammenzukommen. (13b)
14. Schon vor Tausenden von Jahren *handelten* Kaufleute mit Salz. (14b)

b Même exercice. Mais utilisez maintenant les expressions allant du numéro 16 à 34.

1. Im letzten Herbst *sind* nur 75 Prozent der Wähler *zur Wahl gegangen.* (16b)
2. Nach langen Verhören *gestand* der Angeklagte schließlich. (17b)
3. Alle Soldaten mussten auf die Fahne *schwören.* (17a)
4. Nach zwei Jahren war er endlich *mit seiner Doktorarbeit fertig.* (18a)
5. Die Eltern ermahnten ihren sechzehnjährigen drogensüchtigen Sohn, doch *vernünftig zu sein.* (19e)
6. Ein Wirbelsturm *verwüstete große Teile des Landes.* (20d – schwere Verwüstungen in + D)
7. Die Versicherungsgesellschaft *forscht* zur Zeit *nach* dem Schiff, das im Pazifischen Ozean verschwunden ist. (21b)
8. Punkt neun Uhr *ist* die Reisegruppe *losgefahren.* (22b)
9. Sie *hat keine Hoffnung mehr,* dass ihr Mann zu ihr zurückkommt. (23d)
10. Acht Tage hatten die Bürger ihre Stadt tapfer verteidigt; am neunten Tag *ergaben* sie *sich,* da sie kein Wasser mehr hatten. (23f)
11. Er ist ein Typ, der *alles* selbst *repariert.* (24e)
12. Er *hat falsch gehandelt,* als er das Zimmer im Studentenheim nicht angenommen hat. (25b)
13. Der Gefangene *hatte sich* in seiner Zelle *umgebracht.* (25d)
14. Er sollte 30 Euro Mahngebühr an das Finanzamt zahlen; darüber *hat* er *sich beschwert.* (27a – dagegen)
15. Der Betriebsrat *hat* Verschiedenes zur Arbeitszeitverkürzung *vorgeschlagen* und bei der Geschäftsleitung *abgegeben.* (28d – verschiedene Vorschläge)
16. Die Fluggäste werden beim Verlassen des Warteraumes gebeten *nicht mehr zu rauchen.* (29d)
17. Das hoch verschuldete Unternehmen *konnte nicht weiterarbeiten.* (29c) (musste…)
18. Viele Menschen *sind* aus Angst vor einem möglichen Bombenangriff *geflohen.* (30b)
19. Infolge des nasskalten Wetters *haben sich* viele Menschen *erkältet.* (34a)
20. Der Skirennfahrer *hat sich* beim Abfahrtslauf schwer *verletzt.* (34c)

II Verbes de fonction avec complément à l'accusatif et objet prépositionnel

Ich *nehme Bezug auf* Ihr Schreiben vom 15. Januar.
Sie *machen sich Hoffnung auf* eine billige Wohnung in München.
Wir *wissen* seit langem *Bescheid über* seine Schulden.

Le verbe et l'objet à l'accusatif forment une entité (voir § 14, VIII). L'expression figée ainsi formée est associée à un complément prépositionnel.

La présence ou l'absence d'article est, elle aussi, la plupart du temps fixée. Le pluriel sans article peut remplacer un article indéfini.
Sie führten ein Gespräch mit ihm. / Sie führten Gespräche mit ihm.

Sinon s'appliquent toutes les règles énoncées au § 15,II.
Sie machen sich Hoffnung darauf, eine billige Wohnung in München zu bekommen.
Wir wissen seit langem Bescheid darüber, dass er hohe Schulden hat.

En voici une sélection:

1. Abschied nehmen	von + D	den Eltern	
2. einen Antrag stellen	auf + A	Kindergeld	
3. die Aufmerksamkeit lenken	auf + A	das Unrecht	darauf, dass
4. Ansprüche stellen	an + A	das Leben; den Partner	
5. Bescheid wissen	über + A	die Steuergesetze	darüber, dass / wie / wann / wo
6. Beziehungen haben	zu + D	Regierungskreisen	
7. Bezug nehmen	auf + A	die Mitteilung	
8. Druck ausüben	auf + A	die Politiker	
9. Einfluss nehmen	auf + A	eine Entscheidung	darauf, dass / wie
10. eine / die Frage stellen	nach + D	der Bezahlung	danach, ob / wann / wie
11. sich Gedanken machen	über + A	ein Thema	darüber, dass / ob / wie / wo
12. Gefallen finden	an + D	dem Spiel	daran + Inf.-K./ wie
13. ein Gespräch / Gespräche führen	mit + D über + A	einem Mitarbeiter einen Plan	darüber, dass / ob
14. sich Hoffnung / Hoffnungen machen	auf + A	einen Gewinn	darauf, dass / Inf.-K.
15. die Konsequenz / Konsequenzen ziehen	aus + D	dem Verhalten eines anderen	daraus, dass / wie
16. Kritik üben	an + D	dem Verhalten eines Menschen; einer Aussage	daran, dass / wie
17. Notiz nehmen	von + D	einer Person; einem Ereignis	davon, dass / wie
18. Protest einlegen	gegen + A	eine Entscheidung	dagegen, dass / wie
19. Rache nehmen	an + D	einer Person	
20. ein Recht haben	auf + A	eine Erbschaft	darauf, dass / Inf.-K.
21. Rücksicht nehmen	auf + A	einen Nachbarn	darauf, dass
22. Schritt halten	mit + D	einem Menschen; einer Entwicklung	
23. Stellung nehmen	zu + D	einem Problem	dazu, ob / wie
24. einen Unterschied machen	zwischen + D	einer Idee und der Wirklichkeit	

25.	eine Verabredung treffen	mit + D	der Freundin	
26.	(eine) Verantwortung übernehmen / auf sich nehmen / tragen	für + A	einen Mitmenschen; eine Fehlentwicklung	dafür, dass / Inf.-K.
27.	ein Verbrechen / einen Mord begehen / verüben	an + D	einem Geldboten	
28.	Vorbereitungen treffen	für + A	eine Expedition	
29.	Wert legen	auf + A	Genauigkeit	darauf, dass / wie / Inf.-K.
30.	Widerstand leisten	gegen + A	einen Feind; eine Entscheidung	dagegen, dass

3 Complétez avec la préposition qui convient.

1. Meine Cousine weiß … unsere verwandtschaftlichen Beziehungen besser Bescheid.
2. Ich nehme Bezug … Ihren Brief vom 2. März dieses Jahres.
3. Du musst die Konsequenzen … deinem Verhalten ziehen; man wird dir kündigen.
4. Die Bürger legten Protest … die Erhöhung der Wasser- und Abwassergebühren ein.
5. Der Bürgermeister legte Wert … eine genaue Darstellung der Vorgänge.
6. Die Studenten leisteten Widerstand … die neuen Prüfungsvorschriften.
7. Nimm mit deinem Fahrrad ein bisschen Rücksicht … die Fußgänger.
8. Viele Länder können … dem Tempo der technischen Entwicklung nicht Schritt halten.
9. Warum musst du nur … allem Kritik üben?
10. Der Politiker nahm … der Abwesenheit der Journalisten keine Notiz.

4 Remplacez les verbes par les expressions équivalentes qui conviennent.

1. Am Ende des Urlaubs auf dem Bauernhof verabschiedeten sich die Gäste von ihren Gastgebern. (1)
2. Wenn die Studenten den Zuschuss zum Studiengeld nicht beantragen, bekommen sie natürlich auch nichts. (… keinen …) (2)
3. Ich beziehe mich auf die Rede des Parteivorsitzenden vom 1.3. (7)
4. Natürlich fragten die Arbeiter nach der Höhe des Lohnes und den sonstigen Arbeitsbedingungen. (Pl.) (10)
5. Die Werksleitung überlegte, ob sie das Werk stilllegen sollte. (darüber, ob) (11)
6. Den Kindern gefiel der kleine Hund auf dem Bauernhof so gut, dass die Eltern ihn schließlich dem Bauern abkauften. (so großen Gefallen) (12)
7. Der Professor sprach mit der Studentin über ihre Dissertation. (13)
8. Die Skifahrer im Sportzentrum hofften auf baldigen Schnee. (14)
9. Die Bevölkerung der Stadt kritisierte das städtische Bauamt und seine Pläne zur Verkehrsberuhigung. (16)
10. Viele Menschen interessiert die drohende Klimakatastrophe anscheinend gar nicht. (… keine …) (17)
11. Die Beamten protestierten gegen die angekündigte Gehaltskürzung. (18)

12. Er rächte sich an seinen lieblosen Verwandten und schenkte sein Vermögen der Kirche. (19)

13. Jedes der drei Kinder kann einen Teil des Erbes für sich beanspruchen. (20)

14. Die Entwicklung der Technik in den industrialisierten Ländern ist zum Teil so schnell, dass andere Länder kaum mithalten können. (damit) (22)

15. Die Bürger wurden gefragt, ob sie sich zu den Plänen der Stadtverwaltung äußern wollten. (23)

16. Juristen unterscheiden die Begriffe „Eigentum" und „Besitz". (24)

17. In diesem Wald haben vor 200 Jahren die Dorfbewohner einen Kaufmann ermordet. (27)

18. Wir müssen uns auf unseren Umzug nach Berlin vorbereiten. (28)

19. Für meinen Hausarzt ist es wichtig, dass die Patienten frei über ihre Krankheit sprechen. (29)

20. Die Betriebe sollen rationalisiert werden; dagegen wollen viele etwas unternehmen. (30)

5 Remplacez les expressions par un verbe simple ou bien expliquez très simplement les phrases.

1. Es ist nicht gut, wenn Kinder zu viele Ansprüche stellen.

2. Jetzt muss ich aber endlich eine Frage stellen.

3. Manche Menschen wollen immerzu auf andere Einfluss nehmen.

4. Er hat schon zu lange Kritik an mir geübt.

5. Nachdem er den Film zweimal gesehen hatte, fand er doch Gefallen daran.

6. Jeder Kranke muss sich Hoffnungen machen, sonst wird er nie gesund.

7. Du musst dir nicht ständig über die Probleme anderer Leute Gedanken machen.

8. Für ihn bin ich eine Null. Er hat noch nie Notiz von mir genommen.

9. Gegen diesen Unsinn müssen wir jetzt Protest einlegen.

10. Der Sizilianer wollte an seinem Feind Rache nehmen.

11. Ich habe mit meiner Freundin eine Verabredung getroffen.

12. Für die Reise wollen wir rechtzeitig Vorbereitungen treffen.

III Verbes de fonction

Remarques préliminaires

1. On trouve souvent dans le langage scientifique ou administratif des phrases formées avec des verbes simples tels que *kommen, bringen, nehmen, stellen* etc. Ces verbes n'ont pratiquement plus de signification propre: ils sont partie intégrante d'une phrase (formée d'une préposition, complément d'objet et verbe) et n'ont plus qu'une fonction grammaticale.

2. C'est ainsi qu'est créé un verbe de fonction dont la forme ne peut plus changer. Tout est fixe, la préposition comme l'emploi ou l'absence d'un article.

6 Complétez les expressions suivantes avec les verbes qui conviennent.

  1. a) Man will jetzt das Kraftwerk in Betrieb …
     b) Man glaubt, seine Wirtschaftlichkeit unter Beweis … zu können.
  2. a) Ich … jetzt zum Abschluss meiner Rede.
     b) Im Anschluss daran wollen wir das Thema zur Diskussion …
  3. a) Der Bauernhof ist aus unbekannten Gründen in Brand …
     b) Brandstiftung … sehr wahrscheinlich nicht in Frage.
  4. a) Heute soll wieder das Thema Reinerhaltung der Luft zur Diskussion …
     b) Bei dieser Gelegenheit werden wir das Thema Energie durch Windräder zur Diskussion …
  5. a) Die Idee der erneuerbaren Energie … bei Gegnern immer wieder auf Kritik.
     b) Diese Kritik … vermutlich im Interesse der großen Stromverbände.
  6. a) Die Naturschützer wollen zum Beispiel die Nutzung der Solarenergie im großen Stil in Angriff …
     b) Dabei … sie auf Ablehnung bei gewissen Politikern und Unternehmen.
  7. a) Der Redner … noch einmal die Notwendigkeit der Nutzung erneuerbarer Energie zum Ausdruck.
     b) Man versprach, den verstärkten Einsatz erneuerbarer Energie in Erwägung zu …
  8. a) Die Regierung … finanzielle Hilfe für die Errichtung von Solaranlagen in Aussicht.
     b) Eine entsprechende Verordnung soll am 1. Mai in Kraft …
  9. a) Man fürchtet, dass man mit den Vertretern der Atomenergie in Konflikt …
     b) Die Sparerfolge der Ökologen werden die anderen in Erstaunen …
10. a) Die Notwendigkeit der Erzeugung von Atomstrom wird von vielen Fachleuten nicht in Frage …
     b) Ob man in der Streitfrage „Mit oder ohne Atomstrom?" jemals zu einem klaren Ergebnis … wird?

7 Employez dans votre réponse l'expression indiquée.

Hat die neue Verordnung schon Gültigkeit? (26a)
Ja, sie wurde schon in Kraft gesetzt.

1. Wurde der neue Gesetzentwurf von der Opposition abgelehnt? (1) (bei der Opposition)
2. Wollen die Wissenschaftler ihre Studie jetzt abschließen? (2a)
3. Glauben Sie, dass die Arbeit vor Jahresende abgeschlossen wird? (2b)
4. Will man dann eine neue Forschungsarbeit beginnen? (3)
5. Wird man Wissenschaftler einer anderen Fakultät zu Hilfe holen? (4) (die Hilfe von … soll …)
6. Wollte der Künstler in seinem Bild den Wahnsinn des Krieges ausdrücken? (5a)
7. Ist es ihm gelungen, in seinem Bild den Wahnsinn des Krieges deutlich auszudrücken? (5b) (Ja, in dem Bild …)
8. Kündigt die Forschungsgruppe neue Erkenntnisse auf dem Gebiet der Genforschung an? (6a)
9. Sind ganz neue Erkenntnisse zu erwarten? (6b) (Ja, es stehen …)
10. Wurden bei der Untersuchung der Kranken auch ihre Lebensumstände berücksichtigt? (7)
11. Haben Sie die Gebrauchsanweisung gelesen, bevor Sie die Maschine angestellt haben? (8)

12. Konnte der Angeklagte seine Unschuld beweisen? (9)

13. Wurde der politische Gefangene bearbeitet (13a), so dass er nicht wagte die Wahrheit zu sagen?

14. Sahen die Demonstranten ein (14b), dass sie bei der Bevölkerung keine Unterstützung fanden? (zu der Einsicht)

15. Empfing der Sieger im Tennis den Pokal gleich nach dem Spiel? (15)

8 Même exercice.

1. Haben die Schüler ihre Gemeinschaftsarbeit noch vor den Ferien beendet? (16a)

2. Hast du auch gehofft, dass der Redner bald Schluss machen würde? (16b) (zum Ende)

3. Konnte die junge Frau sich nicht entschließen (17a) die Arbeit anzunehmen? (zu dem Entschluss)

4. Versuchten die Journalisten denn nicht etwas über die Konferenz der Außenminister zu erfahren? (18) (Doch, sie …)

5. Überraschte der Zauberkünstler die Kinder mit seinen Tricks? (19)

6. Sicher musste viel bedacht werden, bevor man die neue Industrieanlage baute? (20) (Ja, vielerlei musste …)

7. Bezweifelte jemand den Sinn dieses Beschlusses? (21a) (Ja, ein Teilnehmer …)

8. Ist die Rücknahme des Beschlusses ausgeschlossen? (21c) (Ja, eine Rücknahme …)

9. Stimmt es, dass Dieselmotoren bei großer Kälte nicht laufen wollen? (22)

10. Sind Sie bereit, bei der langen Fußtour Unbequemlichkeiten auf sich zu nehmen? (24)

11. Hat es bei deiner Schwarzmarkttätigkeit Schwierigkeiten mit der Polizei gegeben? (25) (Ja, ein paarmal …)

12. Stimmt es, dass das neue Gesetz ab nächsten Monat gelten soll? (26b)

13. Wurde das neue Gesetz nicht allgemein kritisiert? (27) (Doch, …)

14. Sind denn deine Karate-Kenntnisse zu irgendetwas nütze? (29) (Ja, bei einem Überfall können …)

15. Sind unsere Probleme in der Versammlung besprochen worden? (30b)

9 Remplacez l'expression en italique par un verbe simple. Il faut alors parfois transformer la phrase.

Der Richter wollte die Beweisaufnahme *zum Abschluss bringen.*
Der Richter wollte die Beweisaufnahme abschließen.

1. a) Die Vorschläge des Bürgermeisters *stießen* im Gemeinderat *auf Ablehnung.* b) Weil man aber *zum Ende kommen* wollte, vertagte man die Angelegenheit. c) Bei der nächsten Sitzung *stellte* der Bürgermeister die Vorschläge erneut *zur Diskussion.* (jdn. bitten etwas zu diskutieren)

2. a) Der Angeklagte behauptete, die Polizei habe ihn *unter Druck gesetzt.* (jdn. bedrängen) b) Er gab aber zu, dass er mit dem Gesetz *in Konflikt geraten* sei. (das Gesetz übertreten) c) Mit dem plötzlichen Geständnis *setzte* der Angeklagte alle Anwesenden *in Erstaunen.* (staunen über)

3. a) Die Verkaufsverhandlungen wollten nicht recht *in Gang kommen*. b) Natürlich *brachten* die Käufer den Umsatz des Geschäfts in den letzten Jahren *zur Sprache*. (sprechen über) c) Die unklaren Statistiken *stießen* bei ihnen *auf Kritik*. d) Sie meinten, es *liege* doch *im Interesse* des Verkäufers, wenn er den Käufern reinen Wein einschenke.

4. a) Der Zirkusclown war bekannt dafür, dass er Groß und Klein *zum Lachen brachte*. b) Zum Schein *kam* er stets mit seinem Kompagnon *in Konflikt*. (streiten) c) Mit einer wilden aber furchtbar komischen Prügelei *brachte* er die Vorstellung *zum Abschluss*.

IV Locutions et leur sens

10 Complétez avec l'article défini qui convient.

1. kein Blatt vor … (m) Mund nehmen: seine Meinung offen sagen
2. aus … (f) Haut fahren: ungeduldig, wütend werden
3. jemandem auf … (Pl.) Finger sehen: jemanden genau kontrollieren
4. etwas aus … (f) Luft greifen: etwas frei erfinden
5. ein Haar in … (f) Suppe finden: einen Nachteil in einer Sache finden
6. jemandem um … (m) Hals fallen: jemanden umarmen
7. etwas in … (f) Hand nehmen: eine Sache anfangen und durchführen
8. von … (f) Hand in … (m) Mund leben: sehr arm leben
9. sich etwas aus … (m) Kopf schlagen: einen Plan aufgeben
10. Er ist seinem Vater wie aus … (n) Gesicht geschnitten: Er sieht seinem Vater sehr ähnlich.
11. etwas auf … (f) Seite legen: etwas sparen, zurücklegen
12. ein Spiel mit … (n) Feuer: eine gefährliche Sache
13. das springt in … (Pl.) Augen: das fällt stark auf
14. sich aus … (m) Staub machen: heimlich weggehen, fliehen
15. sich jemandem in … (m) Weg stellen: jemandem Schwierigkeiten machen
16. sein Geld aus … (n) Fenster werfen: sein Geld nutzlos ausgeben
17. jemandem den Stuhl vor … (f) Tür setzen: jemanden aus dem Haus schicken, „hinauswerfen"
18. in … (m) Tag hinein leben: planlos leben
19. jemandem auf … (f) Tasche liegen: vom Geld eines anderen leben
20. in … (f) Tinte sitzen: in einer unangenehmen Lage sein
21. unter … (m) Tisch fallen: eine Sache bleibt unbeachtet / unberücksichtigt
22. Die Ferien stehen vor … Tür: Es ist kurz vor den Ferien.
23. jemanden an … (f) Wand stellen: jemanden erschießen
24. einer Sache aus … (m) Weg gehen: eine Sache nicht tun, vermeiden
25. einen Rat in … (m) Wind schlagen: einen Rat nicht beachten
26. den Mantel nach … (m) Wind hängen: seine Meinung so ändern, wie es nützlich ist
27. jemandem auf … (m) Zahn fühlen: jemanden gründlich prüfen
28. mir liegt das Wort auf … (f) Zunge: ich weiß das Wort, aber ich kann mich im Augenblick nicht daran erinnern
29. auf … (f) Nase liegen: krank sein

30. jemandem in … (Pl.) Ohren liegen: jemanden mit Bitten quälen

31. jemanden auf … (f) Palme bringen: jemanden in Wut bringen

32. wie aus … (f) Pistole geschossen:
ganz schnell

33. unter … (Pl.) Räuber fallen: in
schlechte Gesellschaft geraten

34. die Rechnung ohne … (m) Wirt
machen: sich irren

35. aus … (f) Reihe tanzen: etwas anderes tun als all die anderen

36. bei … (f) Sache sein: sich auf etwas konzentrieren

37. etwas auf … (f) Seite schaffen: etwas stehlen

11 Complétez avec la préposition et l'article qui conviennent. (Si vous avez oublié la
préposition, reportez-vous à l'exercice 9).

Er hat kein festes Einkommen und lebt
… … Hand … … Mund. Daher hat
er auch keine Möglichkeit jeden Monat
etwas … … Seite zu legen. Seit zehn
5   Jahren liegt er nun seinem Vater … …
Tasche! Sie hat ihm jetzt klar ihre Meinung gesagt und hat kein Blatt … …
Mund genommen. Das hat ihn natürlich sofort … … Palme gebracht. Sie
10 hat ihm geraten sich endlich um eine
Stelle zu bewerben, aber er schlägt ja jeden Rat … … Wind. Er *will* ja nicht arbeiten und geht jedem Angebot … …
Weg. Und wenn sie ihm auch immer
15 wieder damit … … Ohren liegt, er
kümmert sich nicht darum und lebt
weiter … … Tag hinein. Kein Wunder,
dass sie manchmal … … Haut fährt!
Es wird nicht mehr lange dauern, dann
setzt sie ihm den Stuhl … … Tür;
dann sitzt er aber … … Tinte! Sie verdient sauer das Geld und er wirft es …
… Fenster! Wenn er glaubt, dass das so
weitergehen kann, dann hat er die
Rechnung … … Wirt gemacht. Soll er
sich doch endlich … … Staub machen! Aber wenn er ganz allein ist, fällt
er bestimmt bald … … Räuber. Und
das will sie doch auch nicht; sie liebt
ihn doch so sehr! Ach, soll er doch endlich mal sein Leben … … Hand nehmen! Aber wenn er schon mal eine Arbeit angefangen hat, findet er bestimmt
bald ein Haar … … Suppe. Sie müsste
ihm genauer … … Finger sehen. Statt-
dessen fällt sie dem Faulenzer … …
Hals, sobald er nach Hause kommt!

20

25

30

35

Solutions § 40 no. 6:

1. der Blauwal 2. die Spitzmaus 3. die Giraffe 4. die Antilope 5. die Kobra
6. der Pazifische oder Stille Ozean 7. 10 900 m 8. Australien 9. in der Antarktis 10. auf Hawaii 11. an den Küsten der Antarktis 12. am 21. Dezember
13. am 21. Juni 14. Wasserstoff (chem. Zeichen: H) 15. am 3. Juli (!) 16. am
2. Januar (!)

§ 63   Emploi des temps: présent, parfait, prétérit, plus-que-parfait

I Présent et parfait

Présent: temps utilisé dans la langue parlée qui correspond à un présent.
„Dort *fliegt* ein Storch. *Siehst* du ihn?" – „Nein, *warte* einen Augenblick! Ohne
meine Brille *kann* ich ihn nicht *sehen*."

Parfait: temps utilisé dans la langue parlée qui correspond à un passé.
„Gestern *ist* der erste Storch in diesem Frühjahr *vorübergeflogen*. Das *hat* mir
meine Freundin *gesagt*. Aber ich *habe* ihn leider nicht *gesehen*, weil ich
meine Brille nicht rechtzeitg *gefunden habe*."

Ces deux temps, présent et parfait, sont en concordance dans la langue parlée.

Le présent

C'est le temps utilisé pour des actions, événements et situations présents et futurs
(voir le § 21).
„Heute Vormittag *macht* mein Sohn sein Examen. Er *ist* der Beste. Er *schafft*
bestimmt eine ausgezeichnete Note."

A l'écrit on utilise le présent:

- au discours direct
  Es war ein bitterkalter Winter und das arme Mädchen rief: „Es *ist* Weihnachtsabend. *Kauft* mir doch ein paar Streichhölzchen *ab*."

- dans l'énoncé de règles et de lois
  Wer einem anderen etwas *stiehlt* und dabei *gefasst wird*, *wird bestraft*.

- dans l'énoncé de lois naturelles
  Die Erde *dreht* sich um die Sonne. Die Gravitation *ist* ein physikalisches Gesetz.

Autres utilisations possibles du présent dans la langue écrite:

- pour résumer le contenu d'un récit, d'un roman, d'un opéra, d'un film, d'une pièce
  de théâtre, etc.
  Die Oper „Aida" von Verdi *spielt* im alten Ägypten. Der Prinz *verliebt* sich
  in Aida und *kämpft* um sie …

- dans des chroniques de critique à la radio et à la télévision ou des articles de critique
  dans les journaux
  Der Autor *schreibt* flüssig und elegant, aber es *fehlt* ihm an historischen
  Kenntnissen.

- il s'utilise aussi parfois dans la relation d'événements historiques
  Am Weihnachtsabend des Jahres 800 *wird* Karl der Große in Rom zum Kaiser
  gekrönt. Der Papst *setzt* ihm die Krone auf das Haupt.

Le parfait

C'est le temps qui correspond à des actions, des événements et des situations passés (voir aussi le § 21).
In der Schule *habe* ich mich immer *gelangweilt*. Wenn wir auf dem Schulhof Fußball *gespielt haben*, *hat* der Hausmeister *geschimpft* ...

A l'écrit le parfait s'utilise:

- au discours direct
  Das arme Mädchen mit den Streichhölzern dachte: „Heute Abend *ist* meine Großmutter *gestorben*. Sie *hat* mich lieb *gehabt* und mir alles *gegeben*."

- pour des énoncés d'ordre général dont le contenu est antérieur au présent.
  Seit Emil von Behring einen Impfstoff gegen die Diphtherie *entdeckt hat*, sterben weniger Kinder an dieser schrecklichen Krankheit.

II   Le prétérit et le plus-que-parfait

Le prétérit: temps de la langue écrite utilisé dans les textes littéraires et les écrits relatant des événements.
   Es *war* einmal ein Fischer, der *fing* einen großen Fisch. Der Fisch *öffnete* sein Maul und *sprach* mit menschlicher Stimme.
   Am 3. September *begann* die Konferenz in Tokio. Die Präsidenten aller asiatischen Länder *versammelten* sich in dem prächtigen Saal und *begrüßten* einander feierlich.

Le plus-que-parfait: temps de la langue écrite utilisé pour des actions, des événements et des situations antérieurs à ceux qu'exprime le prétérit.
   Es war einmal ein Fischer, der schon viele Fische gefangen hatte, aber so ein großer Fisch *war* ihm noch niemals vorher ins Netz *gegangen*.
   Am 3. September begann die Konferenz in Tokio. Obwohl die Präsidenten der asiatischen Länder vorher gegeneinander *gestritten hatten*, begrüßten sie sich freundlich.

Ces deux temps, le prétérit et le plus-que-parfait sont en concordance dans la langue écrite.

Le prétérit

Temps de la langue écrite:

- dans la littérature en prose (romans, récits, histoires). Mais l'utilisation des temps dans la littérature est surtout une question de style ; tous les temps sont utilisés.

- les informations dans les journaux et à la télévision sont données au prétérit.

Dans la langue parlée, on utilise le prétérit:

- dans le récit de contes et d'histoires
  Die Großmutter erzählt: Es *war* einmal eine schöne Prinzessin. Sie *lebte* in
  einem Schloss ...

- pour relater des événements d'ordre personnel dans un stylé élaboré
  Heute früh bin ich aufgestanden, aber plötzlich *donnerte* es an meiner Tür. Ich
  rannte hin und da *stand* ...

- dans les lettres, les Allemands passent assez arbitrairement du parfait au prétérit. Les
  gens qui écrivent bien emploient le parfait pour des énoncés les concernant person-
  nellement mais passent au prétérit pour la narration d'un événement.

Le plus-que-parfait

A l'écrit
  Cette forme de temps employée avant une action passée (prétérit) n'est pratique-
  ment utilisée qu'à l'écrit (presse, nouvelles) ou dans la littérature narrative.
  Er stand vor der Haustür, suchte in seinen Taschen, aber er fand seinen
  Schlüssel nicht, denn er *hatte* ihn am Morgen zu Hause *vergessen*.

Dans la langue parlée on peut employer le plus-que-parfait lorsqu'une action antérieure
  précède l'action exprimée par le parfait.
  Alles, was er mir damals *erzählt hatte*, habe ich mir gemerkt.

Remarques

1. Lorsqu'il s'agit de verbes de modalité ou d'auxiliaires, on préfère, dans la langue
   parlée, le prétérit au parfait.
   Ich *war* unruhig (sauf: bin ... gewesen), weil ich meine Brille nicht sofort
   hatte (sauf: gehabt habe) und deshalb den Storch nicht *sehen konnte*
   (sauf: habe sehen können).

2. Lorsque des passages au plus-que-parfait sont un peu longs, le narrateur peut passer
   au prétérit.

3. Dans la presse écrite ou à la télévision, les informations commencent souvent par
   une phrase au parfait. Elles se poursuivent ensuite normalement au prétérit.
   „Geisterstimmen" in einer Nürnberger Wohnung *haben* in der Nacht zum
   Freitag zu einem Polizeieinsatz *geführt*. Die Mieterin *wählte* gegen Mitternacht
   den Notruf, weil nach ihren Worten „geisterhafte Stimmen" aus der Wand
   drangen. Die angerückten Beamten *waren* „hellhörig": Sie *fanden* den Geist in
   einem Schrank in Gestalt eines dudelnden Radios.

                                                                FAZ, 9.3.1996

1 Mettez les verbes au temps qui convient.

Ein Professor, der nachts um 12 Uhr mit dem Flugzeug nach New York (reisen wollen), (sitzen) müde in seinem Sessel, nachdem er alle seine Sachen (ein-
5 packen), als plötzlich das Telefon (klingeln). Es (sein) der Freund des Professors, der schon früh am Abend (schlafen gehen) und einen Traum (haben), den er jetzt dem Professor (mitteilen): „Ich
10 (abstürzen sehen) im Traum ein Flugzeug mit derselben Nummer, die auf deiner Flugkarte (stehen), über dem Atlantischen Ozean. Bitte (fliegen) nicht nach New York." Der Professor (verspre-
15 chen) dem Freund nicht zu fliegen. Als der Professor am nächsten Morgen (aufwachen), (rufen hören) er die Zeitungsjungen auf der Straße: „Flugzeug Nr. 265 abgestürzt!" Er (springen) aus
20 dem Bett, (greifen) nach seiner Flugkarte und (erkennen) dieselbe Nummer. – Sobald er sich (anziehen), (rennen) er auf die Straße, um seinem Freund, der ihn (warnen), zu danken. Als er um die Ecke (biegen), (zusammenstoßen) er so 25 unglücklich mit einem kleinen Jungen auf einem Kinderfahrrad, dass er (stürzen) und auf das Pflaster (schlagen). „Das (sein) das Ende!", (denken) der Professor, „mein Freund (Recht haben) 30 doch."
Aber es (kommen) anders: Am späten Nachmittag (erwachen) er in einem Krankenzimmer und als sich eine freundliche Pflegerin über ihn (beugen), (sein) 35 seine erste Frage: „Was (geschehen) mit den Insassen des Flugzeugs Nr. 265?" – „Bitte (aufregen) Sie sich nicht!", (antworten) die Krankenschwester. „Nur eine Falschmeldung! Die Maschine (lan- 40 den) sicher." Bevor der Professor wieder in Ohnmacht (sinken), (flüstern) er: „Dann (irren) sich mein Freund also."

2 Retrouvez l'infinitif des verbes utilisés dans ces extraits de journaux. A quel temps sont-ils employés ici? Justifiez l'emploi du plus-que-parfait dans ces textes.

Zweimal ließen Fahrer am Wochenende ihre Wagen stehen, nachdem sie zuvor erheblichen Schaden angerichtet hatten.

5

Der US-Autohersteller Ford hat im 1. Quartal 1996 einen dramatischen Gewinneinbruch auf 982 Millionen Mark verzeichnet. In der entsprechenden Vor-
10 jahreszeit hatte der Konzern noch weit über zwei Milliarden Mark verdient.

Zu einem Vortragsabend mit dem Thema „Mineralien in den Gesteinen der
15 Rhön" hatte die Geschäftsleitung der Firma Franz Carl Nüdling eingeladen. Referent Rudolf Geipel stellte unter anderem fest, dass die Rhön noch ein weißer Fleck auf der mineralogischen
20 Landkarte sei.

Die Beamten hatten angehalten, weil das Fahrzeug des 27-Jährigen mit Warnblinklicht auf dem Seitenstreifen der 25 Autobahn abgestellt war. Der Fahrer verwies auf eine Panne und die Öllache unter seinem Wagen.
Als er von der Streife überprüft werden sollte, gab er an, keine Papiere dabeizu- 30 haben. Die Beamten hatten aber eine Jacke auf dem Rücksitz des Autos entdeckt, worin sich auch Ausweispapiere befanden. Das sei die Jacke seines Bruders, erklärte der Erfurter. Die nun miss- 35 trauisch gewordenen Ordnungshüter nahmen den 27-Jährigen mit auf das Revier.
Hier stellte sich heraus, dass der Beschuldigte gelogen hatte. Den Führer- 40 schein bereits wegen Trunkenheit am Steuer verloren, hatte er versucht seine Identität zu verheimlichen.

3   Mettez les verbes au temps qui convient.

Nachdem es, wie es in Ländern nördlich der Alpen oft (vorkommen), vier Wochen lang (regnen), (erscheinen) an einem Maimorgen endlich die Sonne am
5 heiteren Himmel. Sogleich (herausstrecken) ein Regenwurm, der schon lange durch die andauernde Kälte beunruhigt (sein), seinen Kopf aus dem feuchten Boden.
10 Bevor er sich noch richtig (wärmen können), (entdecken) er dicht neben sich einen zweiten Regenwurm, den er, wie er wohl (wissen), noch nie vorher (sehen). Trotzdem (sich verbeugen) er tief und
15 (beginnen) folgende höfliche Rede: „Lieber Herr Nachbar, als wir uns vor 14 Tagen im Dunkel der Erde (treffen), (sagen

können) ich Ihnen nicht meinen Gruß und meine Verehrung, denn leider (sich beschäftigen müssen) man dort unten 20 immer mit Fressen und mit vollem Mund (sprechen dürfen) niemand, der von seinen Eltern gut (erziehen / Passiv). Jetzt aber (begrüßen dürfen) ich Sie mit großem Vergnügen und (bitten) Sie 25 um Ihre Freundschaft.“ In ähnlicher Weise (reden) er noch einige Zeit fort, (sich beklagen) über die Schweigsamkeit des anderen und (fragen) ihn nach Namen und Herkunft, bis der zweite Re- 30 genwurm endlich sein Geschwätz (unterbrechen) und mürrisch (antworten): „Quatsch doch nicht so blöd, ich bin doch dein Hinterteil!“

4   Même exercice.

Ein Blinder (geschenkt bekommen) 500 Euro von der Frau eines Freundes, der vor einiger Zeit (sterben). Der Blinde (denken) niemals vorher an so ein un-
5 verhofftes Geschenk und deshalb (verstecken wollen) er das Geld, wie es so viele arme Leute (tun), in seinem Garten. Nachdem er ein tiefes Loch (graben) und seinen Schatz (verpacken und
10 hineinlegen), (verlassen) er sehr zufrieden den Ort seiner Handlung. Während dieser Arbeit (beobachten können) ihn ein Nachbar durch den Gartenzaun. Der diebische Mensch (steigen) in der fol-
15 genden Nacht in den Garten des Blinden und (nehmen) das Geld an sich. Als der Blinde am Morgen (entdecken), dass sein Schatz (stehlen / Passiv), (sterben wollen) er vor Kummer. Aber Not (ma-
20 chen) erfinderisch. Er (gehen) zu seinem

Nachbarn, den er (verdächtigen) und (sagen): „Herr Nachbar, Sie (nachdenken helfen müssen) mir in einer schwierigen Angelegenheit. Vor einiger Zeit (geben / Passiv) mir von einem Freund 25 1000 Euro, die ich für ihn (verstecken sollen). Aus Angst vor Dieben (eingraben) ich die Hälfte an einem sicheren Ort. Ich (fragen wollen) Sie, ob es gut (sein / Konjunktiv), wenn ich auch den 30 Rest an die gleiche Stelle (legen)?“ Selbstverständlich (raten) der Nachbar dem Blinden zu dem gleichen Versteck, aber sobald der Blinde in sein Haus (zurückkehren), (zurückbringen) der 35 Nachbar, der die ganze Summe (haben wollen), das gestohlene Geld in den Garten des Blinden. Kurze Zeit darauf (ausgraben) der Blinde seinen Schatz glücklich wieder. 40

Appendice

Principales règles de l'usage de la virgule

En allemand les signes de ponctuation remplissent sensiblement le même rôle qu'en français, c'est-à-dire qu'ils servent à souligner le rythme du discours. Les règles qui en régissent l'emploi ne diffèrent donc guère d'une langue à l'autre, sauf pour la virgule (das Komma) qui sert, en plus, à marquer la structure grammaticale de la phrase, et ce rôle est très important.

I On met une virgule

1. entre des indépendantes, à moins qu'elles ne soient coordonnées par: *und, oder, beziehungsweise, sowie, wie, entweder … oder, nicht … noch, sowohl … als, weder*:
   Alle lachten, aber er machte ein unglückliches Gesicht.
   Es regnete, trotzdem fuhr er mit dem Fahrrad ins Büro.

2. entre une proposition principale et sa subordonnée:
   Ich freue mich, wenn du kommst.
   Obwohl er uns verstand, antwortete er nicht.

3. entre plusieurs subordonnées:
   Ich weiß, dass ich ihm das Geld bringen muss, weil er darauf wartet.

4. entre des membres de phrase de même nature. Il n'y a jamais de virgule devant *und* et *oder* (voir sous 1):
   In der gestohlenen Tasche waren Schlüssel, Geld, Ausweise und persönliche Sachen.
   Du musst endlich den Professor, seinen Assistenten oder den Tutor danach fragen.
   Im Urlaub wollen wir lange schlafen, gut essen, viel baden und uns einmal richtig erholen.

II On place entre deux virgules

lorsqu'elles interrompent la proposition dont elles dépendent:

1. les propositions relatives et subordonnées:
   Der Apfelbaum, den er selbst gepflanzt hatte, trug herrliche Früchte.

2. les appositions:
   Die Donau, der längste Fluss Europas, mündet ins Schwarze Meer.

3. les propositions participiales:
   Er schlief, von der anstrengenden Reise erschöpft, zwölf Stunden lang.

4. les infinitives avec complément et les infinitives formées avec *um … zu, ohne … zu, anstatt … zu:*
   Sie begann, um bald zu einem Ergebnis zu kommen, sofort mit der Arbeit.

III On peut mettre une virgule

pour rendre la construction de la phrase plus claire ou éviter un malentendu

1. devant des infinitives avec complément:
   Er hofft(,) jeden Tag ein bisschen mehr Sport treiben zu können.
   Er hofft jeden Tag(,) ein bisschen mehr Sport treiben zu können.

2. devant des infinitives avec *um … zu, ohne … zu, anstatt … zu*:
   Er ging zur Polizei(,) um seinen Pass abzuholen.

3. lorsque des parties de phrase, des groupes de mots ou des mots placés sur le même plan sont reliés par *und, oder* … (voir sous I, 1):
   Er geht immer zu Fuß zur Arbeit(,) und in die Stadt fährt er mit dem Bus.

Liste des verbes forts et des verbes irréguliers

Remarques préliminaires

1. Les verbes suivants ont des emplois divers, c.-à-d. que leur sens varie selon qu'ils sont employés avec des préfixes, des prépositions etc., p. ex.: *brechen*:
   Der Verlobte hat *sein Wort* (A) gebrochen.
   Der Junge hat den Ast *ab*gebrochen.
   Vier Häftlinge sind aus dem Gefängnis *aus*gebrochen.
   Der Gast hat das Glas *zer*brochen.
   Er hat *sich* den Arm gebrochen.
   Der junge Mann hat *mit* seinen Eltern gebrochen.
   Der Kranke hat *dreimal am Tag* gebrochen.

2. Les indications (N = nominatif, D=datif, A=accusatif, Inf.-K. = proposition infinitive) indiquent l'emploi simple de ces verbes. Si un verbe n'est employé à un cas donné que dans certaines conditions, cette indication est donnée entre parenthèses. Si un verbe n'est employé qu'avec un complément de temps ou de lieu ou avec un complément prépositionnel il n'y a aucune indication.

Infinitiv	3. Pers. Sg. Präsens	3. Pers. Sg. Präteritum	3. Pers. Sg. Perfekt	Gebrauch
backen	er bäckt (backt)	er backte (buk)	er hat gebacken	A
befehlen	er befiehlt	er befahl	er hat befohlen	D + Inf.-K.
beginnen	er beginnt	er begann	er hat begonnen	A
beißen	er beißt	er biss	er hat gebissen	A
bergen	er birgt	er barg	er hat geborgen	A
bersten	er birst	er barst	er ist geborsten	–
betrügen	er betrügt	er betrog	er hat betrogen	A
bewegen[1]	er bewegt	er bewog	er hat bewogen	A + Inf.-K.

[1] *bewegen* (stark): Was hat ihn bewogen, so schnell abzufahren?
bewegen (schwach): Der Polizist bewegte den Arm.

Infinitiv	3. Pers. Sg. Präsens	3. Pers. Sg. Präteritum	3. Pers. Sg. Perfekt	Gebrauch
biegen	er biegt	er bog	er hat gebogen	A
bieten	er bietet	er bot	er hat geboten	D A
binden	er bindet	er band	er hat gebunden	A
bitten	er bittet	er bat	er hat gebeten	A + Inf.-K.
blasen	er bläst	er blies	er hat geblasen	(A)
bleiben	er bleibt	er blieb	er ist geblieben	–
braten	er brät (bratet)	er briet	er hat gebraten	A
brechen	er bricht	er brach	er ist / hat gebrochen	(A)
brennen	er brennt	er brannte	er hat gebrannt	–
bringen	er bringt	er brachte	er hat gebracht	D A
denken	er denkt	er dachte	er hat gedacht	–
dingen[2]	er dingt	er dang	er hat gedungen	A
dreschen	er drischt	er drosch	er hat gedroschen	A
dringen[3]	er dringt	er drang	er ist / hat gedrungen	–
dürfen	er darf	er durfte	er hat gedurft	–
empfehlen	er empfiehlt	er empfahl	er hat empfohlen	D + Inf.-K. D A
erlöschen[4]	er erlischt	er erlosch	er ist erloschen	–
erschrecken[5]	er erschrickt	er erschrak	er ist erschrocken	–
erwägen	er erwägt	er erwog	er hat erwogen	A
essen	er isst	er aß	er hat gegessen	A
fahren[6]	er fährt	er fuhr	er ist / hat gefahren	(A)
fallen	er fällt	er fiel	er ist gefallen	–
fangen	er fängt	er fing	er hat gefangen	A
fechten	er ficht	er focht	er hat gefochten	–
finden	er findet	er fand	er hat gefunden	A
flechten	er flicht	er flocht	er hat geflochten	A
fliegen[7]	er fliegt	er flog	er ist / hat geflogen	(A)
fliehen	er flieht	er floh	er ist geflohen	–
fließen	er fließt	er floss	er ist geflossen	–
fressen	er frisst	er fraß	er hat gefressen	A
frieren	er friert	er fror	er hat gefroren	–
gären[8]	er gärt	er gor	er ist gegoren	–

[2] *dingen:* heute nur noch „einen Mörder dingen = der gedungene Mörder"
[3] *ist / hat gedrungen:* Das Wasser ist in den Keller gedrungen. – Er hat auf die Einhaltung des Vertrages gedrungen.
[4] *erlöschen* (stark): Das Feuer erlosch im Kamin.
löschen (schwach): Die Feuerwehr löschte das Feuer.
[5] *erschrecken* (stark): Das Kind erschrak vor dem Hund.
erschrecken (schwach): Der Hund erschreckte das Kind.
[6] *ist / hat gefahren:* Er ist nach England gefahren. – Er hat den Wagen in die Garage gefahren.
[7] *ist / hat geflogen:* Wir sind nach New York geflogen. – Der Pilot hat die Maschine nach Rom geflogen.
[8] *gären* (stark): Der Most gor im Fass.
gären (schwach): Schon Jahre vor der Revolution gärte es im Volk.

Infinitiv	3. Pers. Sg. Präsens	3. Pers. Sg. Präteritum	3. Pers. Sg. Perfekt	Gebrauch
gebären	sie gebiert (gebärt)	sie gebar	sie hat geboren	A
geben	er gibt	er gab	er hat gegeben	D A
gedeihen	er gedeiht	er gedieh	er ist gediehen	–
gehen	er geht	er ging	er ist gegangen	–
gelingen	es gelingt	es gelang	es ist gelungen	D + Inf.-K.
gelten	er gilt	er galt	er hat gegolten	–
genesen	er genest	er genas	er ist genesen	–
genießen	er genießt	er genoss	er hat genossen	A
geschehen	es geschieht	es geschah	es ist geschehen	–
gewinnen	er gewinnt	er gewann	er hat gewonnen	(A)
gießen	er gießt	er goss	er hat gegossen	A
gleichen	er gleicht	er glich	er hat geglichen	D
gleiten	er gleitet	er glitt	er ist geglitten	–
glimmen	er glimmt	er glomm	er hat geglommen	–
graben	er gräbt	er grub	er hat gegraben	(D) A
greifen	er greift	er griff	er hat gegriffen	(A)
haben	er hat	er hatte	er hat gehabt	A
halten	er hält	er hielt	er hat gehalten	(A)
hängen[9]	er hängt	er hing	er hat gehangen	–
hauen	er haut	er hieb (haute)	er hat gehauen	A
heben	er hebt	er hob	er hat gehoben	A
heißen	er heißt	er hieß	er hat geheißen	(N) AA
helfen	er hilft	er half	er hat geholfen	D
kennen	er kennt	er kannte	er hat gekannt	A
klimmen	er klimmt	er klomm	er ist geklommen	–
klingen	er klingt	er klang	er hat geklungen	–
kneifen	er kneift	er kniff	er hat gekniffen	A
kommen	er kommt	er kam	er ist gekommen	–
können	er kann	er konnte	er hat gekonnt	A
kriechen	er kriecht	er kroch	er ist gekrochen	–
laden	er lädt	er lud	er hat geladen	A
lassen[10]	er lässt	er ließ	er hat gelassen	(D) A
laufen	er läuft	er lief	er ist gelaufen	–
leiden	er leidet	er litt	er hat gelitten	–
leihen	er leiht	er lieh	er hat geliehen	D A
lesen	er liest	er las	er hat gelesen	A
liegen	er liegt	er lag	er hat gelegen	–
lügen	er lügt	er log	er hat gelogen	–
mahlen	er mahlt	er mahlte	er hat gemahlen	A

[9]   *hängen* (stark): Die Kleider hingen im Schrank.
       hängen (schwach): Sie hängte die Kleider in den Schrank.
[10]   *lassen* (stark): Sie ließ die Kinder zu Hause.
       veranlassen (schwach): Die Behörden veranlassten die Schließung des Lokals.

Infinitiv	3. Pers. Sg. Präsens	3. Pers. Sg. Präteritum	3. Pers. Sg. Perfekt	Gebrauch
meiden	er meidet	er mied	er hat gemieden	A
melken	er melkt	er molk (melkte)	er hat gemolken	A
messen	er misst	er maß	er hat gemessen	A
mögen	er mag	er mochte	er hat gemocht	A
müssen	er muss	er musste	er hat gemusst	–
nehmen	er nimmt	er nahm	er hat genommen	D A
nennen	er nennt	er nannte	er hat genannt	AA
pfeifen	er pfeift	er pfiff	er hat gepfiffen	A
preisen	er preist	er pries	er hat gepriesen	A
quellen	er quillt	er quoll	er ist gequollen	–
raten	er rät	er riet	er hat geraten	D + Inf.-K.
reiben	er reibt	er rieb	er hat gerieben	A
reißen[11]	er reißt	er riss	er hat / ist gerissen	–
reiten[12]	er reitet	er ritt	er ist / hat geritten	(A)
rennen	er rennt	er rannte	er ist gerannt	–
riechen	er riecht	er roch	er hat gerochen	(A)
ringen	er ringt	er rang	er hat gerungen	–
rinnen	er rinnt	er rann	er ist geronnen	–
rufen	er ruft	er rief	er hat gerufen	A
salzen	er salzt	er salzte	er hat gesalzen	A
saufen	er säuft	er soff	er hat gesoffen	A
saugen	er saugt	er sog (saugte)	er hat gesogen (gesaugt)	(A)
schaffen[13]	er schafft	er schuf	er hat geschaffen	A
scheiden[14]	er scheidet	er schied	er hat / ist geschieden	(A)
scheinen	er scheint	er schien	er hat geschienen	–
scheißen	er scheißt	er schiss	er hat geschissen	–
schelten	er schilt	er schalt	er hat gescholten	A (AA)
scheren	er schert	er schor	er hat geschoren	(D) A
schieben	er schiebt	er schob	er hat geschoben	A
schießen	er schießt	er schoss	er hat geschossen	(A)
schlafen	er schläft	er schlief	er hat geschlafen	–
schlagen	er schlägt	er schlug	er hat geschlagen	A
schleichen	er schleicht	er schlich	er ist geschlichen	–
schleifen[15]	er schleift	er schliff	er hat geschliffen	A
schließen	er schließt	er schloss	er hat geschlossen	A
schlingen	er schlingt	er schlang	er hat geschlungen	(A)

[11] *hat / ist gerissen:* Das Pferd hat an dem Strick gerissen. – Der Strick ist gerissen.
[12] *ist / hat geritten:* Er ist durch den Wald geritten. – Er hat dieses Pferd schon lange geritten.
[13] *schaffen* (stark): Am Anfang schuf Gott Himmel und Erde.
   schaffen (schwach): Ich habe die Arbeit nicht mehr geschafft.
[14] *hat / ist geschieden:* Der Richter hat die Ehe geschieden. – Er ist ungern von hier geschieden.
[15] *schleifen* (stark): Er hat das Messer geschliffen.
   schleifen (schwach): Er schleifte den Sack über den Boden.

Infinitiv	3. Pers. Sg. Präsens	3. Pers. Sg. Präteritum	3. Pers. Sg. Perfekt	Gebrauch
schmeißen	er schmeißt	er schmiss	er hat geschmissen	A
schmelzen[16]	er schmilzt	er schmolz	er hat / ist geschmolzen	A
schneiden	er schneidet	er schnitt	er hat geschnitten	(A)
schreiben	er schreibt	er schrieb	er hat geschrieben	(D) A
schreien	er schreit	er schrie	er hat geschrie(e)n	–
schreiten	er schreitet	er schritt	er ist geschritten	–
schweigen	er schweigt	er schwieg	er hat geschwiegen	–
schwellen[17]	er schwillt	er schwoll	er ist geschwollen	–
schwimmen[18]	er schwimmt	er schwamm	er ist / hat geschwommen	–
schwingen	er schwingt	er schwang	er hat geschwungen	(A)
schwören	er schwört	er schwor	er hat geschworen	(D) A
sehen	er sieht	er sah	er hat gesehen	A
sein	er ist	er war	er ist gewesen	N
senden[19]	er sendet	er sandte (sendete)	er hat gesandt (gesendet)	(D) A
singen	er singt	er sang	er hat gesungen	A
sinken	er sinkt	er sank	er ist gesunken	–
sinnen	er sinnt	er sann	er hat gesonnen	–
sitzen	er sitzt	er saß	er hat gesessen	–
sollen	er soll	er sollte	er hat gesollt	–
spalten	er spaltet	er spaltete	er hat gespalten	A
speien	er speit	er spie	er hat gespie(e)n	–
spinnen	er spinnt	er spann	er hat gesponnen	A
sprechen	er spricht	er sprach	er hat gesprochen	A
sprießen	er sprießt	er spross	er ist gesprossen	–
springen	er springt	er sprang	er ist gesprungen	–
stechen	er sticht	er stach	er hat gestochen	(A)
stehen	er steht	er stand	er hat gestanden	–
stehlen	er stiehlt	er stahl	er hat gestohlen	D A
steigen	er steigt	er stieg	er ist gestiegen	–
sterben	er stirbt	er starb	er ist gestorben	–
stieben	er stiebt	er stob	er ist gestoben	–
stinken	er stinkt	er stank	er hat gestunken	–
stoßen[20]	er stößt	er stieß	er hat / ist gestoßen	–
streichen	er streicht	er strich	er hat gestrichen	A
streiten	er streitet	er stritt	er hat gestritten	–

[16] *hat / ist geschmolzen:* Das Wachs ist geschmolzen. – Sie haben das Eisenerz geschmolzen.

[17] *schwellen* (stark): Seine linke Gesichtshälfte ist geschwollen.
      schwellen (schwach): Der Wind schwellte die Segel.

[18] *ist / hat geschwommen:* Der Flüchtling ist durch die Elbe geschwommen. – Er hat drei Stunden im Schwimmbad geschwommen.

[19] *senden* (stark): Sie hat mir ein Weihnachtspäckchen gesandt.
      senden (schwach): Um 20 Uhr werden die Nachrichten gesendet.

[20] *hat / ist gestoßen:* Ich habe mich an der Küchentür gestoßen. – Er ist mit dem Fuß gegen einen Stein gestoßen.

Infinitiv	3. Pers. Sg. Präsens	3. Pers. Sg. Präteritum	3. Pers. Sg. Perfekt	Gebrauch
tragen	er trägt	er trug	er hat getragen	(D) A
treffen	er trifft	er traf	er hat getroffen	A
treiben[21]	er treibt	er trieb	er hat / ist getrieben	(A)
treten[22]	er tritt	er trat	er ist / hat getreten	–
trinken	er trinkt	er trank	er hat getrunken	A
tun	er tut	er tat	er hat getan	A
verbleichen	es verbleicht	es verblich	er / es ist verblichen	–
verderben[23]	er verdirbt	er verdarb	er hat / ist verdorben	(DA)
verdrießen	es verdrießt	es verdross	es hat verdrossen	A
vergessen	er vergisst	er vergaß	er hat vergessen	A
verlieren	er verliert	er verlor	er hat verloren	A
verschwinden	er verschwindet	er verschwand	er ist verschwunden	–
verzeihen	er verzeiht	er verzieh	er hat verziehen	D A
wachsen	er wächst	er wuchs	er ist gewachsen	–
waschen	er wäscht	er wusch	er hat gewaschen	(D) A
weichen[24]	er weicht	er wich	er ist gewichen	–
weisen	er weist	er wies	er hat gewiesen	D A
wenden	er wendet	er wandte (wendete)	er hat gewandt (gewendet)	(A)
werben	er wirbt	er warb	er hat geworben	(A)
werden	er wird	er wurde	er ist geworden	N
werfen	er wirft	er warf	er hat geworfen	A
wiegen[25]	er wiegt	er wog	er hat gewogen	A
winden	er windet	er wand	er hat gewunden	A
wissen	er weiß	er wusste	er hat gewusst	A
wollen	er will	er wollte	er hat gewollt	A
wringen	er wringt	er wrang	er hat gewrungen	A
ziehen[26]	er zieht	er zog	er hat / ist gezogen	A
zwingen	er zwingt	er zwang	er hat gezwungen	A + Inf.-K.

[21] *ist / hat getrieben:* Sie hat die Kühe auf die Weide getrieben. – Das Boot ist an Land getrieben.
[22] *hat / ist getreten:* Er ist ins Zimmer getreten. – Er hat mir auf den Fuß getreten.
[23] *hat / ist verdorben:* Er hat mir alle Pläne verdorben. – Das Fleisch ist in der Hitze verdorben.
[24] *weichen* (stark): Der Bettler wich nicht von meiner Seite.
      weichen (schwach): Die Brötchen sind in der Milch aufgeweicht.
[25] *wiegen* (stark): Der Kaufmann wog die Kartoffeln.
      wiegen (schwach): Die Mutter wiegte ihr Kind.
[26] *hat / ist gezogen:* Das Pferd hat den Wagen gezogen. – Er ist in eine neue Wohnung gezogen.

Liste des expressions grammaticales employées

(terminologie allemande conforme à la Grammaire Duden)

accusatif	*der Akkusativ* (der 4. Fall, „Wenfall")	= dans la phrase: 1. complément d'objet direct (question: *wen?* ou *was?*): Ich sehe *den Berg*. 2. complément de temps: (question: *wann?*): Er kommt *jeden Freitag*. 3. complément de mesure (question: *wie lang?* etc.): Der Tisch ist *einen Meter* lang. Der Säugling ist *einen Monat* alt.
adjectif	*das Adjektiv* (das Eigenschaftswort)	*grün, breit, alt, mutig*
adjectif possessif	*das Possessivpronomen* (das besitzanzeigende Fürwort)	= indique la possession ou l'appartenance: *Mein* Bruder studiert in München. Er ärgert sich über *seinen* Kollegen. Ich habe *Ihren* Brief leider noch nicht beantwortet.
adverbe	*das Adverb* (das Umstandswort)	Er kommt *heute*. (question: *wann?*) Er steht *dort*. (question: *wo?*) Er spricht *schnell*. (question: *wie?*)
adverbe d'insistance	*das Rangattribut*	*Nicht* der Angeklagte, sondern das Gericht muss die Tat beweisen. *Auch* seine Stimme sollte gehört werden.
adverbe pronominal	*das Pronominaladverb*	= remplace un complément prépositionnel déjà cité: (Er denkt an seine Heimat.) Er denkt *daran*, in seine Heimat zurückzukehren.
apposition	*die Apposition* (der Beisatz)	Herr Meyer, *unser neuer Kollege,* ist sehr sympathisch.
article	*der Artikel* (das Geschlechtswort)	1. l'article défini: singulier: *der, die, das* pluriel: *die* 2. l'article indéfini: singulier: *ein, eine, ein* pluriel: pas d'article
attribut	*das Attribut*	1. l'adjectif épithète: der *grüne* Baum, *frische* Luft 2. le complément de nom: der Bruder *meines Mannes* 3. les compléments circonstanciels: der Kongress *in der alten Oper* die Nachrichten *um 20 Uhr* im *Hamburger* Hafen

auxiliaire	*das Hilfsverb*	*haben, sein, werden*
cas	*der Kasus* (der Fall)	nominatif, génitif, datif, accusatif

causal   *kausal*

= indication de la cause
(question: *warum?*)
1. Proposition principale causale:
   Sie kommt heute nicht, *denn wir haben uns gestritten.*
   Wir haben uns gestritten; *darum kommt sie heute nicht.*
2. proposition subordonnée causale:
   Sie kommt heute nicht, *weil wir uns gestritten haben.*
3. complément circonstanciel de cause avec préposition:
   Wegen unseres Streits kommt sie heute nicht.

choix   *alternativ*

= pour indiquer une autre possibilité:
Entweder gelingt das Experiment *oder* wir müssen wieder von vorne anfangen.

comparatif   *der Komparativ*

= différents degrés de comparaison:
1. adjectif épithète:
   Der Sekretär ist *längere* Zeit im Geschäft als sein Chef.
2. adverbe:
   Der Sekretär ist *älter* als sein Chef.

complément adverbial   *die adverbiale Angabe*

Er kommt *jeden Freitag um acht Uhr.*
(question: *wann?*)
Er wohnt *in der Gartenstraße neben dem Postamt.* (question: *wo?*)
Er läuft *auf die Straße.*
(question: *wohin?*)
Er spricht *mit leiser Stimme.*
(question: *wie?*)

complément prépositionnel   *das Präpositionalobjekt*

= dépend des verbes avec préposition:
Ich verlasse mich *auf seine Ehrlichkeit.*
Er fürchtet sich *vor seinem Examen.*

concessif   *konzessiv*

= indique une restriction:
1. proposition principale concessive:
   Ich kann ihn nicht leiden, *aber ich lade ihn doch ein.*
   Ich kann ihn nicht leiden, *trotzdem lade ich ihn ein.*
2. proposition subordonnée concessive:
   Ich lade ihn ein, *obwohl ich ihn nicht leiden kann.*
3. Complément circonstanciel de concession avec préposition:
   Trotz meiner Abneigung lade ich ihn ein.

conditionnel	**konditional**	= indique une condition: 1. proposition conditionnelle (condition réalisable): *Wenn er nicht kommt,* fahren wir ohne ihn. 2. proposition conditionnelle (condition non réalisée): *Wenn er jetzt noch käme,* könnten wir ihn mitnehmen.
conjonction	**Konjunktion**	= relie deux phrases entre elles: 1. conjonctions reliant deux proposi- tions principales: Er geht voran *und* ich folge ihm. (en position 0) Du hast dich nicht verändert; *darum* habe ich dich sofort erkannt. (en position 1) 2. conjonctions reliant une proposition subordonnée à une principale (aussi «Subjunktion»): Sein Sohn erbte alles, *als* er starb. Er bekam die Erbschaft, *weil* er fleißig und tüchtig war.
conjugaison	**die Konjugation** (die Beugung des Verbs)	*ich gehe* *du gehst* *er geht* *wir gehen* etc.
conséquence	**konsekutiv**	= indique la conséquence: dans une subordonnée: Er war *so* aufgeregt, *dass er stotterte.* Er hatte keine Kinder, *so dass sein Neffe* *alles erbte.*
consonne	**der Konsonant** (der Mitlaut)	*b, c, d, f, g, h* etc.
datif	**der Dativ** (der 3. Fall, „Wemfall")	= dans la phrase: le complément au datif (question: *wem?*) Ich vertraue *meinem Nachbarn.*
déclinaison	**die Deklination** (déclinaison du substantif, de l'article, du pronom et de l'adjectif)	nominatif: *der Mann* génitif: *des Mannes* datif: *dem Mann* accusatif: *den Mann* etc.
diphtongue	**Diphthong** (der Doppellaut)	= juxtaposition de deux voyelles: *au, ei, eu*
discours direct	**die direkte Rede**	Er sagte: „Ich gehe jetzt." Er fragte: „Gehst du jetzt?" Er befahl: „Geh jetzt!"
discours indirect	**die indirekte Rede**	= discours direct rapporté par une autre personne: Er sagte, *er gehe in die Kirche.* Er sagte, *er sei in die Kirche gegangen.*

expressions avec verbes de fonction	*das Funktionsverbgefüge*	= expressions fixes formées d'un verbe, d'une préposition et d'un complément d'objet à l'accusatif: Er *bringt* das Problem *zur Sprache.* Man *kam* schnell *zu einem Ergebnis.*
féminin	*feminin*	= *die Frau, die Beamtin, die Polin, die Bank, die Hoffnung*
final	*final*	= indique une intention, un but: 1. subordonnée de but: *Damit der Fall geklärt wird,* muss ich Folgendes sagen … 2. proposition infinitive: *Um den Fall zu klären* muss ich Folgendes sagen … 3. complément de but avec préposition: *Zur Klärung des Falles* muss ich Folgendes sagen …
futur	*das Futur*	1. pour exprimer quelque chose qui se passera éventuellement: Wir müssen uns beeilen, es *wird* gleich *regnen.* (Futur I) Bis morgen *werden* wir das Problem *gelöst haben.* (Futur II) 2. pour exprimer une hypothèse, une supposition: Im Lauf der nächsten Jahre *werden* wir uns wohl *wiedersehen.* (Futur I) Es ist sechs Uhr; sie *wird* schon nach Hause *gegangen sein.* (Futur II) En allemand le futur est généralement exprimé par un présent accompagné d'une indication de temps. Herr Koop *heiratet* nächsten Montag.
génitif	*der Genitiv* (der 2. Fall, „Wesfall")	= dans la phrase: 1. le génitif complément (question: *wessen?*) Man klagte ihn *des Diebstahls* an. 2. le génitif complément de nom: Der Vortrag *des Professors* war interessant.
genre	*das Genus* (= das Geschlecht)	masculin, féminin, neutre
imparfait	*das Imperfekt*	voir prétérit
impératif	*der Imperativ*	= forme exprimant l'ordre: *Gib mir die Hand! Denkt an die Zukunft! Bitte warten Sie!*

indicatif	*der Indikativ*	= conjugaison: expression du réel. Voir aussi: subjonctif. *ich sage, ich habe gesagt; du läufst, du bist gelaufen*
infinitif	*der Infinitiv*	= forme neutre du verbe qui ne se conjugue pas: 1. infinitif présent actif: *üben, kommen* 2. infinitif passé actif: *geübt haben; gekommen sein* 3. infinitif présent passif: *geübt werden* 4. infinitif passé passif: *geübt worden sein*
inflexion	*Umlaut*	*ä (äu), ö, ü*
lieu	*lokal*	= indication du lieu (question: *wo?* ou *wohin?*) 1. adverbes de lieu ou compléments circonstanciels de lieu: *Dort* liegt der Brief. (question: *wo?*) *Im Zug* sprach mich ein Herr an. (question: *wo?*) Wir wollen *auf den Berg* steigen. (question: *wohin?*) 2. proposition subordonnée de lieu: Ich weiß nicht, *wo meine Brille ist.* Ich weiß nicht, *wohin ich meine Brille gelegt habe.*
manière	*modal*	= indication de la manière (question: *wie?*) 1. adverbes de manière ou compléments circonstanciels de manière: Seine Höflichkeit war mir *angenehm.* *Mit freundlichen Worten* erklärte er mir meine Fehler. 2. subordonnée de manière: Er verhielt sich *so, wie ich es erwartet hatte.* 3. phrase comparative: a) comparaison de réalité: Er verhielt sich *genauso wie früher.* b) comparaison d'irréalité: Er tat *so, als ob er alles wüsste.*
masculin	*maskulin*	*der Mann, der Bäcker, der Pole, der Schrank, der Staat.*
mode	*der Modus*	= indicatif, subjonctif
moyen	*instrumental*	= indication d'un moyen ou de l'usage d'un instrument: 1. proposition subordonnée de moyen: Sie fanden den Weg aus dem Urwald, *indem sie einem Fluss folgten.* 2. complément circonstanciel de moyen avec préposition: *Mittels (Mit Hilfe) eines Kompasses* bestimmen die Seeleute ihren Kurs.

neutre	*neutral*	*das Kind, das Pferd, das Land, das Fenster, das Parlament*
nombre cardinal	*die Kardinalzahlen* (die Grundzahl)	*eins, zwei, drei … hundert, tausend …* *(1, 2, 3 …)*
nombre ordinal	*die Ordinalzahlen* (die Ordnungszahl)	der *erste*, der *zweite* … der *hundertste* … *(1., 2. … 100.)* Am ersten Tag … / Er war der Erste.
nominatif	*der Nominativ* (der 1. Fall, „Werfall")	= dans la phrase: le sujet (question: *wer?* ou *was?*): *Der Polizist* zeigte uns den Weg.
nom	*das Nomen*	= voir «substantif»
nominatif attribut	*der Prädikatsnominativ*	= avec les verbes *sein* et *werden* etc. Die Biene ist *ein Insekt.*
objet	*das Objekt*	= dans la phrase: 1. complément d'objet à l'accusatif (question: *wen?* ou *was?*): Wir lieben *den Wein* und *die Musik.* 2. complément au datif (question: *wem?*): Der Lehrling widerspricht *dem Meister.* 3. le complément au génitif (question: *wessen?*): Der Händler wurde *des Betrugs* verdächtigt.
opposition	*adversativ*	= indique une opposition: Ich kenne alle Wörter, *aber* ich verstehe den Satz nicht.
parfait	*das Perfekt*	= forme du passé dans le récit oral: 1. à l'actif: Ich *bin* gestern zu spät *gekommen.* Wir *haben* das Paket zur Post *gebracht.* 2. au passif: Gestern *ist* mein Freund *operiert worden.*
participe passé	*das Partizip Perfekt* ˙ (das Mittelwort der Vergangenheit)	Er ist *gekommen.* Er hat mich *erkannt.* Er ist *eingeschlafen.* Das Dokument ist *gefälscht* worden.
participe présent	*das Partizip Präsens* (das Mittelwort der Gegenwart)	= infinitif + d: *lachend, weinend* 1. avec valeur d'adverbe (question: *wie?*) Das Kind lief *weinend* in die Küche. 2. avec valeur d'adjectif épithète: Das *weinende* Kind lief in die Küche.
particule	der Verbzusatz	= mot porteur de sens – souvent une préposition – placé devant un verbe, un mot substantivé, un adverbe etc., p. ex.: *ab-, aus-, ein-, fort-, vor-, zurück-:*

passif	*das Zustandspassiv*	= le participe passé avec *sein* peut désigner un état: (question: *wie?*): Die Stadt *ist zerstört*.
phrase active	*der Aktivsatz*	= L'action est déterminée par des personnes ou des choses. Voir aussi: phrase passive. *Herr Müller gräbt seinen Garten um. Das Schiff versinkt im Ozean.*
phrase participiale	*der Partizipialsatz*	= phrase formée avec un participe ayant une valeur adverbiale: Die Zuschauer zeigten *Beifall klatschend und laut jubelnd* ihre Zustimmung.
phrase passive	*der Passivsatz*	= seule l'action est importante, les actants ne sont pas connus ou sans intérêt. Voir aussi: phrase active. *Hier wird eine Straße gebaut.*
pluriel	*der Plural*	*Wir spielen mit den Kindern.*
plus-que-parfait	*das Plusquamperfekt*	= forme du passé marquant une anté- riorité, le plus souvent dans le récit écrit: 1. à l'actif: Weil er seinen Schlüssel *vergessen hatte,* musste er bei uns übernachten. 2. au passif: Weil dier Fahrpreise *erhöht worden waren,* fuhren noch mehr Leute mit dem eigenen Auto.
préfixe	*das Präfix* (die Vorsilbe)	voir aussi: «particule» = syllabe placée devant un verbe, un mot substantivé, un adverbe etc., p. ex. *be-, er-, ge-, ver-: be*kennen, das *Be*kennt- nis; die *Be*kanntschaft, *be*kannt; *ver*wenden, die *Ver*wendung; die *Ver*wandtschaft, *ver*wandt
préposition	*die Präposition*	avec l'accusatif: *für, gegen* etc. avec le datif: *aus, bei* etc. avec l'accusatif ou le datif: *auf, unter* etc. avec le génitif: *während, wegen, trotz* etc.
présent	*das Präsens*	= forme du présent à l'oral et pour ex- primer des généralités: 1. à la forme active: Was *tust* du? – Ich *höre* Musik. Die Erde *kreist* um die Sonne. 2. à la forme passive: Ich *werde verfolgt.* Seit Jahrtausenden *werden* die gleichen mathematischen Regeln *angewandt.*

prétérit	*das Präteritum*	= temps du passé dans le récit écrit: 1. à la forme active: Er *studierte* Chemie. 2. à la forme passive: Er *wurde* verhaftet.
pronom	*das Pronomen* (das Fürwort)	1. voir «l'adjectif/pronom démonstratif» 2. voir «l'adjectif/pronom indéfini» 3. voir «le pronom personnel» 4. voir «l'adjectif/pronom possessif» 5. voir «le pronom réfléchi» 6. voir «le pronom relatif»
pronom/adjectif démonstratif	*das Demonstrativpronomen* (das hinweisende Fürwort)	= sert à désigner des personnes ou des choses déterminées: *Dieser* Turm ist der älteste der Stadt. Wie man das macht, *das* weiß ich nicht.
pronom/adjectif indéfini	*das Indefinitpronomen* (das unbestimmte Fürwort)	≙ sert à désigner des personnes ou des choses déterminées: *Jemand* hat mich angerufen. *Manches* Küchengerät ist unnütz.
pronom personnel	*das Personalpronomen* (das persönliche Fürwort)	1. désigne des personnes: *Ich* gehe nach Hause. Leider hast *du* mir nicht geantwortet. *Ihr* habt alles verdorben. 2. sert à désigner des personnes ou des choses déjà citées: Ich kenne meine Freundin. *Sie* ist sehr zuverlässig. Der Schüler fragte. Der Lehrer ant- wortete *ihm*.
pronom réfléchi	*das Reflexivpronomen* (rückbezügliches Fürwort)	= employé avec un verbe, il se rapporte au sujet: Im Urlaub haben wir *uns* gut erholt. Er beschäftigt *sich* nur mit seinen Tauben. Der Junge und das Mädchen trafen *sich* im Café.
pronom relatif	*das Relativpronomen* (bezügliches Fürwort)	der Mann, *der* … die Frau, *die* … das Kind, *das* … etc.
proposition infinitive	*die Infinitivkonstruktion*	1. elle peut dépendre de certains verbes: Er *versuchte* den Bewusstlosen aus dem Wasser *zu ziehen*. 2. la proposition infinitive avec «um, ohne, anstatt»: Er besucht den Kurs *um Englisch zu* *lernen*. Er ging vorbei *ohne mich anzusehen*. Sie reden nur *anstatt zu handeln*.

proposition participiale	*die Partizipial-konstruktion*	= formée d'un participe ayant valeur d'adjectif: 1. participe présent (I): Das *am Ende der Straße liegende* Hotel … = Das Hotel, das am Ende der Straße liegt, … 2. participe passé (II): Die *durch ein Erdbeben zerstörte* Stadt … = Die Stadt, die durch ein Erdbeben zerstört worden ist, …
proposition principale	*der Hauptsatz*	= phrase complète, indépendante. Le verbe conjugué est placé en position II: *Er gab mir das Buch zurück.*
proposition relative	*der Relativsatz*	au nominatif: Kinder, *die viel Süßigkeiten essen*, haben oft schlechte Zähne. au génitif: Der Bauer, *dessen Scheune abgebrannt war*, erhielt Schadenersatz. au datif: Man hat den Ingenieur, *dem ein Fehler nachgewiesen wurde*, entlassen. à l'accusatif: Spät abends kam ein Gast, *den niemand kannte.*
proposition subordonnée	*der Nebensatz*	= phrase incomplète, dépendant d'une principale. Le verbe conjugué est placé à la fin de la phrase (exceptions voir § 18, § 19, § 28, § 54 II): Er versteht mich, *weil er mich kennt.*
question	*die Frage*	1. la question directe: „*Kommst du bald?*" „*Wann kommst du?*" 2. la question indirecte: Sie fragte, *ob er bald komme.* Sie fragte, *wann er komme.* 3. la subordonnée interrogative: Ich weiß nicht, *ob er kommt.* Ich weiß nicht, *wann er kommt.*
radical et terminaison	*der Stamm und die Endung*	(voir tableau ci-dessous)
radicaux	*Stammformen*	= verbes dont peuvent être dérivées toutes les autres conjugaisons: *lachen*, er *lachte*, er hat *gelacht* *gehen*, er *ging*, er ist *gegangen*

Tableau pour « radical et terminaison »:

	radical	terminaison
	geb	*en*
du	*lach*	*st*
ihr	*könnt*	*et*
des	*Kind*	*es*
	schön	*er* etc.

rection des verbes	*die Rektion der Verben*	= indique le cas régi par certains verbes.
singulier	*der Singular*	= *Ich lese die Zeitung.*
subjonctif	*der Konjunktiv*	= conjugaison de la forme du possible: 1. subjonctif I = voir «discours indirect» 2. subjonctif II = voir «subjonctif d'irréalité»
subjonctif d'irréalité	*irrealer Konjunktiv*	= subjonctif de non-réalité: 1. expression du souhait non réalisé *Wenn sie doch käme! / Käme sie doch!* 2. la condition irréelle: *Wenn ich Geld hätte, führe ich nach Italien!* 3. la comparaison avec condition non réalisée: *Er tat so, als ob er krank wäre.*
substantif	*das Substantiv*	= mot, en tant qu'unité, commençant par une majuscule, le plus souvent précédé d'un article. die *Sonne,* der *Mond,* Plural: die *Sterne*
sujet	*das Subjekt*	= dans la phrase: partie de la phrase au nominatif (question *wer?* ou *was?*): *Die Sonne* steht hoch am Himmel. Endlich kam *er* zum Essen.
superlatif	*der Superlativ*	= degré de comparaison le plus fort: 1. épithète: Der 21. Juni ist der *längste* Tag des Jahres. 2. adverbe: Um Weihnachten sind die Tage *am kürzesten.*
temps	*das Tempus*	= la forme du temps du verbe; voir «présent»,«prétérit», «parfait», «plus-que-parfait» et «futur»
temps	*temporal*	= indication de temps (question: *wann?*): 1. proposition principale de temps: Es blitzte und donnerte, *dann begann es zu regnen.* 2. proposition subordonnée de temps: *Als er starb,* war er 85 Jahre alt. 3. compléments circonstanciels de temps: *Am 3. Juli* beginnen die Ferien. *Jeden Morgen* fährt er nach Darmstadt.
terminaison	*die Endung*	voir «radical»

verbe	*das Verb* (Zeit- oder Tätigkeitswort)	1. est indiqué seul à l'infinitif: *essen, abreisen, erkennen, sich unter-halten* 2. est employé dans la phrase à la forme conjuguée: *er isst, er reiste … ab, er erkennt, er unterhält sich*
verbes à particule inséparable	*untrennbare Verben*	= verbes formés avec un préfixe inséparable: Er *zerreißt* den Brief.
verbes à particule séparable	*trennbare Verben*	= verbes formés avec une particule pouvant être séparée du verbe: Er *reist* um 23 Uhr *ab*.
verbe conjugué	*konjugiertes Verb*	= dans la phrase: le verbe avec sa terminaison: Er *geht* zu Fuß zur Schule. Du *hast* dich erkältet. Wir *kamen* zu spät *an*. … , als er gefragt *wurde*. … , weil ihr nicht gekommen *seid*.
verbes de fonction	*das Funktionsverb*	= verbes formant, avec un complément d'objet à l'accusatif, une expression fixe: Sie *trifft* eine Entscheidung. Er *legt* Beschwerde *ein*.
verbe de modalité	*das Modalverb*	*können, wollen, müssen, lassen* etc.
verbes intransitifs	*intransitive Verben*	= verbes ne pouvant être suivis d'un complément d'objet à l'accusatif: Er *geht* nach Hause. Der Schrank *steht* in der Ecke. Das Mädchen *gefällt* mir nicht.
verbes transitifs	*transitive Verben*	= verbes pouvant être suivis d'un complément d'objet direct: Sie *bauen* einen Staudamm. Er *steckte* den Geldschein in die Tasche.
voyelle	*der Vokal*	*a, e, i (ie), o, u*

Index